KB198094

린지 앤 린지안

린징 앤 린지안 II

초판 1쇄 인쇄일 | 2016년 7월 20일
초판 1쇄 발행일 | 2016년 7월 26일

지은이 | 오 윤
펴낸이 | 박성면
펴낸곳 | (주)동아

출판등록 | 제406-2012-000056호.
주소 | 경기도 파주시 문발로 115, 세종출판벤처타운 201-A호
전화 | (031)8071-5201
팩스 | (031)8071-5204
E-mail | bear6370@hanmail.net

정가 | 12,800원

ISBN 979-11-5511-658-6 (04810)
      979-11-5511-656-2 (Set)

R
ZERO
Romantic Fantasy

오 윤 장편소설 ZERO NOVEL

II

린진 앤 린지안

동아

chapter 10. 악마는 순수하다

맑았던 하늘에 먹구름이 낀 것은 오후부터였다. 비가 오려나, 라고 의아함이 들 찰나에 천둥소리가 대지를 울리더니 비가 쏟아져 내렸다. 너무나 갑작스러운 폭우였기에 린지를 비롯한 모든 고용인들이 놀라 허둥지둥했다. 특히 방금 전 빨래를 널고 온 린지는 더욱 당혹스러웠다.

'젠장, 왜 갑자기 비가 오고 그래!'

린지는 세탁물을 담을 바구니를 챙겨 들고 전력 질주했다. 빨랫줄이 있는 곳으로 나가자 그녀를 비롯한 다른 시녀, 시종들이 서둘러 빨랫감들을 거두어들이고 있었다. 린지 역시 빗속을 뚫고 달려가 서둘러 백작의 옷을 바구니에 넣었다. 덕분에 그녀의 몸은 홀딱 젖었지만 지금 본인의 몸을 챙길 때가 아니었다.

'아우 씨. 업무가 하나 더 늘어났어!'

다시 빨래해서 널게 생겼다. 린지는 속으로 욕설을 지껄이며 잽싸게 뒤로 돌았다. 그리고 다시 건물 안으로 달려가려는 순간.

쿵!

단단한 무언가와 얼굴을 부딪친 린지는 뒤로 벌러덩 넘어졌다. 빨래바구니를 단단히 잡고 있었기에 옷이 바닥으로 뒹구는 일은 없었지만 낙법을 하지 못해 엉덩이가 얼얼하게 아파 왔다.

'아우, 엉덩이 아파! 대체 누구야!'

그녀는 인상을 확 찡그리며 올려다보았다. 검은 그림자가 그녀를 내려다보고 있었다. 그렇게 생각될 만큼 흑색으로 둘러싸인 자였다. 검은 머리카락과 눈동자, 그리고 검은 슈트를 입은 사내가 우산을 들고 그녀의 앞에 서 있었다.

"……하준 님."

하준이었다. 우산을 들고 멀뚱히 그녀를 내려다보던 하준이 피식 비웃었다.

"뭐냐 너. 칠칠맞게 넘어지기나 하고."

"하준 님께서 끼어들지 않으셨다면 넘어지지 않았을 겁니다."

린지는 화를 애써 참으며 자리에서 일어났다. 하준은 일부러 린지가 뒤를 돌아 달리는 타이밍에 맞춰 은근슬쩍 끼어들었을 것이다. 그녀가 부딪쳐서 넘어지는 것을 노렸겠지. 하나 이것은 심증일 뿐이었다. 하준은 능청스럽게 어깨를 으쓱이며 영문을 모른다는 표정을 지었다.

"무슨 소리를 하는지 모르겠군. 네 녀석이 얼빠져서 넘어진 것을 왜 남의 탓을 하는 거지?"

"제가 모를 줄 아십니까? 하준 님께서 일부러 그러신 거잖아요."

짜증이 확 오른 린지가 언성을 높이자 하준이 겁먹은 것처럼 과장되게 어깨를 움츠려 보였다. 딱 봐도 린지를 놀리는 행동이었고, 그 의도는 성공했다. 린지는 정말로 약이 올라 죽을 지경이었으니까.

"이 비도 내가 내리게 했다고 그러지? 내가 너 괴롭히려고 구름을 끌어당겼다는 말은 왜 안 하냐?"

"……됐습니다."

더 얘기를 했다가는 저 얼굴에 주먹을 내리꽂을 것만 같았기에 린지는 그를 획 지나쳤다. 등 뒤에서 하준의 키득거리는 웃음소리가 들려왔지만 린지는 꾹 참았다. 참아야만 했다.

'아오, 열 받아 죽겠네!'

비를 쫄딱 맞은 데다가 빨래도 다시 해야 되는 상황에, 넘어져서 엉덩이까지 아픈 린지의 짜증은 극에 달해 있었다. 그녀는 일단 샤워부터 하기 위해 욕실로 들어갔다. 뜨거운 물을 맞는 그녀의 표정은 잔뜩 일그러져 있었다.

"하준, 저 심술쟁이 영감탱이 못돼 처먹은 비열하고 쪼잔한 나쁜 자식……."

생각나는 모든 욕설을 내뱉는 린지의 눈은 진심 그 자체였다. 정말이지 너무나도 짜증이 났다. 왜 아니겠는가? 린지는 한숨을 푹 내쉬며 하준과 처음 만난 날을 떠올렸다. 그날, 캔들 덕분인지 푹 자고 일어난 다음 날 아침 그녀는 하준을 처음 만났다. 백작의 친구, 하준. 그것이 그녀가 아는 전부였다. 백작에게도 친구가 있었다는 게 믿기지 않았지만 어쨌든 린지는 시종답게 예의 바르게 하준에게 인사했다. 한데.

"……재수 없는 자식."

이것이 하준에게 첫 인사를 건넨 후 돌아온 대답이었던 것이다! 그 이후로도 하준은 뭐가 그렇게 못마땅한지 사사건건 린지에게 시비를 걸어왔다.

'나쁜 자식!'

방금 전처럼 일부러 그녀의 앞을 막아서 넘어지게 한 일도 한두 번이 아니었다. 만약 린지의 원망이 좀 더 컸더라면 이 비도 하준이 내리게 했다고 생각했을 것이다. 그만큼 하준은 못되게 굴었다.

'근데 다른 사람들은 보고만 있고.'

이렇게 노골적으로 괴롭힘을 당하는데 휘안은 하준을 만류하지 않았다. 말리기는커녕 때때로 하준을 이해하는 눈빛인지라 당하는 린지는 열불이 터져 죽을 지경이었다.

"대체 내가 뭘 잘못했다고 그러는 거야!"

샤워를 끝마친 린지는 씩씩거리며 옷을 챙겨 입었다. 젖은 머리칼을 대충 수건으로 털어 낸 린지는 세탁물을 끌어안고 다시 밖으로 나갔다. 그렇게 다시 세탁을 시작한 린지는 한참 후에서야 일을 끝낼 수 있었다.

'아이고, 힘들어.'

그녀는 뻐근한 어깨를 주무르며 백작의 방으로 향했다.

"린지안 군, 비 맞았어?"

물기 어린 붉은 머리칼을 보고 휘안이 물어 왔다. 린지는 휘안과 그의 맞은편에 앉아 있는 하준을 보고서 좁혀지려는 미간을 애써 막아야 했다.

"네. 급하게 세탁물을 걷어 오느라."

"그랬구나. 수고했어."

휘안이 웃음을 지으며 그녀를 격려했다. 하준이 옆에서 코웃음을 쳤으나 린지는 무시하려고 노력했다.

"어이, 시종. 차 좀 타 와."

하준은 마시던 찻잔을 내려놓으며 삐딱하게 말했다. 하나 잔 안에 남아 있는 따끈따끈한 찻물을 본 린지는 주먹을 불끈 쥐었다. 보아하니 또 괴롭히려는 못된 심보가 발동했나 보다.

"아직 차가 남아 있습니다만, 하준 님."

"아아, 맛이 없어서 말이지. 차는 네가 잘 타잖아? 솜씨 좀 발휘해 봐."

린지는 화를 꾹 참으며 옆에 놓인 수레로 다가갔다. 그녀가 차를 내놓자 하준은 싱긋 웃으며 말했다.

"고마워."

고맙긴, 개뿔. 한 모금 마시고 맛없다고 쇼할 게 뻔했다.

"맛없네."

그럴 줄 알았다. 린지는 부글거리며 끓는 짜증을 느끼며 눈썹을 슬쩍 움직였다. 하준이 찻잔을 건네며 말했다.

"너무 떨떠름하잖아. 난 달달한 것이 좋다고. 설탕이나 꿀을 더 넣든가 해서 다시 타 와."

또 시작된 것인가. 하준의 '차 다시 타 와'는 하루에 두세 번씩이나 나왔다. 린지는 울상을 지으며 휘안을 바라보았다. 도움을 요청하는 눈빛이었지만, 휘안은 곤란한 듯 웃으며 슬그머니 린지의 시선을 피했다.

'저, 저 나쁜 놈! 도와주지도 않고!'

어째서인지 휘안은 린지가 당하는 것을 이해한다는 표정이었다. 결국 그녀는 한숨을 푹 내쉬며 하준이 원하는 차를 내올 때까지 끊임없이 같은 일을 반복해야 했다.

"그건 그렇고 말이야, 휘안. 내일 출발하기로 한 거 맞지?"

하준은 린지가 열다섯 번째로 내온 차를 못마땅한 표정으로 '배부르니까 치워'라고 말하며 거절했다. 그러고는 살기에 불타는 린지의 눈빛을 무시하며 말했다.

"응. 내일 출발하자."

"좋아. 오랜만에 재밌겠는걸."

그들의 대화를 듣고 있던 린지는 귀를 쫑긋 기울였다. 그녀의 호기심 가득한 눈동자를 본 휘안이 웃으며 말했다.

"린지안 군도 가는 거야. 준비하도록 해."

"네? 그게 무슨……?"

"그게 무슨 소리야?!"

린지가 물으려는 찰나 하쥰이 소리치듯 외치며 그녀의 말을 잘랐다.

"저 녀석을 데려간다고?"

하쥰은 진심으로 놀란 표정이었다. 하나 휘안은 덤덤하게 차를 마시며 고개를 끄덕여 보일 뿐 말이 없었다. 잠시 황당한 표정으로 그를 바라보던 하쥰이 헛웃음을 뱉었다.

"그래, 네 마음대로 해라. 내가 반대해 봤자 네놈이 들어 먹을 것도 아니고."

"잘 아네, 하쥰. 동의해 줘서 고마워."

그들의 대화를 잠자코 듣던 린지는 아주 조심스럽게 대화에 끼어들었다.

"저어, 죄송합니다만 대체 어디를 가는 건지……."

"내 영지."

"네?"

"르카플로네 영지에 갈 거야, 린지안 군."

휘안의 말에 린지는 잠시 대답할 말을 찾지 못했다. 잠시 후, 그녀는 깜짝 놀라 자리에서 펄쩍 뛰었다.

"르카플로네 영지로요?"

왕국에서 손꼽히는 부유한 귀족들이 그러하듯 백작 역시 자신의 영지를 가지고 있었다. 그는 워낙에 많은 땅을 가지고 있기 때문에 영지 관리를 비롯한 소유지 관리는 이곳 수도에 있는 저택에서 했다. 백작뿐만이 아니라, 영지를 두고 수도에서 머무르는 귀족 대부분이 그러했다. 그런데 갑자기 르카플로네 영지를 가겠다니……. 린지가 놀란 것은 이 때문이 아니었다.

'그 먼 곳에 가겠다고? 이렇게 갑자기 결정해?'

르카플로네 영지가 굉장히 먼 곳에 있었기 때문이다.

"응. 볼일이 좀 있어서 가 봐야 할 것 같아. 나랑 하쥰, 그리고 린지안 군 이렇게 셋이 가자."

"저, 저도요? 예르시카 님은요?"

"예르시카는 급한 일이 있어서 먼저 출발했어."

물론 개인 시종이니까 함께 가는 게 맞았지만…… 린지는 슬그머니 하쥰의 눈치를 보았다. 그는 뭐가 그렇게 못마땅한지 잘생긴 얼굴을 잔뜩 찡그리고 있었던 것이다. 하쥰은 잠시 린지를 노려보다가 갑자기 씩 웃음을 지으며 표정을 바꿨다. 매우 불길한 징조였다. 그가 갑자기 다리를 꼬더니 거만하게 말했다.

"그럼 린지안이 내 시중도 들어 주겠군?"

"네? 다른 시종들 중 한 명을 더 데려가시면……."

"아니, 아니. 그렇게 많은 인원은 필요 없어. 그냥 린지안 군이 내 시중을 들어 주면 되잖아?"

뭐라고! 린지는 입을 쩍 벌리며 눈을 동그랗게 떴다. 그녀의 놀란 표정을 즐기듯이 감상한 하쥰이 말을 이었다.

"그렇잖아, 린지안 아르즈벨 시종 군? 일 잘하잖아, 그치?"

"아니…… 뭐…… 저는 백작님의 개인 시종이라서요."

입 닥쳐, 이 심술보 새끼야! 라고 말하고 싶은 것을 겨우 참으며 린지는 화를 꾹 눌러 참았다. 사실 한 사람 쫓아다니면서 시중드는 것도 쉬운 일이 아니었다. 특히나, 저택을 벗어나서 밖으로 나가면 더 신경 쓸 것들이 많았다. 그런데 하쥰의 시중까지 하라니, 그건 너무 가혹하지 않은가! 널리고 널린 게 고용인들인데!

"다른 시종은 믿을 수가 있어야지. 린지안 아르즈벨, 너는 휘안의 신임을 얻은 슈퍼 시종이니까 내가 믿고 일을 맡길 수 있겠어. 안 그래?"

하준은 놀리는 듯한 웃음을 지으며 말했다. 정말이지 한 대 쳐 버리고 싶은 표정이었다. 그의 말에 휘안은 난처한 미소를 지었다.

"그래, 린지안 군. 당분간 좀 고생해 줘. 린지안 군 외의 시종을 데려갈 생각은 없거든."

"……네에."

린지는 침울한 표정으로 대답하며 하준을 흘겨보았다. 하준은 기분이 좋아진 듯 입꼬리를 올려 씩 웃었다. 매우 통쾌하다는 표정과 마주치는 순간 린지는 화가 나서 고개를 획 돌렸다.

'뭐야, 저 복수했다는 눈빛은. 내가 대체 뭘 잘못한 건데!'

도저히 이해할 수가 없었다.

"아주 고약한 심보를 가졌다니까."

그날 저녁, 업무를 마친 린지는 레이라와 함께 정원의 벤치에 앉아 있었다. 린지는 한숨을 푹 내쉬며 하준에 대한 험담을 해 나갔다.

"내가 뭘 잘못했다고 그러는지 모르겠어. 그리고 아무리 마음에 안 들어도 그렇지, 남자가 쪼잔하게 그래도 되는 거야?"

레이라는 놀람 반 걱정 반이 섞인 눈빛으로 린지의 말을 들어 주었다. 사실 그녀가 이렇게까지 무언가를 불평한 적은 처음인지라 레이라는 나름 놀랐던 것이다. 어지간해서는 흔한 투덜거림 한번 하지 않는 린지인데, 이렇게 쉴 새 없이 입을 움직이며 욕을 하다니……. 레이라는 당황한 기색을 애써 숨기며 말했다.

"그래? 그렇게 보이진 않았는데……. 되게 고고하실 것 같았어."

"그러니까 사람 얼굴만 보고 판단하면 안 된다니까!"

린지는 손사래를 치며 성을 냈다. 하긴 레이라의 말은 어느 정도 이해가 가긴 했다. 린지도 하준을 처음 봤을 땐 이런 유치한 장난질 같은 짓을 하며 심술을 부릴 거라고는 상상하지 못했으니까.

남자다운 외모에 깊고도 검은 눈빛을 가진 그에게서는 위압감에 가까운 존재감이 있었다. 아무도 그의 정확한 정체를 알진 못했지만, 귀족일 거라는 것에는 한 치의 의심도 없었으니까.

"하여튼 못됐다니까. 레이라, 너도 조심해. 괜히 잘못 찍혔다가는 내 꼴이 될 수도 있어."

"으응. 힘내, 린지안."

레이라가 위로하듯 웃음을 짓자 린지도 따라서 웃었다. 하준에 대해 실컷 욕을 하고 나니까 왠지 모르게 속이 조금 시원해졌다. 뭐랄까, 여자들이 왜 수다로 스트레스를 푸는지 이해할 수 있었다.

'여자친구란 좋은 존재였어!'

레이라를 만나게 된 이후로 몇 번이나 드는 생각이었다. 린지 인생에 처음으로 가진 여자친구, 레이라 이엘리스! 항상 남자들 사이에서 자라난 린지에게는 마치 한 줄기 빛 같은 존재였다. 여자여서 그런 걸까, 레이라는 섬세했고 린지의 감정에 잘 공감해 주는 모습을 보여 주었다. 때문에 얘기만 해도 스트레스가 풀리고 왠지 내 편이 있는 듯한 기분까지 들었다.

'계속 알고 지내고 싶다.'

진심이었다. 린지는 레이라에 대한 애정을 느끼며 가만히 그녀를 바라보았다. 자신을 진심으로 걱정해 주는 녹색 눈동자를 보면 마음이 따뜻해졌다. 마치 자신이 평범한 스무 살짜리 여자아이가 된 것만 같은 기분이 들었다.

"레이라."

"응?"

레이라가 의아한 듯 되묻자 린지는 미소를 지었다.

"난 네가 정말 좋아."

순간 레이라가 할 말을 잃은 듯 아무 대답도 하지 못했다. 하나 린지는 웃으며 계속 말을 이었다.

"저택에 와서 널 만난 게 정말 행운인 것 같아. 여러모로 정말 고마워. 언제든지 내 도움이 필요하면 말해. 내가 도와줄게. 알았지?"

레이라는 쉽게 말을 잇지 못했다. 그녀는 린지의 붉은 눈동자에서 도망이라도 가듯 고개를 폭 수그렸다.

"으, 으응……."

그때 부스럭거리는 소리와 함께 인기척을 느낀 린지는 천천히 고개를 돌렸다.

"뭐야, 너. 여자친구 있었냐?"

하준과 휘안이었다. 그들은 이 대화를 들은 기색이었는데 특히 하준의 반응은 가관이었다. 그는 마치 뒤통수라도 거하게 한 대 맞은 표정이었던 것이다.

"네? 그게 무슨?"

오붓하게 레이라와 좋은 시간을 보내고 있는데 또 방해하다니. 기분이 확 나빠진 린지가 못마땅하게 묻자 하준은 기가 찬 표정이었다.

"너 여자친구 있었냐고."

하준은 마치 애인의 외도 사실을 알게 된 사람 같은 표정이었다. 당황한 린지가 아무 말도 못 하자 옆에서 휘안이 그를 만류했다.

"몰랐구나. 레이라 양이라고, 린지안 군의 여자친구야."

"아, 그, 그것이……."

레이라가 무언가 말하려고 했지만 휘안이 손을 저으며 웃었다. 그는 레이라와 린지를 번갈아 보더니 눈을 가느다랗게 떴다.

"방해해서 미안해. 우리는 가 볼게."

"아, 아뇨! 그게 무슨 말씀이십니까."

린지는 자리에서 벌떡 일어나 고개를 저었다. 레이라가 자신의 여자친구인 건 맞지만, 왜 방해해서 미안하다고 하는 건지 알 수가 없었다.

"저희가 들어가 보겠습니다."

이 정원, 저택의 주인은 휘안이다. 그런데 고용인들이 있는 곳을 침범했다고 다른 곳으로 피하는 것은 말이 되지 않는 일이다. 린지가 재빨리 레이라와 함께 자리를 피하자 침묵이 내려앉았다. 잠시 후, 하준이 허탈한 웃음을 내뱉으며 말했다.

"야, 휘안. 저 자식 여자친구가 버젓이 있는데도 그런 거냐?!"

그러자 휘안이 그의 기분을 이해한다는 듯 어깨를 토닥토닥 두드렸다.

"너무 그러지 마. 조종당한 거잖아."

"아오, 저 나쁜 자식……!"

하준은 시뻘겋게 얼굴을 붉히며 땅을 걷어찼다. 분통을 터뜨리는 그의 모습을 바라보는 휘안은 하준의 심정을 이해했다. 하준은 린지의 유혹에 아주 잠시 넘어갈 뻔했었으니, 수치심과 함께 농락당했다는 생각도 들 것이다. 아마 잠들기 전에 몇 번이나 이불을 걷어찼으리라.

"잊어버려, 다."

휘안은 깊은 동정심을 느끼며 하준의 등을 두드렸다.

"아무래도 뭔가 오해하신 것 같은데……."

린지와 함께 저택 안으로 들어오며 레이라가 낮게 중얼거렸다. 린지 역시 고개를 끄덕이며 말했다.

"백작님은 배려심이 과하시니까 그런 것 같아."

만약 그들이 말하는 여자친구가 애인이라는 것을 알게 된다면, 온몸을 흔들어 가며 아니라고 말했겠지만…….

'린지안은 의외로 단순하구나.'

레이라는 쓰게 웃음을 지었다. 그녀 역시 린지가 자신을 단순한 친구라고 생각하고 있음을, 여자인 친구라고 생각해서 여자친구라고 여기고 있음을 알고 있었다. 동시에 얼마나 자신을 아끼고 있는지, 애정을 갖고 있는지도 알고 있었다. 방금 전 정원에서 보여 준 똑바른 눈동자에서 진심이 보였던 것이다. 그렇게 생각하자 웃는 것이 힘들어졌다.

"정원은 백작님의 소유인데 말이야. 저렇게까지 고용인들을 배려할 필요까진 없을 텐데."

린지의 말을 들으며 레이라는 린지가 백작의 본질을 모른다는 것을 떠올렸다. 얼마 전, 고용인들의 방을 급습하여 수상한 자들을 찾아내어 징벌했을 때의 백작이 떠올랐다. 그때에 보았던 백작의 모습은 레이라에게도 의외였다. 동시에 공포였다.

'백작님이 린지안을 아끼는 것은 분명해. 시종들에게 그때 연회장에서의 이야기를 다른 사람들에게, 특히 린지안에게 들어가지 않게 하라고 신신당부했으니까.'

이제 저택에서 백작은 공포의 대상이었다. 천사라고 불렸던 별명은 악마라고 바뀌었으며, 웃는 그의 얼굴도 이제는 더 이상 따스하게 보이지 않았다. 그는 그 얼굴 그대로 시종들의 팔을 베어 버렸으니까.

물론 그들이 그만한 죄질을 가지고 있는 건 분명했지만 그때 보인 백작의 태도는 너무나도 무자비했던 것이다.

"레이라. 괜찮아? 표정이 안 좋네."

걱정스럽게 물어 오는 린지의 붉은 눈동자를 보며 레이라는 다시 한 번 고개를 숙였다. 차마 그 진심 어린 눈을 똑바로 보지 못하고 레이라는 쓰게 웃었다.

"괜찮아, 린지안. 걱정하게 해서 미안해."

미안해, 정말 미안해. 레이라는 입 안으로 중얼거리며 서글픈 미소를 지었다.

날이 밝자 린지는 미리 꾸린 배낭을 메고 저택의 입구로 향했다. 쉬지 않고 달려도 2주 정도 걸릴 거리였기에 만반의 준비를 끝낸 상태였다.

"에?"

때문에 린지는 저택 앞에서 대기 중인 말 세 마리를 보고 인상을 찡그렸다. 그녀는 마부를 쳐다보며 물었다.

"왜 말 세 마리만 있죠? 마차는요?"

그러자 마부 역시 의아하다는 표정으로 어깨를 으쓱였다.

"저도 모르겠습니다. 백작님께서 직접 말을 준비하라고 하셔서……."

그 먼 거리를 말을 타고 갈 생각이란 말인가? 린지는 백작의 무지함에 감탄이 나올 지경이었다. 심지어 대기 중인 말에는 백작의 애마─ 겁 많은데 허세만 강한 흑마가 없었다. 그 말 녀석이 겁쟁이긴 하지만 체력이나 속도가 어마어마해서 먼 길을 나서는 데 적합하긴 했다. 그런데 대기 중인 것은 평범해 보이는 말 세 마리뿐이었다.

"린지안 군, 나왔어?"

그녀와 마부가 의아해할 무렵 백작과 하준이 나타났다. 그들은 비교적 편안해 보이는 승마 겸 여행용 옷을 입고 있었다.

"백작님. 설마 말을 타고 가실 생각입니까?"

"응. 그럴 생각이야."

백작의 해맑은 표정을 보고 린지는 한숨을 푹 내쉬었다. 그리고는 배낭 안에서 지도를 꺼내어 확 펼쳐 보였다.

"잘 아시겠지만, 여기 샤를이 저희 수도입니다. 그리고 르카플로네 영지는 이쪽이고요."

사실 딱 보이는 거리상으로 레란의 수도 샤를과 르카플로네 영지는 그다지 멀지 않았다. 하지만 중간에 험준하기로 유명한 산맥이 가로막고 있었기에 빙빙 돌아서 가야 했던 것이다.

"우리는 이렇게 갈 거야, 린지안 군."

휘안의 손가락이 지도의 샤를을 정확하게 가리켰다. 그의 손가락은 카제타 산맥을 지나쳐 르카플로네 영지를 향해 움직였다.

"그건 불가능합니다. 카제타 산맥이 얼마나 험준한데요. 산의 중간까지는 뭐, 마을도 있고 다닐 만하겠지만, 높아질수록 험난하기로 유명하지 않습니까? 사람이 다닐 수 있는 길이 아니라고요."

"다닐 수 있으니까 걱정하지 마, 린지안 군."

휘안은 걱정하는 린지가 귀여운지 그녀의 머리칼을 마구마구 쓰다듬었다. 덕분에 시야가 가려진 린지는 절대로 불가능하다는 눈빛을 보냈지만 휘안은 모른 척 무시했다.

'무시한다고 될 일도 아니고.'

아무래도 이 백작이 세상 물정 모르는 것이 분명했다. 대체 그 산맥을 어떻게 넘겠다는 건지!

'에이, 모르겠다. 나는 분명히 말렸다고. 다 백작 탓이야!'

레란의 중심부를 거대하게 가로지르는 카제타 산맥은 레란에게 있어서 골칫덩어리 같은 존재였다. 린지가 언급했다시피 카제타 산맥의 중간까지는 다른 산들과 다르지 않았기에 등, 하산이 어렵지 않았고 마을 역시 존재했다. 하나 산의 중반 이후부터 급격하게 험난하고 가팔라지는 길은 사람이 다닐 수준이 아닌지라, 그 누구도 정산까지 등반해 본 자가 없었다. 아니, 어쩌면 있을 수도 있다. 하지만 내려오는 과정에서 다 죽었으니 알려지지 않았겠지.

'그렇게 험난한 곳이라고. 온갖 장비를 갖춘 전문 산악인들도 포기한 곳인데 어떻게 지나치겠다는 거야.'

그날 저녁 그들은 카제타 산맥의 초입에 도착했다. 하나 밤이 늦었기에 그들은 하루 푹 쉬고 내일부터 산에 오르기로 결정했다.

"방은 몇 개 필요하십니까?"

"세 개 주세요. 아, 그중 두 개는 가장 넓고 좋은 것으로 주십시오."

50대 중후반으로 보이는 여관장은 린지 뒤에 서 있는 남자 두 명을 흘긋 쳐다보았다. 하준과 휘안, 그들이 입은 최고급 옷을 제외하고서라도 외모에서부터 귀족적인 느낌이 물씬 풍겨났다. 딱 봐도 돈 많고 지체 높은 귀족이었던 것이다.

"물론이지요. 필요하신 게 있으면 언제든지 말씀해 주십시오."

여관장은 본인이 낼 수 있는 가장 정중한 어조로 말한 후, 여관에서 가장 좋은 방을 내어 주었다. 방에서 짐을 푼 그들은 간단한 샤워 후 식당에 모여 앉았다.

"배고파 죽겠다. 어이, 시종. 빨리 어떻게든 해 봐!"

하준의 말에 린지는 그를 노려보고 싶은 것을 참으며 여관장을 불렀다.

"저, 이곳에서 제일 맛있고 양이 많은 것으로 내어 주세요."

"예, 물론입지요. 걱정 마십시오. 저희 여관이 작아도 맛있는 음식 하나는 보장합니다."

제발 그 말이 맞길 린지는 간절히 바랐다. 딱 보아하니 하준이 맛없으면 이것저것 트집을 잡을 기세였으니까. 하나 다행히도 린지의 걱정은 기우였다. 음식은 보장한다는 말이 허세는 아니었는지 여관장이 가지고 나온 소고기 스테이크의 맛이 일품이었다.

"맛없어."

식사 후 하준이 냅킨으로 입을 닦으며 말하자 린지의 눈썹이 슬쩍 올라갔다. 그렇게 말한 주제에 하준의 접시는 텅 비어 있었다. 한 접시 다먹고 두 접시나 더 추가해서 싹싹 긁어 먹은 흔적이었다.

"배고파서 어쩔 수 없이 먹은 것뿐이다. 그런데 다른 메뉴는 없는지물어봐."

아무래도 하준은 이곳의 음식이 굉장히 마음에 든 것 같았다. 어린애같은 모습에 린지는 웃음이 나오려는 것을 참으며 여관장에게 다가갔다. 여관장은 린지가 오는 것을 보고 잽싸게 자리에서 일어나 손을 싹싹 비볐다.

"아이고, 식사는 잘 하셨습니까?"

"네, 덕분에요. 굉장히 맛있네요. 후식은 뭐가 있죠?"

"애플파이가 있습니다. 내올까요?"

"네. 그래 주세요."

그가 주방으로 돌아가는 순간이었다. 그의 딸로 보이는 소녀가 눈을반짝이며 린지에게 다가와 말을 걸었다.

"저기, 저기요."

"응?"

"저분들 귀족이신가요?"

소녀는 땋은 머리를 수줍게 만지작거리며 물어 왔다. 딱 봐도 생전 처음으로 귀족을 본 소녀였다. 하긴 그 어떤 귀족이 카제타 산맥에 찾아왔겠는가. 린지는 피식 웃으며 고개를 끄덕였다.

"응. 나는 시종이고."

"너무 멋있으세요. 동화에서 나오는 거랑 똑같아요. 저렇게 멋있는 분들은 처음 봐요."

소녀의 눈은 호기심과 낭만으로 빛이 나고 있었다. 린지는 그녀에게 사람을 겉모습으로 판단하지 말라고 말해 주고 싶었다. 저기 저 은발 머리는 엄청난 바람둥이에 싱글싱글 웃으면서 속은 아주 차가운 이중인격인 데다가, 저 검은 머리는 틈만 나면 사람 괴롭혀 대는 심술쟁이니까!

"저분들이 도적떼들을 토벌해 주러 오신 건가요? 그런 건가요?"

소녀가 기대에 가득한 눈으로 물어 왔다.

"응? 도적떼라니……?"

"도적떼들이 산속 마을 사람들을 괴롭히고 있어요. 가끔씩 여기까지 내려와서 자릿세를 받아 가고요. 무지무지 강해서, 단속하러 온 기사들도 많이 죽었대요."

"……"

린지는 바로 반응하지 못했다. 몇 초 후, 그녀는 소녀의 말을 이해하고는 인상을 팍 찡그렸다.

"뭐? 그게 무슨 소리야? 카제타 산맥에 산적들이 있다고?"

그녀가 모르는 이야기였다. 이 말인즉 유시젠 왕세자 역시 모르는 일이라는 것이었다. 카제타 산맥에 산적들이 있다니? 범죄를 용납하지 않는 유시젠이 알았더라면 가만히 있지 않았을 일이다.

소녀는 씩 웃으며 고개를 끄덕였다.

"네. 그리고 엄청나게 강하대요. 왜냐하면 그들은……."

소녀는 까치발을 들고는 두 손으로 입을 모았다. 그리고 린지에게 아주 조그만 목소리로 속삭였다.

"고대 연금술사의 유물을 가지고 있대요. 그래서 일반 기사들은 속수무책으로 당한다고 들었어요."

"……"

"아아, 무서워. 하지만 저 귀족분들이 우리를 구해 주겠죠?"

"……글쎄."

린지는 소녀의 머리를 쓰다듬은 후 테이블로 돌아왔다. 하준과 휘안은 뭔가 이야기를 나누고 있다가 린지가 돌아오자 자연스럽게 입을 다물었다. 하나 린지는 그들을 신경 쓸 겨를이 없었다. 방금 저 소녀는 자신이 얼마나 위험한 발언을 한 건지 알고 있을까?

'고대 연금술사의 유물이라고?'

우연의 일치일까? 현대의 사람들에게 있어서는 전설 속에서나 들을 수 있는 것들이 최근 들어 왜 이렇게 자주 튀어나오는 것일까? 우연치고는 너무나 빈번했다.

"애플파이 대령했습니다!"

그때 여관장이 큰 접시를 들고 나타났다. 막 구워진 노릇노릇한 파이에서 김이 피어오르고 있었다. 맛없다고 투덜거린 주제에 하준은 제일 열심히 먹기 시작했다.

"린지안 군, 무슨 일 있어?"

휘안이 파이를 꿀꺽 삼킨 후 대뜸 물어 왔다. 아무래도 린지의 가라앉은 표정을 본 모양이었다. 린지는 잠시 고민하다가 어차피 곧 하준과 휘안도 알게 될 거라고 판단하고 털어놓기로 결심했다.

"카제타 산맥에 요새 도적들이 기승을 부린다고 하더군요."

"흠. 그래? 규모가 크대?"

하준은 흥미가 생겼는지 파이를 오물오물 씹으며 물었다.

"그건 잘 모르겠고…… 주변에서 보낸 기사들이 속수무책으로 당했다고 하더라고요. 산 위의 마을도 장악한 모양이고……. 아무래도 카제타 산맥을 통해 가는 것은 위험할 것 같아요."

"뭐야. 이 녀석 겁쟁이네."

하준은 좋은 기회라고 생각했는지 재빨리 린지를 놀려 왔다.

"나랑 휘안이 있는데 무슨 걱정이냐? 그래 봤자 산적 따위."

린지는 참지 못하고 한심하다는 시선으로 하준을 바라보았다. 물론 휘안의 무예가 뛰어난 건 눈으로 보아 알고 있다. 그리고 허세인지 뭔지 모르겠지만, 하준 또한 만만치 않아 보이긴 했다. 옷 아래로 드러나는 근육질은 훈련받지 않고서는 나올 수 없는 체형이었던 것이다. 하지만 산의 지형을 잘 알고 이용할 줄 아는 다수의 적들을 상대하기는 힘들 것이다. 특히, 카제타처럼 험준한 산맥에서는.

직설적으로 말할 수는 없었으므로 린지는 조심스럽게 덧붙였다.

"사실인지는 모르겠습니다만…… 고대 연금술사의 유물을 사용한다고 하더군요."

그 순간 하준의 손이 멈췄다. 휘안 역시 포크로 파이를 들어 올리다가 그대로 정지했다. 두 사람의 강렬한 시선을 받으며 린지는 계속 말했다.

"헛소문일 수도 있지만 그런 얘기가 돌고 있더군요. 아무래도 카제타 산맥을 통해 가는 것은 무리인 것 같습니다."

탁! 휘안이 포크를 테이블에 내려놓았다. 그는 냅킨으로 입술을 닦은 후 말했다.

"계획을 바꿔야겠어."

역시, 휘안은 말이 통하는 자였다. 이쯤 되니 막무가내로 올라가자는 주장은 하지 않는…….

"카제타 산맥의 마을에 들렀다가 가자."

"……엑?"

린지는 자신이 잘못 들은 줄로만 알았다. 하지만 휘안의 웃는 표정을 보니 제대로 들은 것 같았다. 그녀는 황당하게 휘안을 쳐다보다가 하준을 향해 고개를 돌렸다. 아무리 툴툴거리는 하준이라도 자신의 의견에 손을 들어 줄 것이다!

"그래. 새로운 계획을 짜야겠군."

이쪽도 한통속이었나! 하쥰 역시 진지한 표정으로 동의하자 린지는 헛웃음을 흘렸다. 둘 다 미친 게 분명했기 때문이다.

"대체 무슨 말씀을 하시는 겁니까? 마을은 산적들이 장악했다니까요! 저희 셋이 가면 그대로 인질로 잡혀서 돈을 엄청나게 뜯길 게 분명하다고요! 아니면 바로 죽든가!"

"린지안 군, 잘 들어."

흥분하는 린지와는 달리 평소처럼 차분한 휘안은 싱긋 웃음을 지었다. 그러고는 보라색 눈동자로 린지를 똑바로 쳐다보았다.

"우리는 마을로 갈 거야. 그리고 만약 고대 연금술사의 유물이 있다면, 그것을 가져갈 거고."

"……."

"연금술사의 유물을 가져가는 것, 지금부터 그것이 우리가 해야 할 가장 중요한 일이야. 르카플로네 영지에 가는 것도 다 그 이후야. 알겠지?"

"그게 무슨……."

린지는 당혹스러워하며 그를 마주 보았다. 일렁이는 듯한 보라색 눈동자에 결국 그녀는 견디지 못하고 시선을 피했다. 가끔씩 휘안이 이렇게 정면으로 쳐다볼 때면 도저히 마주 볼 수 없는 위압감이 느껴졌던 것이다.

휘안은 부드럽게 미소 지으며 말했다.

"걱정 마. 나랑 하쥰이 린지안 군을 지켜 줄 테니까. 최대한 피를 보지 않는 방법으로 가져가도록 하자."

"……이해가 잘 안 되지만, 백작님 말씀에 따르도록 할게요."

린지가 중얼거리자 휘안이 만족스런 표정으로 그녀의 머리를 쓰다듬었다.

"그래, 믿어 줘서 고마워."

그 모습을 못마땅한 표정으로 보고 있던 하준이 인상을 팍 찡그렸다. 남자끼리 뭣 하는 짓인지, 아무리 휘안 눈에 저 시종이 귀여워 보여도 저건 좀 아니지 않은가? 다 큰 사내놈 머리를 쓰다듬는 것이 정상인가?

'맘에 안 들어. 애완동물도 아니고 말이야.'

왠지 모르게 짜증이 치솟은 하준은 투덜거리듯 말했다.

"어이, 적당히 해. 어떻게 가져갈 건지 얘기부터 하자고."

그의 말에 테이블 위로 적막이 내려앉았다. 하준은 물론 휘안 역시 골똘히 생각에 잠긴 것이 보였다.

"초치고 싶지는 않지만……."

초치는 얘기가 되겠지만, 린지는 반드시 말해야만 했다. 그들이 얼마나 무모한지.

"방법이 없어요. 산의 지형을 모르는 이상 몰래 숨어 들어가는 것도 불가능해요. 그렇다고 해서 당당하게 들어갔다간 잡힐 것이 뻔하고…… 게다가 저희는 남자만 셋인지라 한 명쯤은 본보기나 겁주기용으로 죽일 수도 있잖아요."

린지의 말은 사실이었다. 사실 이것은 실전에서 우러나온 경험이기도 했다. 그녀가 지금껏 왕세자의 그림자로서 범죄자들을 잡는 일이 있을 때 자주 하는 일이 있었다. 바로 아주 예쁘고 가냘파 보이는 소녀로 변장을 하는 것이다.

'연약한 여자로 변신하면 경계하지 않으니까.'

더불어 주위의 동료들 역시 위협적으로만 보이지 않는다면 건드리지 않을 확률이 높았다. 예쁜 여자에게는 경계심이 누그러드는 게 남자의 본능이니까!

"아하."

린지의 말에 휘안이 손뼉을 부딪치며 말했다.

"좋은 지적이야, 린지안 군. 역시 린지안 군은 똑똑하다니까."

"네? 그게 무슨……."

휘안이 씩 웃음을 지으며 린지를 바라보았다. 뭔가 불안한 미소였다.

"린지안 군이 여장을 하는 걸로 하자."

무거운 정적이 내리깔렸다. 린지는 그 충격적인 말을 바로 알아듣지 못했다. 하쥰 역시 마찬가지였다.

다음 순간, 비로소 그의 말을 이해한 린지는 흥분해서 테이블 위를 쾅 내리쳤다. 거의 동시의 순간에 하쥰은 웃음을 터뜨렸다.

"그게 무슨 말씀이십니까!"

"푸하핫!"

"여장이라뇨, 제가요? 어울릴 리가 없잖습니까!"

"하하핫!"

"제가 여장을 하면 금방 들통 나고 말 겁니…… 아, 그만 좀 웃으세요!"

린지는 옆에서 자지러져라 웃음을 터뜨리는 하쥰에게 소리를 빽 질렀다. 그는 상상만 해도 웃긴 듯 배를 잡고 웃음을 터뜨리고 있었다.

"백작님. 그건 말도 안 되는 계획입니다."

휘안은 린지의 말을 자연스럽게 무시한 후 태연하게 말을 이었다.

"린지안 군이 귀족 영애로, 우리는 시종으로 변장하자. 일단은 인질로 순순히 잡히면 죽이진 않을 거야."

"딱 봐도 남장 여자인 거, 아니 여장 남자인 거 티 날 겁니다!"

흥분해서 말이 잘못 튀어 나갔지만 다행히 자연스럽게 넘어갔다. 하지만 휘안은 린지의 말을 듣는 기색이 아니었다. 그는 싱긋 웃으며 그녀의 어깨를 두드렸다.

"걱정하지 마. 우리가 지켜 줄 테니까 별일은 없을 거야."

"백작님!"

"푸하하하하!"

"그만 좀 웃으세요, 하쥰 님!"

한쪽에서는 괴상한 계획을 주장하고, 또 한쪽에서는 웃음을 터뜨리고 난리도 아니었다. 휘안은 이 계획을 밀고 가기로 작정한 듯 더 이상 린지에게 귀를 기울이지 않았다. 그는 린지의 어깨를 잡고 자리에서 벌떡 일어났다.

"일단 가자. 더 늦기 전에 여장할 도구들을 사러 가야겠어."

"푸핫, 아, 진짜 웃겨 죽겠다!"

"백작니이임……."

그녀의 의사는 완전히 무시되고 있었다. 린지는 백작의 손에 잡혀 거의 끌려가다시피 했다. 백작은 카운터에 앉아 있는 여관장에게 물었다.

"이 근처에 여성복 매장이나 잡화점이 있습니까?"

"아아, 예. 물론이지요. 여기 우측 골목으로 조금만 들어가면 있습니다."

"고맙습니다. 자아, 가자."

휘안이 밖으로 나서자 하쥰은 좋은 구경거리가 생겨서 신이 나는 듯 그를 따라 나갔다. 정말 나가고 싶지 않았지만 린지는 어쩔 수 없이 나가야만 했다. 그녀는 한숨을 푹 내쉬며 말했다.

"따님분에게 전해 주세요. 저들은 따님 생각처럼 멋진 귀족들이 아니라고요."

그 말을 끝으로 린지는 도살장에 끌려가는 돼지처럼 밖으로 나섰다. 그 뒷모습을 바라보던 여관장은 머리를 긁적이며 중얼거렸다.

"딸이라니, 난 아들만 셋인데…… 착각하신 건가? 게다가 이 여관에 여자는 아무도 없는데 무슨 소리를 하시는 거지?"

"으음……."

그날 밤 여장을 위한 쇼핑을 빌미로 린지를 괴롭힌 하준은 아주 기분 좋게 잠자리에 들었다. 하나 어째서인지 깊은 잠을 취할 수 없었다.

'더워.'

하준은 뒤척이다가 찜찜한 더위를 느끼고는 이불을 걷어 냈다. 그러고는 잠결에 잠옷으로 입는 셔츠를 벗어 던지고 베개 속으로 파고들었다. 탄탄하게 근육이 붙은 몸 위로 달빛이 스며들었다.

"하준 님."

착각일까, 아니면 잠깐 잠이 들었던 걸까. 하준은 시종의 목소리를 들은 것만 같았다. 하지만 착각이라고 생각했다. 그래서 그는 눈조차 뜨지 않고 다시 잠에 빠져들었다. 하지만.

"하준 님."

"……."

확실하게, 들었다. 하준은 아주 천천히 눈꺼풀을 들어 올렸다. 느린 반응과는 대비되게 그의 검은 눈동자는 예리하고 또 날카롭게 빛나고 있었다.

"하준 님."

린지안 아르즈벨, 휘안의 시종이 침대맡에 서 있었다!

하준은 벌떡 몸을 일으켰다. 대체 언제 방 안에 들어왔단 말인가. 깊게 잠들었어도 침입자의 기척을 느끼지 못할 하준이 아니다.

"너, 뭐야."

하준은 그렇잖아도 날카로운 눈을 매섭게 치켜떴다. 아무리 휘안이 아낀다고 할지언정 감히 시종이 방 안에 함부로 들어오다니. 그가 으르렁거리자 린지안이 난처하게 말했다.

"놀라셨다면 죄송해요."

그렇게 말한 린지안이 침대맡에 엉덩이를 걸터앉는 것이 아닌가? 허락도 없이 들어와 놓고 침대에 앉는 뻔뻔한 모습에 하준은 잠시 할 말을 잃었다. 며칠간 지켜본 린지안 아르즈벨은 예법에 깍듯한 편이라 이렇게 경우 없이 굴 녀석이 아닌데…….

그런 하준의 생각을 린지안의 손이 끊어 놓았다. 린지안이 손을 내뻗어 하준의 손등 위에 올려놓은 것이다. 자그마한 손은 그의 손보다 훨씬 작아서 손등 위의 일부분만 차지할 뿐이었다.

"하준 님, 너무 보고 싶었어요."

"뭐?"

린지안의 붉은 눈동자가 애절함으로 촉촉하게 젖어 있었다. 일전에 본 적이 있는- 하나 그 이후로는 보지 못한 눈빛이었다. 사랑한다고, 너무나 원한다고 간절하게 속삭이는 눈빛!

린지안이 가까이 다가오자 하준은 벽에 등을 기댔다.

"이봐? 너 왜 그러냐?"

"사랑해요."

이건 또 무슨……. 하준은 멍하니 린지안을 바라보았다. 설마 또 정신 조작을 당한 걸까? 대체 누가, 어떻게?

"사랑해요. 사랑해요, 하준 님. 제게는 하준 님뿐이에요."

다시는 들을 일 없다고 생각한 대사였다. 그 대사를 다시금 내뱉으며, 린지안이 점점 몸을 밀착해 왔다.

"야! 정신 차려! 넌 지금 제정신이 아니야!"

또 그런 일을 겪는 것인가. 린지안이 예전, 처음 만났을 때의 상태로 돌아갔다고 생각하자 아찔해졌다.

"뭐, 뭐 하냐."

야릇한 눈빛으로 그를 바라보던 린지안이 손을 들어 올려 입고 있는 잠옷 셔츠를 풀기 시작했다. 하나, 둘, 셋…… 단추가 조금씩 끌러지자 새하얀 피부가 달빛 아래로 드러났다.

'진짜 하얗다.'

당황스러운 와중에도 하쥰은 목덜미와 쇄골, 어깨가 훤하게 드러난 린지안의 피부를 보고 감탄했다. 얼굴과 목, 손처럼 보이는 부위가 워낙 하얘서 다른 부분은 어떠할까 상상력을 자극하는 녀석이긴 했다.

"당장 다시 입어!"

"거짓말."

떨리는 하쥰의 말을 끊고 린지안이 키득거렸다. 린지안은 도드라지는 붉은 입술을 한껏 올려 미소 짓고 있었다.

"다른 곳도 궁금하면서."

웃기지 마. 내가 사내새끼 속살이 뭐가 궁금하다고! 하쥰은 그렇게 말하고 싶었다. 하지만 그는 아무런 말도 꺼낼 수 없었다. 어째서인지 움직일 수가 없었다. 마치 마취라도 당한 양 몸에 힘이 하나도 들어가지 않았다.

'뭐야, 젠장! 왜 몸이 움직이지 않는 거야!'

비유적인 표현이 아니라 실제로 그러했다. 갑자기 손끝 하나 움직일 수 없었던 것이다. 설마 저 녀석이 무슨 수를 쓴 것일까? 하쥰이 옴짝달싹 못 하는 틈을 타 린지안이 그의 허벅지 위로 올라탔다. 그러고는 그의 어깨를 툭 쳐서 침대 위로 쓰러뜨리듯 눕혔다. 하쥰은 자신의 몸 위로 올라타서 내려다보는 붉은 눈동자를 바라보았다.

"사랑해요, 하쥰 님. 하쥰 님도 저를 원하는 것 다 알아요."

미쳤냐! 꺼져 이 새끼야! 휘안만 아니었음 넌 이미 내 손에 죽었어! 네놈 뒤통수를 후려치고 싶어서 하루에 몇 번이나 손이 근질거리는지 아냐? 휘안이 건들지 말라고 대놓고 경고만 안 했어도!

하쥰은 그렇게 말해 주고 싶었지만 입술은 여전히 옴짝달싹하지 않는 상태였다. 그는 아무런 대응도 못 하고 점점 가까이 다가오는 린지안의 얼굴을 바라보았다.

"줄곧 이러고 싶었잖아요. 그죠?"

키득거리며 웃는 린지안의 목소리가 코앞에서 속삭였다. 따스한 숨결이 그의 뺨을 간질였다. 린지안의 입술에서 흩어지는 체온이 그의 윗입술에 와 닿았다. 그리고…….

"흐허어어어억!"

하쥰은 괴상한 비명을 지르며 자리에서 벌떡 일어났다. 온몸이 땀으로 축축하게 젖어 있었다.

'뭐, 뭐야. 꿈인가?'

그는 땀에 젖은 이마를 닦으며 주위를 둘러보았다. 창으로 밝은 아침 햇살과 지저귀는 새소리들이 흘러 들어오고 있었다. 하쥰은 쿵쾅거리는 심장을 느끼며 안도의 한숨을 내쉬었다.

"꿈이었군."

정말 다행이다. 그는 안도하는 한편, 마음 한구석이 켕기는 불쾌함을 느끼며 인상을 팍 찡그렸다. 꿈이어서 다행이긴 한데 왜 그런 꿈을 꿨단 말인가.

'젠장, 재수가 없으려니까.'

미친 게 분명했다! 아무리 요새 여자를 안 만나서 욕구 불만이라고 할지언정 남자를 대상으로 그런 꿈을 꾸다니……. 하쥰은 팔에 돋아 오른 오싹한 소름을 문질렀다.

'그런 꿈을 꾸다니. 역시 그때 일이 충격이었던 것이 분명해!'

그때, 시종이 정신 조작을 당해서 자신에게 폭 빠져 있을 때의 일은 큰 쇼크였다. 하기야 사내새끼한테 잠시 홀려서 삐끗할 뻔했었으니……

살면서 다시는 떠올리고 싶지 않은 흑역사였다. 그러니 이런 꿈을 꾸는 거겠지. 하준은 입 속으로 욕설을 중얼거리며 이불을 걷어 냈다.

"하준 님, 일어나세요."

그때 때마침 방문을 노크하는 소리가 들려왔다. 호랑이도 제 말 하면 온다더니, 린지안 아르즈벨이었다.

"하준 님, 아침입니다."

하준은 인상을 팍 찡그렸다. 문 너머로 들려오는 목소리를 듣는 순간 꿈이 떠올랐던 것이다. 속삭이는 목소리와 바로 앞까지 바싹 다가왔던 입술이 스쳐 지나갔다.

'젠장. 저 자식 때문에 이게 무슨 스트레스야.'

꿈에서 나타날 만큼 그때의 일이 잊히지 않았다. 묘하게 생긴 얼굴로 작정하고 유혹하는 그때의 일들은 악몽처럼 그를 괴롭혔다. 똥 밟은 셈 치자고 잊어버리기엔 너무나도 강렬했던 것일까. 그래서 그는 유치한 걸 알면서도 린지안을 이리저리 괴롭혀 왔다. 그래 봤자 자신이 겪는 짜증과 스트레스에 비하면 새 발의 피였을 것이다.

'그런데 저 새끼가 꿈에서까지 날 괴롭히다니!'

뭐라고 한 소리 해야겠다, 그는 부아가 잔뜩 치밀어서 문을 벌컥 열었다.

"어이, 너⋯⋯!"

하나 하준의 외침은 문 앞의 사람에게 시선을 주는 순간, 허무하게 사라졌다. 그는 하려던 말을 까먹고는 입을 떡하니 벌렸다.

"⋯⋯뭘 그렇게 보십니까."

아름다운 소녀가 있었다. 허리까지 내려오는 긴 금발이 눈부신 피부와 너무나도 잘 어울렸다. 흰 피부에 도드라지는 붉은 눈동자와 입술은 선정적일 만큼 매력적인지라, 하준은 아무런 말도 내뱉지 못했다.

"너⋯⋯?"

그는 말을 더듬으며 소녀를 손가락질했다. 그러자 소녀가 기분이 상한 듯 얼굴을 찡그리는 것이 보였다.

"어제 가발이랑 옷 직접 골라 주셨잖습니까. 벌써 까먹으셨어요?"

"......!"

린지안 아르즈벨, 그 시종이었다!

린지는 한껏 예민해진 상태였다.

'젠장, 들키면 어떻게 하지?'

태연한 척하고 있었지만 그녀의 마음은 초조하게 손톱을 깨물고 있었다. 린지는 어젯밤, 휘안과 하준의 손에 이끌려 여장을 위한 물건들을 사러 나갔다. 그렇게 해서 구입한 것이 지금 착용하고 있는 금발의 가발과 연한 하늘색 원피스, 그리고 왕 뽕이 들어간 브래지어였다!

'대체 이게 뭐냔 말이야!'

기껏 남자 행세하려고 머리 자르고 남장 중인데, 남장 중에 갑자기 여장을 하라니! 여자인 걸 숨기는 남장 여자가 남장인 것을 숨기고 여자인 척을 하는, 여하튼 복잡한 상황이었다.

"뭐, 뭡니까. 왜 그렇게 놀라시냐고요."

하준의 반응을 보고 린지는 위축되어 있었다. 지금 당장이라도 도망가고 싶은 마음이 굴뚝같았으나 린지는 도리어 더 당당한 척 그의 까만 눈동자를 마주 보았다.

"잠이 덜 깨셨군요. 어서 씻고 나갈 준비하고 내려오십시오. 아침 식사 주문해 놨습니다."

린지는 차갑게 말한 후 등을 획 돌려 걸어갔다.

똑똑.

"휘안 님, 일어나십시오."

역시나 백작은 백작 가문을 벗어나서도 여전히 잠꾸러기였다. 린지는 한숨을 푹 내쉬며 방 안으로 들어갔다. 백작은 상의를 벗은 채 이불에 파묻혀 잠들어 있었다.

"백작님, 일어나세요."

얼마나 깊이 잠든 것인지 아무리 얘기를 해도 일어날 기미가 보이질 않는다. 항상 그러하듯 오늘 역시 백작은 정말로 죽은 듯이 잠을 잤다.

린지는 침대맡에 걸터앉아 잠든 백작을 내려다보았다. 새하얀 이불 속에 파묻힌 남자의 은빛 머리칼이 햇살을 받아 반짝이고 있었다. 피부 또한 투명하고 맑은지라 마치 빛 무리에 둘러싸인 천사 같은 모습이었다.

'겉모습만 천사라니까.'

린지는 그의 어깨에 손을 조심스럽게 올려놓고 천천히 흔들었다.

"백작님?"

다음 순간, 백작의 눈이 번쩍 떠졌다. 갑작스레 드러난 아름다운 보라색 눈동자가 린지의 눈동자와 마주쳤다.

"……!"

짧은 침묵이 스쳐 지나간 후, 백작이 손을 휙 뻗어 린지의 목덜미를 잡아챘다. 그리고 거칠게 침대 위로 쓰러뜨려 올라탔다.

'아?'

린지는 이대로 죽는 줄로만 알았다. 목덜미를 짓누르는 악력에 본능적으로 린지의 손이 움직였다. 그녀는 꿈틀거리는 손을 꾹 잡아 참아 내고, 그의 팔을 부여잡았다.

"배, 백작님!"

잠이 덜 깬 보라색 눈으로 그녀를 빤히 바라보던 백작은 그제야 깜짝 놀라 뒤로 물러섰다.

"……린지안 군?"

"무, 무슨 짓이십니까! 콜록!"

그제야 백작에게서 떨어진 린지가 잽싸게 일어나 그에게서 떨어져 나갔다. 갑자기 일어나자마자 목덜미를 잡고 침대로 내리찍다니, 이 무슨 과격한 굿모닝 인사란 말인가!

"깜짝 놀랐잖아요! 잠버릇이 너무 과격하십니다만!"

린지는 그가 조른 목을 감싸며 소리쳤다. 하나 백작은 그녀의 말을 듣는 기색이 아니었다. 그는 아까의 하준처럼 눈을 동그랗게 뜬 채 입을 벌리고 그녀를 바라보고 있었다.

"뭡니까! 뭘 그렇게 봐요!"

목 졸라 놓고 그렇게 쳐다보기냐! 린지는 빽 소리를 지르며 휘안을 노려보았다. 성인군자라고 해도 여기서 화를 안 낼 수 없을 거다.

휘안은 붉은 자국이 새겨진 그녀의 목을 보고서야 자신의 행동을 깨닫고는 난처한 표정을 지었다.

"정말 미안해. 낯선 여자가 있기에……."

잠이 덜 깬 건지 그렇게 말하는 휘안은 평소와는 달리 무방비해 보였다.

'낯선 여자라니? 대체 무슨 소리를 하는 거야!'

그 얼빠진 변명에 린지는 기가 막힌 표정으로 그를 쳐다보았다. 휘안 스스로도 말도 안 되는 소리였다는 것을 자각했는지, 난감한 목소리로 사과했다.

"미안해. 다른 사람인 줄 알았어."

린지는 눈을 가느다랗게 뜨고 그를 노려보았다. 생각 같아서는 욕설과 잔소리를 한바탕 쏟아 주고 싶은 마음이 굴뚝같았으나 그럴 수 없다는 게 아쉬웠다.

"됐어요. 이러다가 나중에 잠결에 절 죽이지나 않길 바랍니다."

"……."

"아침 식사 준비해 두었으니 나갈 채비 다 하시고 내려오기나 하세욧!"

신경질적으로 소리친 린지는 등을 획 돌려 계단 아래로 내려갔다. 시종인 자신이 이렇게 짜증 부려서는 안 된다는 것을 알고 있지만……

'하준도 그렇고 휘안도 그렇고, 저들이 여장시켜 놓고 대체 왜 저런 반응인 거야!'

카제타 산맥의 마을은 사실 마을이라고 칭하기도 뭐할 정도로 작은 규모였다. 아무래도 험준한 산맥이다 보니 사람이 살기에 편한 장소는 아니었던 것이다. 그렇기에 린지는 카제타에 산적이 있다는 것 자체가 의외였다. 이렇게 인적이 드문 산에서 산적질 해 봤자 얻는 것이 별로 없을 것이 뻔하기 때문이다.

산적이 마을을 장악했다는 소문과는 달리 린지와 휘안, 하준은 그 어떤 위험인물도 만나지 않고 마을에 들어왔다. 마을 사람들은 으리으리한 마차가 들어서자 신기한 눈초리로 쳐다보기 바빴을 뿐, 산적에게 목숨을 저당 잡혀 고생하는 흔적은 찾아볼 수 없었다.

마을은 작고 사람들은 적었기에 귀족 마차가 마을에 들어왔다는 소문은 빠르게 퍼져 촌장의 귀에까지 들어왔다. 촌장은 60대의 늙고 왜소한 사내였다.

"이런 험한 산에 어쩐 일로 오신 겁니까?"

마부로 변장한 하준은 눈앞의 노인을 보고 어깨를 으쓱였다. 어딜 봐도 평범한 환경에서 평범하게 살고 있는 평범한 노인네이지 않은가.

"모시는 아가씨께서 카제타 산맥에 호기심을 가지고 계셔서 한번 와 봤다. 혹시 머무를 여관은 없나?"

하준은 아주 자연스럽게 하대를 하며 물었다. 마부답게 밀짚모자에 평범한 옷을 입고 있었지만 절로 풍기는 위압감과 기품에 압도된 촌장은 존댓말로 답했다.

"이곳엔 여관이 없습니다. 찾아오는 여행객도 없는데 여관이 있을 리가 없지요."

"흐음. 곤란하군."

하쥰은 미간을 살짝 좁히며 주위를 살폈다. 작은 집들이 옹기종기 모여 있는 작은 길, 그리고 귀족 외부인이 신기한지 주위에 모여 구경하고 있는 마을 사람들. 하나같이 다 순박해 보이는 표정이다. 잠시 주위를 둘러보며 하쥰은 확신했다.

'헛소문이었군.'

산적에게 착취당하는 마을로는 보이지 않았다. 마을 사람들의 얼굴에는 핍박당하는 공포도, 구원을 바라는 간절함도 없었던 것이다.

"만약 머물 곳이 필요하시면 저희 집에 머무르시죠. 그나마 제 집이 여기서 가장 큽니다."

"그래도 되겠나? 사례는 충분히 하겠다."

"허허, 아닙니다. 외지인을 오랜만에 봐서 좋은걸요."

촌장은 순박하게 웃으며 손사래 쳤다. 딱 봐도 전형적인 시골 노인이었다.

이 마을에서 가장 큰 집이라는 촌장의 말은 사실이었다. 모든 집의 방이 한 칸인 반면, 촌장의 집의 방은 무려 세 칸이나 있었던 것이다. 그중 하나의 방은 귀족 영애 흉내를 내는 린지에게, 또 하나의 방은 휘안과 하쥰에게 주어졌다. 하쥰과 휘안은 린지의 방에 모여서 얘기를 나누었다.

"죄송해요. 잘못된 정보였나 봐요."

린지는 당혹스러운 상태였다. 산적과 고대 연금술사의 유물이 있다는 이 마을은 막상 와 보니 너무나도 평화로웠다. 그녀는 집 밖에서 어린 소년들이 뛰어노는 소리를 들으며 한숨을 푹 내쉬었다.

"산적은 없는 것 같아요."

"그래. 아까 넌지시 촌장에게 물어보니 그런 일 없다고 하더군."

하준도 고개를 끄덕이며 동의해 왔다. 아까 촌장에게 조심스럽게 물어보았을 때 영문을 모르겠다는 표정만 돌아왔다. 하기야 마을이 워낙 가난해서 산적들이 뜯어먹을 구석도 없어 보인다만……

"조금 김빠지지만 어쩔 수 없지. 헛소문일 수도 있다고 생각하긴 했으니 괜찮아."

고대 연금술사의 유물을 획득할 생각으로 가득했던 휘안이었지만 의외로 대수롭지 않은 반응이었다.

"자세히 알아보지 않고 정보 하나만 물고 행동했으니 이런 일도 일어날 법해. 하지만 린지안 군의 여장을 봤으니 괜히 한 일은 아니었어."

린지는 입술을 쭉 내밀며 휘안을 노려보았다. 하긴 지금 여기서 제일 헛고생한 것은 마부 하준도, 시종 휘안도 아닌 여장한 자신이지 않은가! 그녀는 왠지 모르게 울컥해서 대꾸했다.

"어쨌든 작전은 필요 없어졌으니 이제 원래대로 돌아가죠. 가발과 드레스를 벗겠습니다."

그러자 하준이 한쪽 입꼬리를 삐뚜름하게 올리며 고개를 저었다.

"누구 맘대로? 네가 잘못 물어 온 정보 때문에 이 고생을 한 거 아니냐. 그러니까 그 벌로 더 그러고 있어."

"뭐라고요?"

기가 찬 린지는 헛웃음을 내뱉었다. 이 고생이라니? 고생이라고 해봤자 기껏해야 편한 차림으로 마차를 몬 것밖에 더 되나! 린지는 울컥하는 마음에 자리에 앉은 상태 그대로 발을 들어 올렸다.

"지금 굽 높은 구두 신은 것은 저 혼자뿐이거든요? 치렁치렁한 드레스 입은 것도 저 혼자뿐이고, 답답한 긴 가발 쓰고 있는 것도 저 혼자라고요! 고생은 저 혼자 다 하고 있잖아요!"

"그래그래. 뭐, 잘 어울리니까 된 거잖아?"

"그게 무슨 논리입니까! 이제 이러고 있을 필요가 없어진 거잖아요!"

어깨를 덮고 흘러내리는 금색 가발을 지금 당장이라도 벗어 던지고 싶었다. 그녀가 씩씩거리는 꼴을 즐겁게 바라보던 하준이 돌연 정색하며 말했다.

"널 여자로 알고 방 하나를 내어 준 촌장에게 뭐라고 설명할 거냐? 여기서 다시 남자로 돌아가면 네놈을 맛이 간 변태라고 생각할걸."

"……."

그러고 보니 아까 촌장과 잠깐 인사를 나누긴 했다. 지금까지 본 여인 중에 가장 아름답다느니, 이런 미인을 만나 뵙게 돼서 영광이라느니 하는 입에 발린 칭찬들도 듣지 않았던가. 그런데 갑자기 시종복을 입고 떡하니 나타난다면…….

"여린 산골 노인 마음에 상처를 줄 생각이냐? 그렇게 안 봤는데 잔인한 놈일세."

"으으!"

말싸움에서 진 린지가 억울해할 뿐 아무 항변을 못 하자 하준이 큭큭거리며 승리의 웃음을 내뱉었다.

"산골 노인의 순수함을 지켜 주기 위해서는 네가 계속 여장을 하고 있어야 한다고. 서비스로 더 예쁜 옷을 입어 보는 건 어때. 작은 마을이지만 옷가게가 하나 있던데 말이야."

"말도 안 되는 소리 하지 마세요!"

저게 미쳤나! 또 무슨 옷을 입히려고! 린지가 발끈하며 펄쩍 뛰자 하준이 빙글빙글 웃으며 말을 이었다.

"왜? 지금 그 옷 불편하다며? 조금 더 편한 옷으로 사 주마. 물론 원피스로."

"됐습니다! 사 주실 필요 없어요!"

"아니, 사 줘야겠어. 사 줄 테니 넌 입 다물고 있어."

"싫어요!"

"걱정 마라. 지금 입은 것보다는 조금 더 편한 옷으로 사 줄 테니."

"됐다니까요! 아, 진짜! 백작님!"

하준은 그야말로 린지를 놀리기로 작정했는지 막무가내였다. 린지는 그와 말이 통하지 않음을 깨닫고는 재빨리 백작에게 도움을 청했다. 그는 하준과 린지의 말다툼을 흥미로운 눈빛으로 관전하고 있었다.

"응? 왜 그래?"

"백작님, 들으셨잖습니까! 지금 하준 님이……."

"걱정 마, 린지안 군."

린지의 말을 끊은 휘안이 매우 진지한 눈빛으로 고개를 끄덕였다.

"내가 하준보다 더 예쁜 옷을 사 줄게."

한통속이었다. 한없이 진지한 표정으로 말한 휘안이 하준과 눈빛을 주고받았다. 한마음으로 뭉친 두 청년은 눈빛으로 대화하더니, 고개를 끄덕이고는 자리에서 벌떡 일어났다.

"어이, 뭐 해. 일어나라, 시종."

"시…… 싫어요!"

"일어나, 린지안 군. 산책하러 가자."

"거짓말! 옷가게 갈 거잖아요!"

"하하하. 그럴 리가. 하준, 잡아."

린지가 버둥거리면서 빠져나가려 하자 백작이 웃으며 서늘하게 말했다. 그러자 하준이 린지의 왼쪽 팔을 잡았고, 동시에 휘안은 오른쪽 팔을 잡아챘다. 졸지에 두 사람 사이에 끼이게 된 린지는 새하얗게 질린 얼굴로 버둥거렸다.

"왜, 왜, 왜 이러십니까. 두 분 진정하세요."

"가자, 린지안 군."

"입 다물고 따라와, 시종."

휘안과 하준이 번갈아 가면서 말했다. 둘 다 재밌어 죽겠다는 표정이었다.

"이게 괜찮군."

"아니, 난 이게 더 나은데."

린지는 양옆에서 들이대는 옷들을 쳐다보며 어깨를 축 늘어뜨렸다. 더이상 반항할 힘도 남아 있지 않았다. 린지가 멍하니 대꾸 없이 있는 반면, 하준과 휘안은 굉장히 의욕적인 기세였다. 하준은 레이스가 풍성한 하얀 드레스를 린지의 목 아래에 대 보며 말했다.

"야, 이게 더 잘 어울려. 저 시종 녀석, 피부가 워낙 하얘서 하얀 옷이 어울린다고."

반면 휘안은 목부터 발끝까지 폭이 좁은 붉은 원피스를 들고 있었다. 실제로 입는다면 온몸에 휘감기듯 쫙 붙을 타이트한 원피스였다.

"그래서 이런 옷을 입어야지. 피부도 하얗고 예쁘장해서 이런 옷이 더 잘 어울린다고. 이런 옷을 소화할 수 있는 사람은 몇 안 돼."

"이봐, 그 옷은 너무 야하다고. 휘안 너 너무 밝히는 거 아냐?"

"야하긴. 관능적이라는 말을 두고 천박한 단어를 쓰는구나, 하준."

어째서인지 두 사람 사이에서 치열한 신경전이 오가고 있었다. 서로 바라보는 눈에서 스파크가 튀기는 것 같은 느낌은 착각일까. 린지는 자포자기 심정으로 한숨을 폭 내쉬었다.

그들은 마을에 몇 없는 여성복 가게에 와서 린지에게 이것저것 대 보고 있었다. 옷을 권하는 두 사람의 차이는 극명했다. 하준은 청순한 스타일을 좋아했고, 휘안은 세련되면서도 여성적인 옷을 좋아했다. 둘 다 린지에게 자기가 고른 옷이 어울린다면서 난리였다.

"린지안 군은 뭐가 좋아? 저런 소녀병 걸린 옷을 원해?"

"어이, 시종. 설마 저런 야한 옷이 좋냐?"

대체 뭣들 하는 건지....... 린지는 황당한 시선으로 휘안과 하준을 번갈아 바라보았다. 서로의 취향을 비난하고 있는 두 남자는 이상할 정도로 의욕적이었다. 결국 린지는 한숨을 푹 내쉬며 이렇게 답했다.

"둘 다 싫습니다. 제 스타일이 아니에요."

편한 옷만 입는 린지가 저런 옷을 선호할 리 없다. 임무 수행할 때 외에는 여성복을 착용한 경험이 거의 없었던 것이다. 그러자 하준이 발끈해서 말했다.

"어이. 시종, 네 여자친구도 이런 스타일이잖아. 딱 보니까 작고 귀엽더만. 너도 사실 이런 옷 좋아하는 거 아냐?"

"어울리는 것을 입어야지. 레이라 양이 귀여운 건 사실이지만 린지안의 외모를 보라고. 세련되고 요염하게 생겼잖아."

대충 흘려듣던 린지는 휘안의 말에 귀를 쫑긋하며 눈을 크게 떴다.

"제가 요염하게 생겼다고요? 그게 무슨 말도 안 되는 소리예요."

아무리 본인이 원하는 옷을 입히고 싶어도 그렇지, 헛소리를 해 대다니. 린지는 손사래를 치며 웃어넘겼다. 그러자 휘안과 하준이 다투는 것을 멈추고 린지를 물끄러미 쳐다보는 것이 아닌가? 그들의 시선에 린지는 웃음을 멈출 수밖에 없었다.

"뭡니까. 그 시선은."

"......너 거울 안 보고 사냐, 시종?"

"보고 싶다니까. 매일 아침저녁으로요."

하쥰이 매우 괴이쩍은 표정으로 린지를 쳐다보았다. 그 수상한 눈빛에 린지는 똑같이 수상하단 시선으로 대응해 주었다. 아무리 귀족이든 뭐든 이쯤 되니 린지도 짜증이 치밀었던 것이다.

"어쭈? 이 시종 자식 건방지네. 어디서 눈을 부라려?"

하쥰이 기가 막힌 듯 그녀의 머리를 콩 쥐어박았다. 쥐어박았다고 하기 뭐할 정도로 살짝 주먹으로 누른 정도였지만, 그뿐이었어도 린지의 서러움은 배가되었다.

"하쥰, 너무 그러지 마. 린지안 군도 얼마나 힘들겠어. 린지안 군, 어서 입고 나와."

휘안은 린지를 위로하는 척하면서 그녀의 품에 옷을 내밀었다. 그리고 싱글싱글 웃으며 말했다.

"뭐 해? 어서 입고 나오라니까?"

농담이 아니었다. 그녀가 떨리는 입술로 항변하려 하자, 하쥰 역시 그가 고른 옷을 떠밀었다.

"야, 시종. 이것도 입어."

"그래. 기왕 이렇게 된 거 둘 다 입어 보자. 누가 고른 옷이 더 어울리는지 판가름해 보자고."

"……."

린지는 텅 빈 눈동자로 두 남자를 번갈아 보았다. 도저히 말이 통할 것 같지 않았다. 결국 린지는 한숨을 푹 내쉬며 탈의실로 터덜터덜 기어들어 갔다.

'젠장, 저 나쁜 녀석들 같으니라고. 완전히 나를 가지고 인형 놀이를 하고 있잖아!'

큰 탈의실 안에는 옷을 갈아입는 여러 개의 쪽문들과 큰 거울이 놓여 있었다. 린지는 한숨을 폭 내쉬며 제일 가까이에 있는 쪽문을 열고 들어갔다.

'날 가지고 놀고 있어. 젠장.'

린지는 투덜거리며 휘안이 준 옷을 입었다. 군살 하나 없이 늘씬한 체형인 린지에게도 딱 맞을 정도로 폭이 좁은 옷이었다. 온몸을 착 휘감으며 발끝까지 내려오는 타이트한 붉은색 원피스를 입은 그녀는 쪽문 밖으로 걸어 나왔다.

'어라. 괜찮은 것 같은데…….'

그녀는 눈을 휘둥그레 뜨며 거울 속 모습을 요리조리 살펴보았다. 여장하느라 낀 초특급 뽕 덕도 있었겠지만, 그것을 제외하고서라도 기가 막힌 몸매였다.

'그러고 보니 저번 레너드 녀석이 고른 거랑 비슷한 스타일이야.'

아무래도 레너드와 휘안의 취향은 비슷한 것 같았다. 린지 특유의 긴 다리와 얇은 허리 곡선이 그대로 드러나고 있었던 것이다.

'잘 어울리는 것 같아. 아닌가?'

본인의 눈에 깜짝 놀랄 정도로 어울리긴 하지만 혼자만의 착각일 수도 있다. 그녀는 나중에 돌아가면 키벨에게 보여 줘서 평가를 받아 봐야겠다고 생각했다. 그때였다. 제일 구석에 있던 쪽문이 끼익 소리와 함께 열렸다. 이미 인기척을 느끼고 있었기에 린지는 놀라는 기색 없이 천천히 등을 돌렸다. 옷을 피팅해 보는 다른 손님일 거라고 생각했던 것이다.

"……아?"

양 갈래로 머리를 땋은 소녀가 쪽문 밖으로 걸어 나왔다. 방긋 미소 짓고 있는 소녀는 린지가 이미 알고 있는 얼굴이었다. 린지는 당혹스런 표정으로 소녀를 가리켰다.

"너……?"

"안녕, 오빠. 아니, 지금은 언니라고 불러야 하나?"

카제타 산맥 초입 부분의 여관에서 묵었을 때 산적이 기승을 부린다는 거짓 정보를 알려 준 여관집 딸이었다.

'쟤가 왜 여깄지?'

린지는 당황한 와중에도 냉정하게 판단했다. 카제타 산맥의 초입 여관집 딸이 왜 여기에 있는지, 저 소녀가 왜 잘못된 정보를 흘린 건지 수많은 물음표들이 한꺼번에 떠올랐지만…….

'적이다.'

본능적으로 느낄 수 있었다. 린지는 자세를 바로잡으며 소녀를 노려보았다. 바싹 긴장한 태세를 갖춘 린지를 보며 양 갈래 머리의 소녀가 해죽 웃었다.

"왜 그래, 언니?"

"너 누구야."

린지는 소녀의 말을 무시하며 날카롭게 물었다.

"여관집 딸이 아니잖아. 누구야, 말해!"

그러자 소녀가 키득키득 웃으며 몸을 떨었다. 그러고는 왼쪽 어깨로 흘러내린 머리칼을 만지작거리며 능청스레 말했다.

"여관집 딸이라니, 내가? 난 그렇게 내 자신을 소개한 적 없는데. 언니가 멋대로 그렇게 판단한 거 아냐? 정말 너무하네. 그건 그렇고……."

소녀가 싱긋 웃으며 어깨를 들어 올렸다. 누가 봐도 사랑스러운 몸짓이었다.

"진짜 바로 안 쓰러지네. 시간이 좀 걸릴 거라고 들었는데, 정말이었구나."

그게 무슨……? 소녀의 말에 불길함을 느낀 린지가 뒷걸음질 칠 때였다. 순간 눈앞이 휘청거리며 시야가 거칠게 흔들렸다. 세상이 뒤집히는 것만 같은 어지러움과 함께, 무릎에 강한 통증이 느껴졌다. 하지만 린지는 지금 무릎을 꿇은 채 쓰러졌다는 것을 인식할 수 없었다.

'뭐, 뭐야…… 이게 뭐야…….'

뺨에 차가운 감촉이 느껴졌다. 이제는 바닥에 얼굴을 대고 쓰러진 상태였지만, 린지는 알아차릴 수 없었다.

'이게 뭐야…….'

무기력하게 눈을 깜빡이는 순간, 어둠이 들이닥쳤다. 그녀는 더 이상 아무 생각도 할 수 없었다.

몸이 무거웠다. 마치 물에 잔뜩 젖은 솜이 된 것처럼 손가락 하나조차도 쉬이 움직일 수 없었다. 무거운 무언가에 온몸을 짓눌리고 있는 것만 같은 기분이었다. 그런 불쾌함 속에서 린지는 겨우 눈을 떴다.

'……여긴 어디지.'

제일 먼저 보이는 것은 창밖으로 보이는 밤하늘이었다. 분명 마지막으로 정신이 있었을 때는 화창한 대낮이었는데 이렇게 시간이 흘렀다는 것은…….

'정신을 잃고 있었나.'

린지는 입술을 깨물었다. 순간 머리가 쪼개지는 듯한 두통이 머리 위로 내리꽂혔다. 그녀는 몸을 바들바들 떨며 그 통증을 견뎌 냈다.

"역시 참을성이 좋네."

목소리가 들려왔다. 순간 린지는 눈을 번쩍 떴다. 고통으로 아릿한 시야 너머로 한 사내가 자신을 바라보고 있는 것이 보였다.

"……넌?"

"안녕, 선배."

선명한 은회색 눈동자와 마주치는 순간 정신이 번쩍 돌아왔다. 린지는 몸을 벌떡 일으키려다가 현기증을 느끼며 자리에 풀썩 쓰러졌다. 그러자 레너드가 걱정스런 표정으로 다가왔다.

"이런, 조심해. 아직 마취가 다 풀리지 않았을 거야."

그는 싱글싱글 웃으며 말을 이었다.

"에드워드가 썼던 마비 향보다 더 강력한 아이거든."

"뭐? 그게 무슨……!"

린지는 입술을 깨물었다. 천진난만한 소년 같은 해맑음, 호기심 가득한 눈빛은 그녀가 잘 아는 자의 것이었다. 동시에 꿈에서라도 다시 만나지 않길 바랐던 자이기도 했다.

레너드는 환하게 미소 지으며 말했다.

"또 만나서 반가워, 린지안 선배. 아니, 이제 린지라고 불러도 되겠지?"

"네 녀석이 왜 여기에……!"

"말했잖아. 조만간 다시 보게 될 거라고."

레너드는 해죽 웃으며 린지의 머리칼을 쓸어 넘겼다. 가발은 어느덧 사라져 그녀의 짧은 머리칼이 드러난 상태였다.

"내 몸에 손대지 마!"

"에구에구, 여전히 공격적이네. 머리 한번 쓰다듬은 것 가지고 너무해."

린지는 레너드를 사납게 노려보았다. 길게 생각하지 않아도 지금 이 상황이 왜 일어났는지 알아차릴 수 있었다. 이 모든 게 레너드의 계략이었던 것이다.

"네 짓이냐?"

"응? 그게 무슨 소리야?"

레너드가 순진무구한 눈빛으로 고개를 갸웃거리자 화가 난 린지가 외쳤다.

"네놈이 헛소문을 퍼뜨린 거냐고!"

"응."

레너드는 허탈할 만큼 빠르고 솔직하게 고개를 끄덕였다.

"린지가 너무 보고 싶어서 견딜 수 없었어. 그래서 이런 방법을 써서 납치를 하게 됐지. 헤헷. 나 안 보고 싶었어?"

진심인지 농담인지 구분할 수 없을 만큼 순수한 목소리였다. 린지는 레너드를 노려보며 자신의 상태를 체크했다.

'젠장, 몸에 힘이 안 들어가.'

어지러움은 둘째 치고 손가락 하나 쉽게 움직일 수 없었다. 연금술인지 뭔지를 써서 린지를 제압한 것이 분명했다. 린지는 분한 눈빛으로 레너드를 노려보았다.

"비겁한 자식."

"응?"

"비겁하게 연금술을 사용해서 날 납치해? 휘안 님 앞에서는 꽁지를 빼고 도망가더니!"

레너드는 린지를 빤히 바라보더니 어깨를 으쓱 흔들었다.

"너무 그러지 마, 린지. 화내는 것도 귀여워서 뽀뽀하고 싶어지잖아."

린지는 할 말을 잃고 레너드를 사납게 응시했다. 확실한 것이 있다면, 이 녀석은 보통 사람과 나누는 대화가 통하지 않는다는 것. 일반적인 상식이 통용되지 않는 녀석이다. 이렇게 하나하나 일일이 발끈해 봤자 자신의 손해라는 것은 이미 겪어서 잘 알고 있었다.

'진정하자, 린지. 진정해.'

린지는 분노로 부글부글 끓는 마음을 진정시키기 위해 침을 꿀꺽 삼켰다. 절대로 레너드의 손아귀에서 놀아나지 않겠다. 린지는 몇 번이나 결심하며 주위를 살폈다.

'……이곳은.'

어두운 밤이었지만 익숙한 구조의 방이 어디인지 알 수 있었다. 이곳은 린지 일행이 머물렀던 촌장의 집이었던 것이다.

"너 설마 마을 사람들을 해친 거냐?"

린지는 끔찍한 시선으로 레너드를 바라보았다. 순박한 표정으로 신기하게 바라보던 산골의 촌장이었다. 아무것도 모르던 그자의 집을 점령했다는 것인즉, 그의 신변에 이상이 생겼다는 소리!

"아하하하!"

린지의 물음에 레너드가 바로 웃음을 터뜨렸다. 그는 어깨를 흔들어가면서 키득거리더니 눈가에 맺힌 눈물을 닦아 냈다.

"린지도 참. 그럴 리가. 내가 미친 살인마처럼 보여?"

"……."

솔직히 그래 보였다. 분명 얼굴은 순수함이 묻어나는 잘생긴 청년이지만― 그에게는 파악할 수 없는 오싹함이 있었다. 레너드가 돌변해서 마을 사람들 모두를 깡그리 죽였다고 해도 위화감이 없을 것이다. 때문에 두려웠다. 무슨 생각을 하는지, 어떤 행동을 하는지 도저히 짐작할 수 없었다.

린지의 눈빛을 읽은 레너드가 짐짓 기분이 상한 듯 투덜거렸다.

"너무해. 날 그런 악당으로 보다니. 나처럼 학구열 넘치는 순수 청년을 그렇게 쳐다보는 거 아냐."

"웃기지 마. 넌 그러고도 남아."

저 녀석이라면 웃는 얼굴로 죄 없는 마을 사람들을 잔인하게 죽였을 것 같기도 하다. 린지는 스멀스멀 올라오는 불안감을 느끼며 레너드를 바라보았다. 그때였다.

"레너드 님, 들어가도 되겠습니까?"

"아아, 들어와."

문이 벌컥 열리고 한 사내가 모습을 드러냈다. 사내의 등장에 린지의 얼굴이 경악으로 일그러지자 레너드는 그 모습을 흥미롭게 관찰했다.

"린지, 네가 찾던 촌장님은 무사하니까 걱정하지 말라고."

촌장이 눈앞에 있었다. 그는 낮에 보여 주었던 순한 표정이 아닌 몹시 딱딱하고 경직된 모습이었다. 촌장은 린지에게 시선조차 주지 않고 허리를 꾸벅 숙인 후 말했다.

"레너드 님, 실험 결과를 보고드리러 왔습니다."

"응, 어디 보자."

레너드는 촌장이 건네주는 서류를 받아 꼼꼼히 읽어 내렸다.

"카나에게는 1번 약물을 더 주입하도록 해. 10밀리리터 정도면 충분할 것 같아. 루브단에게는 103번 약물 주입을 끊고 지켜보는 것이 나을 것 같군."

"예, 알겠습니다."

레너드의 지시를 받은 촌장은 다시 한 번 허리를 숙이더니 방을 빠져나갔다.

"왜 그래? 린지, 표정이 안 좋네."

"너……."

린지는 믿을 수 없다는 얼굴이었다. 촌장이 레너드를 깍듯하게 대하는 것은 둘째 치고, 문제는 그들의 대화였다. 린지의 짐작이 맞다면 그들은 아마…….

"너, 인체 실험을 하고 있는 거냐."

소름이 돋아 올라 목소리가 떨려 왔다. 린지는 그 어느 때보다도 더 괴이한 것을 목격하는 것 같은 기분이었다. 레너드는 그녀의 눈빛이 못마땅한 듯 입술을 죽 내밀더니 심술맞게 중얼거렸다.

"그래. 하지만 그런 표정은 너무하잖아. 나 상처받았어."

"이 미친……."

상처받았다니, 그런 말이 쉽게 나온단 말인가? 인체 실험을 하는 미친놈이? 극단적인 알케미스트들이 인체 실험을 한다는 소문은 들었지만…….

'생각보다 더 미친 새끼였어.'

린지는 떨리는 손끝을 감추며 침을 삼켰다.

인체 실험! 이것은 한때 홍역처럼 대륙을 뒤덮었던 흉흉한 소문의 일부였다. 과거에 레란 대륙에서는 몇 년 간격으로 대대적인 납치 사건이 벌어진 적이 있었다. 그리고 그 납치된 사람들이 알케미스트들의 인체 실험으로 쓰였다는 소문 또한 들끓었다. 확인되지 않은 사실이라 다들 괴담으로 여기고는 했지만—.

'사실이었어! 정말 인체 실험을 하고 있었어.'

그런데 그 실험자가 레너드였다니— 린지는 눈앞의 이 청년이 정말로 괴물이라는 것을 깨달았다.

"그렇게 쳐다보지 마. 납치가 아니야. 저들은 자발적인 지원자라고."

레너드는 싱긋 웃으면서 활발하게 말했다.

"그리고 내가 누군가를 억지로 납치한 적은 린지 네가 처음이라고. 혹시나 내가 납치해서 인체 실험을 했을 거라는 생각은 하지 말길 바라."

"……."

린지는 아무 대답도 하지 않고 미심쩍은 눈으로 그를 바라보았다. 설령 그의 말이 진실이라고 할지언정 레너드가 인체 실험을 하는 것은 사실이었던 것이다.

'어쩐지 기분 나빴어!'

그동안 몇 번이나 레너드가 자신의 반응을 살피며 '실험자'의 눈으로 보고 있는 것 같다는 느낌을 받았었다. 린지는 공포에 가까운 불쾌함을 느끼며 소리쳤다.

"너 대체 누구야!"

대체 레너드 아롭은 누구인가. 누구기에 고대 연금술사의 지식을 가지고, 또 사람들을 상대로 인체 실험을 하고 있단 말인가.

"레너드 아롭. 린지에게 홀딱 빠진 가여운 청년이지용."

레너드는 진지하게 대답하는 대신 대수롭지 않게 흘려 넘기며 린지에게 다가왔다.

"너무 화내지 마, 린지. 어차피 넌 여기서 빠져나가지 못해. 휘안과 하준도 이미 마을을 떠났거든."

"……뭐?"

"마을 사람들은 다 내 실험자들, 즉 내 편이거든. 그래서 내 명령에 따라 말을 맞춰 주었지. 네가 탈의실 창문을 통해 도망가서 마을을 빠져나가 산 아래로 내려갔다는 거짓 목격담을 만들어 주었어. 그 말을 듣고 휘안과 하준은 마을을 떠났어."

"……."

린지는 할 말을 잃었다. 그렇다면 지금쯤 휘안과 하준은 자신을 '도망간 시종'이라고 여기고 있을 것이다.

'이 자식이 진짜!'

기껏 신뢰도를 차곡차곡 쌓아 가고 있는데 레너드 자식이 다 망쳐 놓고 있다. 린지는 핏발 선 눈으로 레너드를 노려보았다.

"에이, 그렇게 뜨거운 시선으로 쳐다보지 말라고. 설렌단 말이야."

헤실헤실 웃으며 말한 레너드는 불현듯 린지의 몸을 번쩍 들어 올렸다.

"뭐, 뭐야! 내려놔!"

"보여 주고 싶은 게 있는데 린지는 지금 몸을 움직일 수 없잖아? 아직 약효가 덜 풀렸을 거라고."

"놔, 이 자식아!"

하지만 몸에 힘이 들어가지 않았기에 반항다운 반항 한번 할 수 없어 레너드에게 안겨 있을 수밖에 없었다. 레너드는 콧노래를 부르며 촌장의 집을 빠져나와 걸었다. 어둠에 잠긴 마을은 낮과는 달리 스산한 분위기를 풍겼다.

"날 어디로 데려가는 거야!"

"좋은 거 보여 줄게."

레너드는 히죽 웃으며 제일 외곽에 위치한 작은 집으로 들어갔다. 방 안에는 몇 개의 가구만 있을 뿐 캄캄한 암흑에 잠겨 있었지만 레너드는 용케 한 번도 방향을 잃지 않았다.

"웃차."

중심에 선 레너드가 발을 크게 구르자 바닥이 천천히 열리며 지하로 통하는 계단이 드러났다.

"짜잔. 멋있지? 비밀 통로야."

"이, 이건 대체⋯⋯."

레너드는 더 이상의 설명 없이 린지를 데리고 계단을 내려갔다. 벽에 붙어 있는 횃불들로 인해 시야에는 단 한 점의 어둠조차 걸리지 않았다.

'⋯⋯말도 안 돼.'

레너드의 걸음이 안으로 이어질수록 린지의 경악이 커져 갔다.

"레너드 님, 오셨습니까."

"응. 아무래도 직접 보는 것이 나을 것 같아서."

하얀 가운을 입고 있는 촌장이 깍듯하게 인사를 올렸다.

지하는 초라한 지상의 집과는 달리 몹시 거대했다. 정체를 알 수 없는 각종 기계들은 부글거리는 약물들을 품고 있었고 그 너머로 수십 개의 플라스크들이 어지럽게 놓여 있는 모습이 몹시 기괴했다. 각각 크기가

악마는 순수하다 55

다른 주사기들이 가지런하게 정리되어 실험대 위에 널려 있었는데, 가장 놀라운 것은…….

'……!'

마을 사람들이 정갈하게 누워 있었다. 아무런 무늬도 없는 새하얀 가운만 입은 채로 눈을 감고 있는 모습이 마치 잠들어 있는 것 같았다. 수십 명의 사람들이 마치 종교 의식이라도 치르는 양 누워 있는 모습에 소름이 끼쳐 왔다.

'저, 저게 뭐야.'

그들의 팔에 무수히 꽂혀 있는 수많은 호스들은 약물과 연결되어 있는 기계에 꽂혀 있었는데, 그 호스 안으로 각양각색의 약물들이 주입되었다가 또 빠져나오기를 반복했다.

"이 여자의 이름은 카나. 귀엽지?"

레너드는 제일 가까이에 누워 있는 소녀에게 다가가며 설명했다. 린지와 탈의실에서 마주치고, 또 여관에서 거짓 정보를 흘린 소녀였다.

"이래 보여도 실제 나이는 아흔일곱 살이야. 어려지고 싶다고 해서 내 실험에 동참하게 됐지. 엣헴. 내 덕분에 이렇게 젊어졌고 말이야."

"뭐……?"

"이쪽은 루브단. 이 남자 역시 일흔아홉 살이었던가 그럴 거야. 지금은 보다시피 이십 대 중반으로 보이지만. 조금 더 어려지고 싶다고 해서 실험을 계속하는 중이지."

레너드는 계속해서 누워 있는 실험자들을 상대로 설명을 해 나갔다. 그들 모두가 고령으로, 어려지기 위한 실험을 받고 있었다. 설명을 끝마친 레너드는 칭찬받길 원하는 눈빛으로 린지를 내려다보았다.

"내가 그들의 소망을 이루어 주고 있지. 어때? 나 착하지?"

하나 레너드는 자신이 기대했던 반응을 찾을 수 없었다. 린지는 마치 오물 덩어리를 목격하는 양 끔찍한 눈빛으로 그를 바라보았다. 실제로 린지는 온몸에 몇 번이나 소름이 돋았다가 사라지기를 반복했다.

'미쳤어. 이건 미쳤어.'

늙은 사람에게 젊음을 주는 실험이라니, 그런 것이 가능할 리가 없다. 설령 진짜라고 해도 그것이 더 끔찍했다. 린지가 지켜보는 이 실험은 광기, 그 이상 그 이하도 아니었던 것이다.

"레너드 님? 지금 재료들을 섞을 시간입니다. 지금 구덩이에 넣으시는 게……."

그때 그들을 물끄러미 지켜보고 있던 촌장이 다가와 말을 건넸다. 그 말에 레너드가 처음으로 인상을 구겼다.

"린지는 재료가 아니야. 내 손님이다."

"죄, 죄송합니다. 제가 실수를……."

"시끄러워."

처음으로 듣는 레너드의 신경질적인 목소리에 촌장은 물론 린지마저 당황했다. 그는 못마땅하게 촌장을 노려보다가 콧방귀를 낀 후 걸음을 옮겼다.

"자, 다 봤으니까 나가자, 린지."

"구덩이라니? 그건 뭐야?"

"실험에 쓰이는 약물을 만드는 곳이야."

레너드는 차분하게 말하며 지하실을 빠져나갔다. 다시 암흑 속으로 나온 린지는 멍하니 레너드를 올려다보았다. 천천히 걸음을 옮기던 레너드가 그녀의 시선을 느끼고는 고개를 슬쩍 내리며 웃었다.

"왜 그렇게 쳐다봐, 린지?"

"재료라니? 저자가 나를 재료라고 말한 거야?"

뱉어지는 그녀의 목소리는 어쩔 도리 없이 떨리고 있었다. 레너드는 잠시 침묵을 지키더니 어쩔 수 없다는 듯 고개를 저었다.

"그래. 그런 취급받게 해서 미안해, 린지. 저자가 착각한 모양이야. 네가 원한다면 벌을 내리겠……."

"사람을 재료로 쓰는 거야?"

레너드는 대답하지 않았다. 사부작하며 풀 밟히는 소리만이 고요한 암흑 속에서 자그맣게 울렸다. 린지는 더 이상 아무런 말도 내뱉을 수 없었다.

'이 녀석은 괴물이야.'

그리고 자신은 지금 괴물에게 납치되어 있다. 린지는 지금 스스로가 그 어느 때보다도 위험한 상황에 빠졌다는 것을 깨달았다.

"레너드."

"응?"

"왜 날 이곳으로 데려온 거지?"

이번에도 그는 대답하지 않았다. 마을은 고요했다. 아늑한 달빛 아래에 풀벌레 우는 소리와 레너드가 풀을 밟는 소리만이 규칙적으로 들려왔다. 그 누구도 지하에서 벌어지는 일을 짐작하지 못할 만큼 평화로운 밤이었다.

레너드는 말없이 린지를 촌장의 집으로 데려갔다. 그는 그녀를 침대 위에 가지런히 눕힌 후 침대맡에 앉아 그녀를 내려다보았다.

"린지, 너에게 허락을 받고 싶어."

한참 후에서야 말을 꺼낸 레너드의 표정은 조심스러웠다. 레너드가 저런 표정을 짓다니? 불안감이 왈칵 치솟았다.

"너를 대상으로 실험을 마무리 짓고 싶어."

"……뭐?"

"아프거나 해가 되는 일은 하지 않을게. 그러니 날 믿고 며칠만 네 몸을 맡겨 준다면……."

린지는 이를 악물고 레너드를 노려보았다. 그녀의 눈매가 날카로워지자 레너드는 현명하게도 바로 입을 다물었다.

"으음, 여하튼 생각해 봐. 널 지금보다 더 멋지게 만들어 줄 수 있어. 완성시켜 줄게."

"차라리 죽고 말겠다."

그것은 협박이나 허세가 아닌 진심이었다. 지하실에 누워 있던 그 인간들처럼 호스를 몸에 꽂고 실험당하느니 혀를 깨물고 죽는 것이 나았다. 린지는 기이했던 실험자들의 모습을 떠올리며 치를 떨었다.

"레너드. 넌 대체 왜 이런 짓을 하는 거야!"

알케미스트, 레너드 아롭. 수상쩍은 남자라고 줄곧 생각하고 있었다. 하지만 이것은 린지가 상상했던 영역을 넘어서는 일이었다. 레너드가 인체 실험을 하다니……, 저렇게 싱글싱글 해맑게 웃는 얼굴로, 사람의 생명을 재료 삼아 실험하다니. 린지는 그 '재료'들을 어디서 구해 왔는지 차마 물을 수 없었다.

레너드는 린지의 물음에 도리어 괴상한 것을 들었다는 눈빛이었다. 어린아이처럼 순진무구한 은회색 눈동자가 린지를 물끄러미 바라보았다. 악의라고는 조금도 느껴지지 않는 순수함이었다.

"린지, 너에게 말했듯이 난 그저 학구열이 강할 뿐이야. 내가 무지막지하게 강하긴 하지만 사실 공부 체질이거든. 연구하고 공부하는 것이 더 흥미롭달까."

레너드는 빙긋 웃으며 린지의 머리칼을 이마 위로 쓸어 주었다. 사람의 것이라고 하기엔 오싹할 만큼 차가운 체온이 그녀를 스쳐 지나갔다.

"사실 내가 너에게 이렇게 흥미를 갖는 것도 학구열의 일환이지. 너는 정말 좋은 실험체야. 난 지금 네 능력을 몇 배로 더 증폭시켜 줄 수 있어."

그는 두 눈을 반짝이며 유혹적으로 속삭였다.

"나한테 당하는 게 분하지 않아? 나처럼 강하게 만들어 줄게. 내 육체는 훈련으로 얻을 수 없는, 인간의 한계를 뛰어넘은 힘이야. 반면 너는 완성되지 않았지."

레너드는 이마에 머무른 손을 내려 그녀의 어깨를 어루만졌다. 어깨와 목덜미를 맴돌던 레너드의 손이 잠시 후 다시 올라와 린지의 턱을 들어 올렸다.

"에드위드 다스빈치, 기억해?"

순간 린지의 얼굴이 일그러졌다. 그러고 보니 처음 정신을 차렸을 때 레너드는 에드위드의 이름을 언급했었다.

"기억할 거야. 그 녀석, 알케미스트였던 거 알고 있어?"

"……뭐?"

"스스로를 알케미스트라고 칭하는 녀석들 모두가 다 쓰레기야. 제대로 된 연금술의 연 자도 모르는 가짜들이지. 근데 에드위드 그 녀석은 제법 가망이 있겠더라고. 그래서 그 녀석을 가르쳐서 제대로 된 연금술사로 만들려고 했는데…… 아, 물론 이건 에드위드도 합의한 일이야. 그 녀석은 나 못지않게 인체 실험을 좋아했거든."

그렇게 말한 레너드가 키득거리며 웃음을 흘렸다.

"휘안이 어떻게 안 건지, 찾아와서 에드위드를 죽여 버리더라고. 정말 이지 무섭다니까."

"……."

"휘안이 직접 나서서 처리할 만큼 대단한 힘이야, 고대의 연금술은."

레너드는 린지를 빤히 내려다보며 유혹하듯 말했다.

"그 힘을 갖게 되면 너에겐 아무것도 두려울 게 없을 거야. 왕세자의 시중을 들며 그림자로 살아갈 필요도 없다고."

줄곧 사나웠던 린지의 눈빛이 처음으로 흔들렸다. 그녀의 동요를 읽은 레너드의 입에 웃음이 걸렸다.

"왜? 네가 유시젠 왕세자의 그림자인 걸 모를 것 같았어?"

"너……."

린지는 주먹을 콱 말아 쥐며 레너드를 노려보았다. 실험체가 되어 달라는 제안을 받았을 때와는 비교할 수 없을 정도로 살기 어린 눈빛이 붉게 번뜩였다. 린지의 적의에 레너드는 칫, 소리를 내뱉으며 투덜거렸다.

"대단한 충심이네. 왕세자 이름을 두 번 말했다가는 죽이려 들겠어."

"다시는 그 이름 입에 담지 마. 만약 그분께 해를 가한다면……."

"그래, 세상 끝까지라도 쫓아와서 죽이겠지. 알았어, 알았어."

레너드는 항복의 표시로 두 손을 벌렁 들어 올렸다. 하지만 눈빛은 여전히 장난스러웠기에 린지는 그의 말을 믿을 수 없었다.

"나 원 참, 휘안의 시종으로 일하고 있으면서 왕세자란 단어 하나에 이렇게 화를 내다니. 휘안도 참 불쌍하단 말이야."

린지가 대답하지 못하자 레너드가 짓궂게 말을 이었다.

"사실 여기서 제일 불쌍한 건 휘안이라고. 넌 머리부터 발끝까지 휘안이 좋아하는 스타일이거든. 아마 린지 네가 여자란 걸 알게 되면 혈안이 돼서 가지려고 들걸. 요즘 치열하게 성 정체성에 대한 고민을 하고 있을 거야. 완벽하게 자기 이상형인 사람이 남자로 나타나서 눈앞에 알짱거리니, 손이 얼마나 근질근질……."

린지는 더 이상 레너드의 말을 듣고 있을 수 없었다. 그녀는 미리 봐 두었던 탁자 위의 꽃병을 빠르게 들어 올려 레너드에게 내던졌다.

쨍그랑!

린지가 몸을 움직이지 못할 거라고 생각해서였을까, 완전히 방심하고 있던 레너드의 이마 위로 꽃병이 제대로 내리꽂혔다. 유리 파편이 튀며 레너드의 피가 물과 함께 섞여 흘러내렸다. 그는 알싸한 고통을 느끼며 질끈 감았던 눈을 떴다.

"……."

그때에 이미 침대는 텅 비어 있었다. 레너드는 가만히 침대를 바라보다가 활짝 열린 창문으로 시선을 옮겼다. 그는 불현듯 터져 나오는 웃음을 내뱉으며 어깨를 으쓱였다.

"역시 린지는 대단하다니까."

마비에서 깨어났는데 일부러 그를 방심하게 만들어서 때를 노리고 있었던 것이 분명했다. 린지 아즈벨은 정말 흥미로워, 레너드는 속으로 웅얼거리며 자리에서 일어났다. 시야를 붉게 물들이는 피가 얼굴을 한가득 적시고 있었지만 그는 신경 쓰지 않았다.

"술래잡기 놀이를 원한다면 해 줄게, 린지."

린지는 달리고 있었다. 지금껏 그녀가 살아온 인생에서 가장 절박하고 힘겹게 달리고 있었지만, 사실 남이 본다면 비틀거리면서 걷는 수준이었다. 움직이지 않는 몸을 강제로 깨워 행동하고 있었기에 어쩔 도리가 없었다.

"허억, 허억……."

얼마 가지 못했음에도 가쁜 숨이 폐를 찢어발길 것처럼 튀어나왔다. 마치 무거운 돌덩어리들이 온몸에 달라붙어 있는 것 같았다.

'이 망할 옷 때문에 움직이기도 힘들잖아!'

목부터 발끝까지 타이트하게 달라붙는 옷 때문에 큰 보폭으로 달릴 수도 없다. 이 옷을 준 망할 휘안의 얼굴이 떠오르자 저절로 이가 갈렸다.

'젠장, 다 싫어. 다 싫다고. 레너드, 이 개자식!'

미친 자식. 린지는 속으로 욕설을 지껄이며 애써 걸음을 옮겼다. 인체 실험을 하고 있는 미친 레너드의 얼굴이 떠오르자 저절로 휘안에 대한 의문도 커졌다. 휘안은 대체 어떤 비밀을 품고 있기에 저런 녀석과 인연이 있는 것일까.

'오라버니께 알려야 해.'

이 사실을 반드시 유시젠에게 알려야 했다. 인체 실험이 실제로 이루어지고 있음을, 그리고 그 실험자가 바로 레너드 아롭이라는 것을!

사람을 재료로 써서 사람을 상대로 실험하는 이 광기의 연구가 버젓이 레란 왕국 안에서 이루어지고 있었다. 린지는 몸서리쳐지는 끔찍함에 속이 역겨울 정도였다.

'빨리 빠져나가야 해!'

이렇게 둔해진 몸으로는 제대로 싸우지도 못할 것이다. 완벽한 컨디션이었을 때도 레너드에게 쉽게 제압당했던 린지였다. 이런 상태로는 발견되자마자 끌려갈 것이 뻔하므로 빨리 도망가야 했다. 다행히 밤이 내리깔린 작은 마을은 그녀의 몸을 숨겨 주기에 충분히 어두웠다.

"에잇, 젠장!"

작은 집 뒤로 몸을 숨기며 뛰던 린지의 발이 삐끗거렸다. 그녀는 작게 욕설을 내뱉으며 아직까지도 신고 있던 하이힐을 내던졌다. 더불어 이런 옷을 준 휘안에 대한 원망이 또다시 뭉클 피어올랐다.

'이런 괴물 같은 곳에 날 버려두고 가다니!'

물론 마을 사람들― 레너드의 실험자들에게 속아서이긴 했지만 하준과 태평하게 마을을 떠났을 휘안을 생각하자 욕지거리가 치밀었다. 생각해 보니 이게 다 그 자식 때문이었다.

'그래, 항상 그 자식 때문이야, 항상!'

칼튀루스 후작도 휘안에게 원한이 있었다. 그녀를 괴롭힌 공작 영애들도 휘안 때문에 질투했었다. 람피스 공작 역시 휘안 때문에 그녀에게 호기심을 가졌다. 그리고 지금 이 순간도 역시 휘안 데 르카플로네 때문이었다. 휘안이 아니었더라면 레너드라는 괴물의 관심을 받을 일조차 없었을 것이다!

'망할 자식, 그래 놓고는 이렇게 나 몰라라 하고!'

무거운 몸을 움직이며 도주하는 와중에도 욕설이 흘러나왔다. 아무리 스스로를 괜찮다고, 어차피 스파이니까 감정적으로 행동하지 말자고 생각해도 화가 나는 건 어쩔 수 없었다. 휘안 때문에 이 마을에 여장을 하고 들어왔는데, 그 녀석과 인연이 있는 놈에게 잡혔다. 그리고 도망가는 이 순간에도 휘안 놈이 골라 준 옷 때문에 힘들어 죽겠고 말이다!

린지는 열심히 투덜거리며 숲 안으로 몸을 이끌었다. 드디어 마을을 빠져나오긴 했지만 안심하기엔 일렀다. 그녀는 경계를 늦추는 대신 더더욱 속도를 높여 숲 안으로 파고들었다. 하지만 잠시 후, 린지는 걸음을 멈출 수밖에 없었다. 눈앞에 펼쳐진 광경을 본 그녀의 얼굴에 낭패감이 맴돌았다.

'절벽……'

서슬 퍼렇게 깎여 있는 땅의 끝이 위협적으로 번뜩였다. 린지는 낭떠러지를 보고 자리에서 멈춰 섰다.

"술래잡기는 끝난 거야?"

그때, 뒤에서 들려오는 목소리에 린지는 황급히 등을 돌렸다. 기척을 느끼지도 못했는데 레너드는 그녀의 맞은편 나무에 기대어 있었다.

"으으, 발 아프겠다. 아무리 그래도 그렇지 신발을 벗고 달리면 어떡해? 예쁜 발 다 까졌겠네."

레너드는 엉망이 된 린지의 발을 보며 혀를 찼다. 걱정 가득한 눈빛에 린지의 등에 오싹함이 퍼져 올랐다. 언제부터 따라오고 있었는지 눈치조차 못 챘던 것이다.

"이리 와, 린지. 내가 엎어 줄게."

"······다가오지 마."

린지는 다가오는 레너드를 피해 뒷걸음질 쳤다. 레너드는 그녀의 굳은 표정이 거슬렸는지 불만스럽게 말했다.

"너무해. 나를 그렇게 괴물 보듯이 쳐다보고. 난 린지 네가 걱정이 되어서 그런 건데······."

"웃기지 마, 이 자식아!"

린지는 황급히 아래에 떨어진 나뭇가지를 잡아 올렸다. 적어도 순순히 끌려가지는 않을 것이다, 그렇게 결심한 린지의 최후의 발악이었다. 검을 들어도 상대가 되지 않는 자라는 것은 잘 알고 있었다. 그렇다고 해서 아무 저항도 없이 굴복하지는 않을 것이다.

레너드는 나뭇가지를 주워 든 린지를 바라보더니 키득키득 웃음을 흘려 댔다. 언제나처럼 해맑고 순수한, 소년의 것과 다름없는 미소였다.

"뭐 하는 거야? 내가 미스릴 검을 가지고 있는 것 몰라? 그런데 그런 나뭇가지로 상대하겠다고?"

"그래. 날 쉽게 다룰 거라고는 생각하지 마."

린지는 마치 검처럼 나뭇가지를 들어 올리며 레너드를 노려보았다. 어둠 속에서 흉흉하게 빛나는 붉은 눈동자에 레너드는 잠시 할 말을 잃었다. 두려움이라고는 눈곱만큼도 보이지 않는 눈빛- 지옥에 떨어져도 변치 않을 것 같은 강인한 눈이었다.

'역시 마음에 든다니까.'

하지만 저 눈빛에 끌리는 것은 자신뿐만이 아니겠지. 반드시 실험을 마무리 짓고 말겠어. 레너드는 그렇게 결심하며 빙긋 웃었다.

"네 결심이 그렇다면 따라야겠지."

레너드는 천천히 손을 움직여 허리에 매달린 검을 뽑아냈다. 은빛 광선을 뿜어내는 것처럼 빛나는 검은 일전에 목격했던 미스릴이었다. 그 신성하고도 강력한 신의 광물을 보는 순간, 린지는 온몸이 저려 오는 두려움과 경건함을 동시에 느꼈다. 살짝 스치기만 해도 살갗이 그대로 갈라져 버릴 것이다. 그럼에도 불구하고 그녀는 단 한 발자국도 물러서지 않았다.

'죄송해요, 오라버니.'

어쩌면 여기서 죽을 수도 있을 것 같아요. 하지만 저는 끝까지 굴복하지 않았으니까 너무 노여워하지 마세요. 린지는 마음속으로 웅얼거리며 마음을 다잡았다. 죽는 한이 있더라도 저 녀석에게 실험을 당하지 않을 것이다.

레너드가 검을 들어 올리는 순간이었다.

"……!"

레너드의 표정이 일순 굳었다. 당혹으로 일그러지는 그의 표정을 보는 것은 처음이었기에, 린지 역시 놀라서 눈을 동그랗게 떴다. 하나 그녀가 놀란 이유는 그것뿐만이 아니었다.

콰콰쾅!

번개가 내리꽂혔다. 대지의 파편이 사방으로 튀어 오르며 자욱한 흙먼지가 퍼졌다. 린지는 본능적으로 얼굴을 가렸다가 서둘러 팔을 내렸다. 레너드가 있었던 자리에 빛이 내리꽂혔던 것이다. 아니, 그것은 빛이 아니라…….

"휘안 님…….'

안개처럼 피어오른 흙먼지 너머로 은빛 머리칼이 찬란하게 빛났다. 휘안은 거대하게 파인 대지 위에 오롯이 서서 린지를 바라보며 말했다.

"린지안 군. 물러서 있어."

휘안의 손에는 그녀가 번개라고 착각했을 만큼 희귀하게 번뜩이는 검이 들려 있었는데, 레너드의 것과— 아니 레너드의 것보다 더 눈부셨다. 린지는 그것이 미스릴 검이라는 것을 깨달았다.

"휘, 휘안 님? 대체 어떻게······."

린지가 말을 더듬는 순간, 린지는 휘안의 너머로 광선이 번뜩이는 것을 보았다. 그녀가 경고의 외침을 내뱉기 위해 입술을 열 때였다. 휘안의 몸이 믿기지 않을 만큼 빠르게 대응했다.

콰쾅!

귀를 때리는 폭음이 숲 안을 거칠게 울렸다. 두 검의 격돌이 불러온 격풍이 린지의 뺨을 날카롭게 스치고 지나갔다. 린지는 레너드의 검을 막아 낸 휘안의 뒷모습을 보며 한발 늦은 경고를 내뱉었다.

"조심하세요······."

스스로 빛을 뿜어내는 두 개의 검이 어둠을 가르고 있었다. 그것은 이미 검의 부딪침이 아니었다. 금속 그 이상의 것, 마치 두 개의 대지가 한 점에 모여 폭발하는 것만 같았다. 검투라는 단어로 설명하기엔 두 미스릴의 격돌은 너무나도 파괴적이었다.

쾅!

레너드의 검날이 가르고 지나간 고목이 거친 소음과 함께 쓰러졌다. 하나 고목이 쓰러지기도 전, 그 너머로 피해 있던 휘안이 섬광처럼 빠르게 달려갔다. 레너드는 검을 들어 올려 막아 냈지만 그의 몸이 뒤로 밀려나 나무에 부닥쳤다.

'맙소사.'

린지는 뒤통수가 얼얼하다 못해 아무런 감각이 느껴지지 않을 정도였다. 그녀는 자신이 제대로 보고 있는지조차 의심되어 눈을 여러 번 비볐다. 하나 눈앞의 광경은 달빛 아래에서 몹시 선명했다.

'레너드가 밀리고 있어.'

검을 뒤섞고 있는 휘안과 레너드. 그들의 행적은 눈으로 좇기에도 벅 찰 만큼 빨랐다. 그리고 믿기지 않았지만, 표정을 점차 굳혀 가며 미간 을 좁히는 것은 레너드였다. 그가 밀리고 있었던 것이다.

휘안이 강하다는 것은 왕실에서 습격자들을 처리할 때 보아 이미 알 고 있었다. 하지만 레너드를 이렇게, 그다지 어렵지 않게 제압할 수 있 을 실력이라고는 생각해 본 적이 없었다. 사실 그럴 수 있는 존재가 있 을 거라고는 상상해 보지 못했다. 그녀의 머릿속에서 레너드는 너무나 강해서 그 누구도 당해 낼 수 없는 괴물이었는데ㅡ.

"큭."

처음으로 신음이 터진 것은 레너드의 입에서였다. 그는 피가 터진 옆 구리를 부여잡으며 뒤로 물러섰다.

"하하, 역시 휘안은 무섭다니까."

"내가 무섭다면 곁에서 얼씬거리지 말았어야지."

휘안은 담담하게 대답하며 레너드의 피가 묻은 검을 흩뿌렸다. 그러자 달의 파편 같은 검에서 핏방울이 떨어져 내렸다. 휘안은 씩 웃으며 말을 덧붙였다.

"물론 그랬어도 내가 찾아내서 언젠가는 죽였겠지만."

"너무하네, 휘안. 내가 그렇게 미운 거야? 우리 이래 봬도 오래된 사 이잖아."

레너드는 피가 흐르는 옆구리를 막으면서도 장난기 넘치는 목소리로 말했다. 이런 상황에서조차 실없는 농담을 건네는 것이 어이가 없었지 만, 휘안은 태연한 눈빛이었다. 그는 이미 레너드라는 자에 대해 너무나 도 잘 꿰고 있는 듯했다.

"그래. 그게 문제야. 널 진작 죽여 버렸어야 했는데."

"너무하네. 난 그렇게 쉽게 죽지 않는다고."

휘안이 검을 들어 올리는 순간 레너드의 손이 품 안으로 향했다. 무언가를 꺼내려는 기색을 읽은 휘안이 빠르게 검을 내리쳤지만 레너드가 한발 더 빨랐다.

쾅!

굉음과 함께 흙먼지가 다시 한 번 피어올랐다. 휘안은 두 팔로 몸을 가로막으며 폭발 속에서 스스로를 보호했다. 다시 팔을 내렸을 때, 휘안의 눈썹이 일그러졌다.

"……린지안 군."

"말했지? 휘안. 난 쉽게 안 죽는다니까."

레너드의 검날이 린지의 새하얀 목을 겨누고 있었다. 휘안은 쉽게 움직이지 못하고 제자리에 오도카니 서서 그를 바라보았다.

'젠장, 이게 무슨 꼴이야!'

린지의 붉은 눈동자가 낭패감에 젖었다. 휘안에게 도움이 되지 못할망정 엄청난 짐이 되고 말다니……. 린지는 이를 악물었다. 그때였다.

쿠구구궁!

거대한 폭음이 예고도 없이 대지를 울렸다. 뒤이어 거한 폭발음과 함께 땅이 거칠게 진동했다.

콰콰쾅!

린지는 깜짝 놀라서 몸을 낮췄다. 저 멀리, 숲 너머의 마을이 폭음과 함께 붉은빛이 너울거리며 밝게 타올랐다. 집들이 폭발하고 있었던 것이다!

'뭐, 뭐지?'

쾅, 콰쾅!

놀랄 겨를도 없이 마을은 연달아 폭발하고 있었다. 레너드는 그 폭음을 선명하게 들으면서도 용케 휘안에게서 눈을 떼지 않고 있었다. 어둠에 젖은 그들의 얼굴이 붉은 화염 빛에 녹아들어 아른거렸다.

잠시 후, 점점 멀어지는 폭음 속에서 레너드가 입을 열었다.

"하준 녀석이 어디 갔나 했더니……."

"그래. 하준은 네 실험을 폭파시키고 있어."

휘안은 검을 천천히 들어 올려 린지 너머의 레너드를 겨누었다.

"린지안 군을 놔줘, 레너드. 우리와는 관계없는 녀석이야."

"글쎄. 과연 그럴까?"

레너드는 그녀를 놔주는 대신 더욱 강하게 끌어당겼다. 그 악력에 린지가 인상을 찡그리자 레너드가 웃음을 흘리며 뺨에 입술을 맞췄다.

쪽.

"무, 무슨 짓이야!"

이 상황에 뺨에 뽀뽀를 하다니! 린지가 놀라서 버둥거렸으나 레너드는 그녀를 더 세게 잡으며 휘안을 쳐다봤다.

"이 녀석, 귀엽거든. 네가 아끼는 것도 이해가 돼."

"이것 놔, 이 자식아!"

린지는 그의 팔을 잡아당겼지만 마치 석상처럼 꿈쩍도 하지 않았다. 분노가 치밀어 오름과 동시에 뼈저린 무력감이 온몸에 사무쳤다. 이렇게까지 아무 대응도 못 하는 자신이 한심해서 눈물이 나올 지경이었다.

"왜 그러고 있어, 휘안? 내가 미울 텐데? 죽이고 싶을 만큼 증오스러울 텐데, 왜 그렇게 가만히 있는 거야?"

레너드는 특유의 활기찬 목소리로 말했다. 그는 가까이 다가오지 못하는 휘안을 바라보며 흥미로운 듯 말을 이었다.

"정말로 이 시종 때문에 그러는 거야?"

"……."

"말해 봐, 휘안."

휘안은 대답하지 않았다. 그는 더 이상 레너드를 바라보지 않았다. 휘안은 도무지 생각을 알 수 없는 눈빛으로 린지를 응시했다. 그의 시선을 받은 린지는 휘안이 난처해하고 있다는 것을 깨달았다.

'나, 나 때문이야.'

그들의 원한 관계는 잘 알 수 없지만 휘안이 레너드를 증오하는 것은 확실했다. 그리고 지금 이 순간, 그녀 때문에 아무것도 못 하고 있다는 것 또한 알 수 있었다.

'나 때문에-.'

린지는 침을 꿀꺽 삼키며 주먹을 말아 쥐었다.

레너드는 휘안의 원수일 것이다. 그리고 그것을 떠나서, 레너드는 세상에 존재해서는 안 될 자였다. 인체 실험을 하는 잔인함은 둘째 치고 그 실험을 진행하는 위험한 지식-연금술. 그것은 말살되어야 할 지식이다.

'짐이 되는 건 견딜 수 없어.'

만약 자신 때문에 레너드를 순순히 보내 준다면, 그녀는 평생을 자책하며 살아갈 것이다. 그것이 죽음보다 더 두려웠다. 때문에 린지는 쉽게 결정을 내릴 수 있었다.

"휘안 님."

린지의 목소리는 이 상황과 어울리지 않을 만큼 침착했다. 휘안의 미심쩍은 시선이 그녀에게 닿는 순간, 린지는 사과의 의미를 담아 웃었다. 방해가 되어서 미안하다는 마음을 담은 미소였다.

"정말 죄송합니다."

다음 순간, 린지는 있는 힘을 짜내 레너드의 몸을 껴안았다. 그리고 그들이 어떻게 반응할 사이도 없이 절벽 뒤로 몸을 내던졌다. 설마 그녀가 그럴 거라고는 예상하지 못했던 건지, 레너드의 몸이 쉽게 절벽 아래로 끌어당겨졌다.

"린지안 군!"

비명 같은 휘안의 외침이 바람 속으로 파묻혀 멀리 울려 퍼졌다. 절벽 아래로 내리 떨어지는 린지는 그제야 아래에 강이 흐른다는 것을 발견했다. 순간 희망과 절망이 동시에 교차했다. 레너드와 함께 죽어 버릴 생각이었는데— 이 괴물은 강에 빠지는 것만으로 죽을 작자가 아니었다.

"우와, 린지. 너도 제정신이 아니구나?"

휘날리는 하늘색 머리칼 너머로 은회색 눈동자가 보였다. 린지는 그를 부여잡고 있는 팔을 그대로 내뻗어 레너드를 거칠게 밀쳤다. 떨어져 내리는 와중에도 레너드는 린지의 행동이 신기했는지 키득거리면서 웃고 있었다. 그것이 못 견디게 소름 끼쳤다.

"린지안 군!"

무언가가 그녀의 팔을 휙 낚아채는가 싶더니 몸이 한 번 빙그르르 뒤집혔다. 휘안이 그녀를 품 안으로 끌어들인 것이다!

"휘안 님! 왜 여기 있으신 겁니까!"

"멋대로 이러는 것은 용서 못 해."

"설마 절 구하기 위해……!"

휘안이 빙긋 웃었다. 그가 아래에서 린지를 안고 있었기에 떨어진다면 모든 충격을 흡수할 것이 분명했다. 린지가 버둥거리며 아래쪽으로 가려고 하자 휘안이 단호하게 그녀의 몸을 잡았다.

"가만히 보면 린지안 군도 고집불통이야."

이 와중에 그게 무슨 소리야! 린지가 어이없는 눈으로 그를 바라보자 휘안이 부드럽게 미소를 지었다. 그와 동시에 그들의 몸이 강물 안으로 충돌했다. 온몸이 터지는 듯한 충격 속에서 린지는 눈을 질끈 감았다.

'……아파!'

머리부터 발끝까지 격렬한 통증이 부딪쳐 왔다. 그 고통 속에서 린지는 눈을 번쩍 떴다. 동시에 휘안이 자신의 몸을 잡고 강물 바깥으로 헤엄치고 있는 것을 발견했다.

"휘안 님!"

린지가 몸을 버둥거렸으나 휘안은 아무 대답도 하지 않았다. 그는 그녀의 몸을 단단하게 잡고 계속 헤엄쳤다.

'사, 사, 살았다.'

다행히도 정신을 잃은 것은 단 몇 분에 불과해 보였다. 충돌로 인한 통증은 그렇다 치고, 마취 향의 잔재 덕분에 그녀는 아직 몸을 잘 움직일 수 없었다. 때문에 그녀는 발버둥치는 것을 멈추고 휘안의 팔 안에 얌전히 매달렸다. 휘안은 용케도 한 번도 쉬지 않고 헤엄쳐서 강 바깥으로 빠져나왔다. 그는 린지의 몸을 내려놓고는, 완전히 지친 얼굴로 그녀를 내려다보았다.

"조금 힘드네."

조금 힘드네, 라니…… 보통 사람이었다면 죽었거나 아니면 뼈가 아스러져서 기절했을 것이다. 린지는 그의 입술에서 가느다란 실핏줄이 흐르는 것을 보았다. 등을 돌린 상태 그대로 강물에 떨어져 내렸을 때 입은 내상인 것 같았다. 하나 휘안은 대수롭지 않게 핏줄기를 슥 닦아 내더니 빙긋 웃었다.

"린지안 군, 맷집이 강한 건 알고 있었지만 생각 이상인데? 바로 정신을 차릴 줄은 몰랐어."

"휘안 님."

"곧 하준이 도와주러 올 거야. 그러니 이제 안심하고 쉬도록 해."

그렇게 말한 휘안은 린지의 옆에 털썩 주저앉았다. 그는 나무 기둥에 편히 등을 대고는 한숨을 푹 내쉬었다.

"아아, 이런 스펙터클한 경험은 또 하고 싶진 않아."

뭐라고 말해야 할까. 아무렇지도 않다는 듯, 평소와 같은 얼굴로 웃음 짓는 저 얼굴에 린지는 목이 메어 왔다. 뜨겁고 묵직한 무언가가 가슴 안을 마구 휘젓더니 눈두덩까지 빠른 속도로 올라왔다. 그제야 린지는 자신이 울음을 참고 있다는 것을 깨달았다.

'뭐야. 대체 뭐냐고.'

울음이 나올 것 같다니, 왜 이러는지 알 수 없었다. 더 알 수 없는 것은 휘안이었다. 그녀 하나 때문에, 시종 때문에 목숨을 걸고 구해 주려 한 휘안을 알 수 없었다. 이제 린지는 휘안에 대해 손톱만큼도 알 수 없었다. 처음 보는 사람보다 더 의문투성이였다.

'왜 나를 구해 준 거야.'

그에게 있어서 자신은 한낱 시종일 뿐인데, 그뿐이어야 할 텐데 왜 절벽 아래로 함께 뛰어들었을까. 그녀가 알고 있는 휘안은 이런 남자가 아니었다. 절대로 자신을 구하지 않았어야 한다. 그것이 린지가 아는 휘안이었는데…….

"린지안 군. 혼나야겠어. 왜 멋대로 절벽 아래로 몸을 던져?"

휘안이 입가에 미소를 띠며 린지의 머리에 꿀밤을 먹였다.

"저, 저는…… 휘안 님께 방해가 되는 것 같아서. 레너드와 함께 죽으려고 했는데, 강이 있어서 실패를…… 정말 죄송해요."

"지금 그걸 말이라고 해?"

저도 모르게 변명한 린지의 말에 휘안의 표정이 굳어졌다. 린지가 고개를 숙이자 그가 손으로 린지의 턱을 들어 올렸다.

"설령 강이 아니었다고 해도 레너드는 죽지 않았을 거야. 아까운 네 목숨만 날아갔겠지."

"……."

그렇게 말하는 휘안은 보기 드물 정도로 엄격한 표정이었다.

"다시는 이런 짓 하지 마. 알겠어?"

"……죄송합니다."

기가 잔뜩 죽은 린지가 작은 목소리로 웅얼거리자 휘안의 눈매가 부드러워졌다. 그는 젖은 머리칼을 쓸어 넘기며 한숨처럼 내뱉었다.

"여전하구나. 그 누구의 도움도 바라지 않고, 피해 끼치기 싫어하는 거."

"……그렇지만."

"이제 내게는 그러지 않아도 돼. 린지안 군은 이제 내 사람이야. 내가 그렇게 결정했어."

그렇게 말한 휘안이 맑은 미소를 지었다. 그러고는 린지의 머리에 손을 올려 조심스럽게 쓰다듬었다. 그 따스한 체온에 린지는 입술을 질끈 깨물며 시선을 피했다. 도저히 휘안의 눈동자를 마주할 수가 없었다. 휘안은 도망치듯 시선을 피한 린지를 알면서도 끈질기게 말했다.

"그게 무슨 의미인지 알지? 나는 내 사람은 끝까지 지켜. 그러니까 린지안 군도 내게 의지해도 좋아."

"……."

"레너드를 놓친 것은 아쉽긴 하지만 린지안 군이 무사하니까 괜찮아."

낭떠러지로 몸을 던져 놓고, 강물 속으로 곤두박질쳐 놓고도 그의 목소리는 따스했다. 습관처럼 내뱉던 평소의 친절과는 달랐다. 순도 백 프로의 진심으로 다가오는 목소리에 린지는 고개를 숙였다.

그제야 린지는 깨달았다. 백작이 진심으로 자신을 마음에 들어 하고 있음을. 진심으로 '자신의 사람'으로 여기고 있음을. 동시에 그녀는 왕세자가 준 임무, 백작의 신뢰를 얻어 마음을 얻으라는 명령에 한 발짝 더 다가갔음을 실감했다.

성공적이었다. 기대했던 것보다도 더 빨리, 그리고 손쉽게 임무를 수

행해 가고 있다. 하나 어째서인지 기쁘지 않았다. 도리어 심장 한구석을
싸하게 만드는 감정에 손끝이 떨려 왔다.

'죄송해요.'

누구를 향한 말일까. 그것이 자신을 믿고 있는 백작인지, 아니면 임무
를 부여한 왕세자를 향한 것인지 알 수가 없었다. 어쩌면 두 사람 모두
를 향한 것일지도 몰랐다.

'죄송해요. 정말 죄송해요⋯⋯.'

chapter 11. 갈증

휘안이 예견했듯 얼마 지나지 않아 하준이 그들을 찾아왔다. 그는 어디서 구했는지 수건까지 챙겨서 오는 세심함을 보였는데 두 사람에게 처음으로 던진 눈빛은 '미쳤냐'였다.

'미쳤군.'

하준이 보기에 시종은 완전히 미쳐 있었다. 그렇지 않고서야 저를 구해 주겠다는데 그걸 마다하고 스스로 절벽 아래로 뛰어내리겠는가. 실험자들과 마을을 폭파시키고 휘안에게 합류하기 직전, 하준은 시종이 레너드를 끌어안고 떨어져 내리는 것을 본 것이다.

그리고 휘안 역시 마찬가지였다. 그렇게 떨어져 내리는 시종 하나 구하겠다고 같이 뛰어내려? 하준은 시종이 낭떠러지로 몸을 던지자마자 거의 동시에, 고민도 망설임도 없이 뛰어내리는 휘안을 보고 어안이 벙벙했었다. 휘안은 정말로 저 시종을 마음에 들어 하고 있음이 분명했다.

'레너드 녀석은 결국 놓쳤고.'

하준이 아는 레너드는 이 정도 낭떠러지에서 떨어졌다고 죽을 위인이 아니었다. 어떻게든 빠져나와 도망쳤겠지. 소년처럼 천진한 얼굴을 하고 또다시 인체 실험을 해 나갈 모습을 떠올리자 하준의 미간이 좁혀졌다.

'그런데 저 녀석은 왜 저래?'

이상한 것은 그 이후의 일이었다. 어째서인지 그 낭떠러지 사건 이후로 시종은 입술을 조개처럼 꾹 다물고 열 생각을 하지 않았다. 평소라면 어떻게 이 산맥을 맨몸으로 넘을 것이냐, 더 늦기 전에 돌아가야 하지 않겠냐고 쫑알거릴 것이 분명한 녀석이 아무런 참견도 하지 않았다.

"다 왔네. 이 동굴이야."

반면 휘안은 무서울 정도로 평소와 같았다. 그는 며칠째 침묵을 지키는 시종이 대수롭지 않은 듯 별반 신경 쓰는 기색이 아니었다.

휘안과 하준은 큰 동굴 입구에서 멈춰 섰다. 이제 본격적으로 산이 험준해져서 아무 장비 없이 맨몸으로는 오르지 못할 때쯤에야 나타난 동굴이었다. 휘안은 주위를 두리번거리더니 뒤에서 멀거니 서 있는 린지를 발견했다.

"린지안 군, 이리 와."

린지는 아무런 대답 없이 그의 옆으로 걸어갔다. 그러자 휘안이 웃으면서 린지의 손을 덥석 잡았다. 소스라치게 놀란 린지가 손을 빼려 했으나 휘안은 놓아주지 않았다.

"우리는 이제 이 동굴 안으로 걸어 들어갈 거야."

"여기서 야영하시는 겁니까?"

오랜만에 린지가 입을 열어 질문해 왔다. 그러자 휘안이 고개를 가로 저으며 말했다.

"아니, 이제 르카플로네 영지로 가는 거야."

"……이 동굴 안을 걸어서요?"

"응. 금방 도착할 테니까 내 손 놓지 말고."

린지는 묘한 표정으로 휘안을 바라보았다. 대놓고 말만 안 했을 뿐이지, 휘안을 제정신으로 여기고 있지 않는 눈빛이었다.

"하준 너도 놓치지 말고 잘 따라와."

"알겠어."

헛소리에다가 대고 하준이 진지하게 대답하자 린지의 표정은 더더욱 괴상해졌다. 이 두 사람이 미치기라도 한 걸까? 그녀가 무언가 말하려고 했으나, 생각을 고쳐먹고는 다시 입을 다물었다.

'됐어. 그냥 가만히 있자.'

백작의 진심을 들은 이후로는 어째서인지 그가 무척이나 불편해졌다. 그래서 평소에 하던 대화도 쉽게 나눌 수가 없었다.

"가자."

휘안이 린지의 손을 끌어당기며 동굴 안으로 들어갔다. 몇 걸음 가지 않아 시야가 금세 어둠으로 잠겨 왔다. 린지는 발을 헛디디지 않도록 신경을 곤두세우며 걷는 것에 집중했다. 그런데…….

'왜 손을 잡고 걷는 거야.'

마치 놓치지 않겠다는 듯 단단하게 잡고 있는 백작의 커다란 손이 너무나도 불편했다. 사실은 손뿐만 아니라 그의 존재 자체가 불편하게 느껴졌다. 이 정도 동굴은 넘어지지 않고 혼자 걸을 수 있는데 왜 군이 손을 잡아 가며……. 그녀가 그렇게 생각하는 순간이었다. 미세한 바람이 동굴 안에서 흘러나왔다.

'아?'

살랑거리는 머리카락을 자각하는 순간, 강렬한 돌풍이 몰아닥쳤다. 린지가 깜짝 놀라 주춤거리자 백작이 그녀의 손을 강하게 잡았다.

"멈추지 말고 걸어, 린지안 군."

온몸을 격하게 때려 오는 바람 속에서 휘안의 목소리가 침착하게 들렸다. 동굴 안에서 이런 폭풍우 같은 바람이 몰아치다니! 놀랄 틈도 없이 또 다른 현상이 일어났다. 마치 지진이라도 난 듯 땅이 흔들렸던 것이다!

"이, 이게 무슨!"

린지가 깜짝 놀라는 것을 느낀 백작이 그녀의 어깨를 끌어당겼다. 거의 그의 품에 안기다시피 했지만 린지는 불편해할 사이도 없었다. 갑작스런 돌풍과 지진이 너무나도 당황스러웠던 것이다.

"백작님!"

"괜찮아, 조금만 더 참고 걸어."

이게 대체 뭐냔 말이다! 하지만 잠자코 따라오는 하쥰과 침착한 휘안을 보아하니 이런 현상이 들이닥칠 것을 예상했던 것 같았다.

'대체 이게 뭐야!'

얼마나 걸었을까? 지진과 폭풍 같은 바람을 뚫고 한참을 걷자, 저 멀리서 미세한 빛줄기가 흘러들었다. 아무래도 동굴이 어딘가와 연결돼 있는 통로인 것 같았다.

"오셨습니까."

동굴 밖으로 빠져나오자 눈부신 햇살이 시야를 가득 채웠다. 린지는 눈살을 찌푸릴 수 없었다. 왜냐하면…….

"르카플로네 영지까지 오시느라 수고 많으셨습니다, 백작님."

거대한 성이 그들의 눈앞에 펼쳐져 있었기 때문이다.

그들을 맞이한 것은 미리 영지에 가 있다는 예르시카였다. 그녀는 기다렸다는 듯 백작과 하쥰, 린지를 맞이하며 성안으로 그들을 안내했다. 린지는 지금까지 중에서 제일 당황해하며 아무 말도 꺼낼 수 없었다.

'뭐야, 뭐야, 뭐야, 뭐야!'

르카플로네 성은 저택과는 비교도 되지 않을 정도로 거대하고 또 아름다웠다. 이 정도면 왕실의 궁전과 맞먹을 정도였으나, 린지는 르카플로네 성의 규모와 아름다움을 감상할 수 없었다.

'분명 카제타 산맥의 동굴이었는데! 어떻게 이곳으로 빠져나올 수 있었냐고!'

동굴 안에서 폭풍과 지진을 만난 것도 말이 안 됐지만 이것은 좀 심했다. 하지만 아무렇지도 않게 적응하는 휘안과 하준을 보아하니 그들은 이미 알고 있었던 것이 분명했다.

'그래, 이미 알고 있으니까 카제타 산맥으로 왔겠지!'

그제야 그들이 자신만만하게 카제타 산맥을 건너가자고 했던 것이 이해가 됐다. 하지만 어떻게? 어떻게 그 동굴 하나만 십 분 정도 걸은 것 가지고 르카플로네 영지로 올 수 있단 말인가!

하나 휘안은 놀란 린지에게 방을 배정해 주고는 어딘가로 사라져 버렸다. 때문에 린지는 오도카니 방 안에 앉아서 이 상황을 받아들이지 못하고 있었다.

'거짓말, 그럴 리가 없지.'

한참을 고민에 잠겨 있던 린지는 이곳에 르카플로네 영지가 아니라는 결론을 내렸다. 그래, 그럴 리가 없지 않은가. 그녀는 진실을 확인하기 위해 방 밖으로 나섰다. 그러고는 제일 먼저 보이는 시녀에게 다가갔다.

"저, 실례합니다만."

시녀는 심드렁한 표정으로 고개를 돌리다가 깜짝 놀라 눈을 동그랗게 떴다. 너무나도 예쁜 붉은 머리칼의 소년이 등장한 것이다.

'어머나. 이 꽃소년은 누구지?'

시녀가 얼굴을 발그레하게 붉히며 의욕적으로 대답했다.

"무슨 일이죠?"

"실례지만 이곳이 어디죠?"

"네? 그야 르카플로네 영주 성이잖아요."

"……."

붉은 머리칼 소년의 얼굴이 어두워지는 것을 본 시녀는 고개를 갸웃 기울였다. 그러고 보니 오늘 성의 주인, 백작이 방문했다는 소문이 있었다. 아마 이 소년은 백작의 일행인 듯했다.

'아하, 개인 시종이구나.'

소년의 복장은 르카플로네 가문 고용인이 입는 특유의 시종복이었다. 시녀는 백작이 아끼는 시종이 붉은 머리칼이라는 소문을 떠올리고 이 소년의 정체를 짐작했다.

"백작님의 개인 시종인가요?"

"네, 그렇습니다."

"저는 르카플로네 영주 성에서 일하는 쥴리아나예요. 만나서 반가워요."

린지는 시녀의 미소에 따라서 힘없는 미소를 지었다.

'이곳이 진짜 르카플로네 영주 성이라니…… 대체 이런 일이 어떻게 가능한 거지?'

린지의 혼란스런 마음을 아는지 모르는지 쥴리아나는 들떠서 제안했다.

"제가 성을 구경시켜 드릴까요? 이곳이 처음이시라 잘 모르실 텐데요."

그 말에 린지는 귀를 쫑긋거렸다.

"그러면 감사하죠, 쥴리아나."

"어머. 그냥 쥴리라고 불러 주세요."

쥴리아나는 눈을 찡긋했다.

쥴리아나의 손에 이끌려 린지는 영주 성을 둘러보았다. 르카플로네 영주 성은 백작가의 재산을 과시하듯 화려했고 또 웅장했다.

"린지안이라고 했죠? 백작님을 시중드는 일은 어때요?"

정원을 소개시켜 주며 줄리아나가 끊임없이 말을 걸어왔다.

"좋습니다. 백작님께서 워낙 친절하셔서."

린지는 기계적으로 대답하며 정원과 성의 위치를 파악하고 있었다. 혼란스럽지만 어쨌든 이곳은 르카플로네 영주 성이 확실했다. 그러니 일단은 이곳에서 할 수 있는 최선의 일을 해야 했다.

'그래, 일단 집중하자. 일단 지리를 잘 익혀 놓자고.'

반면 줄리아나는 잔뜩 신이 나 있었다. 무료한 일상에 나타난 미소년이 활력을 불어넣었던 것이다.

"좋으시겠어요. 저도 백작님의 성에서 일하긴 하지만 백작님을 자주 뵙진 않으니까요. 아무래도 수도 샤를의 저택에 계신 날이 훨씬 많잖아요?"

그 말에서 린지는 이상함을 느꼈다.

"자주 뵙지 않는다는 말은, 가끔이라도 뵙긴 한다는 말이군요?"

"네. 한 달에 두세 번쯤은 오시잖아요?"

줄리아나가 밝게 미소 지으며 말했다.

"근데 이 사실은 백작 성 밖으로 새어 나가면 안 돼요. 아시죠?"

"……물론이죠."

줄리아나는 린지가 당연히 이 사실을 알고 있었을 거라는 눈치였다.

'그래서 하준이 그렇게 놀란 거군.'

린지는 놀란 마음을 진정시키며 회상했다. 하준은 백작이 린지를 데리고 르카플로네 영지로 가겠다고 했을 때 굉장히 놀랐었다. 아마 이 사실을 알게 될까 봐, 그의 비밀이 알려질까 봐 놀랐던 거겠지.

'한 달에 두세 번 영지에 갔다고? 대체 언제?'

개인 시종인 린지조차 알지 못했던 사실이다. 백작이 그렇게나 자주 영지를 들락날락거렸단 말인가. 하지만 그녀가 아는 한 백작이 그렇게까지 시간을 비운 일은 없었다.

'설마…….'

가끔씩 그가 외박을 하거나 새벽 늦게 들어오는 날들이 있었다. 그녀는 당연히 그가 여자들과 어울리고 있다고 생각했다. 가끔씩 그의 행방을 물을 때마다 집사도 그렇게 알고 있었고 말이다. 하나 만약, 휘안이 집사와 린지를 속인 거라면? 여자와 어울리는 것이 아닌, 영지에 갔었던 거라면?

'그렇다면 여자들과 어울리는 것도 일부러 어울리는 거야? 자리를 비우는 시간을 설명하려고?'

순간 떠오른 가설에 등골이 오싹해졌다. 백작은 영지에 자주 들렀으며 그것을 대외적으로 비밀에 부쳤다. 대신 그 시간에 여자들과 어울렀을 거라고 생각하게 만들었다. 만약 그것이 백작에 의해 연출된 상황이라면? 사람들이 그렇게 생각하게 만들도록, 백작이 일부러 여자들을 많이 만나고 다닌 거라면……?

'……에이 설마.'

과한 생각이겠지만 이쯤 되면 진짜일 수도 있다. 백작은 알면 알수록 알 수 없는 사람이었으니까.

린지는 줄리아나를 물끄러미 바라보았다. 이 시녀도 백작 성에 일하면서 이러한 비밀들을 철저하게 지키고 있겠지. 백작의 개인 시종인 자신이 당연히 이 사실을 알 거라고 생각했기에 말했을 것이다.

'그래. 백작은…… 내가 그 사실을 알게 되어도 상관없기에 날 데려온 거야.'

만약 그가 알려 줄 생각이 없었다면 절대로 린지를 이곳으로 데려오지 않았을 것이다. 그렇게 생각하자 마음이 묵직하게 내려앉았다.

"린지안 군은 내 사람이야."

그의 목소리가 환청처럼 계속 따라붙었다. 어째서인지 그 목소리가 들릴 때마다 마음이 좋지 않았다. 백작이 너무 많은 것들을 린지에게 보여 주고 있었다. 다른 이들에게는 절대 보여 주지 않을 것들, 알려 주지 않을 것들을 그녀에게는 아무렇지도 않게 공개한다.

'그리고 난 이것을 오라버니께 전해 드려야 해.'

그러기 위해 이곳에 있으니까.

린지는 입술을 질끈 깨물었다. 린지안 군은 내 사람이야, 그렇게 말하며 자신을 바라보던 눈동자를 떠올리자 마음이 묵직해졌다. 린지는 이 감정의 정체를 알아차렸다. 이것은 죄책감이었다.

그날 밤까지 린지는 잠들지 못하고 뜬눈으로 침대에 오도카니 앉아 있었다. 새벽 두 시, 잠들어야 마땅한 시간이었지만 도무지 눈을 감을 수 없었다.

'백작이 안 들어왔잖아.'

린지는 침대맡의 종을 물끄러미 쳐다보았다. 왕실에서처럼 백작이 방에서 줄을 당기면 이 종이 울릴 것이다. 그때에는 시도 때도 없이 울려 댔던 종이 이 성안에서는 마치 장식품처럼 잔잔했다.

"아아, 모르겠다."

줄곧 마음이 무거웠던 린지다. 그녀는 한숨을 폭 내쉬며 침대에 벌러덩 누웠다. 그렇게 잠을 자려고 하는 순간.

딸랑!

종이 울리자 린지는 자리에서 벌떡 일어났다.

"미안, 린지안 군. 잠 깨웠어?"

백작의 방 안에 들어가는 순간 피비린내가 확 풍겨 왔다. 침대맡에 상의를 탈의한 채 앉아 있는 백작에게서 흘러나오는 냄새였다.

"……백작님?"

달빛이 그의 은빛 머리칼을 촉촉이 적셨다. 마치 그림 같은 모습으로 웃고 있는 백작의 모습과는 달리 강렬한 피 냄새가 코를 자극했다. 린지가 문가에서 머뭇거리자 백작이 손짓하며 웃었다.

"나 좀 도와줄래?"

린지는 그에게 조심스럽게 다가갔다. 그의 넓고 탄탄한 등 위로 피로 젖은 붕대가 휘감겨 있는 것이 보였다.

"이것 좀 새것으로 갈아 줄 수 있어?"

린지는 말없이 그의 뒤편 침대맡에 자리했다. 백작의 등으로 뻗는 린지의 손가락은 미세하게 떨리고 있었다.

'상처를 입었어. 그런데 그것을 내게 보여 주고 있어.'

그녀는 그것이 의미하는 바를 잘 알고 있었다. 린지는 떨림을 숨기며 조심스럽게 붕대를 풀었다. 피에 가득 젖은 붕대는 이미 제구실을 못 하고 있었다.

"……제대로 치료를 받으셔야 할 것 같아요."

린지는 백작의 등에 새겨진 긴 검상을 보며 말했다. 더 이상 피는 흐르지 않았지만 수술이 필요해 보였다. 그녀가 할 수 있는 응급 치료 기술로는 무리가 있었던 것이다.

"괜찮으니까 소독하고 약 좀 발라 줘."

"하지만……."

"부탁해, 린지안 군."

어쩐지 그렇게 말하는 백작의 목소리는 약간 피곤해 보였다. 때문에 린지는 더 이상 항변하지 못하고 백작이 시키는 대로 따랐다.

그녀는 따뜻한 물로 피를 닦아 낸 후, 소독약을 뿌렸다. 제법 따끔할 만도 한데 백작은 비명을 지르기는커녕 미동조차 하지 않았다. 린지는 그 상처 위로 백작이 준 약을 바른 후 붕대를 감았다.

"……잠시만."

가슴을 둘러 감아야 했기에 린지는 붕대를 잡은 채로 그의 앞으로 이동했다. 그러고는 그의 양팔 아래에 손을 넣고 천천히 붕대를 둘렀다.

백작은 그런 린지의 모습을 가만히 응시했다. 턱 아래에서 살랑거리는 붉은 머리칼의 감촉이 기분 좋았다.

"물어보고 싶은 거 없어?"

백작이 붕대를 감는 린지를 바라보며 나지막이 물었다. 그 말에 린지의 손이 잠시 멈추었으나 곧 다시 움직였다.

"네, 없습니다."

없긴 왜 없겠는가. 무수히도 많은 질문들이 입술 안에서 맴돌았다. 대체 어떻게 동굴을 통과하는 것만으로도 영지에 올 수 있었던 건지, 그동안 왜 영지를 남몰래 들락날락한 건지, 그리고 이 상처는 어디서 입고 온 것인지……. 하지만 린지는 아무것도 물을 수 없었다. 만약 섣불리 물었다가는 그가 말해 줄 것만 같아서, 그것이 묘하게 두려웠다.

"다 됐습니다."

린지는 그의 가슴팍에 붕대를 단단히 동여매며 말했다. 그녀는 그때까지도 백작의 눈을 바라보지 않았다. 그의 보라색 시선이 끈질기게 따라붙고 있다는 것을 느끼고 있으면서도 그녀는 끝까지 외면했다. 그런 그녀를 바라보는 백작의 입가에 웃음이 맺혔다.

"린지안 군."

"네?"

"내가 지금 무슨 기분인 줄 알아?"

린지는 침대에 걸친 몸을 떼서 일어나고 싶었다. 그러고는 백작에게서 먼 거리에 떨어져서, 땅에 시선을 박고 그와 대화하고 싶었다. 그만큼 백작과 멀어지고 싶었다. 하나 어느새 백작의 손은 그녀의 손을 잡고 있었다.

"마치 고백했는데 거절당한 사춘기 소년 같은 기분이야."

백작의 지쳐 있는 목소리에는 웃음기가 서려 있었다. 린지는 아무 대답도 할 수 없었다.

"그날 이후로 린지안 군은 나를 제대로 쳐다보지도 않아."

"……그런 게 아닙니다."

"아니라면, 나를 봐."

백작의 단호한 목소리에 린지는 천천히 고개를 들어 올렸다. 어둠 속에서 달빛을 품은 자색 눈동자가 린지를 똑바로 바라보고 있었다. 린지가 저도 모르게 다시 고개를 숙이자 백작이 턱을 잡고 획 들어 올렸다.

"내가 싫어?"

"아닙니다, 그런 게 아니라……."

차마 그의 두 눈을 마주 볼 수가 없었다. 마치 그 보라색에 단숨에 전신이 삼켜질 것만 같았다. 그 까마득한 감정에 린지는 눈동자를 아래로 굴렸다.

"나를 봐."

"……백작님."

린지는 토해 내듯 속삭였다. 지금 당장 휘안의 팔을 뿌리치고 이 방 안에서, 그의 눈동자에서 도망가고 싶었다. 부닥치듯 돌진해 오는 백작의 진심이 너무나도 두려웠다.

"제게 왜 이러십니까?"

린지는 백작을 바라보았다. 그녀의 붉은 눈망울에는 두려움마저 느껴졌다.

"왜 제게 이런 것들을 보여 주십니까?"

상처는 다른 사람에게 치료를 부탁할 수 있었을 것이다. 예르시카가 있고, 하준이 있으니까. 지금까지 그녀가 알던 휘안이었다면 절대로 이러한 부탁을 하지 않았을 것이다.

"말했잖아. 린지안 군은 내 사람이니까."

휘안은 린지에게서 느껴지는 강렬한 부담감을 읽었다. 하지만 그는 멈추지 않았다. 그는 살며시 웃으며 린지의 얼굴을 잡은 손을 뗐다. 그러고는 그녀의 붉은 머리칼을 부드럽게 쓰다듬으며 말했다.

"나는 린지안 군이 마음에 들어. 그래서 나도 린지안 군의 마음에 들고 싶어."

린지는 주먹을 말아 쥐었다. 묵직한 무언가가 가슴 깊이 눌러앉아 숨결마저 떨려 올 지경이었다. 그가 안쓰러웠다. 휘안이 사람을 쉽게 믿지 않는 남자라는 것을 잘 알고 있다. 그런데 마음을 열고 믿음을 주려 하는 자가 자신 같은 사기꾼이라니…… 잘못된 상대에게 마음을 주는 휘안이 안쓰러워서 견딜 수 없었다.

'정신 차려, 린지. 오라버니께 말 못 할 감정은 품지 마.'

린지는 급하게 유시젠을 떠올렸다. 갈 곳 없던 어린 린지를 거두어 준 사람, 교육시켜 준 사람, 살아야 할 이유를 만들어 준 사람. 그것은 유시젠이었다. 그리고 지금 이 상황은, 유시젠이 원하는 비극이었다.

"제 마음에 드시려고 할 필요 없습니다."

유시젠의 얼굴을 떠올린 린지의 마음이 거짓말처럼 평온해졌다. 언제 죄책감이 목을 죄어 왔냐는 듯 산뜻하기까지 했다. 그녀는 백작을 또렷하게 바라보았다. 그리고 그의 얼굴 위로 유시젠을 떠올렸다. 은발이 아닌 백금발을, 보라색이 아닌 황금색을……. 유시젠이 그녀를 바라보고 있었다. 린지는 그를 바라보며 마음에서부터 끓어오르는 진심을 속삭였다.

저는 전하의 사람입니다.

"저는 백작님의 사람입니다."

전하를 위해서라면 목숨을 바칠 수도 있습니다.

"백작님을 위해서라면 목숨을 바칠 수도 있습니다."

전하께서 원하시는 것은 무엇이든 할 수 있습니다.

"백작님께서 원하시는 것은 무엇이든 할 수 있습니다."

린지는 빙긋 웃었다. 줄곧 린지를 괴롭히던 죄책감이 유시젠을 향한 충심에게 씹어 삼켜져 흔적도 없이 소화됐다. 그녀는 더 이상 휘안의 눈동자를 피하지 않았다.

"어이, 린지. 어깨 좀 주물러 봐라."

유시젠의 말에 린지는 뾰루퉁하게 입을 내밀었다. 불만 가득한 표정이었지만 그녀는 아무 말 없이 유시젠의 어깨를 주물렀다. 눈을 감고 그녀의 마사지를 받고 있던 유시젠이 문득 인상을 찡그리며 말했다.

"좀 정성껏 해라."

"하고 있잖아요."

"정성을 담아서 하란 말이야. 시원하지가 않아."

"아 그러세요? 그럼 제대로 시원하도록 때려 드릴까요?"

"말대답은 하지 마라."

하여튼 제멋대로라니까. 린지는 유시젠의 뒤통수를 바라보며 혀를 날름 내밀었다. 그 순간, 유시젠이 고개를 획 들어 올려 린지를 마주 보았다.

"……."

린지는 천천히, 아무 일도 없다는 듯 꺼냈던 혀를 집어넣고는 침을 삼켰다. 그리고 최대한 자연스럽게 콧노래를 부르며 어깨를 주물렀다. 유시젠은 눈을 가느다랗게 뜨며 린지를 노려보았다.

"린지."

"네, 세상에서 제일 위대한 나의 오라버니."

린지는 매끄럽게 말하며 초롱초롱한 눈빛으로 유시젠을 내려다보았다. 제발 한 번만 봐 달라는 간절한 눈빛이었다. 그녀의 눈빛 공격에 유시젠은 더 기분이 상했는지 얼굴을 일그러뜨렸다. 아무래도 역효과가 난 듯했다.

"마사지 한 시간 더 해라."

"오, 오라버니이……."

"한 시간 삼십 분."

이 치사한 자식이! 혀 한번 날름했다고 사람을 부려 먹냐! 린지는 그렇게 말해 주고 싶었지만, 그랬다가는 아마 마사지가 열 시간으로 늘어날 것이 뻔했다. 린지는 투덜거림을 애써 감추며 억지 미소를 만들어 보였다.

"하, 하하. 그럼요. 오라버니 명인데 따라야지요."

그러자 유시젠이 다시 고개를 들어 올려 린지를 바라보았다. 매혹적인 황금색 눈동자가 오만하게 빛났다.

"당연하지. 넌 내 사람이니까."

"……으으."

잠에서 깨어난 그녀는 눈을 뜬 채 멍하니 천장을 올려다보다가 이불 속으로 파고들었다.

'꿈이었구나.'

단순한 꿈이라고 하기엔 너무나도 생생한 옛 기억이었다. 마치 방금 전까지만 해도 유시젠의 어깨를 주무르고 있었던 것만 같았다. 눈앞에 선명한 그의 얼굴을 떠올리며 린지는 미소를 지었다. 이렇게 꿈에서라도 유시젠의 얼굴을 보다니, 린지에게는 큰 힘이 된 것이다.

'오랜만에 꿈을 꿨네. 어째서이지?'

이유는 쉽게 알 수 있었다. 린지는 일부러 유시젠에 대한 기억들을 끊임없이 떠올리며 잠들었던 것이다. 그가 자신을 거두어 주었을 때, 그녀의 신체 능력이 일반인보다 뛰어나다는 것을 알아차리고 검술 교육을 시켜 주었을 때, 첫 임무에 성공했을 때 해 주었던 칭찬들, 그리고 구박하던 순간들…… 그 모든 소중한 기억들을 하나하나 조심스럽게 꺼내어 보았다. 그래야만 했다. 유시젠을 떠올리고 또 떠올려야만 했다.

'그래. 난 전하의 그림자, 린지 아즈벨이야. 그리고 린지안 아르즈벨은 전하의 목적을 위해 태어난 가상의 존재야. 그러니…… 휘안에게 죄책감 갖지 마.'

어느덧 웃음기가 사라진 린지는 멍하니 천장을 올려다보며 다짐했다. 그렇게라도 하지 않으면 도저히 견딜 수가 없었다.

"좋은 아침이야, 린지안 군."

백작의 영지 성에서 린지의 일상은 달라졌다. 새벽 다섯 시에 일어나 여섯 시에는 백작을 깨웠었지만, 영지 성에서는 조금 더 여유로웠다. 백작은 열 시까지 늘어지게 잠을 취했던 것이다. 때문에 린지의 수면 시간도 더 늘어났다. 하나 열 시에 찾아가도 백작은 항상 잠들어 있었다. 오늘, 지금 이 순간만을 제외하면.

"어라? 어쩐 일로 일어나 계십니까?"

백작은 일어나서 나갈 채비를 마친 상태였다. 또 멋대로 스케줄을 잡았구나. 몇 번이나 이런 패턴이 있었으므로 린지는 여유롭게 예상했다.

백작이 남색 코트를 걸쳐 입고는 빙긋 미소 지었다.

"응. 린지안 군이랑 쇼핑 가려고."

"네? 저랑요?"

"응. 몰랐어?"

알 리가 있나. 지금 말해 놓고. 하나 린지는 이런 백작의 뻔뻔한 변덕이 낯설지 않았기에 당황하지 않았다.

"어서 가자!"

휘안은 린지를 데리고 영주 성 밖으로 빠져나갔다. 백작의 재력을 반영하듯, 르카플로네 영지는 수도 샤를 못지않게 화려하고 발전돼 있었다. 영지에 위치한 백화점은 샤를의 백화점과 규모가 비슷했다. 백작이 온다는 소식을 미리 들은 건지, 전 직원들이 입구에 모여 일렬로 서 있었다. 린지는 마차에서 내리자마자 수많은 직원들이 동시에 허리를 숙이는 것을 보았다.

"백작님을 뵙게 되어 영광입니다."

총지배인으로 보이는 사내가 와서 정중하게 인사를 올렸다. 이 어마무시한 광경에도 불구하고 백작은 당황하는 기색이 없었다. 도리어 당연하다는 듯한 표정이었다.

"미스터 알슨. 오랜만이군요."

"이름을 기억해 주셔서 영광입니다, 백작님. 백화점은 지금 비어 있으니 편안한 쇼핑 즐기시길 바랍니다."

비어 있다고? 백화점이? 백작이 온다고 일부러 비워 놨단 말인가? 저 큰 건물을? 쇼크의 연속 속에서 정신을 못 차리는 린지를 보고 백작이 피식 웃었다. 그는 린지의 손을 잡고 백화점 안으로 들어갔다. 마치 왕궁을 연상시키는 듯한 내부에 린지는 또다시 눈이 튀어나올 것만 같았다.

'여, 역시. 귀족을 위한 쇼핑몰은 뭔가 달라.'

해 본 쇼핑이라고는 시장에서 옷을 사 본 것이 전부인 린지였기에, 새삼 계급의 격차라는 것이 얼마나 지대한지 실감했다. 역시나 귀족은 귀족이었다. 특히 르카플로네 백작은 귀족 중에서도 손에 꼽히는, 귀족들의 귀족이지 않은가.

"아무리 그래도 그렇지…… 백작님 한 분 오신다고 손님을 안 받는 게 말이 됩니까?"

"으응, 나도 좀 심한 처사라고는 생각하긴 해. 하지만 미스터 알슨의 경영법은 참견하지 않기로 결심했거든. 일단은 그를 믿고 백화점을 맡긴 거니까."

휘안의 대답에 린지는 고개를 끄덕이다가 뭔가 이상하다는 것을 깨닫고 눈을 가느다랗게 떴다.

"믿고 맡겼다니요? 이 백화점이 백작님 거라도 되십니까?"

그러자 백작은 도리어 어이없다는 눈빛으로 대응해 왔다.

"몰랐어? 린지안 군, 시종 실격이야."

"……."

린지는 입을 떡하니 벌렸다. 정말로 이 백화점이 백작 것이었단 말인가!

'하, 하긴. 트와일릿 대표잖아. 휴양지로 유명한 섬과 산맥들도 수십 개 가지고 있는데, 백화점 하나쯤이야……'

백작의 재력이 왕실과 비슷한 정도라는 것은 이미 알고 있는 사실이다. 하나 항상 웃는 모습 때문인지 잘 매치가 되지 않았던 것이다. 린지는 내심 백작의 재력에 두려움을 느꼈다.

'하기야 포그가 온갖 정보를 전해 주는데 돈 버는 게 쉽겠지. 아니, 애초부터 돈이 많기 때문에 포그를 운영할 수 있는 거겠지만.'

백작은 넋이 나간 린지를 데리고 쇼핑을 즐겼다. 그는 겨울을 대비한 코트와 목도리, 장갑과 커프스들을 구입한 후 만족스러운 표정으로 린지를 바라보았다.

"어때? 괜찮아?"

"네. 하나같이 다 잘 어울리십니다."

린지는 진심을 담아 말했다. 몇 번이나 생각하는 건지 모르겠지만 백작은 어떤 것을 걸쳐 놔도 멋지게 소화했다. 새삼 린지는 백작의 외모가 감탄이 나올 만큼 뛰어나다는 것을 실감했다.

'그래, 그러니까 여자들이 그렇게 난리지. 끝내주게 잘생겼지, 몸 좋지, 돈 많지…….'

린지는 새삼스럽다는 눈빛으로 백작을 훑어보았다. 185센티미터를 훌쩍 넘는 큰 키와 쭉 뻗은 다리, 넓게 벌어진 어깨는 여자들의 이상이 그대로 실현된 것 같았다. 게다가 진귀한 은빛 머리칼과 보고 있으면 넋이 나갈 정도로 아름다운 보라색 눈동자. 부드러우면서 남자다운 이목구비에는 다양한 매력이 있었다. 웃으면 한없이 선해 보이면서도, 때때로 포착되는 무표정한 얼굴에서는 감출 수 없는 차가움이 서려 있다. 마치 선과 악을 동시에 가진 듯한 모습에 수많은 여자들이 푹 빠져서 헤어 나오지 못하고는 했다.

"뭘 그렇게 쳐다봐, 린지안 군?"

린지는 그제야 자신이 백작을 멍하니 바라보고 있다는 것을 깨달았다. 그녀는 화들짝 놀라 재빨리 시선을 허공으로 옮겼다.

"아, 아닙니다."

"헤에, 거짓말. 사랑에 빠진 눈으로 날 쳐다봤잖아."

"그게 뭔 소리예요!"

어이가 없어진 린지가 버럭 소리를 지르자 백작이 아이처럼 해맑게 웃었다. 예전에는 볼 수 없었던 미소였다.

"하하. 정곡을 찔렀나 보네. 얼굴까지 빨개졌어."

"하도 어이없는 소리를 하시니까 그렇죠! 사랑에 빠지다뇨, 말이 되는 소리를 하셔야죠!"

"거짓말. 날 보는 눈에 하트가 뿅뿅 있었다고. 곤란해, 린지안 군. 나는 여자가 좋거든."

"아이고! 쓸데없는 걱정 마시죠. 저도 여자가 좋거든요!"

린지는 고래고래 소리치다가 문득 직원들의 시선을 깨닫고는 입을 쏙 다물었다. 백화점 직원들은 백작에게 소리치는 시종을 보고 믿기지 않는다는 표정이었다. 사실 린지도 같은 심정이었다.

'내가 언제부터 이렇게 백작을 편하게 대했지.'

린지는 생각해 내는 것을 포기하고는 한숨을 폭 내쉬었다. 백작의 페이스에 휘말리지 않으려고 해도 그것이 여간 쉽지 않았다.

"린지안 군은 갖고 싶은 거 없어?"

백작의 질문에 린지는 습관처럼 고개를 끄덕였다.

"예. 없습니다."

"그래? 그럼 내가 린지안 군에게 주고 싶은 거 살래."

"……네?"

백작은 린지의 반응을 기다리지 않았다. 만류하는 린지의 말을 듣지도 않고 그는 멋대로 겨울용 옷들을 사기 시작했다. 따뜻해 보이는 목도리, 장갑, 털모자, 신발, 스웨터 등등…….

"아니, 됐다니까요! 백작님!"

"이것도 주시죠. 성으로 배달해 주시면 됩니다."

백작은 산뜻하게 린지의 말을 무시하고 직원에게 옷을 내밀었다. 그러고는 몹시 상쾌한 표정으로 그녀를 바라보았다.

"하아. 드디어 린지안 군한테 선물을 사 줬다."

마치 너무나도 하고 싶은 것을 드디어 했다는 듯, 성취감마저 보이는 얼굴이었다. 그의 뿌듯한 표정을 보고 린지는 차마 필요 없다고 강렬한 거부 의사를 고집할 수 없었다. 대신 기어들어 가는 목소리로 조그맣게 저항했다.

"……됐다니까요."

"하하하, 기분 좋아."

왠지 심통이 난 린지가 입술을 내밀자 백작이 풋 하고 웃음을 터뜨렸다. 그는 키득거리면서 그녀의 붉은 머리칼을 어지럽게 헤집었다.

"아, 진짜 왜 이러세요!"

"귀여워서 그래, 귀여워서."

"그만하세요! 악! 앞이 안 보이잖아요!"

백작은 린지의 머리를 산발이 될 때까지 헤집어 놓았다.

"린지안 군, 삐졌어?"

백화점에서 나와 마차를 타고 가는 와중 휘안이 조심스레 물어 왔다. 그러자 린지가 딱딱하기 그지없는 목소리로 대답했다.

"아뇨. 안 삐졌습니다."

"삐진 것 같은데……."

"안 삐졌다니까요."

"아까 머리가 산발이 돼서 넘어진 것 때문에 그래? 내가 일으켜 줬잖아. 그러니까 화 풀어."

"아 글쎄, 안 삐졌다니까요!"

삐진 목소리로 말하고 있었다. 린지가 버럭 소리를 지르자 백작이 멍하니 그녀를 바라보다가 웃음을 터뜨렸다.

"아하하하!"

그러고서는 또 손을 내뻗어 린지의 머리를 쓰다듬으려고 하는 것이 아닌가? 린지가 잽싸게 피하자 백작의 눈썹이 꿈틀거렸다.

"어라? 린지안 군, 나를 피하는 거야?"

"그, 그럴 리가요."

"그럼 가만히 있으라고."

결국 린지는 한숨을 내쉬며 백작의 손길을 받아들였다. 그는 마치 애완동물 쓰다듬듯이 그녀의 머리칼을 마구마구 헤집어 놓았다. 과거에 키웠다던 고양이 리오도 이런 식으로 괴롭혔을 것이 분명했다. 불쌍한 리오, 고생이 심했겠구나. 린지는 이미 세상을 떠난 리오를 동정했다.

"아, 좋다. 마음이 안정돼."

"……제 머리 이렇게 헤집어 놓으면 마음이 안정되신다고요?"

"응. 뭐랄까, 신경 안정제 같다고 해야 할까. 린지안 군 머리 쓰다듬으면 맘이 편하고 은근히 잠도 오는 것 같다고 해야 할까……."

"놀리지 좀 마세요!"

린지가 성을 내자 백작이 다시 한 번 웃었다. 그의 웃는 얼굴을 보고 린지는 평정을 잃은 마음을 다스렸다.

'아니지, 이건 아니지, 린지! 제발 휩쓸리지 마!'

백작은 린지가 마인드 컨트롤을 열심히 시전하는 것을 가만히 지켜보았다. 코끝을 찡그리고 그에게 휩쓸리지 않으려고 노력하는 모습이 굉장히 귀여웠다. 백작은 어쩔 도리 없이 또다시 웃음을 터뜨렸다.

"그런데 지금 어디 가시는 겁니까?"

더 이상 발끈하지 말자, 린지 아즈벨! 린지는 스스로에게 결심하며 차분하게 물었다.

"응. 내 별장으로."

"별장이요? 영지 내에 별장이 있으십니까?"

"응. 그래도 외곽으로 나가야 해서 시간이 걸릴 거야."

르카플로네 영지는 수도 샤를에 육박할 만큼 컸다. 아무리 영지 내에서 이동한다고 할지언정 서너 시간 걸리는 곳도 있었던 것이다.

'그건 그렇고, 르카플로네 영지 굉장히 좋구나. 딱 봐도 부유한 도시인 것이 느껴져. 그리고 백작의 표정도 더 밝아 보이고.'

아마 이곳이 백작에게는 진정한 고향이겠지. 린지는 싱글싱글 웃고 있는 백작을 바라보며 따라서 웃음을 지었다. 마치 그의 웃음이 전염되는 것만 같았다.

백작의 말대로 그의 별장은 제법 먼 곳에 위치해 있었다. 더불어 인적이 드문 곳이기도 했다. 울창한 숲 안으로 한참을 달려야 했기에 그들은 중간에 마차를 돌려보내고 각자 말을 타고 들어왔다. 그렇게 총 세 시간이 지난 후 그의 별장이 나타났다.

"……아름답네요."

숲 안의 별장은 마치 동화 속에 나오는 그림처럼 아름다웠다. 하얀 자작나무들에 휩싸인 별장은 삼 층짜리의 저택으로, 선명한 붉은색 지붕이 인상적이었다. 린지는 백작과 함께 넓은 정원을 가로지르며 주위를 둘러보았다.

"몽환적이에요. 굉장히 예뻐요."

실제로 그러했다. 빼곡한 자작나무의 새하얀 가지들에서는 빛이 흘러나오는 듯한 착각마저 일었다. 그 가운데에 덩그러니 존재하는 붉은 지붕의 저택은 마치 이야기 속의 한 장면 같았다.

린지가 마음에 들어 하자 백작은 기분이 좋은지 웃음을 지었다. 그는 린지의 붉은 머리칼에 손을 얹으며 말했다.

"린지안 군이랑 닮은 곳이야."

"네? 어째서요? 지붕이 빨간색이라?"

"응. 하얗고 빨갛고, 자극적이잖아."

자극적이라고? 내가? 뭔가 이상한 말을 들은 것 같았지만 린지는 못

들은 척하기로 결심했다. 왠지 더 물었다가는 아주 짓궂은 장난이 들어올 것 같은 예감이 들었던 것이다.

저택 안도 바깥 풍경처럼 아름다웠다. 흰 대리석으로 반짝이는 바닥과 천장, 그리고 간간이 붉은 포인트로 장식된 인테리어는 독특한 감각이 느껴졌다. 린지는 감탄하며 두리번거렸다.

"집이 정말 예뻐요. 특히 색깔 대비가 참 인상적이네요. 누구 아이디어예요?"

"고마워. 내가 했어."

"에이, 거짓말."

린지는 백작의 팔꿈치를 툭 건드리며 장난하지 말라는 듯 쳐다보았다. 하나 싱긋 웃는 백작의 눈을 보는 순간 농담이 아니라는 것을 깨달았다.

"에? 진짜요?"

"응. 내가 이렇게 해 달라고 지시했어. 제일 좋아하는 색이거든."

"아아……."

흰색과 붉은색을 좋아한단 말이지. 그러고 보니 그것은 자신을 대표하는 명사들이지 않은가? 린지는 자신의 머리카락이 붉고 피부는 신기할 정도로 희다는 것을 떠올렸다. 동시에 레너드가 한 말이 불쑥 떠올랐다.

"린지는 머리부터 발끝까지 휘안이 좋아하는 스타일……."

"으아아아아!"

머릿속에서 문장이 완성되기도 전에 린지가 고개를 획획 저었다. 왜 갑자기 그 말이 떠오른단 말인가! 미친놈이 지껄인 헛소리일 뿐인데!

백작은 갑작스런 린지의 반응에 눈을 동그랗게 떴다. 그제야 그의 시선을 눈치챈 린지는 멋쩍게 웃으며 머리를 긁적였다.

"하, 하하. 눈에 뭐가 들어가서······."

"그래? 어디 봐."

백작이 얼굴을 불쑥 내밀며 린지의 얼굴을 끌어당겼다. 그의 보라색 눈동자가 그녀의 눈을 뚫어지게 살피자 린지의 몸이 뻣뻣하게 굳었다. 린지는 자동적으로 숨 쉬는 것을 멈췄다.

"어디 보자. 어느 쪽에 들어간 건데?"

"오, 오른쪽······ 지금은 괜찮아요! 빠졌어요!"

린지는 서둘러 그의 손을 뿌리치고 뒤로 후다닥 물러섰다. 얼굴이 붉게 달아오를 것만 같았기에 잽싸게 손으로 부채질을 시작해 댔다. 그런 린지의 모습을 물끄러미 바라보던 백작의 입가에 미소가 걸렸다.

"린지안 군."

"······네?"

왠지 모르게 긴장된 린지는 침을 꿀꺽 삼켰다. 가만히 그녀를 응시하던 백작이 생긋 미소 지었다.

"배고파."

"······."

그런 얘기를 왜 진지한 표정으로 하난 말이다. 린지는 긴장이 탁 풀리는 것을 느끼며 어깨를 축 늘어뜨렸다.

그들은 밥을 먹기로 결정했다. 그런데 문제가 있다면, 이 별장은 하루에 한 번 고용인이 와서 청소를 하고 가는 것 빼고는 별도의 하인이 없다는 것이다. 때문에 이 별장에는 요리를 해 줄 사람이 없었다. 더불어 안타깝게도 린지는 요리의 요 자도 몰랐다.

"내가 할 수 있어."

놀랍게도 이 말을 꺼낸 것은 백작이었다. 그는 대수롭지 않게 앞치마를 찾아서 매더니 냉장고에서 온갖 가지 재료들을 꺼내 났다. 텅 빈 별장임에도 불구하고 식재료들은 싱싱한 것들로 가득 채워져 있었다. 린지가 만류하자 백작이 웃으면서 상큼하게 말했다.

"그럼 린지안 군이 할래? 맛없게 만들면 혼날 줄 알아."

결국 린지는 안절부절못하며 그가 요리하는 뒷모습을 바라볼 수밖에 없었다. 뭐라도 해야 된다는 압박감에 옆에서 알짱거릴 때마다 백작은 성가신 듯 그녀를 밀쳐 댔다. 때문에 린지는 가시방석에 앉은 기분이었다. 그렇게 백작은 스파게티와 각종 샐러드들을 뚝딱 만들어 댔다. 채식주의자답게 육질은 눈에 띄지 않았다.

"……우와."

심지어 맛있었다. 위에 내뱉은 린지의 감탄사는 결코 과장된 것이 아니었다. 그녀가 신기한 듯 스파게티를 먹자 백작은 흐뭇한 표정으로 웃었다.

"맛있니?"

"엄청요!"

거짓이 아니라는 것은 흡입하듯 스파게티를 빨아 당기는 린지의 모습에서 증명되었다. 백작이 이렇게 요리를 잘할 줄이야! 귀족이 요리사급의 실력을 가지고 있는 게 가능하단 말인가!

'이거 반칙인데! 요리까지 잘하면 안 되잖아! 대체 못하는 게 뭔데!'

린지는 그를 보며 경탄과 함께 약간의 질투를 느꼈다.

'나는 잘하는 게 검술밖에 없는데, 휘안은 정말 대단하네. 못하는 게 뭐지?'

누군가가 특기가 뭐냐고 묻는다면 그녀는 자신 있게 대답할 수 있었다. 검술, 그것이 그녀가 가진 최강점이었다. 하지만 다른 것들은 다 거기서 거기인지라 내세울 만한 것이 없었다. 사실 그녀가 그만큼 공을 들이고 노력한 것이 검술뿐이기도 했다. 하지만 휘안은…….

'하긴, 이 녀석이 허투루 시간 보내는 것을 본 적 없어. 검술도 피나는 노력을 했겠지. 저택에 있을 때에는 항상 공부하고 책을 읽었으니까.'

린지는 샐러드를 먹는 휘안의 모습을 바라보았다. 아마 사라진 12년의 시간 동안 그는, 절대 놀고먹지 않았을 것이다. 어쩌면 필사적으로 그가 가지고 있는 기술들을 익히기 위해 노력하고 또 노력했겠지. 살기 위해 검술을 배웠던 린지처럼, 어쩌면 그 이상으로.

'그래, 느낄 수 있어. 그 공백 시간 동안 휘안은…… 편하고 안락한 생활을 하진 않았을 거야.'

백작은 과거에 대한 이야기만큼은 해 주지 않았다. 하지만 지금껏 휘안을 지켜봐 온 그녀는 자연스럽게 깨달았다. 지금 휘안이 가지고 있는 완벽한 모습은 치열한 노력의 결과라는 것을.

'……멋있다.'

순간 린지는 화들짝 놀라며 포크를 떨어뜨렸다. 쨍그랑, 소리가 만찬실을 울리자 휘안이 고개를 들어 올려 그녀를 바라보았다. 보라색 눈동자 안으로 경악한 소년의 모습이 투영되었다.

"린지안 군? 왜 그래?"

린지는 서둘러 고개를 숙이며 표정을 감췄다.

"아, 아닙니다. 잠시 삐끗했어요."

"……?"

휘안은 의아한 기색이었지만 더 이상 물어 오지 않았다. 차라리 다행이었다. 심장이 너무나도 거세게 뛰어 태연하게 대응하기엔 무리가 있었던 것이다.

'휘안을 멋있다고 생각하다니…… 미쳤어, 린지.'

진심으로 호감을 가지면 안 돼. 그녀는 속으로 중얼거리며 재빨리 유시젠을 떠올렸다. 마치 부적을 찾듯이, 유시젠의 이름이 몽글몽글 피어

오르는 이 감정을 내쫓아 주길 바라면서.

　그리고 비가 쏟아졌다.

　"……."

　쏴아아!

　린지와 휘안은 문 앞에 서서 쏟아져 내리는 빗줄기들을 바라보았다. 겨울이 다가오는 이때에 내리는 폭우는 마치 땅을 뚫어 버릴 듯한 기세였다.

　"이 빗속을 뚫고 가긴 무리네요."

　"응. 말을 타고 가는 건 힘들겠어."

　물론 불가능한 것도 아니지만 엄청난 고생길이 될 것은 분명했다. 하늘을 가득 뒤덮은 먹구름을 보아하니 스쳐 지나가는 소나기 같지도 않았다. 새벽까지는 주야장천 쏟아질 태세였다.

　불현듯 휘안의 입가에 웃음이 맺혔다.

　"그때 같아."

　그 말에 린지는 그때가 언제냐고 묻지 않았다. 그녀 역시 머릿속에 떠오른 순간이 있었기 때문이다.

　"그때보단 낫지요. 적어도 여긴 저택 안이잖아요. 비에 젖은 상태도, 다친 상태도 아니니까."

　"그래. 더불어 린지안 군이 무거운 짐을 들고 있지도 않지."

　"그땐 백작님이 심술부리신 거잖아요!"

　"그야 린지안 군이 선물해 준다는 걸 안 받아서 그렇지."

　투덕거린 린지와 휘안은 서로를 쳐다보더니 동시에 웃음을 흘렸다. 그와 같은 표정으로 웃는 린지는 묘한 감정이 마음에 스며드는 것을 느꼈다. 휘안의 시종으로 일한 지 반년이 훌쩍 더 넘어가는 시점, 이미 그와 추억이라고 부를 만한 기억들을 만들어 버렸다. 지금 와서 생각해 보면 제법 좋아 보이기까지 했다.

"비도 오는데 와인 한잔 마시자."

그는 린지를 데리고 이 층의 넓은 방으로 데려갔다. 벽 한 면을 차지하는 창문 밖으로는 비 오는 자작나무 숲이 제법 운치 있게 비춰졌다.

백작은 와인과 치즈, 초콜릿 등등을 내오며 말했다.

"이러니까 마치 내가 린지안 군의 시종 같은걸?"

그 말에 린지는 굉장히 켕기는 심정으로 입술을 오므렸다. 하긴 백작이 앞치마까지 두르고 요리도 했고, 와인과 함께 간단하게 먹을 간식들을 내오지 않았던가?

"그러니까 제가 한다고 하지 않았습니까."

"싫어. 린지안 군 일부러 눈치 보게 하고 싶어서 그런 건데."

"악취미이십니다. 알고 계세요?"

"응. 알아."

휘안은 린지의 따가운 반응을 대수롭지 않게 넘기며 빙긋 웃었다. 린지는 심술 가득한 눈으로 휘안을 노려보았다. 그는 편하게 등을 기대고 앉아 와인을 기울이고 있었다.

'……즐거워 보이는군.'

엷은 미소를 띠우며 와인을 머금는 그의 얼굴은 몹시 편안해 보였다. 은은하게 웃는 그 얼굴은 가짜로 만들어진 것이 아니었다. 린지는 그가 진심으로 이 순간을 즐기고 있음을 느꼈다.

"뭘 그렇게 봐?"

관찰하는 시선을 느낀 백작이 돌연 시선을 돌려 린지를 바라보았다. 린지는 저도 모르게 눈을 피하며 말했다.

"아, 아뇨. 그냥 편해 보이셔서."

순간 백작의 표정이 흐려졌다. 찰나의 변화에 혹시 말실수를 한 게 아닐까 걱정이 될 때 그가 다시 웃었다.

"그래 보여?"

"……"

"생각해 보니 그런 것 같기도 해."

그는 마치 지금 이 순간, 그리고 지나온 순간들을 회상하듯 눈을 굴렸다. 그러고는 다시 한 번 확신을 느끼는 듯 고개를 끄덕였다.

"응, 맞아. 린지안 군이랑 있으면 마음이 편해."

그의 맑은 표정을 보고 린지는 할 말을 잃었다. 어쩐지 얼굴이 화끈거려서 그를 똑바로 쳐다보고 있을 수 없었다.

'뭐야. 너무 솔직하게 말하는 거 아냐? 사람 민망하게.'

그녀의 마음을 아는지 모르는지 백작은 지금 이 순간, 본인이 느끼는 감정의 정체를 확실히 알아내려는 듯했다. 그는 린지를 빤히 쳐다보며 지금 자신의 기분을 느끼고, 분석했다.

"어째서일까? 왜 난 린지안 군이랑 있으면 편하지?"

"그, 글쎄요. 제가 만만해서 그런 거 아닙니까?"

그러자 휘안이 눈을 동그랗게 떴다. 마치 의외의 진실을 알게 됐다는 눈빛인지라, 말을 꺼낸 린지는 왠지 울컥하는 심정이었다.

"하하하!"

돌연 백작이 웃음을 터뜨렸다. 어린 소년처럼 순수해 보이는 웃음에 린지의 분노가 순식간에 사그라졌다. 백작은 그녀의 머리를 쓰다듬으며 키득거렸다.

"맞아, 정답이네. 그런 것 같아. 가끔은 린지안 군이 내게 아무것도 바라지 않는 게 이상하고 서운하기도 했는데……."

그는 잠시 말을 멈추더니 소리 없는 웃음을 지었다. 그리고 말을 이었다.

"그래서 편한가 봐. 린지안 군은 내가 아무리 잘났어도, 혹은 아무리 못났어도…… 관심도 없고 상관도 안 하니까."

이해할 수 없는 비유였다. 린지가 괴이한 표정으로 바라보자 그의 입술에서 다시 한 번 웃음소리가 흘러나왔다.

"……? 죄송합니다만 이해가 안 되네요."

"린지안 군은 내게 아무것도 바라지 않고 기대하지도 않잖아. 만일 내가 실패하거나 기대에 못 미치는 짓을 해도 대수롭지 않게 생각하겠지."

그는 그렇게 말하며 와인을 기울였다. 그리고 입가에 웃음의 잔재를 가진 채 창밖으로 시선을 돌렸다. 달빛에 젖은 자작나무가 어둠 속에서도 하얗게 빛나고 있었다.

'무슨 말을 하는지 모르겠네.'

갑자기 말없이 창밖을 바라보는 백작을 보며 린지는 고개를 갸웃거렸다. 그가 한 말을 이해할 수 없었지만, 뜻이 무어냐고 굳이 캐묻지 않았다. 어쩐지 지금의 휘안에게 말을 걸어서는 안 될 것 같았다. 그녀는 휘안이 갖는 자그마한 침묵을 지켜 주었다.

그날 저녁, 린지는 휘안이 정해 준 방으로 들어와 침대에 털썩 앉았다.

"아아…… 힘든 하루였다."

그녀는 진심으로 그렇게 중얼거리며 침대 위를 굴렀다. 물론 그녀가 한 일이라고는 백작의 뒤를 쫓아다닌 것밖에 없으므로 딱히 힘든 것은 아니었다. 오히려 요리까지 한 백작이 더 힘들었을 것이다. 하나 린지의 피로는 육체에서 기인한 것이 아니었다. 그녀의 마음은 굉장히 지쳐 있었다.

"전하, 잘 계신가요. 저는 조금 힘드네요. 조금 힘들어요."

린지는 눈을 감으며 속삭이듯 중얼거렸다. 백작에 대한 호감이 자꾸만 생겨나서 그것을 억누르는 것이 힘들었다. 아무리 유시젠의 얼굴을 떠올려도 자신에게 진심으로 대하는 백작에게 무감정할 수가 없었다. 휘안이 타인에게 쉽게 마음을 주지 않는 사람임을 알기에 더 그러했다.

'군이 휘안을 배척할 필요는 없지 않나.'

린지는 멍하니 천장을 올려다보며 생각했다.

'그래. 휘안이 나쁜 놈은 아니잖아. 유능하고 돈도 많아. 어쩌면 오라버니의 든든한 오른팔이 될 수도 있어.'

그렇게 생각하자 힘들었던 마음이 조금은 치유되는 것만 같았다. 린지는 그 아름다운 상상을 이어 갔다.

'휘안 백작이 오라버니의 심복이 된다면 든든할 거야. 강하고 똑똑하고, 최고의 부하를 둔 것이나 마찬가지지. 아니지. 심복이 아니더라도 어차피 백작은 전하의 신하잖아. 왕위 계승자는 오라버니 한 분뿐이야. 백작은 좋든 싫든 전하에게 충성을 바쳐야 해. 그러니 둘이 배척할 일도 없고…… 오라버니는 군주로서 완벽한 분이니 휘안도 전하를 인정하고 존경하게 될 거야.'

상상할수록 즐거워서 저절로 미소가 그려졌다. 린지는 콧노래까지 흥얼거리며 계속해서 생각했다.

'백작은 나쁜 놈이 아니야. 오라버니가 싫어하는 불법적인 일에도 절대 손 안 대. 그러니까 두 사람이 등을 질 일은 결코 없어. 만약 두 사람이 훗날에 더 가까워져서 잘 지내게 되고, 신뢰를 주고받는다면…….'

최상의 시나리오였다. 그렇다면 린지와 백작도 잘 지낼 수 있을 것이다. 최고의 주군을 둔 같은 신하의 입장으로서 서로 도와 가며 유시젠을 보필할 것이다. 그렇게 된다면 얼마나 좋을까.

'만약…… 백작이 죄를 짓지 않았다면, 가능해.'

좋지 않은 가설을 떠올리자 린지의 미소가 사라졌다. 만약 백작이 12년, 없어진 세월 동안 한 짓이 좋지 않은 것이라면? 온갖 범죄를 일삼아 재산을 모았다면? 과연 유시젠이 그를 용납하고 받아들일 것인가? 그리고 휘안은 그런 유시젠의 심판을 순순히 받아들일 것인가?

'……아니야. 그럴 리 없어. 백작은 좋은 사람이야.'

린지는 그가 동물을 죽이지 않는다는 것을 안다. 뛰어난 활 솜씨를 가지고 있음에도 불구하고 사냥 대회에서 동물을 잡지 않은 것은 비단 무예를 숨기기 위해서만은 아니었다. 그가 채식을 고집하는 이유도 알고 있었다. 가끔씩 예전에 키웠던 고양이 리오를 얘기할 때마다, 그가 소유한 말들을 다룰 때마다 드러나는 애정에서 린지는 깨달았다. 그가 동물을 아낀다는 것을. 때문에 해하지 않는다는 것을.

'동물을 사랑하는 사람은 좋은 사람이라는 말도 있잖아.'

그리고 본심이야 어쨌든 간에 타인들에게 친절하고 다정하지 않은가? 그가 지금까지 보여 주었던 모습을 떠올리자 린지의 마음에 희망이 차올랐다. 하지만…….

'……연금술사인 레너드와 잘 아는 사이였어. 심지어 레너드가 휘안을 두려워했어. 그리고 추수제 때, 암살자를 처리하는 솜씨는 한두 번 사람을 죽여 본 솜씨가 아니었어. 카제타 산맥에 르카플로네 영지와 향하는 의문의 동굴이 있어. 그 동굴, 고대 연금술의 힘으로 만들었을 게 분명해. 결국 휘안 역시 알케미스트와 관련이 있다는 소리야…….'

수상한 점들 또한 너무나도 많았다. 이것들은 아직 유시젠의 귀에 들어가지 않은 이야기들이다. 만약 이 이야기들을 유시젠이 듣게 된다면, 그는 백작을 더더욱 수상하게 생각하며 집요하게 파고들겠지. 먼지까지 털어 내어 치부가 나오기 직전까지 조사할 것이다. 그리고 단 하나의 죄라도 찾아낼 것이다. 그녀의 유시젠은 그런 사람이었다. 때문에 린지가 존경해 왔던 것이다.

"에이, 모르겠다."

떠도는 상념들에 머리가 터져 버릴 것만 같았다. 린지는 자리에서 벌떡 일어나 수건을 챙겨 들었다. 이대로 더 생각했다가는 답도 없이 머리만 아플 것이다.

'목욕이나 하자.'

린지는 시계를 바라보았다. 아까 휘안과 각자의 방으로 헤어진 것이 밤 여덟 시였고, 지금은 열 시니까…….

'자고 있겠지. 그러니까 욕실을 써도 될 거야.'

혹시 모르니까 위층에 있는 욕실을 써야겠다. 휘안과 린지안의 방은 일 층이었다. 일 층에도 욕실이 있었지만, 혹시 모를 사태를 대비해 린지는 이 층으로 향했다.

"아아. 좋다."

층마다 하나밖에 없는 대신 욕실은 굉장히 크고 아름다웠다. 욕실의 중앙에는 바닥 아래로 푹 꺼지는 원형의 욕조가 있었고, 그 옆에 조각상처럼 서 있는 사자의 입에서는 뜨거운 물이 콸콸 흘러나왔다. 린지는 따뜻한 물속으로 천천히 몸을 밀어 넣었다.

"이제야 피로가 풀리네."

뜨끈한 열기가 린지의 새하얀 몸을 달궜다. 그녀는 젖은 머리를 쓸어넘기며 뜨뜻한 온수의 열기를 즐겼다.

'그래, 생각은 그만하자. 내가 해야 할 일에 집중하자. 판단은 내가 아니라 오라버니께서 하실 거야.'

그렇게 생각하니 불편하기만 했던 마음이 조금은 편해졌다. 린지는 뿌연 수증기를 획획 저으며 천장을 올려다보았다. 그렇게 한동안 목욕을 즐긴 린지는 눈꺼풀이 점점 무거워지는 것을 느꼈다.

'아아, 졸려. 그만 일어나야지.'

이러다가 이 뜨거운 물 안에서 잠이 들 것만 같았기에 린지는 허리를 폈다. 그렇게 반쯤 몸을 일으켰을 때였다.

벌컥!

욕실의 문이 열리는 소리가 들려왔다.

"……!"

등 뒤에서 시원한 바깥 공기가 흘러들어 와 그녀의 피부 위를 맴돌았다. 린지는 허리만 물 바깥으로 일으킨 자세 그대로 멈췄다. 차마 움직일 수가 없었다.

"린지안 군?"

남자의 목소리가 등 뒤에서 들려오자 린지의 얼굴이 새하얘졌다. 휘안이 욕실 안으로 들어온 것이다!

'어, 어떡하지? 어떡하지?'

린지는 두 손을 끌어 모아 가슴을 가렸다. 다행히 휘안은 그녀가 있는 것을 보고 들어오진 않았지만, 그렇다고 해서 문을 닫고 나가지도 않았다. 그의 시선이 자신의 등에 박혀 있다는 것을 느낄 수 있었다. 때문에 린지는 다시 탕 안으로 몸을 담글 수도 없었다. 일어나려고 했던 것을 뻔히 알 텐데, 다시 뜨거운 물속으로 몸을 숨기면 의심당할 것만 같았던 것이다!

'어떡해!'

심장이 쿵쾅거리는 소리가 귓가에 들려왔다. 돌아보지 않아도 휘안이 아직 그곳에 박힌 듯 서 있는 것을, 멍하니 자신의 뒷모습을 바라보고 있다는 것을 느낄 수 있었다. 린지는 떨려 오는 입술을 질끈 깨물었다.

뚝. 뚝.

침묵이 내리깔린 욕조 안으로 물방울 떨어지는 소리만이 유난히 크게 들렸다. 문 앞에 선 휘안은 놀란 눈으로 린지를 바라보았다. 물에 젖은 붉은 머리칼이 새하얀 목덜미 위로 달라붙어 있었다. 휘안의 시선이 그녀의 머리칼에서 떨어지는 물방울을 따라 흘러내렸다. 가느다란 목을 타고 흐른 물방울이 매끄러운 곡선 위로 미끄러졌다. 유려한 선으로 이어진 허리는 한 팔로 감고도 남을 만큼 가느다랬다.

마치 일 초가 십 년처럼 흘렀다. 린지가 마른침을 꿀꺽 삼키고 무언가라도 말하기 위해 입을 떼려고 할 때, 휘안이 침묵을 깼다.

"미안해. 린지안 군이 이 층 욕실을 쓸 줄은 몰랐어."

평소처럼 태연한 목소리와 함께 문이 닫혔다.

탁!

닫히는 소리와 함께 린지의 몸이 무너지듯 탕 안으로 빨려 들어갔다. 그녀는 두근거리는 가슴을 부여잡으며 당황을 가라앉히려고 노력했다.

'드, 들켰나? 들킨 건 아니지? 들킨 건 아닐 거야.'

그래, 들켰을 리가 없다. 일단 그가 서 있던 문에서 그녀가 들어와 있는 탕까지의 거리가 가깝진 않았다. 게다가 수증기까지 뿌옇게 있었으니, 등만 보고 여자란 것을 알아차릴 수는 없었을 것이다.

'그래. 등만 봤잖아. 등만 봤으니까 걱정 안 해도 돼.'

그리고 만약 눈치챘다면 저렇게 나가지 않았으리라. 린지는 떨리는 마음을 진정시키며 잽싸게 탕에서 빠져나와 옷을 입었다. 그때까지도 붕대를 감고 단추를 채우는 손끝은 미세하게 떨리고 있었다.

휘안은 그대로 일 층의 욕실로 향해 샤워기를 틀었다.

쏴아아!

따뜻한 물을 맞으며 그는 이 집을 설계할 때 방마다 욕실을 설치하지 않은 것이 최대의 실수였다는 생각을 하고 있었다. 조금 더 면적을 넓혀서라도 욕실을 설치해야 했어. 그랬어야만 했어. 휘안은 마치 홀린 듯이 연신 중얼거렸다.

"……."

마치 백옥 같았다. 휘안은 인상을 찡그리며 머리를 흔들었다. 방금 전 보았던 매끄러운 등이, 물에 젖은 피부가 불쑥 눈앞에 튀어나온 것이다. 그는 머릿속을 점령한 새하얀 등을 뿌리치듯 거칠게 머리를 쓸어 넘겼다.

'남색가들이 환장하고 달려들 법하군.'

칼튀루스 후작이 이해가 갔다. 람피스 공작도, 에드워드도 이해가 갔다. 그들이 왜 린지안을 상대로 그런 마음을 품었는지, 휘안은 완벽히 이해했다. 남자의 몸이라고 하기엔 너무나도 미려했다. 그들은 옷을 입은 린지를 보고 이미 그 모습을 상상했던 것일까. 그렇다면 참으로 대단한 심미안이었다. 휘안은 그렇게 비꼬듯 생각하며 피식 웃었다.

'한동안 여자를 안 만났어. 너무 바빴군.'

최근에 그는 여인의 아름다운 육체를 보지 않았다. 때문에 이렇게, 기껏 소년의 등을 보고 동요한 거겠지. 그는 스스로를 납득시키며 생각했다. 빠른 시일 내에 여인을 만나야겠다. 린지안 못지않게 색기 넘치는, 하얀 피부의, 가느다란 허리의…….

"적당히 하시지. 휘안."

휘안은 이어지는 생각을 끊어 낸 후 스스로에게 말하듯 중얼거렸다.

그날 린지는 쉬이 잠을 이룰 수 없었다. 자신의 무방비함, 맨등을 보이게 만든 해이함에 자책감이 온몸을 때려 왔다. 덜덜 떨며 방에 와서 돌이켜 보니 기가 막혀서 웃음이 나올 지경이었다. 방금 전의 상황은 거의 임무를 말아먹기 직전의 사건이었던 것이다.

'미쳤어. 미쳤어, 린지!'

만약 뒤를 돌아서 자리에서 일어났다면? 들켰을 것이다. 아니면 만약 조금 더 일찍 일어나서 탕을 빠져나왔더라면? 들켰을 것이다. 문을 등진 자세로 벌떡 일어나는 순간 그가 문을 연 것이 천운에 가까운 행운이었다. 여자라는 것을 들키기에 최적의 상황이었는데도 들키지 않았다.

"잘 잤어?"

온갖 걱정과 자책감에 뜬눈으로 밤을 새운 린지와는 달리 백작은 상쾌한 얼굴이었다. 그는 숙면을 취했는지 환하게 웃음 지으며 린지에게 인사했다. 심지어 그는 그녀보다 더 일찍 일어나서 아침상까지 차려 놓은 상태였다.

"배, 백작님. 어쩐 일로 이렇게 일찍……."

"푹 자서 그런지 눈이 일찍 떠지더라고."

그는 그렇게 말하며 노릇노릇 구운 빵과 스튜, 각종 샐러드들을 테이블 위로 세팅했다. 어제처럼 앞치마를 둘러매고 상을 차리는 모습에 린지는 멍하니 그를 바라보았다. 그러다가 정신을 퍼뜩 차리고는 소스라치게 놀랐다.

"백작님! 제, 제가 하겠습니다!"

린지는 서둘러 그가 든 접시를 뺏기 위해 버둥거렸으나 휘안은 빙긋 웃기만 할 뿐 내어 주지 않았다.

"다 했는데 뭘 그래. 앉아 있어."

"백작니이이임!"

어제는 어쩌다가 그런 분위기로 흘러가서 휘안이 요리를 했다고 치지만, 아침 밥상까지 차리게 만들다니! 누가 봐도 완벽한 시종 실격이었다.

"어서 먹자."

린지는 가시방석에 앉은 기분으로 자리에 앉았다. 대체 무슨 생각을 하는 건지 휘안은 태평한 표정으로 콧노래까지 흥얼거리고 있었다.

'……그래도 다행이다. 평소랑 다름없어 보여.'

다행히 휘안은 어젯밤 욕실에서의 일을 딱히 염두에 두고 있는 것 같진 않았다. 여느 때와 다르지 않은 그 모습에 린지는 내심 안도했다.

"아침 먹고 바로 돌아가자."

"네, 알겠습니다."

휘안은 샐러드를 삼키며 물었다.

"어땠니? 즐거웠니?"

갑작스런 질문이었다. 하지만 린지는 쉽게 대답하지 못했다. 즐거웠냐고? 린지는 저도 모르게 백작과 함께한 어제를 떠올렸다. 비록 이런저런 일이 있긴 했지만…….

"네. 즐거웠습니다."

진심이었다.

백작과 린지는 아침 식사 후 바로 성으로 돌아갔다. 쉬지 않고 달렸기에 그들은 몇 시간 지나지 않아 성에 도착할 수 있었다.

'응? 하준이잖아?'

성 앞에 다다른 린지는 시커먼 옷을 입은 사내가 성문 앞을 지키고 있는 것을 발견했다. 문지기보다 훨씬 키가 크고 위협적인 눈빛을 가진 사내였다. 왜 하준이 성문을 지키는 기사처럼 있는 것일까?

하준은 휘안과 린지가 오는 것을 발견하고 빠른 걸음으로 걸어왔다.

"들어가지 마."

앞뒤를 다 자른 말에, 휘안과 린지는 서로를 번갈아 보았다. 하준은 몹시 진지한, 심각해 보이기까지 한 표정이었다. 그는 말에 탄 휘안을 올려다보며 말했다.

"유리나 공주가 왔어."

그 말에 린지는 고개를 갸웃 기울였다. 유리나 공주라는 이름은 그녀 또한 알고 있었다. 이웃나라 세랑스 왕국의 둘째 공주이지 않은가. 꽃잎처럼 아름다운 공주라고 소문이 자자했기에 귀에 익은 이름이었다.

하지만 휘안의 반응은 린지와 달랐다. 입에 걸고 있던 미소가 마치 뒤틀리듯 괴상해졌다. 충격을 받은 것일까. 그는 잠시 말없이 침묵했다. 그리고 바로 말고삐를 돌렸다.

"일단 다른 곳으로 가자. 걸리기 전에."

휘안이 고삐를 급하게 내리치자 말이 빠르게 달려갔다. 영문을 모르는 린지가 일단 쫓아가려고 하는 찰나, 하준이 가벼운 몸놀림으로 그녀의 등 뒤에 탔다.

"뭐, 뭡니까!"

"일단 휘안 녀석 쫓아가라, 시종."

린지는 당황했지만 일단 하준의 말을 따랐다. 휘안은 그야말로 꽁무니가 빠지듯 열심히 말을 타고 달리고 있었던 것이다. 대체 왜 저러는 걸까?

휘안은 급하게 시내에 있는 호텔에 방을 잡아 숨듯이 들어갔다. 호텔 또한 휘안의 소유인 듯 그는 지배인을 불러 자신이 이곳에 있는 것을 누군가 알게 된다면 고용인들 모두 해고할 거라는, 그답지 않은 협박까지 했다. 방 안에 들어가서야 린지는 물었다.

"대체 왜 이러십니까, 휘안 님?"

하나 휘안은 린지의 질문이 들리지 않는 모양이었다. 그는 드물게 린지의 말을 무시하며 하준에게 말했다.

"유리나 공주가 이곳에 있다고? 언제부터?"

"어젯밤부터."

하준은 덩달아 진지한 표정으로 답했다.

"예고도 없이 들이닥쳤어. 네가 이곳에 왔다는 소식을 들었다고, 당장 내놓으라고 하더군."

"......."

휘안은 놀랍게도 인상을 찡그렸다. 그가 대놓고 인상 쓰는 것을 처음 본 린지는 깜짝 놀랄 수밖에 없었다. 물론 입가의 미소는 여전했지만 인상을 찡그리다니? 기껏 해 봤자 미간을 살짝 좁히는 정도였던 휘안이 표정을 구긴 것이다.

'뭔가 큰일이 일어났나 보군.'

린지는 그의 표정 변화를 보고서야 사태의 심각성을 알아차렸다. 백작에게 좋지 않은 어떠한 일이 일어난 것이 분명했다.

"......이번에 영지에 온 것은 기밀이 아니야. 백화점도 들렀으니 소문이 날 수도 있지. 하나 유리나 공주의 귀에 들어가기엔 터무니없이 빠른데."

"내 말이 그 말이야. 저택에 심복이라도 심어 놓은 게 아닐까 싶은데."

"곤란하군."

그렇게 말하는 휘안의 표정은 정말로 곤란해 보였다. 그는 한숨까지 푹 내쉬더니 고개를 설레설레 저었다.

"이번엔 어떻게 퇴치하지. 내 영지니까 저번처럼 무작정 도망칠 수도 없잖아?"

하준 역시 동정심 가득한 눈빛으로 휘안을 바라보고 있었다. 난처해하는 휘안과 그런 휘안을 가엾게 여기는 하준의 모습에 린지는 낯선 느낌을 받았다. 이런 구도는 한 번도 상상해 본 적이 없던 것이다.

하준은 가만히 휘안을 바라보았다. 그의 눈에서 무엇을 읽은 건지, 휘안의 어두웠던 눈동자에 서서히 빛이 들어왔다.

"역시 그게 좋겠지?"

"그래. 정말 좋은 생각이군."

알 수 없는 의견을 주고받은 하준과 휘안이 동시에 고개를 획 돌렸다. 두 사람의 시선을 받은 린지는 화들짝 놀라며 뒤로 물러섰다. 없는 사람처럼 무시당하고 있던 와중에 갑자기 관심이 집중된 것이다.

"뭐, 뭐, 뭡니까?"

불길한 예감이 스쳐 지나갔다.

유리나 공주. 세랑스의 제2 공주는 올해 스무 살이 된 예쁜 소녀로 왕족 중에서도 제법 유명세를 떨치는 공주였다. 인형처럼 예쁜 외모도 유명세에 한 몫 했지만, 가장 중요한 이유는 날카로운 성격이었다. 오만방자 공주, 제멋대로 공주, 이기적인 공주, 싸가지 공주, 기타 등등의 부정적 수식어들은 항상 그녀의 이름과 함께 언급되고는 했던 것이다. 그럼에도 불구하고 눈을 멀게 만들 만큼 아름다운 외모 때문에 세랑스의 공주, 유리나에게는 항상 구애가 끊이지 않았다. 그러나 유리나는 다가오는 모든 남자들을 벌레 취급하며 시선조차 주지 않았고, 발로 걷어차기까지 한다는 소문마저 돌았다. 휘안을 만나기 전까지는 말이다.

유리나의 생일 파티는 각국의 실세들이 참석했고 백작 역시 그중 한 명이었다. 작년 생일 파티에서 유리나는 휘안을 만났고 그에게 반했다. 휘안에게 빠진 유리나는 그를 자신의 남자로 만들려고 했다. 하나 안타깝게도, 휘안은 한 특정 인물에게만 애정을 주는 남자가 아니었다. 유리나 공주의 아름다운 외모도, 도도한 성격도 휘안을 사로잡지 못했다.

그래서 유리나는 휘안이 세랑스 국에 머무는 와중 온갖 스토킹을 해대며 그의 일거수일투족을 감시했고, 그가 세랑스 국을 떠나지 못하도록 온갖 가지 핑계를 만들어 댔다. 화도 내고, 울어도 보고, 짜증도 내고, 아양도 떨어 보고, 아픈 척도 하고, 심지어 죽은 척도 했다고 한다. 죽은 척까지 해서 휘안을 세랑스 국에 머물게 하고 싶었던 것이다.

여하튼 휘안은 그때 무지막지하게 고생했다. 껌딱지, 거머리, 스토커를 넘어서서 거의 지박령처럼 달라붙은 유리나 공주를 벗어나기 위해 온갖 노력을 했고, 결국 야반도주를 했다고 한다. 유리나 공주가 펼쳐 놓은 수많은 함정, 지키고 있던 기사와 용병, 기타 등등을 따돌리고 말이다.

"헤에. 그런데 왜 샤를에 안 쫓아온 건데요?"

흥미진진하게 휘안의 이야기를 듣던 린지가 물었다. 유리나 공주의 성격에 대해서는 어느 정도 알고 있었지만 이 정도일 줄은 몰랐다. 저 정도로 휘안에게 빠질 정도라면 레란의 수도까지 만나러 올 법하지 않은가. 그러자 휘안이 씩 웃으며 말했다.

"유시젠 왕세자 전하 때문이지."

예고 없이 언급된 그의 이름에 린지는 깜짝 놀랐다. 하나 다행히도 휘안과 하쥰은 유리나에 대한 공포 때문인지, 린지의 감정 변화를 알아차리지 못했다.

"듣자 하니 어릴 적에 유리나 공주님이 유시젠 왕세자 전하에게 차였다고 하더군. 그래서 전하가 계신 샤를에는 절대 오지 않는대."

"에에에에엑?"

이건 또 무슨 괴상한 소리란 말인가? 유리나 공주가 오라버니에게 차였다고?

"옛날 일이래. 열 살인가, 열한 살인가…… 뭐, 그때에는 유리나 공주님도 순진한 소녀였나 봐. 그녀의 첫사랑이 유시젠 왕세자 전하인데, 사랑을 고백했다가 거절당했다고 해. 귀여운 이야기지."

"장담하는데, 만약 지금 이 나이에 유시젠 왕세자를 좋아했다면 한 번 거절당한 걸로 안 끝났을걸. 너에게 그랬듯이 엄청나게 따라붙겠지."

하쥰이 덧붙이는 말은 놀라웠지만 동시에 굉장히 거슬렸다. 유시젠 왕세자라니? 휘안도 왕세자 전하라고 부르는데 감히 저 하쥰 놈이 왕세자라고 부르다니! 린지는 그에게 한마디 쏘아 주고 싶은 것을 애써 참았다.

"하아. 근데 르카플로네 영지에 온 것을 어떻게 알고 쫓아온 건지……
곤란하군."

린지는 그제야 휘안과 하쥰의 마음을 공감할 수 있었다. 귀신처럼 달
라붙는 여자가 또 찾아왔으니 눈앞이 캄캄할 것이다. 하나 린지는 왠지
모르게 휘안이 쌤통이기도 했다. 그동안 울린 여자가 셀 수 없을 정도니
이 정도 형벌은 마땅하다고 생각한 것이다.

"그래서 말인데, 린지안 군."

"네?"

휘안이 린지를 바라보았다. 그의 보라색 눈동자가 보기 좋게 휘어졌
다. 여자라면 단번에 반할 미소가 그의 얼굴에 그려졌다.

"내 애인이 되어 줄래?"

"……."

순간 린지의 머리가 새하얘졌다. 그녀가 백지 같은 표정으로 아무 말
도 못 하고 있자 옆에서 하쥰이 거들었다.

"시종. 휘안의 애인이 되어라."

린지는 뒤로 주춤주춤 물러섰다. 벽에 등이 닿아 물러설 곳이 없어지
자 낭패감이 진하게 물들었다. 휘안과 하쥰이 점점 가까이 다가오고 있
었던 것이다. 린지는 그들의 말을 이해했다. 왜 그들이 린지를 보고 정
답이라는 눈빛을 했는지, 그리고 왜 그런 대사를 꺼낸 건지.

"싫어요!"

"부탁해, 린지안 군."

"시종이면 시종답게 명령을 따르라고."

두 사람이 린지를 향해 불쑥 손을 뻗었다.

휘안의 실행력은 몹시 빨랐다. 그는 호텔의 지배인을 시켜 르카플로네

영지에서 제일가는 메이크업 아티스트, 헤어 디자이너, 패션 디자이너, 스타일리스트를 소집했다. 이번에는 저번처럼 허접하게 가발과 드레스만 입혀 놓는 여장이 아니었다. 헤어 디자이너는 린지의 머리칼 상태와 똑같은 머리칼을 가져와 붙임 머리를 해 주었고, 스타일리스트의 안목 아래에 화장, 드레스, 신발, 구두 모든 것들이 하나하나 매칭 되었다. 폭풍처럼 몰아치는 손길들에 린지는 거의 실신 직전이었다.

'젠장, 이 못된 자식들!'

린지는 휘안과 하준의 손에 잡혀 결국 또 여장을 하게 됐다. 휘안의 애인 역할을 해서 유리나 공주를 퇴치해 달라나 뭐라나. 공주가 귀신도 아니고 퇴치라니! 이럴 거면 퇴마사를 부르란 말이다!

'불편해 죽겠네!'

붙임 머리만 한 시간째 하는 중이었다. 앉아서 머리를 붙이는 와중, 디자이너들이 그녀의 몸 치수를 꼼꼼하게 재고 이것저것 대 보며 어울리는 옷들을 찾고 있었다. 말 그대로 전문가에 의하여 여장을 하게 된 것이다.

'에라, 모르겠다. 이젠 나도 몰라!'

휘안은 하준에게 그녀를 맡기고 성으로 들어갔다. 아마 그는 표면적으로는 유리나 공주를 환영할 것이고, 그에 상응하는 파티를 열 것이다. 그리고 그 파티에 린지는 휘안의 애인으로서 등장하는 게 그들의 각본이었다. 아마 지금쯤 백작 성도 파티 준비로 한창일 것이다.

"왜 하필 나예요. 진짜 여자에게 부탁하면 되잖아요! 예르시카 경도 있고, 다른 예쁜 시녀들도 있는데!"

"유리나 공주가 이미 예르시카의 얼굴은 알고 있어서 안 돼. 그리고 린지안 군 정도로 배짱 있는 사람이 흔한 건 아니야. 보통 여자들은 유리나 공주가 노려보자마자 울음을 터뜨리거든."

　휘안과 했던 대화를 떠올리자 절로 한숨이 흘러나왔다. 눈을 마주치자
마자 운다니, 메두사도 아니고…… 아직 만나 보지 못했지만 무시무시한
여자임이 틀림없었다. 천하의 휘안마저 겁에 질리게 만들 정도니까 보통
이 아닐 것이다. 그런데 그런 여자를 상대로 연적이 되라니? 가시밭길
위를 걸어 달라고 억지로 떠미는 것과 다를 바가 하나도 없었다.
　'젠장. 또 엄청 고생하겠군. 에이, 몰라.'
　귀족 영애들한테 수모를 당한 것도 엊그제 같은데, 이제는 질투의 화
신이자 메두사 프린세스에게 내던져진다. 린지는 자신의 미래가 보이는
것만 같아서 울고 싶은 심정이었다. 또 따귀를 맞고 욕을 듣겠지.
　'……그런데 이렇게 꾸며 보는 건 평생 처음이야.'
　린지는 메이크업 아티스트가 분을 두드려 오자 조심스레 눈을 감았다.
어째서일까, 익숙지 않은 화장품 향기를 맡자 기분이 이상했다. 날카로
운 칼날, 쇠붙이 냄새, 땀 냄새라면 지독하게 맡아 왔지만…….
　'화장은 처음이야.'
　결코 나쁜 기분은 아니었다.

　하준은 시계를 내려다보았다. 저녁 일곱 시, 이제 곧 파티가 시작될
시간이다. 그에게는 늦지 않게 시종을 데리고 파티에 참석해야 할 의무
가 있었다.
　'젠장, 그 귀신같은 공주.'
　그는 휘안과 예르시카에게 유리나 공주 이야기를 수없이 들었다. 얼마
나 휘안을 볶아 댔는지, 휘안은 장장 열 장에 걸친 편지(유리나 공주가
무섭다는 내용의)를 보내오며 하준을 괴롭혔던 과거가 있었다.

또한 포그의 일원으로서 하준은 유리나 공주의 곁에도 정보원들을 심어 놓았다. 그들의 보고에 의하면, 유리나 공주는 집착을 넘어서 광기에 가까울 정도로 휘안을 원하고 있었다. 휘안을 그렇게까지 몰아붙일 수 있는 여자도 거의 없으리라.

'휘안의 애인 행세를 시켜서 내쫓는 수밖에 없어.'

시종에게는 조금 미안했지만 어쩔 수 없었다. 이렇게라도 하지 않으면 그림자처럼 따라붙을 공주라는 것을 이미 알고 있었던 것이다.

하준은 그 후 몇 번이나 시계를 내려다보다가 기다리는 것에 지쳐 문안을 향해 소리쳤다.

"어이, 시종! 아직 안 끝났냐?"

머리를 붙이고 정성스레 화장을 하고, 수십 벌의 드레스와 장신구 중에서 가장 어울리는 것을 찾고 있다는 것을 알고 있지만 너무 많은 시간이 흘렀다. 그가 한 번 더 소리치려 할 때였다.

"지금 됐습니다. 얼마나 기다리셨다고 그렇게 투덜거리시는지."

문이 열리는 소리와 함께 잔뜩 부아가 치민 목소리가 들려왔다. 그렇잖아도 여장당하는 와중에 재촉까지 당하니 기분이 상한 모양이다. 하준은 시종에게 한 소리 더 해 주기 위해 뒤를 돌았다.

"……."

하지만 벌어진 하준의 입술에서는 아무 소리도 나오지 않았다. 그는 입을 연 상태 그대로 멈춰 서서 린지를 바라보았다.

"많이 기다리셨죠?"

하준이 멍한 표정으로 린지를 바라보았다. 넋이 나간 것 같은 눈빛에 린지는 내심 무안해졌다. 말이 나오지 않을 정도로 안 어울리는 것일까?

"하준 님?"

"아, 그래."

린지가 조심스레 그의 이름을 부른 후에서야 하준이 정신을 차렸다. 그는 낯선 눈빛으로 린지를 바라보다가 고개를 휙 돌려 걸어갔다. 몹시 빠른 걸음이었다.

"같이 가요! 하준 님!"

한편, 백작 성에서는 이제 막 파티가 시작되고 있었다.

급하게 열린 파티지만 그 규모와 화려함에서는 준비 시간이 짧았다는 것이 느껴지지 않았다. 르카플로네 영지에 거주하는 귀족들은 물론, 인근 영지에 사는 귀족들은 거의 다 모인 것이다. 거의 초대장을 받은 순간 출발한 것과 마찬가지였다.

왕국에서 제일가는 귀족 중 하나인 르카플로네 백작과 강대국 세랑스의 공주가 참석하는 파티에 오지 않는 귀족은 없을 것이다.

"소문으로만 들었는데……."

"응, 정말 아름다우시네요."

파티의 주인공은 단연 백작과 유리나 공주였다. 유리나 공주는 백작의 옆에 딱 앉아 여자들은 꺼져! 라고 말하는 눈빛으로 주위를 흉흉하게 노려보고 있었다. 덕분에 그들 주위에 여자 귀족들은 얼씬조차 할 수 없었다. 귀부인들은 멀리 떨어져서 유리나 공주를 훔쳐보며 뒷담화를 펼쳤다.

"흥, 예쁘면 뭐해요. 성격이 저렇게 포악한데."

"맞아. 어머머, 저 눈빛 좀 봐요. 무서워라."

소문이라는 것은 둘 중 하나였다. 진실이거나, 과장되거나. 한데 유리나의 경우에는 과장된 것 하나 없이 진실 그 자체였다. 유리나는 여신 같다는 칭송이 어울릴 만큼 빼어난 외모였다. 황금을 발라 놓은 듯한 진한 금발은 굽이치며 허리 아래까지 내려왔고, 흐르는 윤기는 스스로 빛을 뿜는 양 눈부실 정도였다. 살짝 처진 눈매와 큰 눈망울은 보호 본능을 자극했지만 푸른 눈동자에서는 살기와 비슷한 기운마저 흐르고 있었다. 딱 봐도 잘못 걸리면 짐승으로 변신할 것만 같은 눈빛인지라 마주치는 자의 고개를 절로 조아리게 만들었다.

'젠장, 대체 어떤 년이야.'

유리나는 휘안의 옆에 앉아서 짜증 가득한 눈으로 주위를 훑어보았다.

'말도 안 돼. 사랑하는 사람이 생겼다니.'

모든 것을 다 뒤엎어 버리고 싶을 정도로 기분이 나빴다. 왜 아니겠는가? 휘안이 르카플로네 영지에 있다는 정보를 얻고 가장 빠른 수단으로 달려왔다. 사랑하는 남자를 만나기 위해, 갖고 싶은 그 남자를 만나기 위해!

그런데 그 남자는 유리나에게 말했다. 사랑하는 여인이 있다고, 때문에 자신과 이루어질 수 없다고. 그리고 그 여인은 잠시 후 파티에 올 거라고 한다.

'대체 어떤 년이야.'

사랑이라니…… 휘안이 아까 했던 말을 떠올리자 그녀의 이가 절로 갈렸다. 휘안은 바람둥이였다. 여러 여자를 쉬이 만나면서도 누구에게도 특별한 마음을 건네주지 않는 차가운 남자이기도 했다. 때문에 더 갖고 싶고 사랑받고 싶었다. 누가 봐도 완벽한 이 남자의 마음을 갖게 된다면 행복할 것 같았다. 사랑을 모르는 것 같은 이 남자가 누군가를 사랑하게 된다면, 그게 자신이기를 바랐다.

'기껏 유시젠만 한 남자를 찾았는데.'

유시젠을 떠올리자 그렇잖아도 나빴던 기분이 더 엉망이 되어 버렸다. 어렸던 자신의 마음을 걷어찬 남자, 유시젠. 분하게도 그녀는 살면서 유시젠만큼 잘난 남자를 만날 수 없었다. 무표정한 얼굴의 고고한 왕세자, 유시젠. 그녀가 보아 온 남자들 중 그 누구도 유시젠만큼 현명하지도,

잘생기지도, 재력이 막대하지도 않았다. 물론 강대국의 계승자와 비교하는 게 억지이긴 하지만 그녀가 남자를 판단하는 기준은 유시젠이었던 것이다.

'겨우 찾은 남자야. 놓칠 수 없지.'

자신의 생일 파티에서 휘안을 처음 보았던 순간을 아직도 생생히 기억한다. 그는 저 멀리에서부터 단연 눈에 띄던 남자였다. 후광을 달고 다닌다는 표현이 납득이 갈 정도였다. 유시젠 옆에 세워 놓으면 두 사람 중 누가 더 나은지 가늠하기 힘들 것이다. 그야말로 그녀가 찾던 남자였다. 그래서인지 몇 번 대화를 나누는 순간 자연스럽게 사랑에 빠지고 말았다.

그런데 사랑하는 여자가 생겼다고? 유리나는 주먹을 움켜쥐었다. 단 한 번도 사랑의 사 자에도 관심을 보이지 않은 남자가 대뜸 사랑하는 여자가 생겼다니. 유리나는 믿지 않았다. 두 눈으로 똑똑히 보기 전까지는 믿지 않을 것이다.

"휘안. 당신의 애인은 어디 있죠?"

유리나는 분노를 감추며 매끄러운 목소리로 말했다. 그러자 휘안이 싱긋 웃으며 그녀를 바라보았다. 유리나를 단번에 반하게 했을 만큼 아름다운 미소였다.

"조금 더 기다려 보도록 하죠."

유리나는 눈을 가느다랗게 뜨고 휘안을 바라보았다. 마치 진실을 캐내려는 탐정과도 같은 눈빛이었으나 휘안은 흔들리기는커녕 눈썹 하나 까닥하지 않고 웃었다.

"놀랍네요. 당신 입에서 사랑이라는 단어가 나올 줄이야."

유리나는 비꼬듯이 말하며 샴페인을 한 모금 들이마셨다. 차가운 액체도 활활 타오르는 분노를 식혀 줄 수 없었다. 휘안은 그런 그녀의 상태를 알면서도 매끄러운 미소를 지었다.

"그래요. 저도 제가 사랑에 빠지게 될 줄은 몰랐습니다."

"······."

유리나는 그대로 샴페인 잔을 던져 버리고 싶었다. 그녀는 모욕감을 느끼며 입술을 깨물었다.

"어떤 여자인지 궁금하군요. 당신 같은 남자를 사로잡을 수 있는 여자가 있다니 놀라울 따름이네요."

그때였다. 유리나는 파티장 안의 분위기가 조금 달라졌다는 것을 느꼈다. 웅성거리는 소리가 들리는가 싶더니, 사람들의 시선이 한곳으로 모여들고 있었던 것이다.

'뭐야. 누군데 그래?'

유리나는 사람들이 보고 있는 곳으로 시선을 따라 옮겼다. 그곳에 있는 사람을 보는 순간 그녀의 미간이 더더욱 좁혀졌다. 자신의 눈을 믿을 수 없었다.

"엘테스의 국왕이잖아?"

칠흑처럼 검은 머리칼과 날카로운 눈매가 인상적인 남자는 분명 하세르쥰 바한 카르투칸 엘테스- 엘테스 왕국의 왕이었다. 차갑고 공격적인 성격인 데다가 사람들이 많은 곳을 싫어해서 보기 힘든 왕족 1위로 꼽히는 자가 백작의 파티에 오다니? 공주인 유리나조차 살면서 단 한 번, 그가 국왕이 되는 날-엘테스의 왕위 계승식에서밖에 본 적이 없는 인물이었다.

사실 하세르쥰 국왕도 유시젠이나 휘안 못지않았지만, 그녀가 어떻게 해 볼 수도 없을 정도로 두문불출하는 사람이었다. 자신의 생일 파티를 비롯한 수많은 왕족들의 초대도 거절했던 자가 백작이 급하게 연 파티에 참석하다니?

하세르쥰은 그 어떤 공식적인 자리에도 나서지 않았는데 그 때문에 오히려 더 많은 관심을 받고는 했다. 엘테스라는 강국, 유일한 미스릴 소유국의 지배자이면서도 겨우 20대 중후반에 여심을 설레게 하는 외모를 가졌다. 때문에 대체 어떤 사람인지, 어떤 여자를 왕비로 맞이하게 될지 온갖 궁금증들을 불러일으켰던 사내였던 것이다.

때문에 유리나는 믿을 수 없었다. 하세르쥰이 파티에 참석한 것뿐만 아니라, 옆에 한 여자를 에스코트해서 오고 있었기 때문이다.

'하세르쥰의 여자인가?'

유리나는 여자를 훑어보았다. 그녀를 보는 순간, 하세르쥰이 왜 지금껏 흔한 스캔들 하나 나지 않았는지, 철벽이라는 별명이 붙을 정도로 여자를 가까이하지 않았는지 알 수 있었다. 그는 눈이 높았던 것이다. 유리나는 여자로서 본능적으로 움츠러드는 것을 느끼며 인상을 찡그렸다.

'흥. 키는 왜 저렇게 큰 거야. 재수 없을 정도로 날씬하군.'

작은 키가 콤플렉스였던 유리나와 반대로 하세르쥰의 여자는 굉장히 키가 컸다. 딱 봐도 170은 거뜬히 넘을 것 같은 키와 긴 팔다리, 자그마한 얼굴 덕분인지 마치 인형 같았다.

"저 여잔 대체 뭐야. 처음 보는 여자인데."

"너무 아름다운데요. 저런 분이 있었나요?"

놀란 것은 유리나뿐만이 아니었다. 하세르쥰 국왕과, 그와 함께한 여자로 인해 파티장이 한차례 술렁였다. 투명해 보일 정도로 흰 피부가 화사하게 빛나는 여자였다. 그와 대비되는 핏빛 머리칼이 새하얀 목 너머로 부드럽게 흔들리고 있었는데, 그 모습이 성스러우면서도 동시에 선정적이었다. 마치 천국의 선악과처럼 묘한 마성이 느껴졌다.

하세르쥰과 그의 여인은 사람들이 내어 준 길로 천천히 걸어와 휘안의 앞에 멈춰 섰다.

"만나 뵙게 되어 영광입니다, 하세르쥰 폐하."

유리나는 엘테스의 국왕, 하세르쥰에게 천천히 허리를 숙여 인사를 올렸다. 그녀는 휘안 역시 그러고 있으리라고 믿어 의심치 않았다.

"……휘안?"

그녀가 허리를 숙였다가 일으킬 때까지 휘안은 멍하니 서 있었다. 그답지 않은 처사였기에 유리나는 휘안을 흘끔 올려다보았다. 휘안은 그녀의 말에 그제야 정신을 차린 듯, 서둘러 인사를 올렸다.

"뵙게 되어 영광입니다, 폐하. 제 초대에 응해 주셔서 감사합니다."

휘안이 인사를 하는 사이 유리나는 하세르쥰 옆에 선 여자를 몰래 노려보았다. 가까이서 보니 신기할 만큼 묘한 분위기를 가진 얼굴이었다. 도톰한 입술에 살짝 올라간 눈꼬리, 붉은 눈동자에서는 여인인 유리나마저 깜짝 놀라게 만드는 색기가 가득했다. 흔히 볼 수 없는 유형의 미인이었다.

'뭐야. 이 구미호 같은 계집애는.'

유리나는 빛의 속도로 여인의 전신을 스캔했다. 목은 길고 얇은 데다가 살짝 드러난 쇄골이 뇌쇄적이다. 짙푸른 드레스는 허리의 매끈한 굴곡이 잘 드러나도록 착 감겨 있었고, 긴 다리를 자연스레 휘감으며 부드럽게 떨어졌다. 탐이 날 정도로 예쁜 드레스였다.

'흥. 제법 안목이 있군.'

하세르쥰이 고른 여자다웠다. 그동안 사람들에게 얼굴 한번 안 보여 주고 여자들을 돌 보듯이 보더니, 이런 색기 넘치는 여자를 꽁꽁 숨겨 두고 있었을 줄이야.

"백작의 소중한 여인을 내가 에스코트해 왔소."

그때 하쥰이 처음으로 입을 열어 말했다. 그는 모두의 어리둥절한 시선을 아무렇지도 않게 받아넘기며 여인의 손을 휘안에게 건넸다. 그러자 휘안이 미소를 지으며 여인의 손을 잡았다.

"감사합니다."

휘안이 여인의 손을 잡자, 여인이 자연스럽게 휘안의 옆에 와서 섰다. 그는 빙긋 웃으며 여인의 가녀린 어깨에 손을 올렸다.

"보고 싶었어."

유리나는 그 옆에서 눈을 끔뻑였다. 하준에게서 휘안에게로 건너간 여인의 손, 자연스럽게 휘안의 옆을 차지한 여인의 모습이 믿기지 않았다.

"이게 대체 무슨……."

유리나의 달싹임은 파티장 안의 모든 사람들의 심정을 대변했다. 하세르준 국왕의 애인인 줄로만 알았던 여자가 갑자기 휘안의 옆으로 이동했다. 뿐만 아니라 휘안이, 남들 앞에서는 결코 보인 적 없던 애정 행각을 벌이고 있었다. 여인의 어깨를 부드럽게 감싸 안고 있는 것이다.

"제가 사랑하는 사람입니다."

쨍그랑!

순간, 파티장 어느 곳에서 잔이 깨지는 소리가 들려왔다. 누군가가 너무나 놀라 잔을 떨어트린 게 분명했다. 하나 그 누구도 그자를 탓할 생각을 할 수 없었다.

휘안은 유리나를 바라보며, 그의 애인에게 다정하게 말했다.

"이분은 세랑스 왕국의 공주님이셔."

"……만나 뵙게 되어 영광입니다."

휘안의 애인은 조심스레 드레스 자락을 들어 올리며 허리를 숙였다. 유리나는 그 앞에서 석상처럼 굳은 채 손가락 하나 까딱할 수 없었다. 믿을 수 없었다. 휘안의 애인이라니, 이 여자가…… 정말로 휘안이 사랑하는 사람이라니.

'이럴 수가.'

뻣뻣하게 굳어 있던 유리나의 손끝이 바들바들 떨렸다. 그 경악을 충분히 읽었을 텐데, 그랬을 텐데도 휘안은 눈곱만큼도 신경 쓰지 않고 활짝 웃었다.

"유리나 공주님. 이 여인이 제가 말한 여인입니다."

"……"

"제가 사랑하는 여인입니다."

린지는 온몸에 소름이 돋는 것만 같은 기분이었다.

'아으, 어색해.'

아름답지만 불편한 드레스도, 높은 구두도, 길게 흔들리는 머리도, 입술을 붉게 칠한 립스틱도 모든 것이 불편했다. 잠깐 이러고 있는 것도 지치는데 많은 여인들에게는 이것이 일상이라니, 린지는 새삼 여자들이 대단하게 느껴졌다.

'근데 하준 녀석이 엘테스의 왕이라고?'

린지는 맞은편에 앉아 있는 하준에게 흘끔 시선을 주었다. 그는 마치 '다가오지 마, 다가오면 죽인다.'라고 쓰여 있는 험악한 표정으로 앉아서 잔을 기울이고 있었다. 때문에 수많은 귀족들이 다가오고 싶어 하면서도 용기를 못 내고 있는 것이 보였다.

귀족일 거라고는 예상했다. 하나 엘테스 왕국의 지배자일 거라고는, 꿈에서도 상상해 보지 못한 일이었다. 때문에 린지는 머리를 한 대 얻어맞은 듯한 충격을 받았다. 엘테스의 국왕이 젊고 잘생긴 데다 미혼에 여자에 무관심하다는 얘기는 몇 번 들은 적 있긴 했지만, 워낙에 베일에 가려진 자라 린지도 그에 대해 잘 알지 못했다.

'인상은 왜 저렇게 쓰고 있는 거야.'

사람들과 어울리길 싫어한다는 소문은 진실인 듯 그는 평소보다도 훨씬 더 강한 냉기를 풍겨 내고 있었다.

'휘안 녀석은 왜 이렇게 끈덕져!'

하준보다 더 이상한 것은 바로 휘안이었다. 아무리 애인 행세를 하기로 했어도 그렇지 휘안은 마치 찹쌀떡처럼 그녀의 옆에 딱 붙어 있었던 것이다. 자신의 허리를 휘감고 만지작거리는 손이 불편하기 그지없었다.

'그만 좀 만져욧!'

린지는 은근슬쩍 휘안을 노려보며 허리 위에 올라온 손을 쿡 찔렀다. 애인이라고 소개했으면 됐지 꼭 이렇게 주물럭거릴 필요는 없지 않은가.

휘안의 얼굴에 걸린 편안한 미소와는 달리, 그의 손은 몹시 바쁘게 움직이고 있었다. 허리를 휘감으며 만지작거리질 않나, 어깨를 어루만지질 않나, 목선 위를 미끄러지듯 쓰다듬질 않나...... 말 그대로 공공장소에서 만질 수 있는 부위는 거의 다 만지고 있었다.

아니나 다를까, 허리의 곡선을 즐기듯이 어루만지던 손이 이번엔 위로 올라와 그녀의 어깨를 만졌다. 그의 손가락이 어깨와 쇄골을 스치자 린지는 휘안을 지그시 쳐다보았다. 그녀의 눈빛을 충분히 알면서도 휘안은 시치미를 뚝 떼고 웃었다.

"리지엘 양......이라고 했죠?"

그때 옆에서 줄곧 자신을 노려보고 있던 여인, 유리나 공주가 말을 걸었다. 린지는 자신에게 주어진 가명이 리지엘이라는 것을 다시 한 번 상기하고는 고개를 끄덕였다.

"예, 공주님."

유리나는 듣던 대로 아름다운 여인이었다. 줄곧 린지를 못마땅하다는 듯이 쳐다보고 있었는데 그 심정을 이해하지 못하는 건 아니었다. 짝사랑하는 휘안이 지금 자신의 옆에 달라붙어 온몸을 주물거리고 있으니......

'아오, 그만 좀 만지라니까!'

그의 손이 이번엔 위로 올라와 귓불과 머리카락을 만지작거렸다. 린지는 어색하게 웃으며 휘안을 쳐다보았다. '손 떼라고요!'라는 눈빛이었지만, 휘안은 이번에도 아무것도 모른 척하며 계속 만지작거렸다.

"……."

유리나는 그 장면을 참담한 심정으로 바라보았다. 휘안이 저렇게까지, 사람들 앞에서 여인과 애정 행각을 벌일 줄은 몰랐다. 공개적으로 애인이라고 소개한 것도 놀라운데 저런 태도를 보이다니…….

'저 눈빛. 마음에 안 들어.'

휘안은 말 그대로 너무나 사랑스럽다는 듯, 애정이 끓어올라 넘칠 듯한 눈빛으로 여인을 바라보고 있었다. 언젠가는 그런 눈빛으로 자신을 바라보아 주길 바랐는데 그 자리는 자신의 것이 아니었다. 유리나가 주먹을 쥐자 손등 위로 뼈가 새하얗게 도드라졌다.

"낯선 이름이네요. 실례지만 아버님의 성함이 어떻게 되시는지?"

유리나는 부채를 펼치며 물었다. 지금껏 그 어느 행사나 파티에서도 본 적이 없는 얼굴, 이름이다. 즉 권력가의 집안은 아니라는 소리.

"엘테스 왕국의 마르반 데 몰리아 자작이 제 아버지이십니다."

리지엘이라는 여인은 차분하게 대답했다. 역시나 들어 본 적이 단 한 번도 없는 가문이었다. 비꼴 수 있는 구실을 잡은 유리나가 입꼬리를 올리며 한마디 쏘아붙이려고 할 때, 하쥰이 먼저 입을 열었다.

"앞으로는 내가 그 가문을 직접 후원할 생각이오."

짧은 말 한마디뿐이었지만 유리나의 입술을 닫기에는 충분했다. 그녀는 차갑게 한마디 던진 엘테스의 국왕을 바라보았다. 그녀의 푸른 눈동자는 경악으로 얼어 갔다.

'이게 뭐야. 하세르쥰 국왕이 뒤를 봐주고 있잖아!'

너무나 당혹스러워서 눈조차 깜박일 수가 없었다. 이름 없는 귀족 가문의 여식이 갑자기 하세르쥰 국왕의 후원을 받고 휘안의 사랑을 받아?

동화 속 이야기도 이렇게까지 극적이진 않을 것이다. 유리나의 눈엔 이 여인이 하세르쥰, 휘안을 양손에 쥐고 있는 거나 마찬가지였다.

'저년이 대체 뭔데!'

하세르쥰과 휘안은 비단 유리나뿐만 아니라 전 대륙의 모든 귀족 영애들을 설레게 하는 남자들이다. 그런데 그 두 사람의 관심과 애정을 동시에 받는 여자가 있다니, 그 여자가 자신이 아니라 초라한 귀족 가문의 여인이라니……!

그렇게 유리나가 속으로 불을 태우고 있을 때였다. 오케스트라의 연주가 바뀌었고, 연회장 중앙으로 남녀가 짝을 지어 나가기 시작했다. 대표적인 연인들의 춤곡이었다. 휘안은 싱긋 웃으며 린지의 손을 잡고 자리에서 일어났다.

"한 곡 추실까요?"

그러고서는 대답도 듣지 않고 린지를 끌고 중앙으로 걸어 나갔다. 그의 손에 이끌려 가는 린지는 소리를 질러서라도 그를 멈추게 하고 싶었다.

'나, 난 춤 못 춘다고!'

하나 그녀의 마음을 아는지 모르는지, 휘안은 린지의 허리 위에 손을 올리고 그녀의 손을 마주 잡았다. 다른 이들과 충분히 거리가 있다는 것을 확인한 린지는 작은 목소리로 속삭였다.

"휘안 님! 이게 무슨 짓입니까!"

"무슨 짓이긴. 우린 연인이잖아. 연인들이 이 춤을 빼먹으면 이상해 보인다고."

"그렇긴 하지만…… 저는 춤 못 춘다고요!"

"걱정 마. 이건 그냥 남자가 리드하는 대로 따라오기만 하면 되는 춤이거든."

그 말을 끝으로 춤이 시작되었다. 린지는 숨을 급하게 들이마시며 휘안의 손에 떠밀려 핑그르르 한 바퀴 돌았다. 돌고 나서는 어떻게 해야 하는데?! 라고 생각하는 순간 휘안이 그녀의 허리를 잡고 옆으로 뱅글 돌렸다. 휘안의 말처럼 여자는 그냥 남자의 손에 몸을 맡기기만 하면 되는 춤이었다. 분명 다행인 일이었지만······.

'너, 너, 너, 너, 너무 가까운 거 아냐?'

한동안 이렇게 저렇게 돌며 턴을 해 대더니, 음악이 느려지자 몸을 바싹 맞대고 부드러운 리듬에 맞춰 몸을 움직였다. 린지는 휘안의 허리, 심지어 골반 뼈가 어디에 있는지조차 느낄 수 있을 만큼 그와 밀착되어 있었다. 말 그대로 연인이 아니라면 절대 출 수 없는 춤이었다.

"너무하시네요. 춤까지 출 필요는 없지 않습니까."

다른 연인들은 이 춤에서 키스 타임을 갖는 것이 일반적일 정도로 애정 전선에 도움을 주는 춤곡이었다. 하지만 키스는 무슨, 린지는 그의 시선마저 똑바로 마주하기 힘들었다.

"이 정도는 해 줘야 아무도 의심하지 않을걸."

"의심 안 할걸요. 아까 그렇게 제 몸을 만져 대니 누가 하겠어요! 그만 좀 만지시죠!"

"흐응, 글쎄. 하지만 이렇게 정당하게 만질 수 있는 기회를 놓칠 수 없지."

그의 말에 린지가 무슨 헛소리냐는 듯 눈을 휘둥그레 뜨자 휘안이 싱긋 웃었다.

"농담이야, 농담."

"그런 농담 재미없습니다."

"그래? 난 재미있는데."

그녀의 귓가에 속삭인 휘안의 손이 허리를 부드럽게 휘감아 왔다. 등의 곡선을 음미하듯, 조심스레 어루만지며 올라오는 손길에 린지의 귓불이 빨개졌다. 이 춤은 너무 야했다. 린지는 빨리 춤이 끝나길 바랄 뿐이었다.

"시종복보다 더 잘 어울려."

"네? 그게 무슨······?"

휘안의 말에 린지가 고개를 획 들어 올리자 두 사람의 코끝이 부딪혔다. 소스라치게 놀란 린지가 뒤로 물러서려 하자 휘안의 손이 그녀의 목덜미와 허리를 강하게 잡아채 끌어당겼다. 그러고는 달래듯이 토닥거렸다.

"괜찮아, 괜찮아. 놀라지 마."

린지의 심장이 벌렁거려서 휘안에게 들리지 않을까, 걱정될 정도였다. 어떻게 놀라지 않을 수 있겠는가, 코끝이 부딪쳤는데!

음악 소리만이 두 사람의 사이를 채웠다. 휘안의 부드러운 몸짓에 따라 몸을 맡기며, 린지는 작게 숨을 내뱉었다. 숨소리마저 적나라했기에 크게 내쉬기도 어려웠다.

린지는 순간 옆에서 커플들이 쪽쪽거리는 소리를 듣고 슬며시 시선을 돌렸다. 같이 춤을 추고 있던 커플들이 열렬하게 입맞춤을 하며 춤을 추고 있는 장면이 보였다. 심지어 한두 커플도 아니고, 춤을 추는 모든 커플들이 그러고 있었다.

'아이고, 이 춤 대체 뭐야!'

이것이 바로 이 춤곡의 키스 타임이었다. 예의범절을 중요시하는 귀족들이지만 이 춤에서 키스하지 않으면 애정에 이상이 있나, 하고 의아하게 생각하고는 했다. 린지는 주위에서 들리는 쪽쪽거리는 소리에 점점 불편해지기 시작했다.

'이거 영 분위기가······.'

빨리 끝나라, 빨리 끝나! 아마 이 부분이 지나가면 음악은 끝이 날 것이다. 조금만 더 견디면, 얼굴에 철판을 딱 깔고 버티면 이 불편한 상황도 끝날 거다. 린지는 속으로 정신없이 중얼거리며 스스로에게 최면을 걸었다.

"어머, 왜 백작님 커플은 키스하지 않는 걸까요?"

"싸우신 건가?"

그때 주위에서 소곤거리는 귀족들의 웅성거림이 들려오자 린지의 등골이 서늘해졌다.

'안 되겠다. 넘어지는 척이라도 해서 이 상황을 벗어나야겠어!'

라고 결심하는 순간, 백작이 그녀의 턱을 들어 올렸다. 넘어질 생각을 하던 린지의 눈동자가 휘안을 향했다. 휘안은 웃으면서 속삭였다.

"린지안 군."

"아, 안 됩니다."

뭘 말하려고 하는지 알고 있다. 듣지 않아도 짐작할 수 있기에 린지는 대뜸 대답했다. 하나 백작은 귀담아듣지 않고 말했다.

"이번엔 때리면 안 돼."

백작의 얼굴이 빠르지 않은 속도로 천천히 가까워졌다. 린지는 뒷걸음질 치려 했으나 백작의 손이 그녀의 허리를 단단하게 휘감고 있어서 한 발자국도 움직일 수 없었다. 그의 숨결이 코에 닿는 순간, 턱을 잡고 있던 휘안의 손이 그녀의 뒤통수를 쓰다듬듯이 휘감아 왔다.

"……!"

다음 순간, 휘안의 입술이 린지의 입술 위로 부드럽게 포개졌다.

처음은 아니었다. 생각해 보면 휘안과 처음 만난 순간, 입맞춤부터 하지 않았던가. 하나 린지가 바로 그에게 주먹을 날렸기에 '입맞춤'이라고 하기에는 어려웠다. 뭐랄까, 린지에게 있어서 그것은 입술과 입술이 부딪힌 사고 정도로 기억됐던 것이다.

하나 지금은 달랐다. 그녀는 지금 이 순간을 생생하게 느끼고 있었다. 그때처럼 당황하지도, 놀라서 얼이 빠지지도 않은 상태였다. 그야말로 맨정신 그대로 휘안의 입맞춤을 받아들이고 있었던 것이다.

'……!'

마치 미친 듯이 검을 휘두를 때와 비슷했다. 정신이 아득해져서 아무런 생각도 할 수가 없었다. 입술을 부드럽게 머금은 그의 입술에 마치 온몸이 빨려 들어가는 것만 같았다. 린지로서는 생애 처음 느껴 보는 생경한 쾌락이었다.

일 초가 지난 건지, 십 초가 지난 건지 그녀는 알 수 없었다. 시간이 얼마나 흐르고 있는지도 느껴지지 않았다. 달콤함을 넘어서 아찔했다. 그녀는 마치 생명줄인 양 휘안의 옷깃을 꽉 잡았다. 도드라진 주먹이 부들부들 떨려 왔다.

잠시 후, 휘안이 떨어지자 린지의 입술 안에서 가쁜 숨이 터져 나왔다. 마치 질주라도 한 것처럼 그녀의 가슴이 쿵쾅거리면서 들썩였다. 심장이 금방이라도 터져 버릴 것만 같았다.

짝짝짝!

음악이 끝나자, 귀족들의 박수가 열렬하게 터져 나왔다. 그들의 눈에는 보기 좋은 커플의 아름다운 춤과 입맞춤이었다. 사람들의 박수를 받으며 춤을 추던 커플들이 허리를 숙여 보답의 인사를 올렸다.

린지는 휘안의 손에 이끌려 어떻게 걷는지도 모르는 채 자리로 돌아갔다. 다리가 후들거려서 제대로 걷고 있는 게 신기할 정도였다.

탁!

정신을 차려 보니 휘안은 그녀를 데리고 테라스로 빠져나와 있었다. 그는 린지를 바라보더니 태연하게 싱긋 웃음을 지으며 말했다.

"바람 좀 쐐. 얼굴이 빨개졌어."

린지는 휘안과 같지 않았다. 도저히 아무렇지도 않게 대응할 수가 없었다. 실제로, 아직도 그의 손안에 잡힌 손가락 끝은 눈에 띌 정도로 바르르 떨리고 있었다. 그 떨림을 알면서도 휘안은 능청스러웠다.

린지는 저도 모르게 반대쪽 손을 들어 올렸다. 그것은 그녀가 의식하지 못한 본능적인 움직임이었다. 그녀의 손이 휘안의 뺨을 갈기고 지나갔다. 휘안은 피하지 않고 받아 주었다.

"이, 이, 이, 이, 이게 무슨!"

너무 떨려서 말도 제대로 나오지 않는다. 린지는 이 울컥 터져 나온 감정이 대체 뭔지 알 수가 없었다. 막무가내로 입맞춤해 온 휘안에게 화가 난 건지, 아니면 처음 느낀 그 쾌락에 경악한 건지 도무지 파악이 되지 않았다.

휘안은 그녀에게 한 대 맞았음에도 불구하고 아직까지 그녀의 반대쪽 손을 잡은 상태였다. 그는 대수롭지 않게 씩 웃으며 장난스럽게 말했다.

"아아, 이번에도 맞았네. 벌써 세 번째야."

세 번째라니? 두 번째일 텐데, 그게 무슨 헛소리란 말인가. 린지가 더 발끈해서 뭐라고 항변하려는 찰나였다. 휘안이 웃는 얼굴 그대로 그녀에게 다가와 허리를 끌어당겼다.

"이왕 맞은 거, 맞을 짓 조금만 더 하면 안 될까?"

대답을 할 사이도 없었다. 사실 그는 그렇게 물어 오면서 이미 얼굴을 가까이 가져다 대고 있었던 것이다. 또다시 휘안이 입 맞춰 오자 린지는 이번엔 강렬하게 저항했다. 아까처럼 보는 눈들 때문에 가만히 있어야 하는 상황이 아니었다.

"……!"

휘안은 그녀가 깜짝 놀랄 정도로 강제적이었다. 그녀의 목덜미와 허리를 끌어당기고는 움직일 수 없게 휘감았다. 휘안은 마치 사막에서 오아시스를 찾은 것처럼 린지의 입술을 빨아들였다. 오랫동안 참아 온 갈증을 이제야 해소하는 듯한 기세였다.

chapter 12. 피어나다

상쾌함이 마음속에서부터 피어났다. 잠에서 깨어난 휘안은 기분이 몹시 좋았다. 아침에는 성가시게만 들렸던 새소리도 지금만큼은 맑은 연주처럼 다가왔을 정도였다. 이렇게 가뿐하고 상쾌한 기분으로 눈을 뜬 것이 얼마 만인지 기억조차 나지 않았다.

'아아, 좋네.'

휘안은 미소에 흠뻑 젖은 얼굴로 천천히 눈을 떴다.

"……."

붉은 머리칼이 이리저리 흩어져 있는 모습이 보인다. 새하얀 베개와 이불 위로 늘어진 머리칼을 확인하는 순간, 휘안의 입가의 미소가 짙어졌다. 그는 천천히 시선을 옆으로 움직였다. 머리칼 사이로 보이는 가느다란 목과 얇은 잠옷에 휘감긴 어깨가 뒤척인다.

'뒷모습도 귀엽네.'

휘안은 혹여나 시종이 잠에서 깰세라, 천천히 손을 움직여 허리에 휘

감고 폭 끌어당겼다. 시종의 몸은 신기할 정도로 그의 품 안에 쏙 들어
왔다. 그는 린지안에게서 풍기는 특유의 체향을 한껏 느끼며 다시 눈을
감았다. 편안해진 마음 때문일까, 다시 잠이 밀려들었다.

휘안이 눈을 감고 다시 잠에 빠져드는 순간, 린지는 반대로 잠에서 깨
어났다.

"……."

멍하니 눈을 깜빡이다가 문득 등 뒤가 몹시 따스하다는 것을 깨달았
다. 마치 품에 가두듯 허리를 감싸고 있는 단단한 팔뚝도 느껴졌다. 뒷
목에서 오르락내리락하는 규칙적인 숨결에 린지는 한숨을 푹 내쉬었다.

'아아…… 오늘도 다행히 안 들켰다.'

혹시나 백작이 잠에 취해 자신을 애인 중 한 명으로 착각하고 옷 속
으로 손을 넣지는 않을까 노심초사했던 것이다. 다행히 그는 착각하는
일이 없었고, 때문에 린지의 속살에는 접근하지도 않았다. 하지만 매일
밤 그의 품 안에서 잠드는 순간마다 조마조마한 것은 어쩔 수 없었다.
왜 아니겠는가! 이렇게 동침하게 된 지 벌써 일주일이 다 되어 가는데!

'일주일째 여장 중이라니…… 불편해 죽겠어.'

하루 종일 여성복을 입고, 잘 때에도 여성용 잠옷을 입고 자는 것은
물론 붙임 머리도 여전히 붙이고 있었다. 그리고 무엇보다, 백작의 애인
행세를 하느라 그와 함께 잠자리에 들었고 말이다.

'어쩌다가 이렇게 된 거야.'

이것이 다 그 여자, 유리나 공주 때문이었다. 린지는 환영 파티가 열
렸던 날을 떠올리며 눈을 질끈 감았다.

"……멋진 한 쌍이네요."

유리나는 이를 뿌드득 갈면서 휘안과 린지에게 말했다. 아름다운 춤과 입맞춤을 보여 주고 테라스에서 잠시 쉬다가 나온 그들은 몹시 행복해 보이는 기색이었다. 특히 린지의 손을 꼭 잡고 싱글거리는 휘안의 표정은 가관이었다. 유리나는 그가 저렇게까지 기분 좋은 듯 웃는 것을 처음 보았던 것이다.

"오랜만에 춰 본 춤이었는데 다행히 호흡이 잘 맞더군요. 이게 다 나의 아름다운 리지엘 덕분이죠."

휘안은 매끄럽게 얘기한 후 린지의 손등에 입을 쪽 맞추었다. 순간 린지의 입가가 뒤틀렸지만 유리나는 그것을 포착하지 못했다. 질투심에 심장이 터져 버릴 것만 같았다.

"몰리아 가문이라고 했던가요."

아마 하세르쥰 국왕이 눈앞에 있지만 않았더라면 유리나는 손에 쥔 잔을 던져 버렸을 것이다. 그 정도로 기분이 엉망이었으나, 감히 엘테스의 왕 앞에서 깽판을 칠 정도로 사리 분간을 못 하진 않았다. 하나 이대로 그냥 꼬리를 말고 돌아갈 생각은 없었다. 유리나가 눈을 번뜩이며 묻자 린지가 엷게 미소 지었다.

"예, 그렇습니다."

"한 번도 들어 보지 못한 가문이군요. 실례지만 휘안과는 어떻게 만나게 된 사이지요?"

각 나라의 파티와 풍류를 즐기고 다닌 그녀가 모를 정도면, 정말로 이름 없는 가문이라는 소리다. 그런 가문의 여자가 어떻게 휘안의 사랑을 받고 하세르쥰의 가호를 받는지 알 도리가 없었다.

"제가 후원해 주는 재단에서 만났습니다. 리지엘은 마음씨가 아름다워서 무보수로 봉사를 하러 자주 오더군요."

휘안은 대신 대답한 후 린지의 어깨를 끌어안았다. 그리고 또다시 부드럽게 쓰다듬으며 애정 행각을 하기 시작했다. 그 꼴을 가만히 바라보던 유리나의 주먹이 바르르 떨려 왔다.

"보아하니 만나게 된 지 얼마 안 된 것 같은데요. 아직 약혼할 생각은 없으신 건가요?"

"글쎄요. 사실 지금 마음 같아서는 한평생을 함께하고 싶군요. 하지만 나의 리지엘이 허락해 주지 않아서 고민입니다."

휘안의 말에 유리나는 머리를 한 대 맞은 것처럼 어안이 벙벙해졌다. 그가 저 여인과 결혼하고 싶다는 건 둘째 치고…… 여자 쪽에서 거절하고 있다고? 볼 거라고는 색기 넘치는 외모밖에 없는 여자가 대륙 모든 여자들이 탐내는 남자를 거절하고 있다고?! 심지어 자신의 구애마저 거절하고 있는 남자를?

'건방진 년!'

유리나는 입술을 아득 깨물었다. 동시에 뒤에서 굉음이 머릿속을 때려 왔다. 그녀를 받쳐 주던 드높은 자만심, 스스로에 대한 만족감, 자존감, 그 모든 것이 와르르 무너져 내리고 있었다. 붉은 눈동자의 저 여인 때문에!

'이대로는 못 가지.'

유리나는 떨리는 손을 가리듯 감싸 쥐며 입꼬리를 애써 올렸다.

"당분간 백작 성에 머물러도 되겠지요."

그녀의 말에 린지가 깜짝 놀라며 고개를 획 들어 올렸다. 동시에 유리나의 살기 어린 파란 눈동자와 마주치자 등골이 오싹해졌다.

"이왕 온 김에 머무르다 가도록 하겠어요. 설마 타국에서 온 공주를 내쫓지는 않겠지요, 백작?"

"물론입니다. 편하게 머무르시길."

미소 짓는 백작을 보며 유리나도 따라서 웃었다.

'이것들이 나를 바보 취급했어. 저 여자 한 명만 달랑 내놓으면 내가

나가떨어질 줄 알았나 보지?'

유리나 공주는 정말로 편하게 머물 작정인 듯 백작 성에 자리를 잡았
다. 때문에 린지는 붙임 머리와 여장을 계속 한 상태로 백작과 연인 행
세를 해야 했다. 더불어 그의 방에서 자게 된 것은 당연지사였다.

탁.

방문을 닫은 휘안은 피곤한 듯 길게 기지개를 켜며 하품했다.

"하아암. 힘들었다."

그러고서는 빙긋 웃으며 린지를 돌아보며 말했다.

"린지안 군도 수고했어. 많이 힘들었지?"

린지는 입을 꾹 다물고 휘안을 바라보았다.

'저 자식 뭐야.'

파티장에서 느꼈던 당혹감과 충격이 어느 정도 가라앉은 상태인지라
이제 그녀도 이성적으로 생각할 수 있었다. 하나 그럼에도 불구하고 저
휘안의 반응은 이해할 수 없었다.

'대체 왜 그런 건데!'

린지는 휘파람을 불며 재킷을 벗는 휘안을 가만히 바라보았다. 파티장
에서 춤을 출 때, 분위기상 어쩔 수 없이 입맞춤을 한 것까지는…… 이해
할 수 있었다. 하지만 테라스에서의 그의 행동은, 도저히 이해할 수 없
었다. 대체 왜 그곳에서도 그녀에게 입을 맞춘 것일까. 그 누구의 시선
도 의식할 필요가 없는, 연인 행세할 필요가 없는 그곳에서!

린지의 시선을 느낀 건지 휘안이 그녀를 돌아보며 고개를 갸웃 기울
였다.

"린지안 군? 이제 그만 옷 벗지그래?"

순간, 그의 말에 린지의 얼굴이 확 달아올랐다. 그녀는 뒤로 한 발자

국 물러서며 결사의 의지를 가지고 말했다.

"제, 제 몸에 손가락 하나 대신다면……."

"안 대."

휘안이 그녀의 말을 딱 잘라 끊고 씩 웃었다. 그 단호한 어조에 린지는 할 말을 잃었다. 그게 방금 전, 움직이지 못하게 억지로 허리와 어깨를 끌어안고 입 맞춘 사람이 할 소리란 말인가. 린지의 눈빛을 읽었는지 휘안이 어깨를 으쓱였다.

"나도 또 맞기는 싫은걸. 내 행동에 대한 대가는 아까 다 치른 걸로 아는데."

"……!"

린지는 입술을 깨물며 태연한 휘안의 표정을 노려보았다. 가장 묻고 싶은 말을 아무렇지도 않게 내뱉는 휘안이 알미웠다.

"대체 왜 그러신 겁니까?"

결국 린지는 참지 못하고 내뱉었다. 분노로 타오르는 붉은 눈동자에는 원망이 가득했다. 휘안은 덤덤하게 그녀의 눈빛을 받아 내었다.

"어쩔 수 없었잖아. 우리 빼고 모든 커플이 입 맞추고 있었는걸. 거기서 가만히 있었더라면 유리나 공주가 트집을 잡았을 거야."

"테라스에서는요? 거기서는 왜 그런 건데요? 그곳엔 유리나 공주님도 없었잖아요."

두터운 커튼으로 가려진 테라스, 그 좁은 공간엔 오로지 휘안과 린지 둘뿐이었다.

"그것도 어쩔 수 없었어."

휘안은 진심으로 억울하다는 듯 미간을 좁히며 미소 지었다.

"한번 시작하니까 멈출 수가 없더라고."

"……뭐, 뭐라고요?"

"내 의지 밖이었어. 하지만 이제 그럴 일 없을 테니까 안심해. 그리고 너무 화내지 마. 솔직히 린지안 군도 좋았잖아."

린지는 그가 하는 말을 아무것도 알아듣지 못했으나, 마지막 말 한마디는 정확히 이해했다. 그녀는 얼굴을 확 붉히며 발을 굴렀다.

"아니거든요!"

"거짓말. 매달렸으면서."

"노, 놀라서 그런 겁니다! 이상한 생각 마시죠!"

"응. 농담한 거야."

불처럼 날뛰는 린지의 모습에 휘안이 키득거리며 웃음을 터뜨렸다. 즐겁게 웃는 그 모습을 보며 린지는 도저히 그를 이해할 수가 없었다. 마치 전혀 다른 세계에 사는 사람과 대화하는 기분이었다. 대체 어떻게 이런 상황에서, 그런 일을 하고도, 마치 사소한 장난이었다는 듯 이야기할 수 있단 말인가!

실제로 그러했다. 테라스에서, 마치 입 맞추지 않으면 사라져 버릴 사람처럼 그녀를 끌어당긴 사람 같지가 않았다. 너무나 단호하면서도 간절하게 입 맞춰 온 사람과 동일 인물이라고는 믿을 수 없었다. 저렇게 태연하게 웃다니, 그녀는 허탈함을 넘어 배신감마저 들 정도였다.

'아니야. 혹시 모르지. 또 그럴 수도 있어. 한 번만 더 그러면 입술을 물어뜯을 테다!'

그와 같은 방에서 자게 된 린지는 첫날 그렇게 결심했다. 아무리 시종 행세를 하고 있다지만 아닌 건 아닌 거다. 정조를 바쳐 가면서까지 말 잘 듣는 시종 흉내를 낼 생각은 눈곱만큼도 없었고, 이는 유시젠도 이해해 주리라 믿었다. 목숨을 걸었으면 걸었지 순결을 잃고 싶진 않았다.

이렇게 결심한 린지와는 달리 백작은 아무렇지도 않은 기색이었다. 그녀에게 뺨을 맞은 것도, 강제로 키스한 것도, 몸이 으스러지게 껴안은 것도 모두 잊은 것만 같았다. 마치 없었던 일인 듯, 혹은 일순간의 해프닝이라는 듯 무서울 만큼 평소와 다름이 없었다. 잠을 잘 때도 린지를 베개처럼 끌어안기만 할 뿐, 그 이상의 접촉은 없었다. 잔뜩 날을 세우고 긴장한 린지가 바보가 된 것 같은 기분을 느낄 정도였다.

그렇게 며칠이 지났다.

"……."

악몽을 꾼 것일까…… 기억나진 않지만 몹시 불쾌했다. 린지는 꿈의 잔재 속에서 미간을 잔뜩 좁히고 있다가 몸을 벌떡 일으켰다. 눈을 뜨면 항상 옆에서 잠들어 있던 백작이 없었던 것이다.

사랑하는 리지엘.

급한 약속이 생겨 하세르윤 폐하와 외출하게 됐어. 피곤할 테니 푹 쉬고 있어. 늦으면 오늘 늦은 밤이나 내일 아침에 돌아올 거야.

많이 사랑해.

— 너의 휘안이.

"……쪽지에도 연기를 하는군."

사랑해, 라니. 린지는 피식 웃음이 나와서 그가 휘갈긴 쪽지를 노려보았다. 혹시나 유리나가 몰래 볼 수도 있다고 생각한 걸까. 하여튼 남을 속이는 것도 철저한 사람이었다.

투덜거리긴 했으나 결국엔 린지도 휘안과 한통속이었다. 그녀는 샤워 후 정성스레 긴 머리칼을 빗질한 후, 휘안이 사다 놓은 드레스로 갈아입었다. 화장을 할까 생각해 보았지만 관뒀다. 잘하지도 못하는데 괜히 시도했다가 우스워질 것 같았기 때문이다.

“리지엘 님. 아침 식사입니다.”

그렇게 아침 단장을 끝내자 노크 소리와 함께 시녀의 목소리가 들려왔다. 휘안의 아침과는 달리 고기와 채소가 적당히 섞인 식사가 차려졌다.

‘시중을 받는 것도 편하네.’

시녀가 내준 밥을 먹으며 린지는 만족감을 느꼈다. 요 며칠 사이 휘안의 애인 행세를 하며 이렇게 시중을 받는 것은 어색하면서도 편했다.

그렇게 아침 식사를 끝내며 린지는 한가로운 시간을 보내고 있었다. 사실 마음 같아서는 영주 성의 정원을 산책하고 싶었지만 그녀는 방 밖으로 나서지 않았다. 만약 재수 없게 유리나 공주라도 마주친다면 온갖 수난을 당할 것이 뻔했다.

‘……잠깐. 누가 오는 것 같은데?’

린지는 예민한 귀를 쫑긋거리며 방 밖에서 들리는 소리에 집중했다. 또각거리는 하이힐 소리가 점점 그녀가 있는 방으로 다가오고 있었다. 린지는 그 소리의 주인공을 짐작하고는 마음의 준비를 했다.

‘유리나 공주다!’

아니나 다를까, 문이 벌컥 열리며 한 여인이 들어왔다. 갑작스레 등장한 유리나 공주는 미안한 기색 하나 없이 린지를 노려보았다.

“공주님을 뵙습니다.”

서슬 퍼렇게 노려보기만 할 뿐 별말이 없자 린지가 먼저 인사를 올렸다. 하나 유리나 공주는 대답은커녕 흔한 끄덕거림 하나 보이지 않았다. 얼마나 시간이 흘렀을까, 린지는 참을성을 가지고 유리나가 무언가 말하기를 기다렸다. 사실 냅다 달려들어 뺨부터 때릴 줄 알았는데 가만히 서 있기만 해서 이상했던 것이다.

“너.”

마침내 유리나의 붉은 입술이 달싹였다. 그녀는 타오르는 듯한 강렬한 눈동자로 린지를 바라보았다.

"시종 린지안 아르즈벨."

"……!"

순간 린지는 눈을 크게 떴다. 방금 무슨 말을 들은 것인가, 되뇌어 보기도 전에 유리나의 입술에 삐딱한 미소가 걸렸다.

"날 속이니까 재밌니?"

"아."

콧등에 차가운 감촉이 와 닿았다. 휘안은 저도 모르게 손을 들어 올리며 하늘을 올려다보았다. 하얀 눈송이들이 수줍게 흩날리고 있었다.

"첫눈이다."

이제 정말 겨울이구나. 휘안은 씩 웃으며 흩날리는 눈송이들을 향해 손을 내밀었다. 새하얀 눈이 그의 손바닥에 와 앉아 순식간에 녹아내렸다.

휘안은 하준과 함께 말을 몰고 있었다. 그들은 르카플로네 영지에서도 가장 중요하고도 비밀스러운 곳을 사찰하고 다시 돌아가는 길이었다. 사실 그곳을 살펴보기 위해 그동안 자주 영지에 왔으며, 이번에도 역시 마찬가지였다.

"일이 수월하게 풀려 가는군."

휘안과 함께 '그곳'의 사찰을 마친 하준이 말했다. 휘안은 잠자코 그의 옆에서 말을 몰며 고개를 끄덕였다.

"응. 기대했던 것보다 더 빨리 진행되고 있어."

"곧 목적을 이룰 수 있겠군, 휘안."

하준의 목소리에 휘안은 싱긋 미소를 지어 보였다. 그 역시 하준의 말에 동의했다. 휘안은 아주 어릴 적부터―12년 전부터 삶의 목적이 또렷하게 정해졌다. 그 후부터 그것을 이루기 위해 살아왔다고 해도 과언이 아니었다. 그리고 최근에 들어, 휘안은 곧 그 목적이 현실화될 것을 예감했다. 오만도, 자만도 아닌 사실 그 자체였다. 그 무엇도 그를 막을 수 없을 것이다.

'린지안 군도 좋아해 주면 좋겠는데.'

아주 자연스럽게 시종의 얼굴이 떠오르자 휘안의 입가에 미소가 걸렸다. 만약 그 소년이 자신이 하는 일, 그리고 앞으로 그가 이룰 일을 알게 된다면 어떤 표정을 지을까? 틀림없이 대수롭지 않은 표정을 지으며 '축하드립니다, 그럼 앞으로 좀 일찍 일어나시죠.'라고 말할 것이다.

"린지안 군에게도 말해야겠어."

그는 단숨에 내린 결정을 자신의 친구이자 동료인 하준에게 전달했다. 예상했듯 하준이 얼굴을 일그러뜨린 채 자신을 바라보는 것이 느껴졌다.

"이제 린지안 군도 내 사람이잖아. 그러니까 이 계획을 알 필요가 있……."

"이봐, 휘안."

하준은 드물게 휘안의 말을 끊었다.

'저 녀석, 미쳤군.'

하준은 자신이 처음으로 휘안의 말을 중간에 잘랐다는 것을 잘 알고 있었다. 사실 그것이 마음에 걸리기는 했지만 더 듣고 있을 수는 없었다. 하준에게 있어서 휘안은 친구 이상의 존재였다. 마치, 친구보다 더 높은- 존경스럽고, 한편으로는 의지할 수 있는 존재였다.

휘안은 그럴 만했다. 휘안은 하준이 원하는 것을 이루어 준, 그리고 앞으로도 이루어 줄 요술 램프 같은 남자였다. 휘안의 도움이 없었더라면 하준은 지금 이렇게 태연하게 숨 쉬고 있지 못할 것이다.

'너무 변했다고!'

하나 최근의 휘안은 하준이 알아 오던 그 사람이 아니었다. 그는 파티장에서 린지안, 그 시종의 입을 맞추던 휘안을 떠올렸다. 그동안 하준은 휘안이 여러 여인들과 키스하는 것을 목격한 적이 있었다. 하지만 그 시종과 할 때에는 마치…….

'……아냐. 그럴 리 없어.'

하쥰은 마음을 굳게 먹고 휘안을 바라보았다. 휘안은 침착하게 웃으며 하쥰이 뱉어 낼 말을 기다리고 있는 기색이었다.

"시종에게 알리는 건 아직 이른 거 아니냐?"

단 한 번도 휘안의 계획을 저지해 본 일이 없는 하쥰이었지만, 그는 지금 이 순간만큼은 가만히 있을 수 없었다.

"너, 그 녀석을 알게 된 지 일 년도 되지 않았다. 린지안 녀석이 어떤 놈인지, 어떻게 자라 왔는지— 넌 알지 못해. 그냥 말 잘 듣는 시종일 뿐이라고. 근데 그 녀석에게 우리의 계획을 알리겠다고? 미쳤냐?"

물론 하쥰이 린지안, 그 시종을 인정하지 않는 것은 아니었다. 레너드에게 인질로 잡혔을 때 짐이 되기 싫어서 절벽에 몸을 던지는 순간, 하쥰은 왜 휘안이 이 녀석을 마음에 들어 하는지 깨달았다. 시종은 그런 성격이었던 것이다.

"물론 린지안이 믿지 못할 녀석이라는 건 아니다. 다만 시간을 더 두고 판단해도 늦지 않아."

"난 충분히 판단했는걸."

휘안은 싱긋 웃어 보이며 하쥰의 모든 설득을 물거품으로 만들었다.

"물론 네가 무엇을 걱정하는지 알아. 하지만 린지안 군은—."

"솔직히 말해."

하쥰은 오늘만 두 번째로 휘안의 말을 끊으며 강경하게 말했다. 그는 휘안의 보라색 눈동자를 똑바로 쳐다보았다. 마치 그 안을 읽어 내려는 듯.

"너 그 녀석 어떻게 생각하냐?"

하쥰은 휘안의 얼굴에서 웃음이 사라지는 것을 목격했다. 그렇다고 해서 화난 것은 아니고, 그냥 입가에 미소만 사라졌을 뿐이었다. 휘안은 영문을 모르겠다는 표정으로 고개를 갸웃 기울였다.

"그게 무슨 소리지?"

"솔직히 말하지. 그 시종을 대하는 너의 태도, 지금껏 본 적 없는 모습이다. 마치―."

그의 질문은 끝내 완성되지 못하고 중간에 흩어졌다. 하쥰은 입을 다물어야 할 때라는 것을 깨달았다. 휘안이 완전히 웃음기를 지운 것을 본 하쥰은 현명하게도 더 이상 말하지 않았다. 그리고 잠시 침묵을 둔 후, 입을 열었다.

"오해했다면 미안하다."

휘안은 대답하지 않고 말을 몰았다. 잠시 동안 둘 사이에 말발굽 소리만이 적막 위를 맴돌았다. 하쥰이 어색함을 느끼며 무언가 이야기를 꺼내려던 찰나 휘안이 웃음을 지었다.

"하쥰, 네 말이 맞아."

"……뭐?"

"네 충고를 받아들일게. 내가 너무 성급했어."

의외의 대답에 하쥰은 휘안의 옆모습을 바라보았다. 앞을 바라보며 말을 모는 휘안의 모습은 평소처럼 단정하고 기품이 흘렀다. 생각보다 쉽게 자신의 말을 들어줘서일까, 하쥰은 도리어 민망해져서 뭐라고 이야기를 꺼내야 고민했다.

'……하지만 내 질문엔 대답하지 않는군.'

시종을 어떻게 생각하냐는 물음에 휘안은 끝까지 대답하지 않았다.

'그래, 내가 미쳤지. 그런 상상을 하고 말이야.'

대체 왜 휘안이 대답을 하지 않는 것일까. 설마 찔리는 구석이 있어서

일까, 정말로 시종을 남다르게 생각하고 있어서일까? 온갖 상상을 해 가던 하쥰은 결국 자신의 과대망상으로 결론을 내렸다.

휘안이 그럴 리가 없지 않은가? 대답을 하지 않은 것은 얘기할 가치도 없어서일 거다. 하쥰은 잠시나마 휘안을 의심한 자신의 불경함을 꾸짖었다. 아마 예르시카가 알게 된다면 목숨을 건 결투를 신청해 오리라.

'그게 다 린지안, 그놈 때문이야. 자꾸 이상한 꿈에나 나오고!'

이런 나쁜 생각을 하게 된 것도 시종이 과하게 색기가 넘치기 때문이다. 만약 보통 소년이었다면 이런 상상, 할 리가 없다. 하지만 린지안은 남자라도 홀려 버릴 법한 분위기를 가지고 있는지라 하쥰은 걱정이 됐던 것이다. 혹시 휘안도 홀릴까 봐…….

'……잠깐. 휘안'도'라니.'

순간, 자신의 생각을 깨달은 하쥰은 주먹을 불끈 쥐며 속으로 온갖 욕설을 지껄였다.

'젠장, 그때는 그 미친 자식이 작정하고 덤벼드니까 어쩔 수 없었다고! 이런 평상시 같은 상황에서는 절대 그럴 일 없지! 하늘이 두 쪽이나도, 절대로!'

마치 그때의 일이 트라우마처럼 강렬하게 남았다. 왜 하필 그때, 주홍색 편지를 들고 그 자식에게 내밀었을까! 아니, 애초에 왜 그 방에 찾아간 것일까! 그냥 그런 녀석이 있구나, 하고 넘기면 됐을 것을 왜 나는두 눈으로 꼭 확인하겠답시고 찾아간 것일까! 하쥰은 그 순간 자신의선택을 뼈저리게 후회했다.

"무슨 생각을 그렇게 해?"

혼자서 욕설을 지껄이는 것을 들은 휘안이 재밌다는 시선으로 그를 쳐다봤다. 그때 일을 상상하느라 열불이 난 하쥰의 표정이 우거지상이었던것이다. 자신의 고뇌를 알려 줄 수는 없었으므로 하쥰은 딱 잘라 말했다.

"몰라도 돼. 묻지 마."

"흐응. 그래, 알겠어."

휘안은 눈을 가느다랗게 뜨며 의미심장하게 웃었다. 왠지 그의 생각을 다 읽은 듯한 표정인지라, 하준의 마음이 찜찜해졌다.

그렇게 한참을 말을 몰아 그들은 르카플로네 영지 성에 도착했다. 이제 막 노을이 내려앉고 있을 시간이었다. 휘안과 하준은 바로 린지안이 있는 방으로 향했다. 과연 그 시종이 사고는 치지 않았는지, 얌전히 있었는지 궁금했기에 하준의 발걸음은 자연스럽게 빨라졌다. 같은 마음이었는지 휘안 역시 그러했다.

"……"

방에 가까워질수록 하준과 휘안의 표정이 흐려졌다. 방 앞에는 두세 명의 기사─르카플로네 백작의 기사가 아닌, 유리나 공주의 호위 기사가 망을 보듯이 서 있었다. 그들은 하준과 휘안이 다가오자 당황하는 기색으로 인사를 올렸다.

"여기서 뭐 하는 거냐."

불길한 예감을 느낀 하준이 날카롭게 묻자 기사들은 서로 바라보기만 할 뿐, 아무런 대답을 내뱉지 못했다. 하준이 무언가 더 캐물으려는 찰나 잠자코 있던 휘안이 그들을 밀치고 방문을 열었다.

"……!"

피비린내가 방 안에 진동했다. 휘안은 저도 모르게 자리에서 멈춰 섰다. 방 안의 광경을 둘러보는 그의 보라색 눈동자가 경련하듯 바르르 떨려 왔다.

"……이게 뭐야."

뒤따라 들어온 하준 역시 휘안 옆에 멈춰 서며 경악스러운 신음을 내뱉어 냈다.

"이제 오시나요, 휘안 백작? 그리고 하세르쥰 국왕 폐하."

유리나 공주는 그들의 충격을 즐기듯 싱긋 웃으며 자리에 앉아 있었다. 요동치는 피비린내가 마치 꽃향기라도 되는 양 행복한 표정으로 차까지 기울였다. 그녀는 차를 한 모금 마신 후, 상쾌한 눈빛으로 그들을 바라보았다.

"기다리고 있었어요."

린지는 의자에 묶여서 눈을 감고 있었다. 길게 붙여 놓았던 붉은 머리칼은 어느새 다 잘려서 바닥에 어지러이 흩어져 있었다. 뿐만 아니라 그녀가 입고 있던 드레스 상의는 새빨간 색으로 흥건히 물든 상태였다. 그 피는 그녀의 팔뚝에서부터 흘러나왔다.

휘안의 눈동자가 천천히 움직여 린지를 살폈다. 의자에 포박된 상태로 푹 수그린 고개는 미동 하나 없었고, 팔뚝에서는 피가 계속해서 흘러나오고 있었다. 피는 옷을 적신 것으로도 모자라 카펫 위로도 둥그런 점들을 그려 냈다.

"걱정하지 마세요. 죽지 않았으니까. 자꾸 거짓을 고하기에 살짝 벌을 준 것뿐이에요."

유리나는 빙긋 웃으며 경악한 휘안과 하쥰에게 말했다. 나긋나긋한 목소리가 피 냄새에 얽혀 괴기스럽게 들려왔다.

"이게 무슨 짓이지, 유리나 공주?"

처음 입을 연 것은 하쥰이었다. 그의 목소리에는 노골적인 분노가 서려 있었으나 유리나 공주는 눈썹 하나 흔들리지 않았다. 공주가 자신을 빤히 쳐다보자 하쥰은 정말로 화가 나기 시작했다.

'저 계집이 감히.'

시종을—아니, 휘안의 애인이자 몰리아 자작 가문의 영애인 리지엘을 자신이 직접 후원하겠노라고 선언했다. 즉 뒤를 봐주고 있으니 건들지 말라는 소리나 마찬가지였다. 유리나 공주는 물론 그곳에 있는 모든 귀족들이 그 뜻을 이해했을 것이다. 그런데 이렇게, 마치 짐승 대하듯 묶어 놓고 해한 것은 그를 무시한 것이나 마찬가지다.

하쥰, 하세르쥰은 엘칸 대륙의 강대국이자 유일한 미스릴 보유국인 엘테스의 왕이었다. 왕위 계승과는 멀어 보이는 한낱 공주 따위가 무시하기엔 너무나 거대한 자였던 것이다. 그녀가 그것을 모를 리 없을 텐데…….

하쥰의 눈동자에 치밀어 오르는 분노와 살기를 읽은 유리나가 부드럽게 미소 지었다.

"분노하시기엔 이릅니다, 하세르쥰 국왕 폐하. 저는 단지 폐하를 속인 죄인을 처단한 것뿐이니."

"……뭐?"

유리나는 웃는 얼굴 그대로 린지의 머리를 잡아 거칠게 들어 올렸다. 그러자 창백하게 질린 새하얀 얼굴이 드러났다.

"이자는 귀족이 아닙니다. 한낱 평민, 그것도 백작 가문의 시종일 뿐이지요. 심지어 여자도 아니랍니다."

하쥰은 주먹을 불끈 쥐었다.

'어떻게 알게 된 거지!'

백작 성 안에서 린지안의 정체를 아는 자들의 입단속은 철저히 했다. 성안의 고용인들은 모두 휘안에게 은혜를 잊은 자들로 충심이 대단했으며, 그의 말 한마디면 목숨도 던질 수 있는 사람들뿐이었다. 그들 중 누군가가 배신한 것일까?

"이 시종이 저희를 속였습니다. 때문에 감히 왕족을 능멸한 죄를 묻고 있었습니다."

"……"

"아니면 혹시…… 폐하께서도 알고 저를 속이신 겁니까?"

유리나의 말에 하준은 아무런 대답을 하지 않았다. 그의 침묵을 즐기듯이 받아들인 유리나는 즐거운 듯 그를 바라보다가 휘안에게 시선을 옮겼다. 그는 도무지 속을 읽을 수 없는 표정이었다.

"백작. 백작께서는 알고 계셨습니까?"

"……."

"백작의 개인 시종이니 모를 리가 없겠지요. 이 시종에게 명령을 내린 것이 백작 본인 맞습니까?"

유리나는 손에 쥐고 있던 린지의 머리칼을 획 놓으며 휘안을 노려보았다. 그녀의 눈동자에 억누르고 있던 분노가 한꺼번에 왈칵 쏟아졌다.

"누구의 명령이 있었냐고 아무리 캐물어도 이 시종은 대답하지 않더군요. 대단한 충심이에요. 몸에 칼이 박힐 때까지 입술 한번 열지 않았으니."

그 말에 휘안의 표정이 처음으로 변했다. 그는 몹시 기이한 것을 목격하듯 미간을 좁히며 린지를 물끄러미 바라보았다. 그 시선에 유리나는 순간 할 말을 잃었다. 마치 자신이 하는 말 따위는 들리지 않는다는 표정이었던 것이다.

"대답하세요, 백작. 백작이 명령한 것이 맞습니까? 이 시종과 한통속이 되어 감히 나를, 세랑스의 공주를 능멸했냔 말입니다! 이것은 명백한 왕족 모독죄입니다!"

백작은 아무런 대답도 하지 않았다. 그가 입을 꾹 다물고 있자 유리나는 헛웃음을 내뱉었다. 그래, 아무리 휘안일지언정 이 상황에서 반박하긴 힘들겠지. 유리나는 주도권이 자신의 손안에 있는 이 상황을 만끽했다.

"이 일을 그냥 넘기지 않을 것입니다. 제 아버지, 세랑스의 국왕 폐하는 물론 레란의 왕께도 이 사실을 알려 백작의 죄를 물을 것입니다. 이 일로 백작이 왕족에 대한 존경심이 없다는 것이 명백해졌으니 이는 레란의 국왕 폐하에 대한 반역이나 마찬가지예요!"

말을 이으면 이을수록 유리나의 언성이 높아졌다. 지금 이 상황은 그녀에게 절대적으로 유리했으며, 그 어떤 변명을 늘어놔도 백작의 행동은 용서받지 못할 종류였다. 때문에 그녀는 하세르쥰 국왕 앞에서도 큰소리칠 수 있었다.

백작은 무릎이 닳도록 사과를 하거나 용서를 빌어야만 했다. 그게 아니면 당황하는 기색이라도 보여야만 했다. 한데 지금 백작은······.

'뭐야, 내 말 듣고 있긴 한 거야?!'

유리나의 말을 한 귀로 흘리고 있는 것만 같았다. 그녀가 하는 말은 물론 그녀 존재 자체에도 관심이 없는 모습이었다. 휘안은 고개를 푹 수그리고 기절한 시종을 바라보고 있었던 것이다.

그때, 처음으로 휘안에게서 반응이 보였다. 그는 천천히 걸음을 옮겨 린지에게 다가갔다. 그리고 품 안에서 손수건을 꺼내 팔을 단단히 묶어 지혈하기 시작했다. 잠자코 지켜보던 유리나는 그가 하는 행동에 기가 막혀서 코웃음을 쳤다.

"하. 지금 뭐 하는 건가요, 백작!"

그녀는 너무나 화가 나서 머리가 새하얗게 변하는 것만 같은 느낌을 받았다. 손끝이 떨려서 진정이 되질 않았다. 자신을 속인 것으로도 모자라 사과하기는커녕 미안한 기색조차 없어 보이지 않은가!

"알릭 경! 이자를 포박해!"

그녀는 떨리는 목소리로 자신의 호위 기사를 호명했다. 그러자 문 앞을 지키고 있던 기사들 중 한 명이 단숨에 검을 획 뽑아 올리며 방 안으로 들어왔다. 순간, 하쥰의 인상이 확 구겨졌다.

"유리나 공주. 그 명령 거두는 게 좋을 거야."

"하! 지금 왕족을 속인 백작의 편을 드시는 겁니까, 폐하?!"

하쥰은 더 이상 생각하지 않았다. 그는 휘안에게 다가가려는 기사의 멱살을 잡아채 끌어당겼다. 그 우악스런 힘에 기사가 비틀거리며 그의 팔에 매달렸다.

"네놈이 감히 검을 겨누어? 지금 당장 검을 집어넣지 않으면 죽이겠다."

유리나 공주의 명령과 엘테스의 왕 사이에 끼게 된 기사, 알릭 경은 진퇴양난이었다. 그가 당혹스러운 얼굴로 아무 말도 못 하자 하준은 그를 집어 던지듯 획 뿌리쳤다. 하준의 기세에 눌린 알릭 경은 차마 유리나의 명령을 따르지도, 하준의 명령을 따르지도 못한 채 엉거주춤하게 서 있었다.

"알릭 경! 지금 내 명령을 무시하는 거야?! 넌 세랑스의 기사야!"

그 말에 가여운 알릭은 내키지 않지만 유리나의 명령을 따르기로 결심했다. 본능은 자신을 죽일 듯 노려보는 하준의 말을 따르라고 얘기하고 있었지만— 이성은 유리나의 편에 있었다. 그가 생각하기에도 지금 돌아가는 상황은 그녀에게 유리했던 것이다.

알릭이 한 발자국 더 다가가자 하준이 검을 뽑았다. 그가 기사에게 했던 말은 허세도, 단순한 협박도 아닌 진심이었다. 그는 단숨에 기사를 베어 죽일 생각이었다.

"그만해."

휘안의 목소리만 아니었다면 하준은 자신의 계획대로 움직였으리라. 알릭을 베어 죽이고 필요하다면 밖에서 지키고 서 있는 기사들 모두를 도륙했겠지. 하준은 검을 멈추며 휘안을 돌아보았다.

휘안은 웃고 있었다. 그의 시선이 이 방에 들어와서 처음으로 유리나 공주에게 향했다.

"어떻게 하면 용서해 주시겠습니까?"

드디어 정신을 차리고 사과하는 것인가. 휘안의 말에 유리나의 입꼬리가 올라갔다. 그것은 그녀가 계속 기다려 왔던 대사였다. 유리나는 침을 꿀꺽 삼킨 후 휘안을 똑바로 쳐다보았다.

"당신이 반성하고 죄를 뉘우친다면 용서해 주겠어요. 다만…… 나와 결혼한다는 전제하에서."

하쥰은 그 제의에 완전히 질린다는 표정으로 그녀를 바라보았다. 역시나 보통 여자가 아니다. 이런 상황에서도 결혼하자고 협박을 하다니!

하지만 그녀의 말은 아직 끝난 게 아니었다. 유리나 공주는 고개를 획 돌려 의자에 묶인 린지를 바라보았다. 그 붉은 머리칼을 내려다보는 공주의 눈동자가 증오로 이글이글 타올랐다. 그녀가 저주하듯 한마디 한마디 강조하며 말했다.

"그리고 이 시종을 죽여요. 지금 당장, 내 눈앞에서!"

유리나는 이 시종이 마음에 들지 않았다. 파티장에서 처음 '리지엘'을 봤을 때 느낀 패배감과 굴욕감은 아직까지도 생생했다. 특히나 댄스 타임에서 휘안이 입맞춤을 할 때에는 손바닥이 찢어져라 주먹을 쥐고 분노를 참아 냈다. 그 모습이 너무나 애틋해 보여서 견딜 수 없었던 것이다.

'그런데 남자라고?!'

남자라는 것이 더 화가 났다. 여자도 아닌 남자에게 지다니, 유리나의 자존심이 완전히 무너져 버린 것이다. 그녀는 그 상처를 시종의 죽음으로 보상받으리라 결심했다. 그것도 직접 휘안이 목숨을 거두는 형태로!

'오히려 잘됐어.'

속은 것이 모욕적이긴 했지만 그 대가가 휘안과의 결혼이라면 감수할 만했다. 휘안에 대한 열망은 그의 땅, 르카플로네 영지를 본 이후로 더 강해졌다. 수도에서 제법 떨어진 도시라고는 믿을 수 없을 만큼 세련되고 화려한 이곳은 세랑스의 수도 팔린과 견주어도 손색이 없었다. 모르는 자가 본다면 르카플로네 영지가 레란의 수도라고 착각할 만큼 발전된 곳이었다. 이에 그녀는 르카플로네의 재산이 알려진 것 이상일 거라고 추측했다. 사람들이 추정하는 것보다 훨씬 더 많을 것이다. 어쩌면 세랑스 왕가보다 더!

'그게 다 내 것이 되는 거야! 그래, 나 정도면 그 정도 가문과 결혼해야지.'

유시젠보다 떨어지는 남자와는 결코 결혼하지 않겠다고 결심한 그녀였다. 때문에 유리나는 휘안을 놓칠 생각이 없었다. 온갖 협박과 더러운 짓을 해서라도 그를 차지하고 말리라.

'내겐 조력자도 있으니까!'

휘안이 르카플로네 영지로 가고 있다는 밀서, 그리고 리지엘이 시종 린지안이라는 정보가 담긴 서류를 준 정체불명의 조력자 또한 있다. 그 밀서를 받고 유리나는 르카플로네 영지에 빠르게 도착했던 것이다. 그리고 오늘 아침, 발신인 불명으로 그녀에게 온 서류에는 리지엘―아니, 린지안 아르즈벨이 시종이라는 증거가 있었다. 그 정보를 제공해 준 조력자의 존재는 마치 휘안을 반드시 손에 넣으라는 하늘의 계시처럼 느껴졌다.

유리나가 의기양양하게 웃고 있을 때였다. 그녀를 물끄러미 바라보고 있던 휘안이 피식 실소를 흘렸다.

"당신 따위의 용서에 비하면 너무 과한 대가인걸."

유리나는 자신의 귀를 의심했다. 휘안은 평소처럼 부드럽게 웃으며 예의 바른 어조로 말했는데, 그런 그가 내뱉은 대사라고는 믿을 수가 없었다.

"내겐 당신의 용서 같은 건 필요 없어. 유리나 공주님."

"지, 지금 뭐라고……."

너무 놀라면 화조차 나지 않는다는 것을 유리나는 처음 경험했다. 말을 더듬는 유리나를 바라보며 휘안이 다시 한 번 미소를 지었다. 그리고 한 발자국 성큼 다가와 그녀의 목덜미를 확 낚아챘다.

휘안이 유리나의 목을 잡자, 알릭 경을 비롯한 그녀의 호위 기사들이 검을 들며 달려들었다. 거의 동시에 하쥰이 허리춤에서 검을 뽑아 그들의 앞을 막아섰다.

"……!"

엘테스의 국왕이 막아서자 기사들은 감히 달려들지 못하고 자리에서 멈춰 섰다. 하쥰은 마치 늑대 같은 기세로 으르렁거렸다.

"죽고 싶지 않으면 물러나라."

"……커헉!"

유리나의 입에서 신음이 터졌다. 목 줄기를 휘어잡는 손에서 압박감이 느껴졌다. 하지만 그 고통보다도, 유리나는 지금 그의 행동이 믿기지 않아 숨을 내쉴 수 없었다. 휘안이 지금 자신의 목을 조르듯 잡아챈 것이 믿기지 않았다!

유리나는 그의 손을 풀기 위해 버둥거렸지만 그대로 돌처럼 굳어지기라도 한 듯 단 일 밀리도 꿈쩍하지 않았다. 조금씩 숨이 막혀 오는 가운데, 변함없이 미소 짓는 휘안이 중얼거렸다.

"당신이야말로 내게 용서를 빌어야 할 거야. 내 시종을 저렇게 만든 죄로."

"……!"

휘안은 처음 만났을 때처럼 부드럽게 웃고 있었다. 한눈에 반할 만큼 아름답게 미소 지으면서, 그녀의 목을 잡고 들어 올렸다.

"그, 그만두십시오, 백작님!"

"세랑스의 공주님께 감히 무슨 짓입니까!"

하쥰 때문에 옴짝달싹 못 하는 기사들은 새하얗게 질려 가는 유리나를 보고 외쳤다. 그러자 휘안이 그들의 존재를 처음 알아차린 양 의아한 시선으로 기사들을 바라보았다. 그리고 아무렇지도 않게 말했다.

"유리나 공주는 오늘, 여기서 죽게 될 거야."

"……."

그 말에 휘안의 손을 떼어 내려고 노력하던 유리나의 몸이 뻣뻣하게 굳었다. 기사들 역시 경악한 표정으로 휘안을 보았다. 휘안은 마치 오늘 산책을 할 거라는, 그런 간단한 계획을 말한 것처럼 산뜻한 표정이었다.

"그러니 당신들도 선택하도록 해. 공주를 따라 이곳에서 죽음을 맞이하겠어? 아니면 아무것도 못 본 척한 대가로 평생 만져 보지 못할 돈을 받을래?"

"……!"

"길게 말하지 않을게. 지금, 이 자리에서 선택하도록 해. 전자를 선택하면 이 자리에 남으면 되고, 후자를 선택할 거면 각자의 방으로 돌아가면 돼. 그리고 그대로 잠자리에 들어. 내일 눈을 뜨면, 평생 부유하게 살 수 있는 막대한 보상금이 주어질 테니."

순간 기사들의 눈동자에서 치열한 갈등이 맴돌았다. 그들이 유리나 공주를 지키기 위해 이곳에 남는다고 할지언정, 그 수는 고작 다섯. 르카플로네 영지의 사병들을 뚫고 살아남을 수 없으리라.

"……!"

유리나의 푸른 눈동자가 경악으로 찢어졌다. 하나둘씩 검을 집어넣고 방을 떠나는 기사들의 뒷모습이 그녀의 눈에 와 박혔다.

"이런. 버림받았네, 유리나 공주님. 하지만 너무 원망하지 마. 저들은 단지 현명한 선택을 했을 뿐이니까."

휘안은 마치 위로하는 듯한 목소리로 말했다.

"내가 용서를 빌 거라고 생각했어? 순진하네. 내가 그렇게 착해 보이나?"

휘안은 가느다랗게 휘어진 눈으로 유리나를 바라보았다. 그 보라색 눈동자는 권태롭기까지 했다.

"어떻게 할까. 당신 하나 죽여도 달라질 건 없는데."

휘안은 오늘의 저녁 메뉴를 궁금해하는 듯한 어조로 중얼거렸다. 그가 지금 진심으로 자신을 죽이려 하고 있음을, 유리나는 깨달았다. 그녀는 미친 듯이 바동거렸다. 자신의 목을 틀어쥐고 있는 이 손아귀에서 진심 어린 살의가 진동했다. 다음 순간, 이 손이 당장이라도 힘을 주어 목을 부러뜨릴 것만 같았다.

"휘안."

뒤에서 하준이 강한 어조로 말하자 휘안이 처음으로 미간을 좁혔다. 그는 잠시 고민하는가 싶더니, 한숨을 푹 내쉬며 손에 힘을 풀었다. 그러자 유리나 공주가 기침을 토해 내며 바닥에 주저앉았다.

"콜록! 콜록, 콜록!"

공포로 얼룩진 정신을 가다듬는 와중에도 그녀는 느낄 수 있었다. 방금, 죽음 속에서 살아 나왔다는 것을.

"이게, 이게 무슨 짓……."

그녀는 쇳소리가 섞인 목소리를 겨우 끄집어냈다.

"내 시종을 이렇게 만들었잖아. 그래서 화가 나, 아주 많이. 더군다나 내 손으로 린지안을 죽이라고 하다니…… 하하, 정말 우스워."

휘안이 웃으며 다가오자 유리나는 본능적으로 뒤로 물러섰다. 그리고 미친 듯이 비명을 질러 댔다.

"사, 사람 살려!"

휘안은 시끄러운 듯 인상을 찌푸리며 귀를 막았다. 그 장난스러운 얼굴조차 이제는 소름 끼칠 만큼 무서웠다. 이렇게 악마 같은 작자를 원했다는 것이 믿기지 않았다.

"다 질렀어? 미안하지만 아무도 안 와."

목이 쉴 때까지 비명을 질러도 노크 한번 하는 자가 없었다. 휘안이 안타깝다는 어조로 말하자 유리나의 눈가에 눈물이 고였다.

"내게 이러면 당신도 무사하지 않을 거야!"

"아? 정말?"

유리나의 마지막 발악에 휘안은 몰랐다는 듯 눈을 동그랗게 떴다.

"아닐걸?"

"뭐?"

"당신은 불의의 사고로 이곳, 내 백작 성에서 죽은 거야."

휘안의 이어지는 말에 유리나의 심장이 쿵 떨어졌다. 기사들에게 한 말은 결코 협박이 아니었다. 이미 죽이기로 결심하고 말하는 것이었다. 유리나는 그가 자신을 죽일 생각임을, 그리고 그것을 대수롭게 생각하고 있지 않음을 느꼈다.

"와인을 마시고 테라스에서 발을 헛디뎌 떨어져 죽은 걸로 하자. 타국에서 일어난 사고에 세랑스의 국왕은 진노하겠지. 나는 막대한 위로금을 당신의 장례식장 조의금으로 내겠어."

"그, 그런…… 말도 안 되는……."

"세랑스 왕가가 가진 재산의 두 배 정도 되는 금액이면 입을 다물겠지? 수많은 자식들 중 겨우 딸 하나 잃고 재산이 배로 늘어나는 거니까 오히려 좋아할 거야. 그렇게 생각 안 해?"

유리나는 더 이상 아무런 반박도 할 수 없었다. 신음조차 흘릴 수 없었다. 차근차근 말해 오는 백작의 목소리를 더 이상 듣고 있을 수 없었다. 악마의 속삭임처럼 아름다우면서도 끔찍한 목소리였다.

'나는 죽을 거야. 이 자식이 나를 죽일 거야.'

눈물이 떨어졌다. 유리나는 입 안을 질끈 깨물며 주먹을 쥐었다. 눈물로 흐려진 시야로 평소처럼 매력적으로 웃고 있는 백작이 보였다. 그의 재산이 추정 불가라는 것은 알고 있었다. 하나 그의 말이 사실이라면, 그의 말처럼 세랑스 왕가가 가진 재산의 두 배 이상을 조의금으로 내민다면 과연 아버지−세랑스 국왕은 계속 분노할 수 있을까? 그녀에게는 수많은 형제자매가 있었다. 자신은 그중 하나일 뿐이었다.

"폐, 폐하……."

유리나는 줄곧 이 장면을 지켜보기만 하던 하준에게 손을 뻗었다. 휘안과는 도저히 말이 통하지 않을 거란 것을 직감한 것이다.

"폐하, 어찌 이 참극에 동참하시는 겁니까!"

하준은 침착하게 유리나의 손을 걷으며 말했다.

"휘안이 무엇을 하든 그것이 내 뜻이다."

가느다랗게 떨리던 유리나의 손이 바닥으로 털썩 떨어졌다. 엘테스의 왕이 타국 귀족의 말을 마치 신앙처럼 따르는 모습이 너무나도 괴기했다. 하나 지금은 이 이상한 관계에 의아해할 때가 아니었다.

"대, 대체 왜 이러는 거야."

유리나의 눈동자에서 눈물이 흘러내렸다. 방금 전까지만 해도 휘안과 결혼할 수 있을 거라는 믿음에 가득 차 있었는데 지금은 죽음을 눈앞에 두고 있다. 난생처음 맡아 보는 죽음의 냄새는 생소할 만큼 두려웠다.

"고작 시종 하나야. 펴, 평민 시종 하나일 뿐이라고. 그깟 놈 하나 저 꼴로 만들었다고 날 죽이겠다고?!"

그러자 휘안이 당연한 얘길 들었다는 듯 고개를 끄덕였다.

"응."

휘안은 허리춤에 장식처럼 달려 있던 검의 손잡이를 잡았다. 그리고 천천히 잡아당기자, 새하얀 뱀 같은 칼날이 번뜩이며 드러났다.

"당신과는 비교할 수 없을 만큼 귀해. 내 사람이거든."

다음 순간, 검날이 섬광처럼 달려들자 유리나의 입에서 비명이 터져 나왔다.

린지는 몹시 당혹스러운 상태였다. 사실, 그녀의 정신은 매우 또렷했다. 이 정도 피 흘린 것 가지고 기절했으면 지금까지 살아남아 왕세자의 그림자 역할을 수행할 수 없었을 것이다.

하지만 거듭되는 공주의 추궁과 고문에 가까운 폭행으로 인해 차라리 기절한 척하는 것이 유리할 거라고 생각했다. 마침 공주가 제 분에 못 이겨 나이프를 휘둘렀기에 기절하기 딱 좋은 상황이었고 말이다.

기절한 척하고 태평하게 이 상황을 어떻게 해결해야 할까, 고민하고 있었지만 사실 보통 사람이었으면 정말로 정신을 잃거나 과다 출혈로 위험한 상황이 됐을지도 모를 일이었다. 하지만 자신의 상황이 얼마나 심각한 건지 자각하지 못한 린지는 휘안의 반응이 놀랍기만 했다.

'휘안 녀석, 왜 저렇게 화난 거야!'

유리나 공주가 빽빽 소리 지르며 화를 내고 있는 와중 자신에게 다가와 지혈부터 해 줄 때부터 이상하다고 생각했다. 린지가 아는 휘안이라면 시종을 버리는 한이 있더라도 공주의 화를 풀어 주는 쪽을 선택했을 것이다. 때문에 유리나 공주가 자신을 죽이면 용서해 주겠다고 협박했을 때 등골이 서늘해졌다. 휘안이 죽이려고 할 수도 있겠구나, 라고 생각했다. 최근 들어 자신에게 마음을 열고 진심을 주었지만 왕족과의 관계를 해치면서까지 유지하려 할 거라고는 생각하지 못했던 것이다.

한데 상황은 상상하지 못한 방향으로 흘러갔다. 린지는 휘안에게 저런 난폭성이 있을 거라고는 꿈에서도 상상하지 못했다. 기사들을 협박하질 않나, 유리나 공주를 위협하질 않나, 평소와는 너무나도 다른 일면을 보여 준 것이다.

"당신과는 비교할 수 없을 만큼 귀해. 내 사람이거든."

그 이야길 들은 린지는 밧줄에 묶인 주먹을 불끈 쥐었다. 어째서일까, 놀라움보다는 아픔이 더 먼저 찾아왔다. 심장이 찌릿거리는 것만 같아서 그녀는 주먹을 쥐지 않고서는 참을 수 없었다.

'잠, 잠깐. 정말 죽이려고?'

린지는 휘안이 검날을 휘두르려고 하는 소리를 들었다. 슬쩍 눈을 떠 고개를 들어 보니, 휘안은 정말로 꿇어앉은 유리나 공주를 향해 검을 내리치기 직전이었다!

"자, 잠깐만요!"

린지는 저도 모르게 소리쳤다. 방 안에 있던 자들 모두가 놀라며 그녀에게 시선을 주었다. 휘안 역시 팔을 멈칫하며 린지를 바라보았다.

"백작님……?"

휘안의 눈동자와 마주친 린지는 침을 꿀꺽 삼켰다.

'무…… 무서워.'

휘안이 검을 들고 누군가를 죽이려 하고 있다. 그 모습이 묘할 만큼 어울리지 않아서 보지 말아야 할 것을 본 것 같은 기분이었다. 물론 그가 예전에 사냥터에서 습격자들을 처리하는 것과 레너드를 상대하는 것을 본 적이 있지만 이 정도로 괴기하게 느껴지진 않았다.

린지의 눈동자와 마주친 휘안이 천천히 검을 내리는가 싶더니, 이윽고 검집 안으로 집어넣었다. 그리고 린지의 곁으로 다가왔다.

"린지안 군, 괜찮아?"

"괘, 괜찮습니다. 저, 이 밧줄 좀……."

휘안이 단검으로 두툼한 밧줄을 자르자 린지의 몸이 휘청거리며 기울었다. 휘안은 그녀의 몸을 감싸 안듯이 들어 올렸다.

"안색이 안 좋아. 일단 치료부터 받자."

그는 걱정 가득한 눈빛으로 린지의 등을 쓰다듬었다. 그의 품에 안긴 린지는 그 부드러운 친절이 고맙다기보다는 무서웠다. 방금 전까지만 해도 공주를 죽이려고 하던 사람 같지 않았던 것이다.

"하준, 공주의 뒤처리를 부탁해도 될까?"

"알겠다."

그 말에 공주와 린지가 동시에 깜짝 놀라 고개를 들어 올렸다. 일단, 백작이 엘테스의 왕을 부하 부리듯 명령한 것은 둘째 치고…… 뒤처리라는 것인즉, 죽이라는 뜻이었기 때문이다.

"배, 백작님. 공주님을 죽이실 생각입니까?"

린지는 자신을 안고 있는 백작의 눈을 쳐다보았다. 정말로 휘안은 유리나 공주를 죽일 생각이란 말인가? 그 생각이 믿기지 않아 린지는 놀란 눈으로 그를 바라보았다. 잠시 말없이 린지의 시선을 받아 내던 백작이 싱긋 웃음을 지었다.

"그러지 않는 게 좋을까?"

백작은 물음에 물음으로 답했다. 린지는 황당했으나 대답을 망설이지 않았다.

"네. 그러지 않는 것이……."

좋을 것 같은데요……. 린지는 차마 끝까지 말을 잇지 못했다. 하나 그녀의 의사는 이 방에 있는 모두에게 충분히 전달되었다. 휘안은 린지를 물끄러미 쳐다보더니 다시 웃으며 하준에게 말했다.

"하준, 들었지?"

"……그래. 알겠다."

하준은 그런 백작을 묘한 시선으로 바라보았다. 린지는 얼떨떨한 심정으로 하준을 바라보았다가 쓰러지듯 앉아 있는 공주에게 시선을 옮겼다. 공주는 멍하니 린지를 바라보더니 정신을 잃은 듯 자리에 풀썩 쓰러졌다.

백작은 린지를 들어 올려 안은 상태 그대로 백작가의 의사를 찾아갔다. 긴 복도를 걸으면서 린지는 그에게 아무런 말도 꺼낼 수 없었다. 휘안 역시 침묵을 고수했다.

　백작가의 의사는 린지의 상처를 보고 왜 이렇게 된 건지, 어쩌다가 이런 일을 당했는지 묻기는커녕 놀란 기색 하나 보이지 않았다. 그저 백작이 린지를 내밀자마자 담담한 표정으로 상처를 확인한 후 치료했을 뿐이었다. 의사뿐만 아니라 가는 도중에 마주친 고용인들 모두가 같은 태도인지라 괴이하게 느껴질 정도였다.

　"치료는 잘되었으니 당분간 푹 쉬십시오."

　"아, 네, 알겠습니다……."

　치료가 끝나자 휘안은 다시 린지를 획 들어 올리듯이 안았다. 그러자 린지가 당황하며 말했다.

　"저, 백작님. 제가 걸을 수 있습니다만……."

　하나 백작은 대답 없이 린지를 데리고 의사의 방을 빠져나갔다. 무시당한 린지는 뭐라고 더 말할까 했으나, 묘하게 위압적인 휘안의 기에 눌려 입을 다물었다. 왠지 말을 꺼낼 수가 없었다.

　휘안은 린지를 아주 크고 좋은 방으로 데려갔다. 휘안의 방 못지않게 크고 아름다운 가구들로 채워진 방이었다. 그는 그녀를 침대에 눕힌 후, 침대맡에 앉았다.

　"가, 감사합니다."

　"……."

　휘안은 말없이 그녀를 내려다보았다. 그 시선을 정면으로 받은 린지는 왠지 누워 있기가 불편해져서 부스럭거리며 몸을 일으키려고 했다. 하지만 휘안이 손가락으로 그녀의 이마를 꾹 내리눌렀기에 푹 쓰러졌다.

　"백작님?"

　"누워 있어, 린지안 군. 얼굴이 창백해."

　그야 피를 꽤 흘렸으니까 그렇지……. 사실 빈혈기가 있긴 했지만 심한 정도는 아니었다. 그러나 그녀는 백작의 말을 거부하지 못하고 잠자코 누운 상태를 유지했다. 왠지 모르게 지금의 백작에게는 말대꾸를 하기가 어려웠다.

'어색해 죽겠네!'

그녀는 슬그머니 눈을 굴려 백작의 시선을 피했다. 그는 아무 말 없이 그녀를 바라보고 있었는데, 그 눈빛에는 평소와 같은 장난기나 웃음기는 찾아볼 수가 없었다.

"미안해, 린지안 군. 나 때문에 계속 이런 일에 휘말리고 다치네."

마침내 그가 입을 열자 린지는 차라리 반가울 지경이었다. 무거운 침묵에 숨이 막히기 직전이었던 것이다.

"하, 하하. 아니에요. 괜찮습니다, 백작님."

"……."

예상한 대답이었다. 휘안은 쓰게 웃으며 린지를 내려다보았다. 어색한 표정으로 대답하는 린지는 그를 원망하지 않았다. 휘안은 저도 모르게 린지의 손을 잡았다.

"배, 백작님……?"

갑자기 손을 감싸 오는 백작의 손에 린지는 눈을 동그랗게 떴다. 백작은 처음 보는 표정으로 그녀를 바라보고 있었다. 행복한 것 같기도 하고, 아픈 것 같아 보이기도 하는 웃음이었다.

"너는 날 원망하지 않는구나."

달싹거림과 함께 내뱉어진 백작의 말은 평소와는 달랐다. 린지는 그의 잠긴 목소리에 차마 함부로 대답할 수 없었다.

"왜 날 원망하지 않니? 네가 겪은 모든 불행들, 다 나 때문인데."

사실이었다. 칼튀루스 후작에게 유독 수난을 당한 것도, 에드위드 때에도, 귀족 여인들에게 괴롭힘당한 것도, 사냥터에서 화살을 맞은 것도,

레너드에게 잡힌 것도…… 그리고 이번에 유리나 공주에 의해 검상까지 당한 것 모두가 백작 때문이다. 그럼에도 불구하고 자신을 원망하는 기색 하나 보이지 않는다. 오히려 멋쩍은 듯 웃는지라, 휘안의 가슴이 딱딱하게 조여 왔다.

휘안은 린지의 손을 더욱 강하게 쥐었다. 작고 여린 손, 그 연약함을 느끼자 휘안은 걷잡을 수 없는 감정이 치미는 것을 느꼈다. 그 감정은 지금 당장이라도 터질 것처럼 부풀어 올라 쉽게 호흡조차 할 수 없게 만들었다. 하나 그는 덤덤하게 그 뜨거움을 삼켜 냈다. 그 열망을 토해 내는 대신 부드럽게 미소를 지었다.

"린지안."

린지는 대답하지 못했다. 어두운 방 안, 그늘진 휘안의 보라색 눈동자는 마치 생전 처음 보는 것처럼 생소했다. 최소한 지금까지는 그가 한 번도 드러내지 않은 눈빛이었다.

휘안은 한 손으로 린지의 머리칼을 쓸어 넘겼다. 그의 체온에 당황한 린지가 눈을 크게 뜨는 순간, 휘안이 고개를 숙였다.

'아.'

그의 체향이 느껴졌다. 매끄럽게 이어지는 그의 목선이 린지의 시야를 가득 채웠다. 그의 숨소리가 자신의 머리칼 위로 떨어지는 것이 느껴졌다. 따뜻한…… 너무나 따뜻한 체온이었다.

얼마의 시간이 지났을까? 린지는 그의 입술이 이마에 닿고 떨어지는 순간까지 상황을 제대로 인식할 수 없었다. 린지의 이마에 입 맞춘 휘안이 그녀의 얼굴 앞에서 미소 지었다.

"미안해."

그렇게 말한 휘안은 다시 한 번 웃으며 린지의 머리를 쓰다듬었다. 그러고는 자리에서 가뿐하게 일어난 후 손을 흔들며 인사했다.

"필요한 게 있으면 침대맡에 있는 줄을 당겨. 사람이 올 거니까. 그럼 푹 쉬어."

린지는 그 후로 그가 뭐라고 얘기하는지 하나도 이해할 수 없었다. 그 새하얀 아득함 속에서 정신을 확 차렸을 때에, 이미 휘안은 방을 나간 후였다.

"……!"

린지는 두 손으로 얼굴을 가렸다. 뜨거운 열기가 손바닥 전체로 느껴졌다. 보지 않아도 얼굴이 새빨갛게 익었다는 것을 느낄 수 있었다.

'뭐야. 이게 뭐야.'

심장 소리가 귀 바로 옆에 들릴 정도로 격하게 맥동했다. 린지는 자신의 손끝이 덜덜 떨리는 것을 보았다. 그 떨림을 느끼는 순간, 눈앞이 번쩍이듯 휘안의 모습이 떠올랐다.

"당신과는 비교할 수 없을 만큼 귀해. 내 사람이거든."
"내 시종을 이렇게 만들었잖아. 그래서 화가 나, 아주 많이."
"린지안 군이랑 있으면 마음이 편해."
"린지안 군도 내게 의지해도 좋아."

그가 했던 이야기들이 마치 기다리기라도 한 듯 순식간에 터져 나와 귓가에서 소곤거렸다. 그 따뜻한, 하나 잔인한 마음에 린지는 입술을 악물었다. 붉은 눈망울이 물기에 담뿍 젖어 들었다.

"미안해."

칼에 맞은 팔보다 마음이 더 아파 왔다. 갈기갈기 찢기는 것처럼 고통스럽기 그지없었다. 린지는 경련하듯 몸을 떨며 주먹을 쥐었다. 걷잡을 수 없는 감정이 심장을 부수듯 연달아 내리꽂혔다.

'죄송해요…….'

흐느낌이 절로 목구멍 바깥으로 터져 나왔다. 린지는 신음하듯 울음을 내뱉으며 눈물을 흘렸다. 언제 마지막으로 흘렸는지 기억조차 나지 않는 눈물을, 그녀는 인식조차 할 수 없었다. 폭주하는 이 감정에 질식할 것만 같았다.

'내게 잘해 주지 마.'

잘해 주지 마, 더 이상 잘해 주지 마. 린지는 쉴 새 없이 중얼거리며 눈을 질끈 감았다. 견딜 수 없는 죄책감이 마치 형벌처럼 그녀의 양심을 때려 왔다. 동시에, 그동안 알지 못했던 뜨거움이 차올라 심장이 거세게 뛰었다. 전혀 다른 상반된 두 감정이 소용돌이치듯 뒤섞여 그녀를 괴롭혔다. 전에는 알지 못한 감정이었다.

'죄송해요 백작님, 죄송해요 오라버니…….'

이 두 감정으로 인해 린지는 두 사람 중 그 누구에게도 떳떳할 수 없었다. 백작을 속이고 능멸하는 것에 대한 미안함과 죄책감, 그리고 그에게 생겨나는 넘치는 호감─ 어쩌면 호감 이상의 미지의 감정 때문에, 유시젠을 생각하면 마음 한구석이 심하게 찔려 왔다. 이 감정이 피어나면 피어날수록 유시젠의 얼굴을 떠올리기가 괴로웠다. 자신을 믿고 아끼는 두 사람을 동시에 배신하는 것만 같은 끔찍한 기분이었다.

레란 왕국의 왕, 칼바스는 악몽을 꾸고 있었다. 어쩌다 한 번씩 찾아오는 일회성의 꿈이 아니었다. 아주 오랜 시간 동안 줄곧 그의 등줄기를 따라붙어 온몸을 잠식한 공포였다. 그저 밤잠을 못 이루게 만드는 허상이라고 하기엔 지나치게 또렷하고 사실적이었다.

"허억!"

새하얀 눈발이 대지를 덮은 어느 날 밤, 국왕 칼바스는 거친 신음과 함께 눈을 떴다. 악몽에서 막 빠져나온 그의 숨결은 불규칙했으며 몸에는 식은땀이 가득했다.

칼바스는 침대에서 몸을 일으켜 머리를 쓸어 넘겼다. 진득한 땀이 손아귀 안으로 불쾌하게 얽혀 왔다. 그는 가쁜 숨을 내쉬며 눈을 질끈 감았다.

'⋯⋯꿈이다. 단지 꿈일 뿐이야.'

그래, 그것은 그저 꿈일 뿐이다. 칼바스는 놀란 마음을 진정시키며 다시 잠자리에 들기로 마음먹었다.

"일어났어?"

그 순간, 방 안을 울리는 목소리에 칼바스의 숨이 멎었다. 왕은 숨을 한껏 죽인 후 온몸의 털을 곤두세웠다. 시간은 새벽 세 시, 누군가와 담소를 나눌 만한 시간은 아니었다. 문밖에는 왕의 침실을 지키는 최정예 기사들이 진을 치고 있으므로 그 누구도 쉽게 침입할 수 없는 곳이다. 하지만 칼바스는 똑똑히 들었다. 침대 너머에서 들려오는 그 목소리를.

"악몽을 꾸는 것 같던데."

"⋯⋯어쩐 일입니까."

칼바스는 침대에서 몸을 일으켰다. 최대한 태연하고 느긋하게 보이고 싶었지만, 그의 온몸은 긴장으로 인해 뻣뻣하게 굳은 상태였다. 이 새벽, 왕의 침소를 찾아온 그자는 이미 그와 구면이었다. 제법 오랜 시간 동안 봐 온 사이였으며- 그의 악몽 속에서 매번 등장하는 사나이였다.

"어쩐 일로 온 것 같아?"

놀랍게도 그는 레란의 왕에게 자연스러운 하대를 하고 있었다. 도리어 높임말을 쓰는 것은 칼바스 쪽이었다.

"⋯⋯미스릴 때문입니까."

"그래. 약속한 미스릴은 확보했어?"

칼바스는 자신이 긍정의 답을 내줄 수 있음을 신에게 감사했다. 그는 오늘을 대비하여 엘테스 국에서 거금을 들여 미스릴을 사들였던 것이다. 천문학적인 액수였고, 이 사실을 안 자신의 아들- 왕세자 유시젠은 미쳤다는 눈빛으로 바라보았었다. 미스릴에 대한 허튼 욕망이 결국 국고를 바닥내겠구나, 이렇게 여기는 눈빛이었다.

유시젠의 생각은 틀리지 않았다. 왕세자에게, 아니 모든 이들에게 자신은 그저 미스릴에 미친 왕으로 보일 뿐이니까. 그는 너무나도 잘 알고 있었다. 그럼에도 불구하고 이 길밖에 없었다.

"워낙에 대량인지라 약속해 둔 지점의 땅에다가 묻어 두었습니다. 당신이라면 가볍게 꺼내 갈 수 있겠죠."

"물론이지."

그는 당연하다는 듯 가볍게 말했다. 집 한 채보다 무거울 무게였으나, 그에게는 아무것도 아닐 것이다. 그가 가지고 있는 신비한 지식이라면-.

"이번에도 미스릴을 준비하다니, 대단해. 혹시 레란 왕국의 미스릴 광산을 찾아낸 건가?"

"……."

칼바스는 입술을 악물었다. 많은 사람들의 예상과는 달리, 레란 왕국에는 미스릴 광산이 존재했다. 미스릴 광산이 어디 있는지 그는 정확히 알고 있었다. 어느 귀족의 영지에 있는지도, 누구의 소유인지도. 하지만 그곳에 가는 방법은 도무지 찾아낼 수가 없었다. 온갖 술수를 다 써 보았지만 그곳에 도달할 수 없었던 것이다.

칼바스는 잔뜩 쉰 목소리로 중얼거렸다.

"……엘테스 왕국에서 사들인 것입니다."

"아하하하!"

그 대답에 정체불명의 사내의 입에서 웃음이 터져 나왔다. 그는 한동안 키득거리며 웃음을 흘리더니, 재밌다는 듯 중얼거렸다.

"그래, 공식적으로 알려진 유일한 미스릴 소유국이지. 엘테스의 전대 국왕은 미스릴을 내놓기 싫어서 제 아들을 내게 넘겼었잖아? 지금은 그 녀석이 왕이 되었지?"

"······."

"레란의 왕, 칼바스. 당신도 미스릴을 공물로 바치는 것은 포기하고 그냥 당신의 아들을 내놓는 것은 어때?"

그 말에 칼바스는 두 주먹을 불끈 쥐었다. 일국의 왕, 그의 온몸이 사시나무 떨리듯 떨고 있었다. 감추고 있던 공포심이 아들이 언급된 것만으로 수면 위로 드러났다. 사내는 왕의 반응을 관찰하듯 쳐다보며 말을 이었다.

"당신의 아들을 바쳐도 우린 절대 죽이지 않아. 알잖아? 엘테스의 전 국왕이 바쳤던 그의 아들─ 현재의 국왕, 하세르쥰 그 녀석도 지금 멀쩡하게 살아서 왕이 되었잖아? 전 국왕이 눈 질끈 감고 아들을 팔아넘긴 덕에 미스릴도 지키고, 또 더 이상 내 협박도 받지 않고 있다고."

"그것만은 안 됩니다!"

지금까지 약자의 입장에서 흘리듯이 대답했던 칼바스의 언성이 처음으로 높아졌다. 아들, 유시젠, 그 아이만은 절대로 넘길 수 없다. 절대로 저 미친 실험자에게 넘길 수 없었다.

하나뿐인 아들이었다. 칼바스에게 있어서 그 누구보다 귀하고 소중한 단 하나뿐인 보물. 지금 그의 인생은 유시젠을 지키기 위한 것이라 해도 과언이 아니었다. 칼바스는 자신의 목숨이 다하는 일이 있더라도 유시젠을 넘겨줄 생각이 없었다.

엘테스의 전 국왕, 그가 아들 하세르쥰을 넘기는 대신 미스릴을 지키고 더 이상의 간섭을 차단한 것과는 정반대의 결정이었다. 어쩌면 그 선택이 왕으로서 더 적합한 것일지도 몰랐다. 칼바스는 왕보다는 아버지에 더 가까운 인물이었다.

"그래서 다른 아이들을 납치하여 바치지 않았습니까. 대대적인 납치 사건이라고 일컬어질 만큼 많은 아이들을 당신의 실험용으로 바쳤습니다. 매년 미스릴도 공물로 드리고 있습니다. 그러니 제 아들만큼은—."

절대로 안 돼.

말을 잇지 않아도 칼바스의 눈빛은 강경했다. 그런 그를 쳐다보는 어둠 속의 사내는 철저한 실험자의 눈빛이었다. 마치 개미를 건드려 보고 어떻게 반응하는지 지켜보는, 몇 단계 위 고등 생명체의 눈빛.

암흑 속에서 신비로운 은회색 눈동자가 흥미롭게 번뜩였다.

"너무하네. 내가 수백 년 묵은 늙은이라고 너무 무서워하는 거 아냐?"

"……."

"그냥 실험을 하는 것뿐이야. 간단한 실험."

사내, 레너드가 이를 드러내며 웃자 칼바스의 온몸에 소름이 돋아 올랐다. 고대의 연금술사, 몇 백 년의 시간을 지새워 온 파괴적 지식의 소유자, 레너드 아롭. 그 무지막지한 존재의 손에서 유시젠을 지키기 위해 그는 국고를 탕진하듯 써 가며 미스릴을 사들였다.

왕의 핏줄을 넘겨 실험할 수 있게 해 준다면 미스릴을 요구하지 않고 얌전히 사라져 주겠다고 제안했지만, 칼바스는 단칼에 거절했다. 그 대가로 그는 미스릴을 비롯하여 다른 사람들을 납치하여 실험용으로 넘겼다. 오로지 유시젠을 위하여.

아들을 지키기 위하여 그는 자신마저 내버릴 수 있었다.

"당신의 아들, 유시젠 왕세자. 흥미로운 실험체란 말이야. 그 드높은 긍지가 실험 앞에서도 무너지지 않을지 너무 궁금해. 대개의 경우는 바닥까지 내려가거든.”

“안, 안 됩니다. 그것만은-.”

칼바스가 사색이 되어 손을 휘저었다.

“사람들은 참 신기하단 말야.”

레너드는 진심으로 경탄하며 말했다.

“모든 하나같이 다 달라. 내리는 선택도, 결정도- 정반대에 제각각이야. 참 신기해. 수백 년 동안 연구를 해도 해도 질리지가 않아.”

그가 웃음을 짓자 칼바스는 그대로 주저앉아 버리고 싶었다. 칼바스의 인생을 건 고뇌, 선택, 죄악, 그 모든 것들이 저자에게 있어서는 그저 하나의 실험일 뿐이었다. 인간이 한 종족을 연구하기 위해 온갖 실험을 하며 그 반응을 체크하고 그 생태에 대해 이해하는 것과 같았다. 다만 이번에는 이쪽이 실험체가 된 것뿐이었다.

그 절망을 읽었는지 고대의 연금술사가 다시 한 번 웃었다.

“그럼 다음에 또 오도록 하지, 레란의 국왕. 그때까지 미스릴을 더 준비하든가 아니면- 당신의 아들을 실험용으로 넘기도록.”

그 말을 끝으로 창문을 타고 바람이 강하게 불어왔다. 달빛에 젖은 커튼이 펄럭이는 순간 칼바스는 손으로 얼굴을 가렸다. 잠시 후, 바람이 사라지고 커튼이 소리 없이 흔들릴 때-레너드는 흔적 없이 사라진 상태였다.

‘미스릴.’

미스릴이 필요하다. 사내가 사라진 순간 머릿속에 떠오른 생각이었다. 칼바스는 유시젠을 실험체로 넘길 생각은 눈곱만큼도 없었다. 그를 지키기 위해 지금껏 자신이 해 온 일이 끔찍하게 느껴졌지만 멈출 생각 또한 없었다.

유시젠을 지키기 위해 그는 이미 너무나도 많은 죄악을 저질렀다. 아마 죽음 후 세상이 있다면 칼바스가 갈 곳은 지옥일 것이다. 그럼에도 불구하고 칼바스는 다른 길을 선택할 생각이 없었다.

'미스릴을 구해야 해. 그리고 실험체로 넘길 인간들도 납치해야 하고.'

칼바스의 황금색 눈동자가 음험하게 빛났다. 낭떠러지에서 자식을 등 뒤에 세워 지키고 있는 사자 같은 눈빛이었다.

'르카플로네 백작, 어떻게든 그놈을……'

어떻게든 해야 한다. 어떻게든 해서 그의 땅, 르카플로네 영지에 있는 미스릴 광산을 찾아내야만 한다. 그 어떤 희생이 따르더라도!

때문에 칼바스는 지난번 추수제 때 비밀리에 사람을 보내 르카플로네 백작을 납치하려고 했다. 하지만 역시 그놈은 보통 녀석이 아닌지 오히려 그가 보낸 자들이 시체로 발견되어 뒷수습을 했었다. 그동안 몇 번이나 휘안에게 습격자를 보냈지만 살아 돌아온 자는 아무도 없었다.

그러나 그는 이대로 포기할 수 없었다.

'미스릴을 뺏어야 해!'

그것만이 유시젠을 지키는 길이었다.

chapter 13. 고백의 밤

린지의 상처는 생각보다 금방 치유되었다. 백작이 귀하다고 건네는 약은 항상 기가 막힐 정도로 썼다. 먹고 나면 사탕이나 초콜릿을 급하게 입 안으로 쑤셔 넣어야 할 정도였던 것이다.

'명약이야. 엄청난 명약!'

아무리 쓴 약이 몸에 좋다지만 이건 너무 심했다. 저번에 휘안 대신 화살을 맞았을 때에도 금방 나은 것처럼 이번에도 쉽게 나아 버린 것이다. 린지는 이것이 그냥 웃으면서 넘어갈 만한 일이 아니라고 생각했다.

'보통 약이 아냐. 그렇지 않고서야 그 정도 상처가 이렇게 빨리 나을 리 없잖아. 그러고 보니 얼마 전에 휘안 녀석, 등 뒤를 다친 것도 지금은 없어졌고 말이야. 이건 아마……'

알케미스트, 연금술사의 작품임이 틀림없다. 이미 휘안이 보여 준 신비로운 것들 모두가 알케미스트의 손에서 탄생했으리라.

이렇게 또 왕세자 전하에게 보고해야 할 일이 늘어났다. 예전이라면 좋은 정보를 건졌다며 기뻐할 린지였지만 어째서인지 지금은 마음의 짐처럼 느껴졌다. 하나하나 새로운 것을 발견할 때마다 가슴에 무거운 것이 얹혀 가는 것만 같았다.

린지는 멍하니 창밖을 바라보았다. 어젯밤 내린 눈들이 쌓여 르카플로네 성의 정원은 새하얀 눈밭으로 변해 있었다.

'쓸데없는 생각하지 말자. 임무만 생각해.'

린지는 그렇게 생각하며 자리에서 벌떡 일어났다. 잡념을 떨치기 위해 그녀는 바로 샤워실로 들어가 물을 틀었다.

'일단 사건들은 잘 해결됐으니까.'

유리나 공주의 사건은 일단락이 됐다. 휘안이 대체 어떻게 끝맺었기에 그 불같은 성정의 공주가 입을 쏙 다물고 돌아간 건지 알 수가 없었다. 휘안의 손에 죽을 뻔한 뒤 공주는 하루 동안 꼬박 기절했다. 그리고 일어났을 때, 휘안과 아주 긴 일대일 면담 시간을 가졌다고 한다. 그 시간 동안 무슨 대화가 오고간 건지, 어떤 이야기가 펼쳐졌는지 린지는 알 수 없었다. 다만 확실한 것은 공주는 이 이야기를 함구하기로 맹세한 후 떠났다는 것이다. 들은 바에 의하면 얼굴이 새파래져서 도망가듯이 허둥지둥 나갔다고 한다. 대체 휘안은 어떻게 그녀를 구워삶은 걸까?

'하긴, 죽을 뻔했으니.'

아마 린지가 말리지 않았더라면 휘안은 그녀를 죽였을 것이다. 감히 자신의 시종을 해한 죄로, 그리고 그 시종을 죽이라고 요구한 죄로. 휘안에게는 몹시 소중한 시종이니까…….

욱신.

린지는 가슴을 조이는 시큰한 통증을 느꼈다. 이마에 떨어진 그의 온도가 마치 아직까지 닿아 있는 것만 같았다. 뜨거운 인장처럼 낙인찍혀 몇 번이나 그 부위가 화끈거렸다.

'정신 차려, 정신 차려, 린지.'

린지는 샤워기의 물을 잠그며 수건으로 몸을 닦았다. 그 이후로 휘안을 떠올리면 어쩐지 가슴 한구석이 조여 오는 것만 같은 아픔이 느껴져서 견딜 수가 없었다. 그녀로서는 생전 처음 느끼는 고통이었다.

그녀가 머리를 말리고 시종복으로 갈아입고 있을 때였다. 노크 소리가 울리더니 한 사내가 문을 열고 벌컥 들어왔다.

"어이, 시종."

까만 머리칼, 날카로운 눈매가 매력적인 사내였다. 엘테스의 국왕─하세르쥰의 등장에 린지는 허리를 숙였다.

"국왕 폐하를 뵙습니다."

그 태도에 하쥰은 빠르게 반응했다. 그는 금방이라도 토가 나올 것 같은 사람처럼 괴상한 표정을 지어 보더니 소름이 돋은 듯 팔을 벅벅 긁었다.

"야! 이 시종이 미쳤나! 그냥 하쥰 님이라고 평소대로 불러!"

"하, 하지만……."

"평소대로 하라고, 짜샤! 역겨우니까!"

아니, 역겹다고 말할 것까지야…… 린지가 빈정 상한 눈으로 쳐다보자 하쥰이 시큰둥하게 말했다.

"그래, 그렇게 쳐다보라고. 아까처럼 일일이 오버하면 죽여 버린다. 알겠냐?"

예의를 갖춘 건데 오버라고 폄하하다니. 린지는 완전히 기분이 상해서 입술을 쭉 내밀고 투덜거렸다.

"너무하십니다. 국왕 폐하께 예의를 갖춘 건데 오버라니요!"

"어쭈구리."

하쥰은 피식 웃음을 짓더니 손을 내밀어 댓 발 튀어나온 린지의 입술을 잡아챘다. 그리고 일부러 세게 잡아 이리저리 흔들었다.

"어디서 입술을 내밀어, 입술을!"

"우우우! 우프으!"

"아프라고 하는 거다, 이 시종 녀석아. 까라면 깔 것이지 어디서 말이 많아. 어?!"

"우프우프!"

장난이 아니라 진짜로 아팠다. 입술 한번 뾰루퉁하게 내밀었다고 치르는 죗값치고는 잔인할 정도였다. 린지의 원망스러운 눈빛에 하준이 웃음을 터뜨렸다.

"그렇게 노려보면 어쩔 건데. 어? 말 들을 거야 안 들을 거야?!"

"두루그후!(들을게요!)"

린지의 애탄 목소리에 하준은 그제야 만족스런 표정으로 손을 놓아주었다.

'어후, 아파.'

린지는 화끈거리는 입을 부여잡고 하준을 노려보았다. 아무리 그래도 그렇지, 부어오를 때까지 잡고 흔들면 어쩌자는 거야! 다시는 국왕 폐하라고 부르나 봐라, 린지는 저주에 가까운 맹세를 중얼거렸다.

"그만 째려보고 따라와라."

"네? 어디 가는데요?"

그러자 하준이 고개를 까닥거리며 몸을 돌렸다.

"휘안이 널 부른다."

휘안이 부른다는 말에 린지는 서둘러 하준을 쫓았다.

'백작은 여자를 만나러 간다고 하지 않았나?'

린지는 휘안이 어떤 여인과 데이트를 하러 나간 것으로 알고 있다. 한데 하준은 그녀를 은밀히 데리고 성을 빠져나와 말을 태웠다. 아직은 혼자 고삐질을 할 만큼 회복된 단계가 아니라 어쩔 수 없이 그와 함께 탄 것이다.

"하쥰 님. 어디로 가는 겁니까?"

린지는 등 뒤에서 말을 몰고 있는 하쥰을 흘끗 올려다보았다. 검은 눈 동자와 마주치는 순간, 그는 미간을 좁히며 시선을 피했다.

"휘안 보러 간다니까. 그리고 앞에 봐라, 올려다보지 말고."

차갑기는……. 린지는 시큰둥한 표정으로 다시 고개를 내렸다. 그렇게 얼마나 달렸을까? 한동안 말을 타고 가면서 린지가 깨달은 것은 두 가지였다. 하나, 지금 가는 곳은 성에서 아주 먼 곳이다. 그리고 둘.

'누군가에게 알려져서는 안 되는 곳이야.'

말을 모는 속도 조절, 갑작스레 트는 방향, 꼬아서 가는 길 등을 종합해 보면 하쥰은 일부러 그러는 것이 분명했다. 혹시 있을지 모를 미행을 사전에 차단하고 있는 것이다. 그 말인즉, 비밀스러운 곳에 간다는 것.

"여기서부터는 걸어간다."

도착한 곳은 제베르니라는 이름을 가진 작은 마을이었다. 르카플로네 영지 거의 끝자락에 위치한 마을로 지도에도 아주 작게만 표기된 아담한 곳이었다. 그들은 근처 마구간에 말을 맡겨 놓은 후 땅거미 지는 거리를 걷기 시작했다.

"와아, 되게…… 평화로운 마을이네요."

도심과는 동떨어진 느낌이었으나 그만큼 자연적인 요소가 강한 마을이었다. 길가의 옆으로 끝없이 펼쳐진 눈밭은 아마 봄이 되면 신록의 푸름으로 뒤덮이리라.

"그래. 굉장히 아름다운 곳이지. 저쪽엔 어마어마한 넓이의 해바라기밭이 있는데 여름에는 정말 장관이야. 지금은 겨울이라 이 정도지."

"우와아."

"데흐라는 화가를 알고 있겠지? 그자의 고향이 이곳이다. 그가 그린 작품들의 배경이 된 곳이지."

린지는 연신 감탄을 내뱉어 냈다. 문화 예술에 문외한인 린지도 알 만큼 화가 데흐는 전설에 가까울 만큼 유명했던 것이다.

"따뜻해질 때 다시 와 보고 싶네요."

그렇게 말한 린지는 자신의 말이 마치 허상처럼 느껴졌다. 의미 없는 단어의 나열처럼 가볍게 흩어져 허공 속으로 사라지는 것만 같은 기분이었다. 따뜻할 때에 다시 이곳에 올 수 있을까. 그때까지 휘안의 곁에 있을 수 있을까…….

'됐어, 린지. 생각하지 말자. 생각하지 않기로 했잖아.'

린지는 입술을 질끈 깨물며 유시젠의 얼굴을 떠올리려 노력했다. 그녀가 침울하게 가라앉은 것을 눈치챈 하준이 고개를 갸우뚱했다.

"어이, 시종. 속이라도 안 좋은 거냐?"

"아, 아니요. 괜찮습니다. 그나저나 굉장히 한적한 마을이네요, 이곳."

거리에는 사람들이 거의 없고 그림동화 속에 나올 법한 아기자기한 집들도 듬성듬성 떨어져 있었다. 그녀가 그렇게 말하는 순간 맞은편에서 걸어오는 노파를 발견했다. 마을에 들어와서 처음으로 보는 마을 사람이었다.

"그래. 이 마을엔 젊은 사람이 거의 없어."

하준의 말에 린지가 눈을 동그랗게 뜨고 그를 올려다보았다. 젊은 사람이 별로 없다니, 그게 무슨 뜻일까? 그녀가 다시 되묻기 위해 입을 열 때였다. 멀리서 다가오던 노파가 린지를 뚫어져라 쳐다보았다. 그리고 점점 가까워지는 그녀의 얼굴을 보더니 눈을 휘둥그렇게 떴다.

"세나엘?"

노인의 음성에 린지는 그것이 자신을 칭하는 거라고는 생각하지 못했다. 때문에 노파가 허겁지겁 지팡이를 짚으며 달려오는 것을 보고서야 깨달았다.

"세나엘? 세나엘이 아니냐!"

노파가 가까이까지 뛰어오자 하준이 깜짝 놀라 린지의 앞을 가로막았다. 그는 허리춤에 매달려 있는 검의 손잡이에 손을 올리며 날카롭게 경고했다.

"뭐냐, 넌?"

사나운 인상의 사내가 막아서자 노파는 그제야 자리에서 멈춰 섰다. 하지만 그 놀란 두 눈동자만큼은 하준 등 뒤에 있는 린지에게 꽂혀 있었다.

'왜, 왜 저렇게 보는 거야?'

경악과 놀라움이 가득한 눈이다. 동시에 그리움과 애절함이 엿보여서, 시선을 받는 린지의 마음이 시큰해졌다.

"세, 세나엘…… 세나엘, 나를 몰라보겠니? 나란다, 엘피아 할머니!"

"저, 그, 그게 무슨 말씀이신지……."

린지가 당황해서 말하자 노인의 눈가에 눈물이 고였다. 노인은 몹시도 애절한 목소리로 쥐어짜듯 외쳤다.

"세나엘! 네 옆집에 살던 엘피아 할머니란다! 너에게 자주 레모네이드를 만들어 주었잖니? 기억 안 나니?!"

"……."

"네 오빠 세아딜과 같이 놀러 오곤 했었잖아! 세나엘!"

하준은 일단 노인에게 살기와 적의가 없다는 것을 깨닫고는 검에서 손을 뗐다. 그리고 등 뒤로 슬쩍 고개를 돌려 린지와 시선을 교환했다.

"아는 사람이냐?"

"그, 그럴 리가요. 오늘 처음 보는 분인데……."

진실이었다. 린지의 당혹스런 눈을 본 하준은 고개를 끄덕인 후 다시 노인에게 시선을 돌렸다. 노인은 여전히 애타는 눈빛으로 린지를 바라보고 있었다.

"사람을 착각한 것 같군. 이 녀석의 이름은 세나엘이 아니다."

하준의 덤덤한 말에 노인이 비로소 처음으로 하준에게 시선을 주었다. 그 위압적인 눈빛, 절로 풍겨 나오는 기품에 그가 귀족이란 것을 깨닫고 그제야 허리를 조아렸다.

"그, 그럴 리가…… 하지만 세나엘과 너무 똑같이 생겼는데."

"세나엘……? 딱 들어도 여자 이름이군. 이 녀석은 남자야."

그 말에 노인은 뒤통수를 맞은 듯 믿기지 않는 시선으로 린지를 바라보았다. 그리고 천천히 그녀의 얼굴과 시종 복장을 번갈아 보았다. 린지의 겉모습은 누가 봐도 남자였기에, 노인은 마치 줄에서 끊긴 인형처럼 힘이 탁 풀린 기색이었다.

"죄, 죄송합니다. 귀족 나리의 앞길을 막다니……."

"……."

"그저…… 오래전, 이 마을에서 납치된 아이들 중 한 명과 너무 비슷하게 생겨서…… 그 아이가 성장해서 살아 돌아온 줄 알고."

마치 혼잣말처럼 중얼거린 노파는 충격을 받은 듯 비틀거리며 사라지기 시작했다. 어쩐지 위태로워 보이는 뒷모습을 바라보던 린지의 마음이 찜찜해졌다. 왠지 저 노인에게 자신이 큰 잘못을 한 것 같은 기분이 들었던 것이다.

"대체 뭘까요. 괜히 내가 미안하네요."

"사람을 착각한 모양이지. 아까 내가 말했었지? 이곳엔 젊은이들이 거의 없다고."

"네, 그랬었죠."

"예전에 이곳에 있는 아이들 대부분이 납치된 사건이 있었다. 너도 소문으로는 들어서 알고 있겠지? 대대적인 납치가 이루어졌었다는 것."

"……."

린지는 하준을 올려다보았다. 그는 차분하게 걸으며 앞을 바라보고 있었다.

"이 마을뿐만이 아니라 르카플로네 영지의 많은 이들이 납치되고 사라졌었지. 아마 저 노파는 그때 사라진 아이가 너라고 생각한 모양이야. 제법 닮았었나 보군."

어째서일까…… 린지는 아무런 대답도 할 수 없었다. 린지는 어쩐지 넋이 나가서 침울하게 입술을 다물었다.

"그때가 정확히 언제인지 기억하십니까?"

린지의 물음에 하준은 곧바로 대답하지 않았다. 발걸음 소리만이 간간이 들려올 때, 하준의 목소리가 마침내 들려왔다.

"지금으로부터 십이 년 전이군."

"……."

린지는 말없이 고개를 끄덕이며 앞을 바라보았다. 예상했던 답이 들려왔음에도 불구하고 심장이 두근두근 맥동했다. 그쯤일 거라고 예상했다. 왜냐하면…….

'르카플로네 백작 가문의 모든 일원이 실종된 해, 그때가…….'

12년 전이었으니까. 혹시 이 마을의 납치 사건과 관련이 있는 것일까?

'더 알아봐야겠어.'

어쩐지 서로 다른 조각들의 퍼즐을 손에 쥔 느낌이었다. 알 수 없으면서도 묘하게 핵심을 파고드는 느낌, 그 기묘함이 린지의 머릿속에 맴돌았다. 그녀는 이제는 시야에서 없어진 노파의 모습을 떠올렸다.

'세나엘이라고…….'

세나엘. 린지는 쓴웃음을 지으며 입 안에서 그 낯선 이름을 굴려 발음

해 보았다. 분명 어디선가 들어 본 이름 같기도 했지만 기분 탓이려니 생각했다.

'예쁜 이름이네.'

린지는 그렇게 한동안 하준과 제베르니 마을을 걸었다. 그들은 마을 끝자락에 위치한 숲으로 들어가 자그마한 동굴 앞에서 멈춰 섰다.

"이 개구멍을 들어가야 한다고요?"

린지는 괴이한 눈으로 하준을 바라보았다. 그가 미쳤다는 것을 단정 짓는 눈빛이었다. 사실 동굴이라고 하기에도 민망한 게, 바짝 엎드려 기어 들어가야 할 정도로 작은 구멍 정도였던 것이다.

"그래. 그러니까 그런 눈으로 쳐다보지 마. 죽을래?"

하준이 그녀의 머리에 꿀밤을 살짝 먹이자 린지가 불만스런 눈으로 그를 쩨려보았다.

"말도 안 되는 소리를 하시니까 그렇죠, 하준 님! 지금 휘안 백작님께서 이, 이…… 이 구멍 안에 계시다고 하는 거잖아요!"

조금 큰 토끼 굴 정도로 보일 정도였다. 하준처럼 어깨가 넓고 덩치가 큰 사람은 정말 간신히 들어갈 수 있을 정도로 보였던 것이다.

"지금 저 괴롭히려고 그러시는 거죠! 그냥 아무 개구멍 하나 잡고 나약 올리려고!"

사실이 그러했다. 이 울창한 숲 안의 동굴…… 아니 개구멍은 누가 봐도 쉽게 지나칠 만큼 개성이 없었다. 게다가 온갖 넝쿨과 수풀 속에 가려져서, 하준이 정확하게 짚고 말해 주지 않았더라면 저런 곳에 동굴이 있다는 것조차 몰랐을 것이다. 그런데 저기에 휘안이 있다고? 휘안이 아니라 토끼가 있겠지. 딱 봐도 토끼 굴이었으니까!

"이 시종, 역시 말이 많네."

하준의 말에 린지는 울컥하는 심정으로 쏘아붙였다.

"왜냐면 전 제정신이거든요. 멀쩡한 정신으로 저 안으로 백작님을 찾기 위해 들어가지 않을 겁니다!"

"아이고, 시끄러워! 야, 시종! 잔말 말고 따라와!"

하준은 린지의 붉은 머리칼을 마구 헤집은 뒤 풀썩 주저앉더니— 정말로 구멍 속으로 몸을 집어넣고 있었다!

"하, 하, 하, 하준 님!"

이게 무슨 망측한 짓이란 말인가! 갑자기 대뜸 엎드려서 토끼 굴로 몸을 구겨 넣다니! 린지는 어느덧 허리까지 들어간 그의 하체를 바라보며 경악했다.

"이, 이러지 마세요! 장난이 심하시잖아요! 아니, 아무리 그래도 엘테스의 국왕이라는 분이 여기서……!"

이렇게 말하는 사이 하준의 몸은 동굴 안으로 빨려 들어가듯 사라진 후였다. 린지는 멍하니 그가 들어간 동굴을 바라보았다.

'뭐, 뭐야. 정말 안으로 들어간 거야?'

하준처럼 큰 몸이 들어가다니, 아무래도 저 굴이 굉장히 긴 모양이었다. 린지는 어쩔 줄 몰라 하며 안절부절 주위를 둘러보았다. 하준이 동굴 안으로 사라진 이상 린지 혼자만이 남아 있었던 것이다.

'에이, 모르겠다!'

장난이라면 가만두지 않겠다, 하준! 린지는 욕설을 중얼거리며 동굴 안으로 몸을 쑤욱 집어넣었다.

"으으으, 답답해!"

예상했듯 굴은 굉장히 길게 나 있는 듯했지만 좁은 것은 여전했다. 린지는 비좁은 굴들 사이로 몸을 애써 밀어 넣으며 기어갔다. 하준은 그새 앞으로 간 건지 시야에서 보이지 않았다.

'답답해. 폐소 공포증 있는 사람은 절대 못 들어오겠군!'

그런데 이렇게 좁은 굴을 왜 들어가는 건지 이해할 수가 없었다. 아무래도 하준이 그녀를 골탕 먹이는 것이 분명했다. 린지가 하준에 대한 원망을 중얼거리며 계속 기어가고 있을 때…….

'……헐.'

린지는 비좁은 동굴의 천장이 어느 경계를 넘어서자 갑자기 확 트이듯 넓어지는 것을 보았다. 그곳에는 하준이 그녀를 기다리듯 못마땅한 표정으로 서 있었다.

"왜 이렇게 늦었어? 기다렸잖아."

"그, 그게……."

린지는 자리에서 일어나 주위를 둘러보았다. 천장이 이렇게 갑자기 확 트이는 동굴의 구조가 신기했던 것이다. 어두워서 잘 보이진 않았지만 소리의 메아리를 듣자 하니 몹시 큰 것이 분명했다.

"팔 잡아."

"네?"

"잡으라고."

"……."

린지는 저도 모르게 하준이 내미는 팔을 꼬옥 잡았다. 그러자 하준이 말했다.

"놀라지 말고 계속 걸어라. 영지 들어올 때보다 조금 더 심할 테니까."

"네?"

"한 번이라도 걸음을 멈추는 순간, 길이 끊길 거야. 그러니 계속 걷는 것에 집중해."

린지는 그 말을 곧 이해했다. 걸음을 뗀 지 얼마 되지 않아서 땅이 진동을 하듯 울렸다. 뿐만 아니라 바람이 거세게 몰아쳐서 발걸음을 쉽게 떼지 못할 정도였다.

'이, 이, 이게 뭐야!'

하지만 하쥰은 익숙한 듯 편안한 기색이었다. 린지가 당황하자 하쥰이 팔을 뻗어 그녀의 어깨를 단단히 감싸 안고 걸음을 독려했다. 그렇게 얼마나 걸었을까. 린지는 저 멀리서 새어 오는 빛을 보고 동굴이 끝났음을 알아차렸다. 동굴의 끝, 밝은 빛 무리 사이에는 휘안이 웃으면서 서 있었다.

"수고했어."

린지는 멍하니 웃고 있는 휘안을 바라보았다. 그의 보라색 눈동자가 슬쩍 찌푸려지더니 하쥰과 린지를 번갈아 보았다. 어딘가 못마땅한 기색을 느끼자마자 린지의 정신이 확 돌아왔다. 그녀는 지금 하쥰을 거의 끌어안다시피 매달린 상태였던 것이다.

"우아앗!"

동굴에서 팔만 잡고 있겠다는 것이 너무 놀라서 온몸을 부여잡았나 보다. 그제야 그 포즈를 깨달은 린지가 소스라치게 놀라며 두 팔을 들어 올렸다.

"죄, 죄송합니다, 하쥰 님. 너무 놀라서…….."

"시끄러."

하쥰은 린지를 보지도 않은 채 퉁명스럽게 답했다. 아무래도 기분이 상한 것 같아 보였다.

'우씨, 너무하네. 내가 그렇게 무거웠나? 아무리 그래도 그렇지 사과를 했는데 저렇게 차가운 반응이라니…….'

하여튼 성격 진짜 더럽다니까. 하지만 린지는 속으로만 투덜거릴 뿐 감히 입 밖으로 꺼내지 않았다. 하쥰의 입매가 딱딱하게 굳어 심기가 굉장히 불편해 보였던 것이다.

휘안은 묘한 눈빛으로 두 사람을 번갈아 보더니 싱긋 웃음을 지었다.

"여기까지 오느라 수고했어, 하쥰. 그리고 린지안 군."

"아, 예에. 여기 좀 이상……."

린지는 그제야 주위를 둘러보며 말을 하다가 도중에 딱 끊었다. 차마 말을 이을 수가 없었다.

'……!'

끝이 보이지 않는 벽들이 하늘을 향하듯 솟구쳐 있었다. 린지는 이렇게 높은 동굴을 본 일이 없었다. 그리고 이렇게 빛나는 벽도.

시야가 밝아진 것은 어딘가에 전기를 설치해 빛을 끌어당기고 있는 것이라고 생각했다. 하지만 그녀의 생각은 틀렸다. 동굴 벽 자체가 스스로 눈부신 빛을 뿜어내고 있었던 것이다. 투명한 은빛으로 번쩍이는 벽은 마치 고대의 마법을 목격하는 것만 같았다.

"……"

감탄사조차 내뱉을 수 없었다. 린지는 멍하니 주위를 둘러보다가, 떨리는 발걸음으로 동굴 벽으로 다가갔다. 일렁이는 벽의 빛이 붉은 눈동자 안으로 들어왔다.

'이건……'

그녀는 부들거리는 손을 들어 올려 벽에 가져다 대었다. 벽에서 부서지는 빛줄기가 마치 손안으로 흡수되는 것만 같았다.

"아아……"

아마 모르는 사람이 봤더라면 이것이 마법일 거라고 생각할 것이다. 아니면 신이 지상에 남기고 간 흔적으로 여기겠지. 린지는 이것이 무엇인지 알고 있었다.

'미스릴.'

미스릴, 신의 광석이라 불리는 그것. 동굴 자체가 미스릴로 이루어져 있었다.

그녀의 등 뒤로 다가온 휘안이 웃으며 어깨 위에 손을 올려놓았다.

"미스릴이야. 알고 있니?"

휘안의 목소리와 체온에 린지는 그제야 정신을 차렸다. 그녀는 여전히 경악으로 잘게 떨리는 시선으로 그를 바라보았다.

"드, 들어는 봤습니다. 그런데 미스릴이 어찌……."

차마 문장을 완성시킬 수도 없었다. 린지는 침을 꿀꺽 삼켜 냈다. 너무 놀라서 말이 안 나오는 경우, 바로 지금이 그런 순간이었다.

'엄청나다. 이게 다 미스릴이라니. 미스릴 검만 가지고 있는 줄 알았는데.'

공간을 이루고 있는 이 동굴 벽 자체가 미스릴이었다. 끝이 보이지 않는 벽의 끝, 이것 역시 미스릴이었다. 린지는 대륙에 이 정도 양의 미스릴이 있을 거라고는 상상조차 해 본 적이 없었다. 그녀가 알기론 엘테스 왕국의 미스릴도 이 정도 규모가 아니었던 것이다.

'이거…… 이거다. 이거야.'

린지는 마침내 깨달았다. 르카플로네 가문의 가늠조차 할 수 없는 그 막대한 부, 그 부의 원천이 미스릴이라는 것을. 왕가와 비슷한 재산의 규모일 거라고 생각했으나 그릇된 추측이었다. 비슷하기는커녕 비교조차 할 수 없을 정도이다. 레란 왕가는 물론, 대륙의 모든 왕가를 싸잡아 모아 놓아도…… 이 미스릴 앞에서는 먼지만 할 것이다!

그렇게 생각하자 린지의 온몸에 소름이 돋았다. 이것은 대륙의 모든 자원을 뛰어넘은 부였다. 대륙을 통째로 사도 남아돌 만한 자금, 그것이 르카플로네 영지의 숲, 토끼 굴로만 보였던 곳과 연결되어 있었던 것이다.

휘안은 말없이 린지의 경악을 바라보았다. 그러고는 웃는 얼굴로 조심스레 그녀의 머리칼을 귓바퀴 너머로 넘겨 주며 말했다.

"궁금한 적 없었어? 우리 가문, 왜 그렇게 돈이 많은지 말이야."

"······."

"린지안 군도 알 거야. 오랜 시간 동안 르카플로네 백작 가문의 핏줄 모두가 사라진 것. 그리고 사라진 지 몇 년이 흘러서 갑자기 나타난 것. 그럼에도 불구하고······ 모두를 능가하는 재력을 가지고 있는 것."

휘안은 조심스레 린지의 손을 감싸 쥐었다. 충격과 경악으로 떨리는 린지의 손을 부드러운 체온이 덮었다. 린지가 깜짝 놀라 손을 빼려고 했지만, 휘안은 단단히 잡고 놓아주지 않았다.

"르카플로네 가문은 미스릴을 소유하고 있어. 아마 실존하는 최대 규모의 광산일 거야."

그의 입술에서 비밀이 흘러나오고 있었다. 모든 이들이 궁금해했지만 그 누구도 알 수 없었던 비밀. 왕세자 유시젠마저 알 수 없어서 린지라는 그림자를 투입하여 캐내고자 했던 비밀. 지금, 휘안이 린지에게 공유하고 있는 것이 그 비밀이었다.

"엘테스 왕국이 가진 규모에 비해 몇 백 배는 커. 그래서 비밀리에 엘테스 왕국산이라고 속여 팔고 있어. 얼마 전엔 레란의 국왕이 대규모로 미스릴을 사 갔는데, 사실 그건 르카플로네 영지의 미스릴이야. 하준 덕에 비밀을 유지하면서 팔 수 있었어."

"······."

"자금을 모으고 있었거든. 나는 앞으로 아주 중요한 일을 할 거라서. 그래서 그전에 린지안 군에게도 보여 주고 싶었어."

린지의 붉은 눈동자가 혼란으로 흐려졌다. 그것을 읽은 휘안은 린지를 잡은 손에 더더욱 힘을 주었다. 그리고 환하게 미소 지으면서 말했다.

"린지안 군. 이건 비밀이야. 알지?"

"······알······겠습니다."

"린지안 군도 겪어서 알겠지만 이곳에 올 때 느꼈던 자연재해 현상─ 그리고 카제타 산맥을 통해서 르카플로네 영지에 온 것까지. 다 연금술에 의한 현상이야. 나는 연금술에 대한 지식을 가지고 있거든."

엎친 데 덮친 격이었다. 린지는 연달아 뒤통수를 맞은 얼얼함을 느끼며 휘안을 바라보았다. 대충 예상하고 있던 사실이긴 했지만, 휘안의 입에서 아무렇지도 않게 흘러나올지는 몰랐던 것이다.

"물론 난 알케미스트라고 불리며 범죄를 일삼는 녀석과는 달라. 인체 실험 같은 거, 혐오하고 있으니까. 그리고 그들이 하는 것은 연금술이 아니야. 그저 불법 실험일 뿐이지. 연금술은 미스릴과 고대의 지식 없이는 불가능한 것이니까."

린지의 놀란 얼굴을 바라보며 휘안은 태연하게 말을 이었다.

"레너드 녀석 역시 연금술사야. 그 녀석이 백작 가문의 저택에 몰래 숨어들었던 것은 미스릴이 있는 곳을 알아내려고 그랬을 거야. 연금술이란 건, 사실 미스릴에 깃든 마력을 활용하는 거거든. 미스릴 없이는 연금술도 불가능해."

"······네, 네에."

린지는 간신히 입술을 달싹였다. 순간 그녀는 자신의 껍질이 자동적으로 대답하는 것만 같은 느낌을 강렬히 받았다. 휘안의 말대로 이것은 비밀이었다. 한데 너무나 엄청난 규모인지라 눈앞에 현기증이 일어날 정도였다. 린지는 아찔해지는 시야를 애써 바로잡으며 고개를 들어 올렸다. 눈부신 미스릴 벽이 끝도 없이 위를 향해 뻗어 나가고 있었다. 마치 신에게라도 닿는 길인 양.

'르카플로네 백작 가문이 미스릴을 소유하고 있었어. 그리고 역시나······ 휘안과 레너드는 고대의 지식을 가진 연금술사였어······.'

이것은 유시젠이 알아야만 하는 일이다. 그렇게 생각하니 다시 한 번 눈앞이 컴컴해졌다. 떨리던 호흡이 더욱더 거칠어지는 것만 같았다.

휘안은 린지를 데리고 미스릴 광산을 이곳저곳 구경시켜 주었다. 알면 알수록 더 웅장해지는 미스릴의 규모에 린지는 그야말로 혼절 직전이었다.

"린지안 군? 괜찮아?"

"괘, 괜찮습니다."

그는 린지를 물끄러미 바라보다가 문득 떠오른 듯 손뼉을 부딪쳤다.

"아, 그러고 보니 린지안 군에게 선물이 있어."

그렇게 말한 휘안은 신이 난 표정으로 허리춤에 맨 검을 하나 내밀었다. 그러고 보니 그의 허리에는 두 개의 검집이 흔들리고 있었는데, 린지는 너무 놀란 상태라 눈치채지 못했던 것이다.

얼결에 그가 내미는 검을 받아 든 린지가 고개를 기울였다. 그러자 휘안이 환하게 미소를 지으며 말했다.

"뽑아 봐."

"아, 예."

린지는 순순히 휘안의 말에 따랐다. 검의 손잡이를 잡고 그녀는 천천히 검을 뽑아냈다. 그리고…….

"아."

린지의 입에서 신음이 터졌다. 환하게 일렁이는 검신이 눈앞에서 번뜩이고 있었다. 미스릴로 만든 검이었다! 설마 이것을 나에게 주는 것일까. 린지는 뒤통수를 거하게 맞은 눈으로 휘안을 바라보았다. 그녀의 붉은 눈동자는 지금까지 중 가장 잘게 떨리고 있었다.

"선물이야. 린지안 군, 검을 다룰 수는 있지? 호신용으로 지니고 다니도록 해."

"……."

린지는 저도 모르게 손을 입으로 가져가 막았다. 미스릴 검을 선물로 받다니! 믿기지 않아서 손끝이 덜덜 떨려 왔다. 그녀는 이것이 얼마나 귀한 물건인지 잘 알고 있었던 것이다. 돈을 주고도 구할 수 없는 것이 미스릴 검이다. 절대 팔지 않을 거지만, 이것을 팔면 영지 서너 개 정도는 거뜬히 살 수 있으리라. 린지는 감격에 찬 눈으로 휘안을 올려다보았다.

"죄송하지만 전 받을 수 없……."

"거절은 거절하겠어, 린지안 군."

"하지만……."

"하준과 예르시카에게도 선물로 준 물건이야. 내가 아끼는 사람들에게 주는 거니까 거절하지 마."

휘안은 린지의 격한 반응에 몹시 뿌듯한 기색이었다. 그의 만족스러운 미소를 본 린지의 가슴이 울렁거렸다. 살면서 이렇게 귀하고 마음에 드는 선물을 받은 것은 처음이었던 것이다. 검을 다루는 자라면 모두가 꿈꾸는 최고의 선물이었다!

"감사해요, 휘안 님. 가보로 삼겠습니다."

이 말만큼은 한 줌의 거짓도 없는 진심이었다. 린지는 이 검을 목숨처럼 귀하게 여길 작정이었다. 그녀의 기쁨을 본 휘안은 자신이 더 기쁜 듯 활짝 웃음을 지었다.

"린지안 군이 기뻐하니까 너무 좋다."

그리고 부드럽게 그녀의 머리칼을 쓰다듬었다. 머리에서 느껴지는 따스한 체온에 린지는 휘안을 올려다보았다. 애정 어린 보라색 눈동자와 마주치자 린지는 서둘러 시선을 내렸다.

그렇게 미스릴 광산을 더 둘러본 후 린지는 하준과 함께 먼저 귀가했다. 린지는 비로소 자신의 추측— 휘안이 다수의 여자를 만나고 다니는 이유가 위장용이었다는 것에 확신을 가졌다. 휘안은 이렇게 오랜 시간 동안 사람들의 눈을 피해 제베르니를 들락거렸을 것이다.

사실 오늘도 린지는 휘안이 어느 귀족 여인과 데이트를 할 거라고 들었다. 평소 여인을 쉬이 만나는 휘안이기에 그 누구도 의심을 가지지 않았다. 그런데 그 시간에 그는 미스릴 광산 사찰을 하고 있었다. 아마 지금껏 몇 번이나 이랬으리라.

하준과 영지 성으로 돌아오고 나니 어느덧 어둠이 짙게 깔린 뒤였다. 린지는 바로 인사를 한 후 돌아섰지만, 하준이 그녀의 팔을 잡아챘다.

"잠시 얘기 좀 하지."

"아, 예. 알겠습니다."

밤이 늦었는데도 불구하고 그의 방으로 데려가려고 하는 것을 보니 중요한 용건이 있는 것 같았다. 방에 도착한 하준은 검은 코트를 벗은 후 목이 죄는지 셔츠 단추 몇 개를 끌렀다. 그러고는 테이블 위에 놓인 위스키를 잔에 따라 목을 축였다.

"너도 한잔하겠나?"

"아, 아뇨. 전 괜찮습니다."

"흥. 사내새끼가 빼기는."

하준은 차갑게 빈정거렸지만 그렇다고 해서 억지로 권할 생각은 없어 보였다. 그는 위스키를 한 잔 더 들이마신 후, 린지의 맞은편 소파에 털썩 앉았다.

'……이 사람도 나를 믿는 건가.'

린지는 복잡한 시선으로 하준을 바라보았다. 하준은 어쩐지 노곤한 표정으로 검은 머리카락을 쓸어 넘기고 있었다. 이럴 때의 그는 마치 야성미가 무엇을 뜻하는지 작정하고 보여 주는 것만 같았다. 하준이 소매의 단추도 풀어 걷어 올리자 탄탄한 팔뚝이 드러났다. 매우 편안해 보이는 행동이었으나 아무에게나 보여 주는 모습은 아닐 것이다. 왠지 그런 예감이 들었다.

그렇게 하준을 빤히 쳐다보고 있던 린지는 검은 눈동자가 자신에게 꽂히는 것을 보고 서둘러 고개를 돌렸다. 자신도 모르게 노골적으로 훑어보았었던 것이다. 그녀의 반응에 하준이 히죽 웃으며 빈정댔다.

"뭐냐. 새삼스럽게 내 멋진 외모에 감탄하냐?"

"예, 뭐, 그렇다고 치지요."

"알긴 아는군. 내가 좀 끝내주지."

자화자찬이 대단하군. 하지만 사실인지라 린지에게는 대꾸할 말이 없었다.

"놀랐냐?"

갑작스런 화제 전환에 린지가 눈을 동그랗게 떴다. 하준은 어느새 웃음기 지워진 눈으로 그녀를 바라보고 있었다.

"놀랐을 거 아냐. 아까 본 거 때문에."

"……네. 사실 엄청 놀랐습니다."

"그래, 그렇겠지. 사실 난 처음에 반대했다. 네가 감당할 수 없는 진실일 테니까."

린지는 그의 말에 아무런 대답도 하지 않았다. 사실 린지 역시 백작이 왜 자신에게 그러한 것들을 보여 준 건지 이해가 되지 않았던 것이다. 굳이 시종이 몰라도 될 일인데, 어째서…….

"어쨌든 넌 알게 됐고 이제 발을 빼는 건 불가능하다. 휘안은 널 평생 옆에 둘 생각인 것 같으니까."

"……."

린지는 이번에도 대답할 수 없었다. 이것 역시 그녀 또한 예감하고 있었던 일이었다. 백작은 린지에게 족쇄를 달았다. 그의 가장 큰 비밀을 공유함으로써 린지를 완전히 자신의 사람으로 만들었다. 훗날, 만약에라도 린지가 떠나가려 할 때 이를 빌미 삼아 그녀를 묶어 둘 수 있을 것이다. 휘안의 가장 큰 비밀을 알게 됐기에 그녀는 그와 함께해야 했다.

"그리고 너도 보아서 알고 있겠지만 나와 휘안은 일반적인 관계가 아냐. 나는 엘테스의 왕이지만− 레란의 백작인 휘안의 말을 따르고 있다. 그렇기에 만약 네가 휘안의 믿음을 거스른다면−."

하준은 린지를 쳐다보지 않고 창밖으로 시선을 던졌다. 달빛조차 어둠에 파먹힌 밤이었다. 하나둘씩 흩날리는 눈발이 어둠 위를 소리 없이 맴돌았다. 하준은 어렴풋한 빛 무리에 젖은 눈송이들을 응시하며 말을 이었다.

"내가 널 찾아갈 거다."

하준은 경고를 하고 있었다. 그의 의중을 간파한 린지는 고개를 끄덕이며 대답했다.

"무슨 말씀이신지 잘 알겠습니다."

하지만, 지키지는 못할 것 같습니다. 린지는 입 끝에 맴도는 씁쓸함을 애써 떨쳐 내며 말했다.

"걱정하지 마세요, 하준 님."

"……그래. 그리고 너 말이야."

진지하게 말을 하던 하준의 눈빛이 갑자기 달라졌다. 그는 평소처럼 못마땅한 눈빛으로 그녀를 훑어보기 시작했다. 평가하는 듯한 시선에 린지는 저도 모르게 어깨를 움츠렸다.

"머리라도 밀지 그러냐."

"……."

"민머리를 하는 건 어때."

그녀는 하준이 하는 말을 바로 알아듣지 못했다.

"그, 그게 무슨 말씀이십니까?"

"너 말이야."

하준은 한숨을 푹 내쉬었다. 어쩐지 하고픈 말을 직설적으로 못 하고 빙빙 돌려 얘기하는 기색이었다.

"너는 옆에 있는 사람을 좀 혼란스럽게 만드는 그런 게 있어."

"네에?"

"대머리라도 되면 좀 안 그럴 것 같기도…… 아, 젠장 내가 무슨 말을 하는 거야!"

진지하게 추천하다가 갑자기 머리를 쥐어뜯으며 소리를 빽 질러 댄다. 말 그대로 혼자 북 치고 장구 치고 다 하고 있었다. 하준의 원맨쇼에 린지는 황당하게 그를 바라보았다. 하준은 스스로에게 화가 난 듯 인상을 팍 찡그리며 자리에서 벌떡 일어났다.

"야, 나가! 언제까지 내 방에 있을 거야!"

"하, 하준 님이 부르신 거잖아요!"

"휘안 녀석이 보면 또 아까처럼 인상 쓸 거니까 나가! 사내새끼 때문에 괜한 오해받고 싶지 않아! 이 재수 없는 자식아!"

쾅!

하준의 손에 이끌려 문밖으로 내던져진 린지는 멍하니 문을 바라보았다. 갑자기 문전박대라니, 이게 무슨 대접이란 말인가! 린지는 한숨을 푹 내쉬며 고개를 설레설레 저었다.

"하여튼 성격 진짜 이상하다니까."

하준의 방에서 쫓겨난 린지는 자신의 방으로 돌아갔다. 간단하게 씻고 나온 그녀는 알싸한 추위를 느끼며 지금이 한겨울임을 실감했다.

"으으, 추워."

린지는 화롯불 앞에 주저앉아 타오르는 장작에 시선을 주고 있었다.

루비색 눈동자 안으로 일렁이는 불이 넘실댔다.

'이 사실을 어떻게 전해야 하지.'

잠복한 지 약 8개월이 넘어가고 있다. 짧다면 짧고 길다면 긴 시간이었고, 그동안 예상보다 많은 수확이 있었다. 린지는 손에 턱을 괴고 멍하니 타오르는 불씨들을 바라보았다.

기대했던 것보다 많은 사실들을 캐내었다. 아마 유시젠이 알게 되면 칭찬해 주리라. 수고했노라고, 역시 나의 그림자라고 그녀를 듬직한 시선으로 바라볼 것이다. 휘안이 그녀를 바라보았던 것처럼 믿음이 가득 넘치는 눈빛으로.

'르카플로네 가문의 재력의 원천을 밝혀냈어. 사라진 시간 동안 무엇을 했는지는 모르지만…… 어쩌면 단서가 될 만한 일도 밝혀냈어.'

제베르니 마을의 아이들이 사라졌을 때와 백작 가문 사람들이 사라졌을 때가 동일하다. 이는 아마 완전히 무관한 일은 아니니라.

'복귀……하는 게 좋을까.'

휘안의 시종으로 버티고 있는 것이 힘들었다. 정말, 많이 힘들었다. 아마 마음에 실체가 있다면 린지의 마음은 너덜너덜해져 있으리라. 마치 자신에게 목숨마저 맡길 수 있을 것 같은 보라색 눈동자를 떠올리면 너무나 아파 왔다. 숨이 막혀 호흡조차 쉽게 내뱉을 수 없을 정도였다. 때문에 린지는 결정해야 했다. 더 이상 그의 곁에 머물지 않고 왕세자의 곁으로 복귀할지, 말지에 대해.

완전히 다 알아내진 못했지만 그 이상의 성과를 냈다. 이대로 유시젠에게 돌아간다 해도 그는 칭찬을 해 줄 것이다. 그만큼 린지는 이미 많은 것을— 충격적일 정도로 커다란 진실을 알아냈으니까.

'일단 연락해 보자. 그리고 복귀에 대한 허가를 받아 내야지.'

린지는 그렇게 결심한 후 침대에 몸을 던지듯 누웠다. 하지만 낮에 보왔던 미스릴의 눈부신 은빛 광채, 그리고 목숨만큼이나 치명적인 진실을 공유하는 그 보라색 눈동자가 어른거려 잠을 이룰 수 없었다.

며칠 후 린지는 휘안과 함께 수도 샤를에 있는 백작 저택으로 귀환했다. 이번에도 역시 기이한 현상을 보여 주는 동굴을 통과했고, 덕분에 며칠 걸리지 않고 저택으로 돌아갈 수 있었다.

하쥰과는 르카플로네 영지에서 헤어졌다. 명색이 엘테스의 왕인 그가 제법 오랫동안 자리를 비웠던 것이다. 그가 떠났다고 말로만 들었지 린지는 그에게 인사조차 건넬 수 없었다. 그날 밤 경고와 함께 민머리를 추천받은 것이 마지막이었다. 다음 날 아침이 되어 보니 하쥰은 엘테스로 출발한 후였고 린지와 휘안도 곧 르카플로네 영지를 벗어났다.

"린지안 군, 차 한잔 부탁해."

휘안은 영지에 오자마자 쉴 새 없이 밀린 업무를 처리했다. 그를 모시는 게 일인 린지 역시 휴식을 취할 여유가 없었다. 그녀는 능숙하게 차를 타 데스크 위로 올려놓았다.

"고마워."

휘안은 싱글싱글 웃는 얼굴로 린지를 빤히 쳐다보았다. 그가 계속 쳐다보자 린지는 왠지 모를 멋쩍음을 느끼며 슬그머니 시선을 피했다. 그러자 휘안이 키득거리는 웃음소리를 흘리며 그제야 서류로 시선을 돌렸다.

'뭐야. 왜 저래?'

얼굴에 뭐가 묻었나? 린지는 은근슬쩍 진열장 유리에 비치는 자신의 얼굴을 들여다보았다. 하지만 휘안이 빤히 쳐다볼 만한 그 어떠한 이상 징후도 없었다.

"린지안 군, 저택에 왔으니 이제 뭐 할 거야?"

유리창을 빤히 쳐다보던 린지에게 휘안이 갑자기 말을 걸었다.

"뭐 하긴요? 일해야지요."

"그래도 오랜만에 저택으로 돌아온 건데 특별히 하고 싶은 일 없어?"

"그게……."

휘안이 이렇게 사소한 것까지 물어보는 사람이었던가? 의아했지만 린지는 시종답게 성실히 대답했다.

"일이 끝나면 오랜만에 레이라를 찾아갈 생각이에요."

대답을 했음에도 불구하고 한동안 반응이 돌아오지 않자 린지는 고개를 갸웃 기울이며 뒤를 돌아보았다. 그리고 자신을 빤히 쳐다보고 있는 휘안의 두 눈과 마주치고는 화들짝 놀랐다.

"뭐, 뭡니까?"

"뭐가 뭐야?"

"계속 쳐다보고 계셨던 거예요?"

말똥말똥한 눈으로 린지를 쳐다보던 휘안은 왠지 모르게 입을 삐죽거리며 고개를 돌렸다. 그는 다시 서류를 내려다보며 만년필을 바쁘게 움직였다.

"왜? 내 눈으로 내가 보겠다는데, 그것도 안 돼 린지안 군?"

"네? 아니, 그게 아니라……."

"내 자유를 침범하지 말아 줘."

이게 대체 무슨 대화인 건지…… 묘하게 공격적인 휘안의 어조에 린지는 할 말을 잃고 머리를 긁적였다. 어색한 침묵 위로 휘안의 만년필 소리가 어쩐지 사납게 들려왔다.

'뭐지? 기분이 상한 건가?'

휘안은 평소와 다름없이 침착한 얼굴로 집무를 보고 있었지만, 그에게서 풍기는 오라가 뭔가 이상했다.

'내가 말실수라도 한 건가? 별말 안 했는데?'

그런데 대체 왜 저러는 거지? 린지는 갑작스레 돌변한 휘안의 분위기에 안절부절못하고 있었다. 그런 그녀의 마음을 아는지 모르는지, 휘안은 서류를 뚫어지게 쳐다보고 있다가 갑자기 고개를 불쑥 들어 올렸다.

"레이라 양이 보고 싶었나 봐?"

갑작스럽고도 어이없는 물음이었다. 린지는 왠지 휘안이 이상하다고 생각하면서도 순순히 답했다.

"물론이죠. 제 여자친구잖아요."

"……."

휘안은 린지를 가만히 쳐다보았다. 그의 보라색 눈동자가 계속해서 얼굴 위로 머무르자 린지는 당혹스러움을 느꼈다. 그녀가 어쩔 줄 몰라 하고 있을 때, 휘안이 서류를 한 장 넘기며 말했다.

"어떡하지? 린지안 군, 오늘 레이라 양을 만나기는 무리일 것 같은데."

"네? 그게 무슨……."

휘안은 만년필을 탁 내려놓으며 다시 린지를 바라보았다. 그는 빙긋 웃으며 자신의 옆에 놓인 보조 의자를 탁탁 두드렸다. 여기 와서 앉으라는 제스처였기에 린지는 머뭇거리면서도 그에게 가까이 다가갔다.

"앉아."

"네? 하지만……."

린지가 망설이자 백작이 그녀의 팔을 확 끌어당겨 옆에 있는 의자에 억지로 앉혔다. 그러고는 자신의 의자 바로 옆으로 바싹 끌어당겼다.

"배, 백작님?"

"내가 일이 너무 많아서 린지안 군도 도와줘야 할 것 같아."

"네에에?"

"별거 아니야. 그냥 내가 사인한 서류를 분류하는 작업이니까. 그리고 내가 사인하지 않은 서류들은 하나하나 다 읽기 귀찮으니 린지안 군이 미리 읽어서 요약한 후 한두 줄로 정리해서 써 줘."

린지는 눈을 끔뻑였다. 그러니까 지금 휘안은, 르카플로네 가주가 처리하는 은밀한 서류들을…… 시종과 같이 읽겠다는 건가?

'이, 이건 심한데? 이런 건 보통 직계 가족들끼리만 공유하잖아.'

그런데 한낱 시종과 함께 보겠다고? 린지는 그의 제안이 믿기지 않아 휘안을 빤히 바라보았다.

"그렇게 보지 마, 린지안 군."

한동안 말없이 그녀를 바라보던 휘안이 고개를 살짝 돌리더니 웃음기 어린 목소리로 말했다. 하지만 그의 눈은 웃고 있지 않았다.

"네? 하지만 백작님……."

"어서 해, 린지안 군. 그리고 한 번 더 그렇게 빤히 보면 큰일 나니까 조심해."

도저히 영문을 알 수 없는 말들뿐이었다. 하지만 린지는 백작의 옆모습에서 이해할 수 없는 감정을 느끼고는 더 이상 아무 질문도 건넬 수 없었다. 지금 백작은 어떻다고 딱 설명해서 말할 수 없었지만…….

'이상하네. 이런 모습은 처음인데?'

린지는 어깨를 으쓱이며 백작이 건네주는 서류를 받아 들었다. 어찌됐든 간에 그녀는 백작이 시킨 일을 해야 했고 때문에 레이라를 만나러 가는 것은 다음으로 미뤄야 했던 것이다. 그렇게 린지는 백작과 함께 앉아 한동안 서류와 씨름했다.

'……졸려.'

린지는 어둑어둑해지는 시야를 애써 바로잡으려 노력했다. 하지만 눈꺼풀이 얼마나 무거웠던지, 무언가가 매달려서 억지로 닫으려 하고 있는 것 같았다.

'난 원래 글자에 약하다고. 대체 이런 걸 어떻게 하는 거야, 문관들은

대단해…….'

하지만 자면 안 된다, 린지 아즈벨! 백작이 바로 옆에 앉아 함께 서류를 보고 있지 않은가!

'여기서 졸면 개망신이다, 개망신이다, 개망…….'

잠시 후, 린지의 고개가 책상 위로 슬그머니 떨어져 내렸다. 그 인기척을 느낀 휘안은 살며시 시선을 돌려 그녀를 바라보았다. 책상 위에 비스듬히 얼굴을 기댄 린지는 한 손에는 서류, 한 손에는 만년필을 쥔 상태였다.

"푸홋."

잠든 린지를 바라본 휘안의 입술에서 웃음이 새어 나왔다. 어지간히 이 일에 적성이 맞지 않는 것인지 책임감이라면 누구보다 강한 시종이 일을 하다가 잠이 들었다. 보기 힘든 희귀한 장면임이 분명했다.

'린지안 군도 못하는 게 있구나.'

아무래도 글에는 약한 모양이었다. 그러고 보니 예전에 책 한 권을 선물해 줬을 때 뜨악한 표정이었었지. 휘안은 키득키득 웃으며 턱을 괴고 린지를 바라보았다. 시종의 왼쪽 뺨이 책상에 짓눌려 있는 모습이 너무나도 귀여웠다.

"푸홉."

백작은 소리 내어 웃지 않으려고 노력하며 실소를 뱉었다. 자신의 앞에서 이렇게 무방비하게 잠들다니, 이런 모습을 보는 게 정말 힘들다는 걸 휘안은 잘 알고 있었다. 시종은 항상 경계하고 바짝 긴장해 있는 상태였으니까.

"……."

린지의 잠든 얼굴을 바라보던 휘안의 입가에서 웃음이 점점 사라졌다. 그는 어느덧 홀린 듯 멍하니 린지를 바라보고 있었다. 하얀 뺨 위에 흐트러진 붉은 머리카락 몇 가닥이 오늘따라 더 선명하게 시야에 들어왔다. 휘안은 천천히 그 머리칼을 따라 눈동자를 움직였다. 흩어진 머리칼, 그리고 그 아래에 뽀얀 살결이 햇살을 받아 눈부시게 빛났다. 언제나 느끼는 거지만 시종의 피부는 백옥 같다는 말이 무색할 정도로 희고도 맑았다. 휘안은 천천히 시야를 더 아래로 내렸다. 조용히 감긴 눈에 드리워진 속눈썹, 오뚝한 콧날, 그리고 살짝 벌어진 붉은 입술…….

"……."

휘안은 스스로 인식하지 못한 사이에 침을 꿀꺽 삼켰다. 그는 시종의 입술을 가만히 바라보았다. 문득 르카플로네 영지에서 맛보았던 부드러움과 아찔한 쾌락이 그의 입술 위를 맴돌았다. 지금까지 했던 그 어떤 입맞춤보다도 강렬했던 그 순간이 다시 재현되는 것만 같았다.

어느덧 휘안은 린지에게 손을 뻗고 있었다. 그의 손이 하얀 뺨에 닿으려는 찰나, 린지의 눈이 번쩍 뜨였다. 동시에 휘안의 팔이 흠칫 굳었다.

"……?!"

린지는 눈을 동그랗게 뜨고 휘안을 바라보았고 그 역시 바싹 굳어서 그녀를 응시했다. 서로 놀라서 경직된 채로 바라보다가 먼저 반응한 것은 린지였다.

"죄…… 죄송해요!"

그녀는 자신이 깜빡 잠들었다는 것을 깨닫고 서둘러 고개를 들어 올렸다. 아무리 글자에 약해도 그렇지, 백작을 옆에 두고 졸아 버리다니! 쥐구멍에라도 숨고 싶은 심정이었다. 린지는 얼굴을 붉히며 휘안의 눈치를 보았다.

"배, 백작님?"

백작은 경직된 눈으로 그녀를 바라보고 있었다. 설마 화난 것일까? 린지가 불안한 목소리로 부르자 그제야 휘안의 입가에 웃음이 고였다.

미소 지은 휘안은 손을 내밀어 린지의 뺨을 꼬집었다.

"잘 자던데, 린지안 군?"

"죄, 죄송합니다! 근데 이것 좀 놔주세…… 으아아!"

"날 옆에 두고 존 벌이야."

그렇게 휘안은 생글생글 웃으며 한동안 린지의 뺨을 꼬집어 댔다. 얼마나 세게 꼬집었는지 잡힌 뺨이 얼얼할 정도였다.

"아이고오오오, 삭신이야……."

늦은 밤이 돼서야 린지는 휘안에게서 해방되었다. 그날 하루 종일 앉아 서류만 읽어 내려서인지 허리 전체가 뻐근하다고 비명을 질러 왔다.

'도저히 이대로는 못 자겠어. 산책하고 스트레칭하고 좀 자야지.'

보름달이 훤한 겨울의 정원을 거닐며 린지는 자신이 뼛속까지 검사라는 것을 실감했다. 책상에 한 시간 이상 앉아 있으면 엉덩이에 쥐가 나기 시작하면서 호흡마저 불편해지기 시작했던 것이다.

'레이라도 못 봤네. 오랜만에 보고 싶었는데.'

린지는 쓸쓸하게 웃으며 달빛이 아른거리는 연못을 바라보았다. 그녀는 이제 곧 이곳, 르카플로네 백작가를 떠날 것이다. 확정된 것은 아니지만 키벨을 만나 정보를 넘기고 복귀를 요청하면 거의 구십구 프로의 확률로 허가를 받을 것이다. 유시젠은 린지의 판단을 신뢰하는 자였다. 그런 린지가 복귀를 원한다면 그럴 만한 이유가 있을 거라고 생각할 것이다.

'그전까지 레이라랑 잘 지내 봐야지. 하준 님이랑은 인사도 제대로 못 했네.'

문득 지난밤 하준의 경고가 선명하게 떠올랐다. 휘안을 배신하면 자신이 찾아가겠노라고, 찾아와서─.

'죽이겠지.'

하지만 그는 찾지 못할 것이다. 하준이 알고 있는 시종의 모든 것은 허상과 마찬가지니까. 린지안 아르즈벨, 파비르 영지 출신의 소년은 이 세상에 존재하지 않는 인위적인 껍질에 불과했다. 그리고 휘안도ㅡ.

"……."

연못가를 바라보던 린지의 붉은 눈동자가 일렁였다. 휘안의 믿음 가득한 두 눈동자를 떠올리는 순간 무언가가 할퀸 것처럼 마음이 아파 왔다. 이제는 익숙한 그 고통을 받아들이며 린지는 입술을 깨물었다.

이제는 시종을 완전히 믿게 된 휘안은 어떤 반응을 보일까. 격노할 것인가, 슬퍼할 것인가, 아니면…….

'안 되겠어. 최대한 빨리 가야겠어. 조만간 휴가를 신청한 후 키벨과 접선하자. 최대한 빨리…….'

이 저택을, 백작의 곁을 떠나야 한다. 린지는 아득한 마음의 통증을 무시하려 애쓰며 걸음을 옮겼다.

'……이게 무슨 소리지?'

정원을 거닐던 린지는 걸음을 멈춰 세웠다. 어디선가 흐느낌을 들은 것 같은 착각이…….

"흐으윽, 흑흑."

착각이 아니었다. 정원 어디선가 여자가 울고 있는 소리가 들렸던 것이다. 그런데 그 목소리가 낯설지 않았다. 린지는 설마 하는 마음으로 조심스레 발걸음을 옮겼다.

"……."

린지는 익숙한 금발 머리의 여인이 수풀 속에 웅크려 눈물을 흘리는 것을 발견했다. 하얗고 작은 얼굴이 눈물로 젖어 탱탱 불어 있었다.

"흑, 흐윽."

레이라는 혹시 누구에게 들킬세라 입을 틀어먹고 흐느낌을 삼켜 내려 노력하고 있었다. 아마 청력이 일반인보다 발달한 린지가 아니었다면 발견하지 못하고 지나쳤으리라.

'레이라가 울고 있어.'

린지는 충격을 받았다. 항상 밝고 꿋꿋했던 레이라가 이런 야심한 밤, 수풀에 숨어 몰래 울고 있다. 린지는 치열하게 갈등했다. 지금 당장 그녀에게 다가가 등을 두드리며 위로해 주고 싶은 마음이 치밀어 오른 것이다. 하지만…….

'난 그럴 자격 없어.'

주먹을 불끈 쥔 린지는 그 자리에서 등을 돌렸다. 그리고 최대한 기척을 죽인 채 빠른 걸음으로 그 자리를 벗어났다. 방으로 향하며 린지는 스스로에게 연신 중얼거렸다.

'난 어차피 떠날 거야. 레이라의 인생에 더 이상 개입해서는 안 돼.'

어차피 곧 이 저택을 떠나게 되면 레이라와도 안녕이다. 곧 끝이 날 인연인 것이다. 그런 사람의 중요한 부분까지 들어가고 싶지 않다, 린지는 그렇게 최면을 걸며 아픈 마음을 외면했다.

하지만 훗날, 린지는 이 순간을 후회했다. 만약 이때 레이라에게 다가가 그녀의 고민을 들어 주었더라면…… 레이라의 미래는 달라질 수 있지 않았을까. 린지는 몇 번이나 후회하고 또 후회했다.

다음 날, 거의 잠을 설친 린지는 평소와 다름없이 백작의 방으로 찾아갔다. 그는 평소처럼 여전히 깊은 잠에 빠져 있는 상태였다.

"백작님, 아침입니다. 일어나십시오."

물론 그는 이렇게 말하는 것만으로는 절대 깨어나지 않는다. 익숙한 일이었기에 린지는 별다른 고민 없이 그의 잠든 몸에 손을 얹었다. 흔들어서 깨울 생각이었던 것이다.

"……!"

그 순간 백작이 손을 휙 뻗어 와 그녀의 몸을 끌어당겼다. 이런 패턴은 너무 오랜만이었기에 방심하고 있던 린지는 그대로 그의 침대 위로 엎어졌다. 백작은 그녀를 내려다보며 미소 지었다.

"예전엔 몇 번 피하더니 오늘은 방심했네."

아침 햇살을 받은 그의 은발이 오늘따라 유난히 더 매끄러웠다. 장난기 가득한 보라색 눈동자와 매혹적인 웃음이 바로 눈앞에 반짝이자 린지의 머리가 멍해졌다. 그녀는 얼굴이 확 달아오르는 것을 느끼며 시선을 피했다.

"이런 장난치지 말라고 했잖습니까. 아직도 안 질리셨나요?"

"응, 오랜만에 한번 해 봤어."

"됐으니까 이제 그만 일어나시죠!"

"금방 일어날 거면 이런 장난도 안 쳤다고."

능글맞게 말하는 백작의 말에 린지의 얼굴이 새빨개졌다. 그녀는 짓누르듯 자신의 몸 위에 올라와 있는 백작의 어깨를 밀쳤지만 그는 꿈쩍도 하지 않았다. 신선한 반응을 기대하는 초롱초롱한 눈빛으로 뚫어져라 쳐다보고 있었던 것이다.

'미, 미치겠네!'

이것은 그녀에게 있어서 익숙한 구도였다. 백작이 몇 번이나 이런 장난을 쳐서 그녀를 놀려 오지 않았던가? 하지만 린지는 그때처럼 태평하게 쏘아붙일 수 없었다. 사실 눈조차 마주치기가 힘든 상태였다.

"비, 비켜 주세요."

평소와는 다른 반응에 당황한 것은 도리어 백작 쪽이었다. 예전 같으면 바락바락 소리치며 버둥거렸을 시종의 반응이 색달랐다. 얼굴을 새빨갛게 물들인 채 고개를 돌린 상태로 울 것 같은 표정이었던 것이다.

두 사람 사이로 침묵이 맴돌았다. 린지는 자신의 몸 위로 바싹 겹쳐진 백작의 맨살이 이렇게까지 의식된 적이 없었다. 그의 탄탄한 근육과 부드러운 피부 결이 얇은 시종복 바로 위로 생생하게 느껴졌다. 그의 몸은 마치 한 마리의 매끈한 육식 동물과도 같았다.

"비켜 주세요!"

결국 그녀는 떨리는 목소리로 새된 외침을 한 번 더 내뱉었다. 그에게서 아무 반응이 없자 린지는 시선을 흘끗 돌려 백작을 바라보았다. 그는 린지를 물끄러미 내려다보고 있었다. 어쩐지, 그의 얼굴이 조금 가까워지려고 하는 기분이었다. 순간 그와 입 맞추었던 기억이 스쳐 지나가자 온몸에 경기가 일어나는 것 같았다. 린지는 발버둥 치며 그를 뿌리쳤다.

갑작스런 저항에 백작의 무게중심이 옆으로 기울어졌고 린지는 그 틈을 타 재빨리 그에게 빠져나왔다. 그녀는 서둘러 옷매무새를 정리하며 빨개진 얼굴에 부채질했다.

"그, 그, 그만하라니까요, 이런 재미없는 장난!"

키스하는 줄 알았다. 설마 아니었겠지. 백작이 이유 없이 그럴 리가 없었을 거야. 자신의 헛된 착각이었음이 분명하다. 린지는 그렇게 스스로를 타이르며 헛기침을 했다.

"이, 이제 목욕하실 거죠? 그럼 저는 아침상을 차려 오도록 하겠습니다!"

지금 백작의 표정을 확인할 자신이 없었다. 그녀는 무례하다는 것을 알면서도 어쩔 도리 없이 할 말만 휙 뱉고 방을 빠져나왔다. 부엌으로 달리는 그녀의 얼굴은 머리칼처럼 붉게 상기되어 있었다.

'아, 미쳐, 미쳐! 대체 왜 그런 건데!'

부엌에 들러 백작의 식사를 담은 수레를 끌고 가는 린지는 속으로 연신 욕설을 지껄이고 있었다. 왜 평소처럼 태연하게 반응할 수 없었을까. 싸늘하게 그를 쳐다보며 무거워서 터질 것 같으니까 비키시죠, 라고 말했으면 되었을 것! 소녀처럼 새빨개진 얼굴로 울먹거리는 목소리라니…… 린지는 자리에 주저앉아 머리를 쥐어뜯고 싶었다.

'백작이 이상하게 생각하진 않았겠지?'

린지는 그렇게 기원하며 다시 백작의 방 안으로 들어갔다. 테이블 위로 음식들을 내려놓는 순간, 목욕을 마친 백작이 나타났다.

"빨리 갔다 왔네. 고마워, 린지안 군."

젖은 은발을 수건으로 털어 낸 백작이 테이블 의자에 앉았다. 그의 태연한 모습에 린지는 내심 안도했다.

'별로 신경 안 쓰는 모양이군. 다행이다.'

린지는 안심하며 포크를 들어 올렸다. 그리고 항상 그러하듯, 백작이 먹을 음식들을 먼저 맛보았다. 각종 샐러드와 야채들은 평소처럼 쓰고 맛이 없었다. 푹 삶은 아스파라거스 줄기만이 그녀가 좋아하는 유일한 백작의 아침 식사였다. 하나씩 오물거리며 먹던 린지는 씩 웃으며 그를 바라보았다.

"괜찮습니다. 어서 식사하시지요."

"고마워. 그런데 그거 언제까지 할 거야?"

백작은 포크를 향해 손을 뻗으며 말했다.

"미리 내 음식 시식하는 거, 할 필요 없다니까 그러네. 하지 마."

"아뇨, 그랬다간 집사님한테 혼납니다."

린지가 너스레를 떨며 손을 휘젓는 순간이었다.

'……?'

뜨거웠다. 단 한 번도 느껴 본 적 없는 열기였다. 그 강렬한 뜨거움이 배 속에서 느껴지는가 싶더니, 순식간에 역류하여 얼굴 위까지 치솟아

올랐다. 린지는 저도 모르게 그 뜨거움을 뱉어 냈다.

"콜록, 콜록!"

너무 뜨거웠다. 배 속에서 시작되어 목구멍을 타고 올라온 그 열기는 감당할 수 있을 정도가 아니었다. 얼마나 뜨거웠는지, 린지의 얼굴이 마비될 정도였다. 린지는 미친 듯이 기침을 해 대다가 문득 새하얀 테이블보가 붉게 젖었다는 것을 깨달았다.

'……아?'

테이블보뿐만이 아니었다. 기침을 막던 손은 물론, 바닥에까지 붉은 액체가 짙게 흩뿌려져 있었다. 린지는 멍하니 자신의 손바닥을 내려다보았다. 피……였다.

지금 내가, 피를 토한 것일까? 린지는 멍하니 시선을 들어 올려 백작을 바라보았다. 그리고 처음으로 보는 표정을 목격했다.

휘안은 마치 세상의 끝을 보기라도 한 듯한 표정이었다. 절망, 경악, 혼란, 두려움이 그의 두 눈동자에서 한순간에 회오리쳤다.

'뭐야. 이상한 표정이잖아……'

그것을 마지막으로 린지는 눈을 감았다. 어딘가에 부딪치는 것만 같은 요란한 소리를 들었지만, 더 이상 아무런 판단도 할 수 없었다. 린지의 의식이 깊은 어둠 속으로 빨려 들어갔다.

풀썩!

린지의 몸이 바닥 아래로 쓰러지는 순간, 휘안이 의자를 박차고 자리에서 일어났다. 그는 재빨리 린지에게 다가와 그녀의 얼굴을 잡고 들어 올려 귀를 가져다 댔다. 아무것도 들리지 않았다. 숨소리도, 심장 소리도- 그 무엇도.

휘안은 더 생각할 것 없이 주머니 안에서 작은 유리병을 꺼내 들었다.

혹시 모를 상황을 대비해 품고 다니는 해독제였다. 휘안은 빠르게 뚜껑을 열어 그녀의 입 안으로 흘려보냈다.

"휘안 님?"

소란을 듣고 방 안으로 들어온 예르시카의 목소리가 들려왔다. 휘안은 그쪽을 쳐다보지도 않고 해독제를 먹이는 것에 집중하며 소리쳤다.

"의사를 데려와, 당장!"

"알겠습니다!"

예르시카가 빠르게 달려가는 것이 느껴졌다. 휘안은 초조하게 린지의 목구멍 안으로 해독제가 넘어가도록 흘려보냈다.

하아ー. 마치 일 초가 지옥처럼 느껴지던 때, 린지의 입술에서 숨이 터져 나왔다. 그 순간 휘안은 온몸을 빳빳하게 세우고 있던 긴장감이 한숨에 녹아내리는 것을 느꼈다. 가까이 얼굴을 가져다 대 보자 돌아온 호흡이 확연히 느껴졌다.

그때, 의사가 예르시카와 함께 허둥지둥 들어왔다.

"아니, 이것이 어찌 된 일입니까?"

휘안이 물러서자 의사가 서둘러 린지의 맥을 짚으며 상태를 살폈다.

"빠른 응급 처치 덕에 다행히 호흡은 정상입니다. 하지만……."

그는 옷에 묻은 린지의 피를 닦아 내며 말했다.

"어떤 독이 쓰였는지 알아낸 후 다시 정확한 조치를 해야 할 것 같군요."

"이곳에 눕힐 테니 필요한 것들을 다 가져와."

"예?"

휘안의 말에 의사가 놀란 듯 눈을 휘둥그레 떴다. 그때에 이미 휘안은 린지의 축 처진 몸을 안아 올려 침대 위에 올려놓은 상태였다. 의사는 백작의 고귀한 침대가 시종의 피로 물드는 것을 보고 깜짝 놀랐다.

"어서."

백작이 웃음기 없는 눈으로 재촉하자, 의사는 그제야 정신을 차리며 서둘러 방 안을 빠져나갔다.

탁!

방문이 닫히자 휘안은 쓰러지듯 침대맡에 주저앉았다. 그는 멍하니 린지를 바라보다가 문득 자신의 손을 내려다보았다. 피로 젖은 손이 미세하게 떨리고 있었던 것이다.

'……진정하자, 진정하자, 휘안.'

얼마나 놀랐는지 이제야 자각이 됐다. 이렇게 놀란 적이 너무 오랜만이라 완전히 까먹고 지내고 있던 감정이었다. 심장이 두근거려서 목구멍이 따끔했다. 시종이 피를 쏟고 쓰러지는 순간에는 망치로 한 대 얻어맞은 것 같은 기분이었다.

"린지안……."

휘안은 나지막하게 속삭이며 린지의 손을 잡았다. 그녀의 하얀 손을 적신 피를 보는 순간, 마음에 싸한 고통이 밀려왔다. 시종 린지안은 그를 대신하여 음식을 확인하다가 독을 먹었고— 피를 토했다. 만일 휘안이 항상 독을 조심하면서 사는 사람이 아니었다면, 어쩌면 시종은 지금쯤 이미 죽어 있었으리라. 그렇게 생각하자 걷잡을 수 없는 분노가 솟구쳐 올라왔다.

'린지안을 죽이려고 해?'

백작은 이 독이 자신을 노린 것이라고는 생각하지 않았다. 귀족의 식사는 시종들이 앞서서 시식하는 것이 당연한 관례. 즉, 이것은 시식할 시종— 린지안을 노린 것으로밖에는 생각되지 않았다.

누군가가 시종을 죽이려고 했다. 이 따뜻한 체온을 앗아 가려고 했다. 아름다운 붉은 눈동자를 영원히 가져가려고 했다. 그렇게 생각하자 휘안은 오싹해질 만큼 거대한 화가 끓어오르는 것을 느꼈다. 머리가 새하얘질 정도였다.

"예르시카."

그의 부름에 뒤에서 서 있던 예르시카가 가까이 다가왔다. 휘안은 자리에서 일어나며 자신의 충실한 호위 기사에게 명했다.

"린지안 군을 보살펴 줘."

"알겠습니다."

예르시카는 싸늘하게 굳은 휘안의 표정을 보고 캐묻는 대신 얌전히 머리를 조아렸다. 그가 방문을 나서자, 예르시카는 심란한 눈빛으로 시종을 내려다보았다.

'……하루라도 조용할 날이 없군.'

그녀가 시종을 바라보는 눈빛은 동정에 가까웠다. 휘안의 시종이 되고 나서 이 소년은 수난에 가까울 정도로 많은 불행을 겪었다. 납치되고, 위협당하고, 조롱당하고, 결국엔 독에 당했다.

'제명에 못 살겠군.'

예르시카는 침대맡에 앉아 하얗게 질린 린지의 얼굴을 바라보았다. 처음에 이 소년을 싫어하고 경계했다는 것이 미안하게 느껴질 정도였다. 그녀가 옆에서 줄곧 지켜봐 온 결과, 이 시종은 정말이지 원석처럼 빛나는 인재였다. 젊고 유능했으며 욕심이 없었고 주인을 위해서라면 목숨까지 내던질 정도로 충심이 깊었다.

'하지만 매번 이렇게 다치고 몸이 상하니.'

휘안에게 쏘아져 오는 화살을 대신 맞고, 레너드에게 잡히자 약점이 되기 싫어서 절벽 아래로 몸을 던지고, 유리나 공주의 협박에도 입을 열지 않고 칼을 맞고, 이번에는 독까지……. 예르시카는 한숨을 폭 내쉬었다. 과연 이 소년이 제명대로 살 수 있을까?

'백작님이 아끼시는 것도 당연해.'

휘안은 린지안 아르즈벨, 이 시종을 아끼고 있다. 때로는 '아낀다'로도 표현이 안 될 정도로 소중히 여기고 있다는 것이 느껴졌다. 늘 묵묵히 뒤에 서 있는 예르시카는 휘안의 감정을 느낄 수 있었다. 그녀의 아름다운 주군은 이 시종을 각별하게 생각했다. 그리고 예르시카는 백작의 그 감정을 충분히 이해했다.

'나와 하준과는 다르다. 우리 역시 휘안 님을 위해서라면 목숨을 내던지겠지만— 그에게 바라는 것이 있으니까. 그가 우리에게 그만큼 많은 것을 해 주었으니까.'

하지만 이 시종은 달랐다. 백작에게 딱히 원하는 것도 없고 빚진 것도 없는데도 그의 곁에 머무르고 충성을 바쳤다. 그럼에도 불구하고 아무 기대도 없고 바라지도 않는 것, 그것이 휘안에게는 생소한 일일 것이다. 휘안의 곁에 모여드는 자들 중 그에게 아무것도 바라지 않는 사람이 있었던가? 그의 사랑을, 그의 재력을, 그의 권력을, 그의 명성을 바라며 모여드는 자들뿐이었다.

'그래도 이 녀석이 남자라서 다행이야. 여자였더라면…… 생각하기도 싫군.'

그렇게 생각한 예르시카는 바로 느껴지는 자책감에 고개를 저었다. 이런 순간에 쓸데없는 생각을 하다니, 스스로에 대한 혐오감이 표정 위로 덕지덕지 달라붙었다. 예르시카는 머리를 쓸어 넘기다 문득 시종의 옷이 붉게 물든 것을 발견했다.

닦아 주어야겠다, 그녀는 이렇게 생각하며 대야에 뜨거운 물을 받아 와 수건에 적셨다. 그리고 시종의 입가에 묻은 피를 조심스럽게 닦아 내었다. 피에 젖은 옷이 유난히 거슬렸던 예르시카는 휘안의 옷장에서 셔츠 하나를 꺼내 왔다. 그리고 천천히 붉게 물든 시종의 셔츠 단추를 풀었다.

'……?'

예르시카의 눈썹이 기묘하게 일그러졌다. 하나둘, 단추가 끌러짐에 따라 그 안으로 하얀 무언가가 드러났다. 여섯 번째 단추를 푸는 순간 예르시카는 그것의 정체를 알아차렸다.

'붕대?'

붕대가 아주 단단하게 가슴을 동여매고 있었던 것이다.

순간, 기묘한 예감이 불길하게 등골을 스치고 올라왔다. 왜 붕대를 매고 있는 것일까. 가슴을 다친 걸까? 순간 또 다른 가설이 그녀의 머릿속에 불쑥 떠올랐다. 말도 안 되는, 우스갯소리로도 꺼낼 수 없는 저질스러운 상상이었다.

'설마. 그럴 리가.'

그녀의 떨리는 손이 린지의 붕대 위로 올라왔다. 그리고 천천히─ 하지만 단호하게 그 붕대를 풀어냈다.

"……!"

벼락이 내리꽂히는 것만 같은 충격이 떨어졌다.

'여자…….'

여자의 신체적 특징이 하얀 붕대 아래에 꽁꽁 감추어져 있었다. 예르시카의 놀란 눈동자가 봉긋 솟아오른 가슴에 머물렀다. 여자에게만 있어야 할 것이었다. 아무리 여자처럼 가는 선에 아름다운 외모를 가졌다고 해도, 남자인 시종에게는 있어서는 안 될─.

'여자인 것을 감추고 있었어!'

붕대를 이렇게 숨이 막히도록 강하게 감고 다녔다니. 일부러 다른 사람들에게 남자인 척하려고 했던 시종의 고집스러움이 느껴졌다.

'여자였어.'

남자가 아니었다. 여자였다. 예르시카는 경악한 눈으로 린지의 얼굴을 바라보았다. 그녀는 넋을 놓고 있다가 문밖에서 인기척을 느끼고는 재빨리 붕대를 되감았다. 그리고 휘안의 셔츠로 갈아입히고는 단추를 다시 단단히 잠가 주었다. 마지막 단추가 잠기는 순간, 문이 벌컥 열리며 여러 명의 의사들이 들어왔다.

예르시카는 그들이 린지를 살필 수 있도록 자리를 내주었다. 그들은 빠르게 린지의 팔뚝 혈관을 찾아 주사를 꽂고 링거를 투입했다. 그리고 하얀 약 가루를 린지의 입 안으로 흘려 넣었다.

"어떨 것 같습니까?"

"백작님께서 빠르게 조치해 주셔서 걱정하진 않으셔도 될 겁니다. 어떤 독을 먹었는지 밝혀지면 더 좋은 대처를 할 수 있지만, 일단 기다리는 것밖에……."

"……."

예르시카는 고개를 끄덕이며 시종의 얼굴을 바라보았다. 놀란 심장의 여운이 아직까지도 두근거리며 맥동했다.

'린지안 아르즈벨이 여자였다니!'

린지는 사경을 헤매고 있었다. 그러나 그것은 타인의 시선일 뿐 사실 그녀는 그저 무의식 속을 걷고 있었을 뿐이었다. 그곳은 마치 꿈과 같았다. 린지는 몇 번이나 꿈속으로 들락거렸다.

꿈속의 그녀는 유시젠과 함께였다. 유시젠이 열다섯, 그녀가 여덟 살 때였다. 유시젠이 눈발 속에 홀로 주저앉아 숨어 있던 린지를 구해 주어 왕궁으로 처음 데려왔을 때의 장면이 눈앞으로 펼쳐졌다.

"씻겨 놓으니 이제야 좀 소녀 같구나."

"가, 감사해요, 천사님."

여덟 살의 어린 소녀가 왕궁의 방에 감탄하며 연신 주위를 두리번거렸다. 유시젠은 그녀를 바라보다가 문득 생각이 난 듯 말했다.

"이름이 없다고 했나?"

그러자 소녀가 어색한 얼굴로 고개를 끄덕였다.

"네. 어릴 적 일이 기억이 안 나서…… 제 주인이셨던 용병분은 그냥 절 노예라고 부르셨어요."

"기억이 없다고?"

그러자 린지가 조금은 침울해진 표정으로 미세한 웃음을 지었다.

"최근 몇 개월의 일 말고는 아무것도 기억나지 않아요. 용병단 앞에 제가 쓰러져 있었대요. 그런 저를 거두어 노예로…… 부리셨고요."

유시젠은 이 사연 많은 소녀를 가만히 바라보았다. 여덟 살밖에 안 된 소녀가 기억 상실에, 용병단의 노예로 지내고 있다가 그 용병을 해치우고 도망을 치다니…… 기구한 운명의 소녀임이 분명했다.

'보통 소녀는 아니야.'

용병들이 린지를 찾을 때 '대장을 해치운 노예 년을 잡아라'라고 했다. 분명 이 소녀가 죽인 자는 용병단의 우두머리일 것이다. 유시젠은 그들의 험악한 말을 들었음에도 불구하고 실감이 나지 않았다. 저 가녀린 팔의 여린 소녀가 용병단의 대장을 죽여?

유시젠은 자신이 이 소녀를 데려오길 정말 잘했다는 생각이 들었다. 그는 차분한 시선으로 소녀를 바라보았다.

"그래서 이름이 없군."

"네……."

"린지 아즈벨."

유시젠의 말에 린지는 고개를 들어 올려 그를 바라보았다. 왕국의 왕세자가 미소를 지으며 상냥하게 말했다.

"이제부터 너의 이름은 린지 아즈벨이다."

"아……."

소녀의 하얀 뺨이 붉어졌다. 입 안에서 린지 아즈벨, 이라는 단어를 몇 번 굴려 보다가 환하게 미소를 지었다. 예상치 못한 선물에 얼떨떨해하면서도 기뻐하는 모습이었다.

"내가 너를 거두었으니 네 앞길을 책임져 주겠다. 넌 무엇을 좋아하지?"

"네?"

"네가 좋아하는 것을 배우게 해 주겠다."

소녀는 말없이 백금발의 소년을 바라보았다. 천사님이 아니라고 했지만, 그녀에게 있어서만큼은 천사임이 분명했다. 소녀는 자신의 인생이 이런 식으로 구원받을 거라고는 꿈에도 기대해 본 적이 없었다. 린지는 어느덧 눈물을 글썽이며 중얼거렸다.

"거, 검…… 검을 다루는 게 좋아요."

"그래. 그럼 내가 너에게 검을 가르쳐 주마."

유시젠은 웃으며 눈물을 흘리는 소녀를 바라보았다. 이 소녀가 뛰어난 육체 능력, 천부적인 검술 재능이 있다는 것을 알아낸 것은 이로부터 얼마 후의 일이었다.

"고맙습니다, 천사…… 아니, 저…… 전하."

"……."

유시젠은 미간을 좁혔다. 어쩐지 소녀가 자신을 전하라고 부르는 호칭이 마음에 들지 않았던 것이다. 지금껏 천사님, 천사님 하다가 갑자기 전하라고 부르니 현실감이 확 느껴졌다.

"전하 말고, 다른 걸로 불러."

그것은 충동적인 결정이었다. 그러자 소녀가 눈을 동그랗게 떴다.

"처, 천사님이라고 불러도 될까요?"

그건 그거대로 곤란하다. 유시젠은 잠시 고민하다가 툭 내뱉었다.

"그냥 오빠라고 불러라."

"……."

저 소녀는 자신에게 있어서 부하라기보다는 동생 같은 느낌을 줬다. 때문에 그 호칭이 더 편하게 느껴질 것 같았다. 잠시 넋을 놓던 소녀는 거세게 손사래를 쳤다.

"제, 제가 어찌 감히!"

"그럼 오라버니라고 하든가."

어쩐지 웃음이 나왔다. 천사님이라고 또박또박 부르던 녀석이 오빠라고 부르는 것을 거절하다니. 유시젠의 말에 소녀는 망설였다. 그는 시간을 가지고 기다려 주었다.

"알겠습니다, ……버니."

일부러 작게 말하긴. 유시젠은 못마땅한 목소리로 말했다.

"뭐라고? 다시 말해 봐."

"……알, 알겠습니다, 오라버니!"

"하하하!"

울 것 같은 얼굴로 말하는 모습이 너무나 사랑스러워서, 유시젠은 참지 못하고 웃음을 터뜨렸다. 소녀는 눈부신 왕세자를 바라보며 얼굴을 붉혔다. 언젠가, 꼭 강해져서 저 사람을 내가 지켜 줘야지. 소녀는 남몰래 그러한 결심을 품었다.

"……린지안?"

린지는 가만히 눈을 깜박였다. 뿌옇게 흐려진 시야 때문에 뭐가 뭔지 제대로 분간이 되질 않았다. 린지는 눈을 뜨려고 애쓰며 앞에서 흐릿하게 보이는 물체에 집중했다.

"린지안."

시야는 흐렸지만 소리만큼은 또렷하게 들려왔다. 린지는 애절하게 속삭이는 그 목소리의 주인을 알아차렸다.

"백작님……?"

대답 대신 그녀의 손을 불끈 잡아 오는 힘이 느껴졌다. 린지는 몇 번이나 눈을 깜빡이고 나서야 제대로 앞을 볼 수 있었다.

"백작님."

휘안이 그녀를 내려다보고 있었다. 린지는 가만히 그의 보라색 눈동자를 바라보다가 주위가 어둡다는 것을 깨달았다. 암흑이 짙게 깔린 밤이었다. 눈앞이 잘 안 보였던 것은 비단 시야가 흐려서만은 아니었다.

"……!"

다음 순간, 휘안이 린지의 몸을 와락 껴안았다. 린지는 그의 손끝에서 격정적으로 몰아치는 감정을 읽어 냈다. 그녀는 당황하며 말을 더듬었다.

"배, 백작님? 대체……."

그렇게 말하는 순간 린지의 입에서 기침이 터져 나왔다. 그러자 휘안이 확 떨어지며 걱정스런 눈으로 그녀를 바라보았다.

"린지안? 괜찮은 거야?"

"콜록, 괘, 괜찮습니다. 목이 좀 아파서……."

까끌까끌한 것이 걸리기라도 한 듯 목 안이 쓰려 왔다. 아릿한 통증을 인식할 때 즈음 린지는 문득 더 격했던 고통을 기억해 냈다.

'그러고 보니 나…….'

피를 쏟고 쓰러지지 않았던가! 린지는 깜짝 놀라 자리에서 일어나려다가 배가 끊어지는 듯한 통증을 느끼고 다시 풀썩 쓰러졌다.

"무리하지 마. 아직 많이 안 좋을 거야."

"대체 어떻게 된 거예요?"

백작은 그녀를 가만히 내려다보다가 난감하게 미소를 지었다.

"독을 먹었어."

"네? 그게 무슨……."

"내 음식에 독이 들었더군."

린지는 아무 말도 할 수 없었다. 독을 먹었다고?

'그런데 살아 있네.'

린지는 두근두근 맥동하는 자신의 심장을 느낄 수 있었다. 따뜻한 체온과, 부드러운 숨결 또한. 그녀는 자신이 살아 있음을 실감하며 휘안을 올려다보았다.

"정말 다행이야. 네가 쓰러진 지 이틀이 지났어."

"……."

이틀째라고 린지는 태어나서 그렇게 오랫동안 의식을 잃어 본 적이 없었다. 임무 수행 중에 검을 맞아도 반나절 혹은 하루면 깨어났으니까. 그런데 이틀이나 기절해 있었다니…… 정말로 죽다 살아난 게 맞는 것 같았다.

"일단 한숨 더 자도록 해."

"하지만……."

"명령이니까."

휘안은 미소 지으며 린지의 머리를 쓰다듬었다. 린지는 부드러운 손길을 느끼며 가만히 그를 바라보았다. 어둠 속에서 빛나는 은빛 머리카락이 저렇게 아름다웠던가, 린지는 새삼 얼굴을 붉히며 시선을 피했다.

"나가 있을 테니까 푹 자도록 해. 불편한 거 있으면 종을 울리고."

"자, 잠깐만요. 여긴 휘안 님의 방이잖습니까?"

"응. 괜찮아, 잘 수 있는 방은 많으니까."

린지는 휘안이 방 밖으로 나설 때까지 아무런 반응을 보일 수 없었다.

'……잠깐.'

린지의 머릿속에 싸한 바람이 불어닥쳤다. 불쾌할 만큼 좋지 않은 예감에 등이 바짝 굳었다. 이틀. 이틀 동안 정신을 잃었다고 했다. 그리고 마지막으로 쓰러졌을 때, 자신의 옷은 피에 젖어 있었다. 그러나 지금은······.

'······.'

린지는 팔을 들어 올려 자신이 입고 있는 옷을 확인했다. 휘안의 것이 분명해 보이는 크고 넉넉한 하얀 셔츠였다. 무엇을 입고 있는지 자각하는 순간, 린지의 안색이 새하얘졌다.

'들켰어?!'

린지는 서둘러 가슴을 더듬었다. 붕대가 감겨 있긴 했지만, 평소 그녀 스스로가 감은 것처럼 질끈 조여 있는 정도는 아니었다. 누군가가 풀어서 다시 감은 것이 분명했다!

'어, 어쩌지. 대체 누가.'

린지의 심장이 크게 맥동했다. 쓰러진 사이 누군가가 옷을 갈아입혔고, 가슴을 확인했다. 즉 여자인 게 들켰다는 사실!

'휘안은 아닐 거야.'

린지는 침을 꿀꺽 삼키며 생각했다. 방금 전 휘안의 태도는 평소와 다를 바가 하나도 없었다. 여자란 것을 알았다면 저렇게까지 아무렇지 않게 대하진 않을 것이다.

'대체 누구야!'

린지는 입술을 꾹 깨물며 자리에서 일어났다. 배가 격렬한 통증을 호소했지만 신경 쓸 여유가 없었다. 이 저택 안 누군가가 자신이 여자라는 것을 알고 있다!

'도망가야 해.'

누군가가 알게 됐다. 곧 또 다른 자가 알게 되고, 결국엔 휘안의 귀에 들어가겠지. 그때까지 얌전히 기다릴 수는 없다.

'어차피 곧 임무를 끝내려고 했었어.'

하지만 이렇게 사라지고 싶지는 않았는데……. 린지는 자리에서 일어나 몸 상태를 확인했다. 확실히 독을 먹긴 한 건지 위가 쓰라리고 손발에 힘이 잘 들어가지 않았다. 린지는 손발을 스트레칭한 후 획획 휘둘렀다. 무거운 추를 달고 있는 것처럼 사지가 묵직했다.

'그래도 어쩔 수 없어. 도망가야 해.'

린지는 창밖을 내려다보았다. 어둠이 깔린 정원이 평소보다 더 까마득하게 느껴졌다. 휘안의 방은 3층에 위치해 있으므로 뛰어내리지 못할 정도는 아니었다.

창문을 열자 차가운 겨울바람이 칼날처럼 얼굴을 휩쓸고 지나갔다. 그 시리도록 아린 감촉에, 린지는 그대로 뛰어내리려는 것을 멈추었다.

'…….'

창턱에 발을 걸친 상태로 한동안 가만히 있던 린지는 천천히 뒤를 돌아보았다. 휘안의 침실…… 이제는 익숙한 곳이었다. 매일 아침 여섯 시면 들어와서 잠꾸러기 휘안을 깨웠던 곳. 하지만 이 순간 이후로 이곳에 들어올 일은 없겠지. 휘안과의 경악스러운 첫 만남부터, 마지막 대화를 나눈 방금 전의 순간까지 모든 기억들이 빠르게 지나갔다.

마치 차가운 겨울바람이 가슴 안에서부터 불어오는 듯한 시린 감촉에 린지는 눈을 감았다.

'……가자, 린지 아즈벨.'

단숨에 감정을 정리한 린지는 눈을 번쩍 떴다. 그녀가 창턱에 올린 발에 힘을 주려는 순간이었다.

똑똑!

노크 소리가 들려왔다. 놀란 린지가 재빨리 창문을 닫으며 발을 내리는 순간, 노크 소리가 다시 한 번 들려왔다.

"린지안, 자고 있어?"

레이라였다. 소녀의 목소리에 린지는 자리에서 굳은 듯 움직이지 않았다. 이 새벽에 레이라가 찾아오다니…… 자신이 깨어난 소식을 벌써 접한 것일까?

'……어떻게 하지.'

하지만 고민은 오래가지 않았다.

"레이라, 이 밤에 어쩐 일이야?"

마지막으로 보고 가자. 린지는 스스로에게 속삭이며 방문을 열었다. 린지의 인생에서 처음으로 사귄 여자친구였다. 비록 작별 인사는 할 수 없겠지만 마지막으로 얼굴을 보고 가는 것 정도는 괜찮겠지. 그녀는 그렇게 생각하며 힘겹게 웃었다.

"들어가도 돼?"

"아, 응. 일단 들어와."

린지는 문득 레이라가 탕약을 들고 있는 것을 눈치챘다. 그녀가 비켜서자 레이라가 방 안으로 들어와 주위를 두리번거리더니 테이블 위에 탕약을 내려놓았다.

"아, 불은 켜지 마, 린지안."

린지가 전등을 켜려는 순간 레이라가 만류했다. 달빛이 몹시 밝았기에 앞이 안 보일 정도는 아니었지만 방 안은 어두운 편이었다. 그런데도 불을 켜지 말라는 요청에 린지는 군소리 없이 따랐다. 린지는 이미 레이라의 눈이 통통 부어 있다는 사실을 알아차린 것이다. 울었다는 사실을 자신에게 들키기 싫은가 보다— 린지는 그렇게 생각했다.

"괜찮은 거야? 네가 독을 먹었다는 소식을 들었어."

소문이 저택 내부에 다 퍼졌나 보군. 린지는 레이라의 맞은편 소파에 앉으며 고개를 끄덕였다.

"걱정 정말 많이 했어. 그래도 무사해서 다행이야."

"걱정시켜서 미안해."

린지는 머쓱하게 웃었다. 지금껏 레이라에게 이 대사를 몇 번이나 들은 건지 제대로 기억나지 않을 정도였다. 그녀는 항상 염려 어린 눈빛으로 린지를 걱정해 왔으니까.

"탕약 마셔. 해독에 좋은 거라고 했어."

"응, 고마워."

하지만 린지는 탕약을 마시는 대신 레이라를 살펴보았다. 어째서인지 레이라의 느낌이 낯설게 다가왔다. 이렇게 제대로 대화를 나누어 보는 건 오랜만이어서일까, 그녀의 표정이 평소와는 다른 것 같았다.

"레이라. 무슨 일 있어?"

린지는 저도 모르게 물어보았다. 독을 먹고 이제 막 일어난 사람이 할 말은 아니었지만 레이라를 보고서는 묻지 않을 수가 없었다. 레이라는 애써 웃고 있었지만 푸른 눈동자에는 마치 세상 근심을 모조리 끌어안은 듯 어두운 그림자가 져 있었다.

"그게 네가 할 소리야, 린지안? 너는 독을 먹고 쓰러졌으면서."

"아하하, 그렇긴 한데……."

"이제 괜찮은 거지?"

"응. 그런 것 같아. 속이 좀 쓰라리긴 하지만 멀쩡해."

이건 사실이었다. 위가 아프고 팔다리가 무거운 것 빼고는 무서울 정도로 멀쩡했다. 자신의 질긴 생명력에 스스로 감탄할 정도였던 것이다. 백작이 매번 제공했던 엄청나게 쓴 약이 자신의 목숨을 구한 게 분명했다. 쓴 만큼, 아니 그 이상으로 뛰어난 효능을 가지고 있으니까.

"그래, 다행이야. 정말 다행이야."

레이라는 그런 린지를 바라보며 어쩐지 꿈꾸는 듯한 목소리로 중얼거렸다.

"레이라, 너야말로 정말 괜찮은 거야?"

조금 더 꼼꼼하게 살펴보니 레이라는 안쓰러울 정도로 말라 있었다. 레이라는 본래 보기 좋게 통통한 살집이 있는 여인이었는데 지금은 딱 봐도 말랐다는 소리가 나올 정도로 살이 빠진 상태였다. 못 본 사이에 왜 이렇게 여윈 걸까? 마른 정도가 예쁘다기보다는 안쓰러운 쪽에 가까웠기에 걱정하지 않을 수 없었다.

"괜찮다니까. 난 신경 쓰지 마. 어서 탕약이나 마셔, 린지안."

레이라가 채근했으나 린지는 이번만큼은 들은 척도 하지 않았다. 볼이 쏙 들어가서 피골이 상접하다는 말이 어울릴 정도의 레이라 앞에서 탕약을 마시고 싶지 않았다. 독을 먹었다가 막 일어난 자신이었지만 탕약이 필요한 것은 자신이 아니라 레이라처럼 보였던 것이다.

'이대로 내버려 두면 점점 말라서 죽을 것 같아.'

과장이 아니라 정말로 그런 생각이 들었다. 자신은 곧 백작가를 떠날 것이다. 다른 시녀들과 잘 어울리지 못하는 레이라는 또다시 혼자가 되겠지. 예전처럼 선배 시녀들이 레이라를 괴롭힌다면 이젠 그 누구도 그녀를 구해 줄 수 없다. 그런 생각이 들자 린지의 마음이 아파 왔다. 적어도 레이라의 고민이 무엇인지도 모르는 상태에서 떠나고 싶지 않았다.

"레이라."

적어도 레이라의 고민을 해결해 주고…… 아니, 해결해 주진 못할지언정, 도와주고는 떠나야겠다. 린지는 그렇게 결심하며 레이라를 똑바로 쳐다보았다. 레이라의 생기 없는 눈동자가 마치 유리구슬처럼 투명했다. 흡사 시체와도 같은 눈빛에 린지의 불안함이 피어올랐다.

"레이라, 대체 무슨 일이야?"

"……."

"왜 이렇게 안 좋아진 거야? 내가 도와줄게."

레이라가 말없이 린지를 바라보았다. 린지는 그녀의 시선을 꿋꿋하게 받아 내며 말을 이었다.

"나, 네가 몰래 숨어서 울고 있는 것 봤어. 네가 마음고생 하고 있는 거 알아. 이제 와서 물어봐서 미안해. 하지만 도와주고 싶어. 진심이야."

단어 하나하나 모조리 다 순도 백 프로의 진심이었다. 이 저택에서 친구라고는 자신밖에 없는 외톨이 시녀 레이라, 그녀를 이렇게 두고 떠나고 싶지 않았다.

"……도와주고 싶다고?"

레이라가 바싹 마른 입술을 움직여 되물었다. 마치 이루어질 수 없는 마법의 단어라도 들은 양, 레이라는 멍하니 린지를 바라보았다.

"그래. 도와주고 싶어."

문득 레이라의 입꼬리가 위로 올라갔다. 바람 빠지는 듯한 소리가 그녀의 갈라진 입술에서 흘러나왔다. 레이라가 키득거리며 웃자 린지는 잠시 할 말을 잃었다.

"나, 동생이 있어."

웃음 후 레이라의 말이 곧장 이어졌다. 레이라는 너무 웃어서 살짝 고인 눈물을 닦아 내며 말했다.

"예전에 말했지? 너와 동갑인 동생이 있다고 했었잖아."

"으응, 기억나."

"그 아이가 많이 아팠어……."

레이라의 목소리가 마치 금방이라도 꺼질 촛불처럼 흔들렸다.

"현대 의학으로 고칠 수 있을 거라고 생각 못 했는데, 그 아이를 고쳐 주겠다고 한 사람이 나타났어."

문득 린지는 불길함이 발끝을 타고 기어오르는 것을 느꼈다. 오싹한 은회색 눈동자가 순식간에 스쳐 지나갔다. 설마 아닐 거라고, 그렇게 스스로에게 주문을 걸며 레이라의 말에 귀 기울였다.

"그 사람이 내게 말했어-."

"레이라 선배, 동생이 아프다면서요?"

빨래를 널던 레이라의 손이 멈췄다. 그녀는 경직된 얼굴로 천천히 고개를 돌렸다. 신입 시종, 레너드가 쾌활하게 웃으며 휘파람을 불었다.

"여동생이 죽어 가고 있잖아요? 그렇죠?"

"대체 그게 무슨……."

순간 울컥한 레이라가 언성을 높였다가 다시 입을 다물었다. 대체 그 사실을 어떻게 안 것일까? 그녀는 레너드를 노려보다가 다시 고개를 획 돌렸다.

"무례한 말을 삼가 주세요. 잘 알지도 못하면서."

기분 나쁜 사내였다. 그림 같은 외모로 시녀들의 가슴을 설레게 하는 신입이었지만, 지금 이 순간 그에 대한 호감도는 바닥으로 떨어지고 말았다. 레이라는 레너드를 무시하며 옷가지를 들어 올렸다.

"왜 몰라? 잘 아는데."

레너드의 입가에 미소가 걸렸다. 그는 외면하려 하는 레이라의 뒷모습을 물끄러미 바라보며 말을 이었다.

"지금 빨래할 때가 아니에요. 동생의 상태가 악화되었거든. 이르면 내일, 길면 일주일. 그 안에 레이라 선배의 동생은 죽어요."

툭! 레이라의 작은 손아귀에서 옷가지가 떨어져 내렸다. 그녀는 바들바들 떨리는 주먹을 부여잡으며 레너드를 노려보았다. 푸른 눈동자에 어느새 물기가 가득 고여 있었다.

"당신 어떻게 그런 말을 할 수 있어! 어떻게 감히……."

뜨거운 감정이 목구멍까지 치솟아 올라 더 이상 외칠 수 없었다. 언제나 침착하고 다소곳한 레이라였지만 레너드는 그녀의 평정을 단 한순간에 깨부숴 버렸다. 레이라는 으왕, 하고 울음을 터뜨리며 두 손으로 얼굴을 감쌌다. 그동안 어떻게 참았는지 눈물이 한순간에 터져 손바닥을 가득 적셨다.

"울지 마요, 레이라 선배. 다 방법이 있어."

레너드는 그녀의 어깨를 쓰다듬으며 위로하듯 말했다. 마치 악마의 숨결과도 같은 목소리였다.

"내가 동생을 낫게 해 줄 약을 만들어 줄게. 믿어도 좋아. 일단 실험 삼아 한번 먹여 봐요."

"뭐? 그게 무슨……."

레이라는 눈물로 범벅된 얼굴을 들어 올렸다. 레너드는 오싹할 만큼 아름답게 웃음을 지었다.

"레이라 선배가 내 부탁을 들어준다면, 내가 레이라 선배의 동생을 낫게 해 줄게."

"정말이었어."

레너드와 있었던 일을 말해 가는 레이라의 목소리는 떨리면서도 묘하게 침착했다. 그녀는 마른 입술을 달싹이며 말을 이었다.

"처음엔 믿을 수 없었지만 레너드가 보내 준 약─ 그 신비한 약이 내 동생을 일어나게 했어. 오 년 만에 처음으로 병실에서 일어난 거야. 혈색도 좋아지고 나들이를 나갈 수 있을 정도로 건강해졌다고 들었는데─."

레이라의 입술에 서글픈 미소가 걸렸다.

"약이 끊기면 바로 상태가 악화되었어. 때문에 난 레너드에게 약을 구걸해야 했고 그 대가로 그의 말에 따라야 했지."

"……레이라."

"레너드는 너에게 관심이 많았어. 네가 처한 상황들, 반응들 하나하나 다 알고 싶어 했지. 너에게 협박 편지를 보낸 시녀에게 향초를 준 것도 나야. 네 기억에 없겠지만 그 향초가 너를 잠시 조종했었어. 레너드가 너에게 그것을 사용하게 만들라고 내게 명령했거든. 네 반응을 보고 싶었대."

레이라는 헛웃음을 뱉어 가며 혼잣말처럼 말을 이었다.

"이번에는 너에게 독극물을 먹여 보래. 네가 이겨 낼 수 있는 독의 정도를 알아내고 싶다나 뭐라나─. 그래서 그렇게 했어. 그런데 이번엔……."

레이라의 떨리는 목소리가 멎었다. 어두운 방 안, 레이라와 린지의 숨소리만이 적막 위를 맴돌았다. 레이라는 천천히 고개를 들어 올려 린지의 눈동자를 마주 보았다.

"너를 죽이래."

"……."

"이제야 나는 깨달았어. 그 사람은 널 실험하면서도 날 실험하고 있었던 거야. 그가 원하는 건 네 죽음이 아니겠지. 다만 동생의 목숨과, 날 믿고 있는 친구의 목숨 사이에서 갈팡질팡하는 내 모습을 보고 싶은 거야. 내가 어떤 결과를 내릴지 그냥, 그자는 그게 궁금한 거야. 그래서……."

"레이라."

린지의 손끝이 떨려 왔다. 탕약에 무엇이 들었는지 깊게 생각하지 않아도 짐작할 수 있었다. 애원하듯 흐느끼는 레이라의 목소리에서 절박함이 느껴졌다. 그녀의 푸른 눈동자가 물기로 젖어 번들거리고 있었다. 레이라는 마치 생명줄을 바라보듯 린지를 응시했다. 그녀는 작은 목소리로 속삭이듯 말했다.

"동생이 죽었어. 한동안 약을 받지 못한 그 아이가, 오늘 죽었다고 연락이 왔어."

"레이라……."

린지의 시야가 흐려졌다. 뒤통수를 몇 번이나 두드려 맞은 것처럼 얼얼해서 아무것도 느껴지지 않았다. 화가 나야 하는데, 이상하게도 눈물이 먼저 흘러나왔다.

"레너드가 약을 줄 수 없다고 했었어. 너와 휘안 백작님이 실험실을 파괴했다면서…… 너를 증오하라고 했어. 동생이 죽은 건 다 네 탓이라고."

언제 꺼낸 것일까. 울면서 한마디 한마디 토해 내는 레이라의 손에는 번뜩이는 섬광이 들려 있었다. 작고 얇은 나이프가 달빛을 받아 소름 끼치게 번뜩거렸다. 마치 새하얀 뱀의 나신 같았다.

"널 죽이면 죽은 내 동생을 되살려 주겠다고 했어. 난…… 난 선택의 여지가 없어."

어느새 레이라는 소파에서 일어나 있었다. 린지는 고개를 들어 올려 레이라의 눈을 바라보았다. 처음으로 사귄 여자친구는……, 이미 오래전에 죽어 있었다. 왜 이제야 알게 된 것일까. 처음 만났을 때, 그 레이라의 눈이 아니었다. 지금 이 순간이 아니라 어쩌면 제법 오래전부터 레이라는 이런 눈빛이었다. 절망에 질식한 것 같은, 살려 달라고, 구원해 달라고 소리를 지르는 그런 눈빛이었다.

"동생을 살려 주겠다고 했어, 너 때문에 죽은 내 동생을……."

레이라는 마치 스스로에게 중얼거리듯 말하며 휘적휘적 걸어왔다. 툭 치면 모래성처럼 부서질 것처럼 연약하고 나약한 모습이었다. 여인의 작은 손아귀에 들린 날카로운 검날이 마치 장난감처럼 느껴졌다.

"진정해, 레이라."

린지는 다가오는 그녀를 바라보며 황급히 말했다.

"나 때문에, 나랑 휘안 백작님 때문에 약을 못 받게 된 건 사실이야. 정말 미안해. 하지만 죽은 사람을 돌아오게 하는 방법은 없어!"

레이라의 힘없는 팔이 휘둘러졌다. 린지는 자리에서 일어나 그녀의 얇은 팔을 낚아챘다. 땡그랑! 나이프가 바닥 위를 나뒹굴었다. 그 순간, 아주 가까워진 린지와 레이라의 눈이 마주쳤다.

"레이라……."

그때였다. 린지는 문밖에서 인기척을 느끼며 고개를 휙 돌렸다. 거의 동시의 순간 문이 벌컥 열리며 예르시카와 휘안이 들이닥쳤다.

"배, 백작님!"

린지가 깜짝 놀라 외쳤지만 휘안은 그녀를 바라보지 않았다. 그는 레이라를 물끄러미 바라보더니 씩 웃음을 지었다.

"역시 레이라 양일 줄 알았어."

휘안이 고갯짓하자 뒤에 서 있던 금발의 여기사가 성큼 걸어 나왔다. 그녀는 레이라의 몸을 마치 종잇장처럼 낚아채며 거칠게 잡아당겼다.

"내 음식을 만든 요리사를 심문해 보았더니 그날 너와 하룻밤을 보낸 것 외에는 특별한 일이 없다고 하더군."

"……!"

"그리고 린지가 깨어났다는 사실을 레이라 양의 룸메이트에게만 넌지시 알렸지. 역시나 알게 되자마자 죽이러 달려오는군. 정말 무섭다니까."

린지는 잘게 떨리는 눈으로 레이라를 바라보았다. 휘안의 음식에 독을 넣기 위해서 요리사를 이용했던 것이다.

"그래요. 내가 그랬습니다."

그들의 갑작스런 등장에 레이라는 놀란 기색이 아니었다. 오히려 기다렸다는 듯 담담한 눈빛인지라 린지는 이해가 가질 않았다. 대체 지금 무슨 일이 일어나고 있는 건지 받아들여지질 않았다.

"레이라 양. 린지안 군의 애인이면서 이런 일을 하다니, 부끄럽지도 않아?"

그러자 레이라가 피식 웃음을 흘리더니 깔깔거리는 소리를 냈다. 설마 레이라가 그렇게 웃을 것이라고는 상상조차 해 본 적 없는 린지는 얼이 빠져서 그녀를 바라보았다.

"착각하지 마요. 린지안에게 있어서 난 그냥 친구일 뿐이니까."

"……레, 레이라."

레이라가 고개를 획 돌려 린지를 바라보았다. 그 눈동자 안에는 찍어 내린 듯한 분노가 서려 있어서 린지의 몸이 굳었다.

"당신들 때문에 내 동생이 죽었어! 레너드의 연구실을 부순 당신들 때문에!"

휘안은 소리치는 레이라를 보며 안타까운 목소리로 말했다.

"너도 레너드에게 휘말렸구나."

그는 진심으로 그녀의 처지를 동정하는 눈빛이었다. 레너드의 세 치 혀에 휘말려 이성을 잃고 스스로를 파괴하게 된 여인. 과연 레이라에게 다른 선택의 여지가 있었을까? 레너드에게 실험체로서 선택당한 순간 그녀에게 이 결말은 예정된 것이었다. 레너드는 사람의 인생을 부서뜨리는 데 단 한 줌의 망설임도 없으니까.

"나는 잘못한 거 없어! 다 동생을 위해서였으니까, 잘못한 건 너희야! 너희들 때문에 내 동생이, 내 동생이……."

휘안은 악을 쓰던 레이라를 바라보다가 예르시카에게 눈짓했다. 그녀는 바로 그 뜻을 알아차리고 레이라의 목덜미를 내리쳤다. 작은 여인이 단말마의 비명을 지르며 풀썩 쓰러졌다. 예르시카는 레이라의 몸을 잡아 끌고 기사들과 함께 방문을 빠져나갔다.

"일단은 진정시키는 게 우선이야. 그 후에 어떻게 처리할지 생각하도록……."

린지에게 말을 건네던 휘안의 목소리가 흐려졌다.

"……."

휘안은 린지의 붉은 눈동자에 잔뜩 고인 물기를 보고 입술을 벌렸다. 그는 당혹스러움에 어쩔 줄 몰라 하다가, 결국 아무 말도 꺼내지 못하고 그녀를 바라보았다.

린지는 아무런 생각도 할 수 없었다. 휘안이 안절부절못하고 있다는 것조차도 눈에 들어오지 않았다. 마지막 순간 마주친 레이라의 악에 받친 눈빛에 시야가 멀어 버린 것만 같았다.

잠시 후, 휘안이 조심스럽게 말했다.

"린지안 군."

린지는 초점 잃은 눈으로 고개를 들어 올렸다. 그 보라색 눈동자와 마주치는 순간, 휘안이 린지의 몸을 번쩍 들어 올렸다.

"배, 백작님?"

휘안은 린지를 안고 방을 빠져나와 복도를 걸어갔다. 놀란 린지가 얇은 목소리로 중얼거렸지만 백작은 멈춰 서지 않았다. 휘안은 그녀를 데리고 겨울의 정원을 거닐었다. 그는 그녀를 연못가의 벤치 위에 앉힌 후, 재킷을 벗어 걸쳐 주었다.

"백작님?"

"바람 좀 쐐, 린지안 군."

"저, 저는 괜찮은데⋯⋯."

사실, 괜찮지 않았다. 그리고 그 사실을 휘안 역시 아주 잘 알고 있었다. 지금껏 휘안이 보아 온 시종의 모습들 중, 지금이 가장 패닉 상태였으니까.

린지는 머쓱해하며 눈가에 고인 물기를 닦아 냈다. 살을 에는 듯한 바람 때문인지 뜨겁게 달아올랐던 얼굴이 조금씩 차갑게 가라앉아만 갔다. 마음 역시 마찬가지였다.

'레이라가⋯⋯.'

레이라가 그녀를 죽이려고 독을 탔다. 자신을 죽이려 했다.

그녀의 괴로운 외침이 귓가에 달라붙었다. 그녀의 슬픈 눈을 떠올리는 린지의 눈가에 다시 한 번 눈물이 차올랐다. 하지만 그녀는 결코 뺨 위로 눈물을 흘리지 않았다. 다만 눈이 더더욱 차갑게 냉각되어 싸늘해졌다.

'레너드……'

기름으로 범벅된 나뭇더미에 불이 붙은 것처럼 분노가 단숨에 타올랐다. 린지는 주먹 쥔 손에 힘을 주며 입술을 깨물었다. 눈물로 흐려진 시야 너머로 레너드의 얼굴이 또렷하게 떠올랐다.

'레너드!'

이 모든 참극을 흥미롭게 주도한 자가 바로 레너드였다. 그는 린지의 거부에도 아랑곳 않고 그녀를 자신의 실험에 끌어당기고 있었다. 굳이 몸에 호스가 연결되지 않았어도 린지는 그의 실험 재료 중 하나였다.

그는 자신이 소중하게 여겼던 레이라가 무너지는 모습을 보면 자신이 어떤 반응을 할지 궁금했을 것이다. 그리고 그동안 갈등하고 고뇌한 레이라의 반응을 물끄러미 지켜보았겠지. 타인의 삶을 부서뜨리면서, 아무런 감흥도 없는 관찰자의 눈빛으로.

린지는 스스로에게 맹세했다. 평생이 걸려서라도 레너드를 찾아내어 복수하겠다고! 그 어떤 비열하고 저열한 방법을 써서라도 그 남자를 박살 낼 것이다. 그녀는 자신의 죽음에 걸고 맹세하고 또 맹세했다.

"린지안 군."

옆에서 그녀를 지켜보던 휘안이 손을 뻗었다. 그의 체온이 어깨에 와 닿자 린지는 젖은 눈동자로 그를 바라보았다. 문득, 린지는 그가 왜 그렇게 레너드를 증오하는지 이해할 수 있었다. 그 악마 같은 자식과 접점이 생긴 순간부터 증오는 상대방이 감당해야 할 짐이었다.

"레너드가 너무 미워요."

린지는 너무 화가 나서 떨리는 목소리로 뱉어 냈다.

"레너드가 너무 미워서 견딜 수가 없어요, 백작님. 그자가 너무 원망스러워요."

"……."

"정말, 너무 죽여 버리고 싶어……."

섬뜩한 목소리가 흩어짐과 동시에 눈물 한 방울이 뚝 떨어져 내렸다. 이 눈물의 이유가 레이라에 대한 배신감 때문인지, 아니면 미안함 때문인지, 그것도 아니면 레너드에 대한 증오 때문인지 알 수 없었다.

휘안은 가라앉은 눈으로 그녀를 바라보다가 손을 들어 올려 눈물을 닦아 주었다.

"그것이 레너드가 의도하는 바야."

"……네?"

린지는 젖은 눈망울을 들어 올려 휘안을 바라보았다. 그는 어쩐지 자기 자신을 바라보는 듯한 눈빛으로 린지를 응시하고 있었다.

"레너드가 너에게 흥미를 가지고 있어. 때문에 네가 그 녀석에게 벗어나지 못하도록 이런 일을 꾸민 거야."

휘안은 엷은 미소를 만들어 내며 린지의 눈물을 다시금 닦아 주었다.

"하지만 그 녀석과 엮이면 불행해지지. 그러니 레너드에 대한 원망을 내가 대신 가져가도 될까. 내가 네 소원을 이루어 줄게. 그러니까 너는 레너드에게 얽매이지 마."

린지는 멍하니 백작을 바라보았다. 휘안은 지금 아무렇지도 않게 자신의 증오를 짊어지겠다고 말하고 있었다. 덤덤하게 말하는 휘안의 목소리는 너무나도 자연스러워 이 얘기를 처음으로 하는 사람 같지가 않았다. 이미 수십 번, 수십 명에게 같은 대사를 내뱉어 모두의 원망을 어깨에 짊어진 자 같았다.

린지는 그제야 예르시카와 하쥰을 이해했다. 왜 그들이 맹목적으로 백작을 따르고 있는지. 그들의 숙원을 이루어 주겠다고 말하는 자가 바로 백작이었던 것이다. 그리고 아마 휘안이라면, 이루어 줄 것이다.

"지금 대신 복수를 해 주겠다고…… 말씀하시는 겁니까."

"그래, 그렇게 얘기하고 있는 거야."

린지의 마음에 강렬한 불꽃이 타올랐다. 그것은 거부할 수 없는 유혹이었다. 그녀는 레너드와의 싸움에서 거의 승기를 잡았던 휘안의 모습을 떠올려 냈다. 휘안이라면 가능할 것이다. 그녀가 레너드에게 거하게 한 방 먹여 주고 싶다는 그 열망, 휘안이라면 쉽게 이루어 줄 것 같았다. 하지만…….

"……아뇨."

린지는 두 손으로 고인 눈물을 닦아 냈다. 한순간 물기에 젖어 부풀었던 붉은 눈동자가 침착하게 가라앉았다. 그녀는 백작의 보라색 눈동자를 똑바로 쳐다보며 또박또박 말했다.

"제 일은 제가 하겠습니다."

차가운 바람이 뺨을 스치고 지나갔다. 손등 위로 느껴지는 냉기를 느끼고서야 린지는 새하얀 눈이 내리고 있다는 것을 깨달았다. 가쁜 숨을 내쉬자 흰 입김이 피어올라 순식간에 흩어졌다.

휘안은 놀란 것 같지 않았다. 도리어 예상했다는 반응이라는 듯, 린지의 대답이 당연하다는 눈빛을 하고 있었다.

"하핫."

갑자기 휘안의 입가에 미소가 퍼졌다. 이 상황과 어울리지 않는 너무나도 해맑은 미소에 린지는 당황했다. 그녀는 그의 웃음을 바라보며 허둥지둥 말을 꺼냈다.

"그, 그나저나 레이라는 어떻게 처리하실 겁니까?"

"하하하."

하지만 휘안은 린지의 말을 듣는 둥 마는 둥 하며 웃음을 터뜨렸다. 잠시 머무는 웃음이 아닌, 낄낄거리며 배까지 잡았기에 린지의 표정이 점점 기괴해졌다. 심각한 얘기를 하고 있다가 갑자기 저렇게 웃다니, 제정신이 아닌 것처럼 보였던 것이다.

"아, 아하하. 미안해. 너무 그렇게 쳐다보지 마. 하지만 너무…… 하핫."

"……괜찮으신 겁니까? 머리를 다치기라도 하신 건가요?"

린지는 진심으로 걱정이 되어 물었다.

"미안, 미안. 괜찮아. 난 멀쩡하다고. 다만……."

휘안은 마지막으로 히죽 웃다가 린지의 머리칼 위로 손을 올렸다. 그리고 마구잡이로 헝클어뜨리며 말했다.

"너를 알게 돼서 너무 기뻐."

"에?"

완벽한 헛소리였기에 린지의 인상이 일그러졌다. 웃음기 어린 눈으로 린지를 바라보던 휘안이 문득 입을 열었다.

"레이라 양 때문에 많이 놀랐지?"

린지는 휘안의 말에 순간 허탈해지는 것을 느끼며 그를 바라보았다. 많이 놀랐지? 라니. 놀란 것을 넘어서 지금 머리가 얼얼할 정도로 충격을 받은 상태였다. 솔직히 미스릴을 봤을 때도 이 정도로 경악스럽진 않았다. 그런데 거기다가 대고 많이 놀랐지, 라니?

"그럼 안 놀랐겠습니까? 친구라고 생각했는데……."

퉁명스럽게 받아치던 린지는 문득 스스로의 말에 상처를 받고는 입을 다물었다. 그래, 친구라고 생각했는데…….

'……린지 아즈벨, 역겹다, 진짜. 웃기지 마.'

순간, 스스로에게 욕지기가 치밀어 올랐다. 친구라고 생각했다고? 내가?

'웃기지 마. 난 레이라를 욕할 자격 없어. 어차피 나도 레이라를 속였어.'

그녀를 좋아한 것은 사실이었으나 사실 진짜 친구로 여긴 것은 아니었다. 만약 자신이 키벨이 혼자 울고 있는 것을 목격했다면 그냥 지나쳤을까? 아니, 그러지 않았을 것이다. 키벨은 친구니까, 그가 걱정되어 어떻게든 위로해 주었을 것이다.

그러나 그녀는 레이라에게 그러지 않았다. 그녀가 절망한 날을 목격했음에도 불구하고 아무것도 하지 않았다. 자신을 죽이려 했던 레이라나, 나락에 빠졌던 레이라를 외면했던 자신이나 똑같았다. 똑같이 서로의 믿음을 저버리고 배신했으니 이제 와 그녀를 탓할 것도 없다는 생각이 들었다. 그런데 왜 이렇게…… 눈물이 나올 것 같은 기분인 건지.

휘안의 웃음 때문에 겨우 내려앉았던 감정이 또다시 치솟아 올랐다. 그녀가 이를 악물고 올라오는 감정을 내리누를 때였다. 휘안이 문득 손을 들어 올려 그녀의 머리를 쓰다듬었다. 차가운 겨울 공기 속에서 느껴지는 유일한 따뜻함에 그녀는 휘안을 바라보았다.

"……."

위로해 주고 있는 건가. 린지는 문득 웃음이 나왔다. 백작은 위로라는 것에 아주 서툰 사람일 거라는 생각이 들었다. 아마 그녀만큼이나 위로를 해 본 적이 없을 것이다.

'하지만 진심으로 걱정해 주고 있어.'

휘안은 서툴더라도 진심으로 그녀를 위로해 주고자 하고 있었다.

"레이라의 처분은 네 선택에 맡길게."

그의 말에 린지는 잠시 망설이다가 답했다.

"물론 레이라가 한 짓이 잘했다는 건 아니지만, 전 레이라를 원망하지 않아요. 레너드에게 이용당한 것뿐이니까. 그러니까……."

"그러니까?"

"……그냥 저택에서 내보내는 것으로 끝냈으면 좋겠습니다."

레이라는 아마 자신을 용서하지 않을 것이다. 그리고 자신 또한 레이라를 완전하게 용서할 수 없었다. 그럼에도 불구하고, 서로에게 떨칠 수 없는 죄책감을 느끼고 있겠지.

"그냥, 오늘 있었던 일은 잊고 싶습니다. 레이라도 다 잊고 새 시작했으면 좋겠어요."

"……"

아까까지만 해도 웃느라 정신없던 휘안이 지금은 신중하게 그녀를 바라보고 있었다. 그는 그렇게 말하는 그녀를 세상 사람이 아닌 듯한 눈빛으로 바라보다가, 넌지시 질문했다.

"하지만 레이라 양은 널 죽이려고 했는걸?"

"알아요. 제게 살의를 품었고, 실제로 죽이려고 시도했어요. 하지만 실패했죠. 그러니 그것으로 끝났으면 좋겠어요."

린지는 한숨을 푹 내쉬며 안쓰럽게 웃었다.

"받은 것을 똑같이 되돌려 주면 끝이 없을 거예요."

"……"

"게다가 레이라는 동생을 잃은 이유를 저 때문이라고 생각하니까요."

물론 그것은 레너드의 농간일 것이다. 실험실이 파괴됐다고 연구를 하지 못할 작자는 아닐 테니까. 다만 그는 레이라가 자신에게 증오를 품게 되길 바랐을 것이다.

'그리고 레너드는, 이번엔 내가 레이라를 미워하길 바라겠지. 개자식, 절대 뜻대로 움직여 주지 않을 테다.'

문득 린지는 휘안의 굳은 표정을 보고 고개를 기울였다. 마치 린지의 대답이 커다란 충격이라도 된 양 휘안의 입매가 경직되어 있었다. 그는 마치 스스로를 부정당한 사람처럼 딱딱하게 굳어 린지를 바라보았다.

"휘안 님?"

걱정스레 묻는 어조가 차가운 바람을 타고 흩어졌다. 그녀의 목소리가 울리는 순간 휘안의 표정이 서서히 풀어졌다. 오랜 시간 동안 냉각돼 있던 얼음의 결정체가 햇볕에 단숨에 녹아내리는 것만 같았다. 마치 어린아이처럼 맑은 미소를 보는 순간 린지의 심장이 거칠게 흔들렸다.

"린지안 군. 그거 알아?"

휘안은 어둠 속을 환하게 밝히는 미소를 지었다.

"나, 지금 처음으로 신이 존재할지도 모른다고 생각했어."

"네?"

영문을 알 수 없는 말이었다. 하지만 휘안은 부연 설명을 해 주는 대신 은은한 미소를 지을 뿐, 더 이상은 말하지 않았다. 그 미소에 린지는 왠지 모를 조급함을 느끼며 서둘러 시선을 돌렸다. 어쩐지 계속 보고 있다가는 심장이 터져 버릴 것만 같았던 것이다.

"여, 여하튼 백작님 덕분에 갑자기 정신이 확 드네요."

"그치? 그치?"

"네. 솔직히 아까 전까지만 해도 엉엉 울고 싶었는데, 덕분에 굉장히 침착해졌습니다."

사실이었다. 린지의 말에 백작은 어깨를 으쓱이더니, 그녀의 손을 덥석 잡아 왔다. 린지는 뭐냐는 듯 백작을 흘끗 쳐다봤다. 그러자 휘안이 변명하듯 웃었다.

"춥잖아."

"추우면 이만 들어가시죠, 백작님. 전 이제 괜찮습니다."

"싫어. 조금 더 이러고 있을래."

린지는 마치 어리광 부리듯 말하는 백작을 지그시 쳐다보다가, 문득 자신이 그의 재킷을 입고 있다는 것을 눈치챘다. 그녀가 서둘러 벗어 주려고 하자 백작이 린지의 어깨를 잡아 지그시 눌렀다.

"됐어. 린지안 군이 입고 있어."

"하지만……."

"난 추운 게 좋아. 말했었잖아?"

그러고 보니 백작이 예전에 한번 그런 이야기를 언급한 적이 있었다. 그 말에 린지는 몸부림치는 것을 멈추고는 휘안을 가만히 바라보았다. 짙은 어둠에 물든 휘안이 그녀를 응시하고 있었다. 보라색 눈동자 안으로 투영된 자신의 얼굴을 보는 순간, 린지는 이 장면이 무척이나 익숙하다는 것을 깨달았다.

그러고 보니, 휘안은 언제부터인가 항상 자신을 바라보고 있었다. 그의 옆모습을 본 적이 언제였더라, 자세히 생각이 나지 않을 정도였다. 함께 있을 때 휘안의 두 눈은 줄곧 자신을 향해 있었다. 그 안에 깃든 자신의 얼굴을 보는 것이 이렇게나 익숙해질 만큼.

"……제게 왜 이렇게 잘해 주십니까?"

린지는 저도 모르게 불쑥 질문했다. 그리고 스스로 깜짝 놀라 입을 다물었다. 의식하지 못한 사이에 나온 물음이었던 것이다.

'으아, 이게 뭔 헛소리야!'

린지는 얼굴을 붉히며 서둘러 휘안의 시선을 피했다. 그는 린지의 물음에 상당히 놀란 듯, 그녀를 더더욱 뚫어져라 쳐다보고 있었다. 린지는 어쩐지 자의식 과잉의 철없는 소녀가 된 듯한 기분에 도망치고 싶어졌다.

'하, 하지만 사실인걸. 원래 잘해 주긴 했지만 요새 들어 더 잘해 주잖아. 아무리 나를 신뢰하게 됐다고 해도, 하준이나 예르시카에게보다 훨씬 더 잘해 줘.'

줄곧 마음속에 품고 있던 의문이 불어나 입 밖으로 튀어나온 모양이었다. 린지는 항상 궁금했었다. 자신을 믿게 된 것은 둘째 치고 왜 이렇게까지 잘해 주는 건지 알 길이 없었던 것이다. 하준이나 예르시카 역시 휘안이 믿는 사람일 텐데, 그의 태도는 그들에게 하는 것과는 달랐다. 그 누구에게 하는 것과도 달랐다. 오로지 자신에게만 특별했다.

"죄, 죄송합니다. 제가 헛소리를 했어요."

린지는 노릇노릇 익은 새빨간 얼굴을 감추며 말을 더듬었다. 어쩐지 휘안이 '착각하는 거 아냐, 린지안 군?'이라고 장난스럽게 대답해 올 것 같던 것이다. 아마 왕자병이 있는 거 아니냐고 한껏 놀려 댈 수도 있다.

"알게 되면 많이 놀랄 거야."

그러나 한참 뒤 들려오는 휘안의 목소리에는 장난기가 없었다. 도리어 평소에 들어 본 일 없을 정도로 진지해서, 린지는 저도 모르게 휘안을 바라보았다. 강렬한 보라색 눈동자가 린지의 시선을 잡아챘다. 그녀는 저도 모르게 숨을 멈추며 그를 바라보았다. 마치 지금 그는 한 마리의 야수처럼 그녀를 사냥하고 있는 것만 같았다. 린지는 그 눈빛에 잡혀 옴 짝달싹 움직일 수가 없었다.

린지는 문득 그가 자신의 손을 깍지 끼고 있다는 것을 알아차렸다. 두 사람의 손가락이 얼키설키 엉켜 하나의 체온을 주고받을 때, 그가 린지의 손을 천천히 들어 올렸다. 그리고 여전히 린지에게 시선을 향한 채로 손등 위에 입술을 내리찍었다.

새하얀 입김이 두 사람 사이로 피어올랐다. 강한 칼바람이 스쳐 지나가는 가운데, 손등 위의 입술만이 마치 타오르는 낙인처럼 뜨겁게 내리눌렸다.

"내가 너에게 왜 이러는지, 넌 모르는 게 좋아."

그가 나지막이 속삭였다. 마치 그것은 날카로운 경고와도 같았다. 휘안은 그녀의 머리칼을 귓바퀴 너머로 넘겨 준 후 씩 웃었다. 평소와 다름없는 환한 미소였다.

"추운데 이제 들어갈까?"

"아, 네, 그…… 네."

린지는 저도 모르게 아무렇게나 대답하며 자리에서 벌떡 일어났다. 휘안은 그녀의 머리를 쓱쓱 쓰다듬은 후, 손을 여전히 잡은 채 저택 안으로 걸어 들어갔다. 그의 등 뒤를 멍하니 바라보던 린지의 얼굴이 한순간 붉게 달아올랐다.

'뭐, 뭐지?'

이상한 기분이 배 속에서 꿈틀거렸다. 그녀에게 있어서는 몹시 생소한, 하지만 최근 들어 여러 번 느끼는 괴상한 감각이었다. 몸 안의 실이 팽팽하게 당겨졌다가 이리저리 떨리는 것만 같은, 끔찍하면서도 묘한 쾌감이 느껴지는 감각.

린지는 확신했다. 이런 느낌은 휘안 때문이라는 것을. 휘안을 생각하거나, 혹은 휘안이 이해할 수 없는 행동을 할 때마다 이런 감정이 그녀의 마음속을 휘몰아쳤다. 그 마음은 괴롭고 울고 싶으면서도 온몸이 간질거려서 그녀를 견딜 수 없게 만들었다.

'이런 건 싫다고!'

린지가 자리에서 문득 멈춰 서자 휘안이 뒤를 돌아보았다. 그의 의아한 시선을 받은 린지는 어쩐지 반항적인 표정이었다.

"말해 주세요."

"뭐?"

린지는 침을 꼴깍 삼키며 휘안을 올려다보았다. 그는 도무지 알 수 없는 표정으로 린지를 쳐다보고 있었다. 매번 그에게 휘둘리는 것만 같은 이 이상한 기분, 이곳에서 떨쳐 내고 싶었다. 린지는 도전적으로 그를 바라보며 말했다.

"놀라지 않을 테니 말해 주세요. 제게 왜 이러시는 겁니까?"

"……."

"모르는 게 낫다니, 그런 게 어디 있습니까? 알고 싶으니까 말해 주세요."

왜 목소리가 떨리는 건지 린지는 이해할 수 없었다. 목소리뿐만이 아니라 심장이, 온몸이 미세하게 떨리고 있었다. 비단 살을 엘 듯한 추위 때문만은 아니리라.

두 사람 사이에 겨울바람이 기이한 소리를 울리며 지나갔다. 바닥에 쌓인 눈발과 바싹 마른 나뭇잎들이 한데에 섞여 바닥 위로 휘몰아쳤다. 휘안의 은발이 거칠게 흔들리는 순간, 그의 입가에 미소가 흘렀다. 어쩐지 화가 난 듯한 웃음인지라 린지의 몸이 굳었다.

"모르는 게 낫다고 경고했을 텐데."

"네?"

휘안의 손에 잡힌 린지의 손이 확 끌어당겨졌다. 단숨에 휘안의 가슴팍에 부딪힌 린지의 허리 위로 그의 손이 휘감겼다. 당황할 사이도 없이, 다른 쪽 손이 그녀의 머리를 잡고 단단히 고정시켰다.

"……!"

입술에서 느껴지는 뜨겁고 격한 감촉에 린지는 서둘러 휘안의 어깨를 밀었다. 그러나 그는 마치 돌덩이처럼 꿈쩍도 하지 않았다. 휘안은 떨어지기는커녕 그녀의 몸을 더더욱 강하게 끌어당기며 거칠게 입을 맞추었다. 강하게 밀어붙이는 힘에 린지의 몸이 비틀거리며 나무 기둥 위로 부딪쳤다.

린지는 놀라서 휘안의 옷을 떼어 내듯 잡아당기다가 문득 입 안을 파고드는 물컹한 감촉에 경악했다. 그녀는 저항하는 것도 잊고 온몸을 뻣뻣하게 굳혔다. 그 순간에도 휘안의 혀가 입 안을 핥고 있었다.

'……!'

이제 와서 이러는 것도 민망할 정도였지만, 휘안과 입을 맞춘 전적은 이미 여럿 있었다. 하지만 단언하건대, 그가 린지의 입 안까지 침범한 적은 없었다. 몇 번이나 혀로 입술을 쓸긴 했지만 그 이상은 하지 않았던 것이다. 그러나 지금의 휘안은 마치 금기를 어기듯, 린지의 혀를 부드럽게 쓸어 넘기고 있었다. 생전 처음 느껴 보는 감각에 린지의 배 속이 묘하게 뜨거워졌다.

린지는 휘안을 뿌리치기는커녕, 순간 다리에 힘이 풀려 그의 옷깃에 매달렸다. 그녀가 휘청거리는 것을 느낀 휘안이 그녀의 몸을 더욱 단단히 끌어안았다. 입 안을 아찔하게 휘젓는 감촉에 린지의 입에서 저도 모르게 신음이 흘러나왔다. 정신이 아득해져서 아주 먼 곳으로 끌려가고 있는 것만 같은 괴상한 기분이 들었다.

그렇게 린지가 완전히 혼미해져서 휘안에게 모든 것을 맡기고 있을 때, 문득 그녀의 눈이 번쩍 떠졌다. 휘안의 손이 그녀의 옷깃 안으로 파고들어 맨살- 허리를 타고 올라오려고 했던 것이다.

정신이 번쩍 든 린지는 온 힘을 다해 그를 뿌리쳤다. 한동안 매달려 있다가 갑자기 밀 줄은 몰랐던 건지, 휘안은 순순히 그녀의 힘에 밀려났다. 린지는 새빨갛게 얼굴을 붉히며 숨을 헐떡였다. 하마터면 그가 붕대를 만질 뻔했던 것이다.

"이, 이게 무슨……."

린지는 이렇게 말하면서도 입술에 머물러 있는 휘안의 흔적을 느끼고는 서둘러 닦아 냈다. 붕대를 들킬 뻔했다는 위기감과 함께, 휘안이 입을 맞춘 것에 대한 충격이 들이닥쳤다.

휘안이 입을 맞추었다. 이것이 몇 번째인지! 하지만 지금은 평소와는 달랐다. 처음의 입맞춤은, 그가 린지를 애인으로 착각해서였다. 두 번째는 유리나 공주를 속이기 위해서였다. 그리고 세 번째, 테라스에서 일어난 입맞춤은…… 아직까지 이해가 되지 않았지만, 아마 그가 분위기에 휩쓸려서 그랬던 거라고 생각했다. 하지만 지금은? 그는 린지를 애인으로 착각한 것도, 누군가를 속여야만 했던 것도, 또 입 맞출 만한 분위기였던 것도 아니었다. 도리어 정반대였다. 레이라의 배신에 충격받아 있던 상태가 아니었던가?

"말했잖아. 모르는 게 좋을 거라고."

휘안은 태연하게 웃으며 어깨를 으쓱였다. 방금 전까지만 해도 마치 잡아먹을 기세로 입 맞춰 오던 사람이라고는 믿기지 않을 정도의 침착함이었다.

"새삼스러울 것 없어. 줄곧 이러고 싶었으니까. 린지안 군이 옆에 있으면 난 이런 생각밖에 안 해. 입 맞추고 싶고 만지고 싶고 안고 싶어. 솔직히 자제하기 힘들 때도 많았어."

"⋯⋯!"

린지는 입을 떡하니 벌렸다. 머리에 돌이 그대로 내리 떨어진 것만 같았다. 휘안은 그녀의 마음을 아는지 모르는지 능청맞게 말을 이었다.

"지금 내가 무슨 생각 하는지 알아? 다시 널 끌어안고 하던 것을 마저 할까 말까 고민 중이야."

"아, 아, 안 됩니다!"

더욱 충격적인 말에 린지는 손을 획 뻗어 미친 듯이 휘저었다. 그녀는 마치 휘안이 당장이라도 다시 덮쳐 올 것만 같아서 잔뜩 몸을 움츠리며 외쳤다.

"이, 이러지 마세요, 백작님! 정신 차리세요! 대체 왜 이러시는 겁니까?"

"몰라서 물어? 내가 왜 이러는 것 같은데? 난 린지안 군이 좋아."

"저, 저도 백작님이 좋습니다. 하지만 입 맞추고 싶은 그런 좋음은 아니라고요?"

마치 날뛰는 사자를 애써서 달래는 것만 같은 기분으로 린지가 말했다. 그러자 백작이 그녀를 물끄러미 쳐다보더니 해맑게 웃었다.

"하지만 난 입 맞추고 싶은 그런 좋음이야."

"배, 백작니이이임!"

이게 대체 무슨 청천벽력이란 말인가! 오늘 하루는 운수가 최악인 것이 분명했다. 레이라에 이어 백작까지, 괴상한 말들을 고백하다니! 린지는 어지러운 가운데 정신을 똑바로 차리려고 노력하며 설득을 시도했다.

"저, 전 남자입니다. 백작님! 요새 여성분들을 많이 못 만나셔서 잠시 헷갈리시는 것 같은데, 저는 남자라고요!"

"알아. 나도 그것 때문에 갈등했었는데, 아무래도 안 될 것 같아. 린지 안 군이 남자든 뭐든 이젠 상관없어."

"저는 상관있어요!"

"하지만 방금 좋았잖아?"

백작이 능글맞게 웃으며 한 걸음 가까이 다가오자 린지가 나무 기둥 위로 바싹 등을 기댔다. 그녀는 두 팔로 몸을 감싸듯 막으며 말했다.

"지, 진정하세요, 백작님! 그리고 좋긴 뭐, 뭐가 좋습니까! 놀라서 그런 거예요!"

"아, 그래? 좋아하는 듯한 소리를 들은 것 같은데."

순간 린지의 얼굴이 터질 것처럼 새빨갛게 달아올랐다. 그러고 보니 아까 자신의 입술을 비집고, 생전 처음 내 보는 묘한 소리를 냈던 것 같기도 했다. 당혹스러운 린지를 바라보며 백작이 더욱 가까이 다가왔다.

"날 믿어 봐. 방금 것과는 비교도 되지 않을 만큼 기분 좋게 해 줄게."

"뭐, 뭐, 뭐, 뭐라고요?!"

"남자는 처음이긴 하지만 자신 있으니까. 걱정하지 마."

농담처럼 지껄여 대고 있지만 린지는 휘안의 눈이 진심이라는 것을 깨달았다. 그는 아마 입맞춤 이상의 무언가를— 린지는 평생 경험해 보지 못한 행위를 바라고 있음을 깨달았다. 순간 린지는 그가 원하는 것을 눈치채고는 서둘러 고개를 저었다.

"이, 이러지 마세요. 백작님. 전 남자라고요!"

"그래서 모르는 게 나을 거라고 경고했었잖아? 온 힘을 다해 잘 참고 있는데 건드린 건 린지안 군이야."

린지는 점점 바싹 다가오는 휘안의 어깨를 잡고 버텼다. 매혹적으로 웃으면서 다가오는 그의 얼굴이 원하는 것이 너무나도 확고했던 것이다. 또다시 입 맞추려는 듯, 그녀의 허리를 잡아당기는 휘안의 손에 린지가 어쩔 도리 없이 끌려갔다. 린지의 저항 어린 목소리를 휘안의 입술이 막았다. 또다시 휘감기는 능수능란한 입술에 린지는 미친 듯이 그의 어깨를 두들겨 때렸다. 순간 그가 피식 웃는가 싶더니 입술을 뗐다. 안도의 숨을 내쉬려는 찰나, 그의 입술이 이번엔 린지의 목덜미에 닿았다.

"……!"

린지는 목덜미에서 시작되어 온몸을 관통하는 쾌감이 발끝까지 퍼지는 것을 느꼈다. 그녀의 눈에 띄는 움직임에 휘안의 혀가 더 과감하게 그녀의 목덜미를 핥았다. 그의 입술이 바르르 떨리는 목줄기를 지나 귓불을 머금자 린지의 다리에 또다시 힘이 풀렸다.

"으…… 그, 그만하세요."

린지는 떨리는 목소리로 말하며 그의 어깨를 밀었다. 그렇게 말하는 그녀의 음성에는 확신이 없었다. 그만하라고 하긴 했는데, 짜릿한 느낌이 이상하게도 중독적인지라 정신을 똑바로 차릴 수가 없었다. 이런 쪽에는 전혀 내성이 없는 린지였던 것이다.

물기 어린 목소리를 느낀 휘안이 하던 것을 멈추고 린지를 물끄러미 바라보았다. 원망과 쾌락을 동시에 느껴서 혼란스러워하는 눈동자를 보고 휘안의 입술이 씰룩였다. 그리고 혼잣말하듯 중얼거렸다.

"아. 진짜 너무 귀여워."

그는 그렇게 말하고 린지를 꼬옥 껴안았다. 그리고 놀란 그녀를 달래듯 어깨를 토닥이며 쓸어 주었다.

"많이 놀랐지? 내가 지나친 것 같아. 미안해."

순간 그의 말에 린지는 형용할 수 없는 뜨거운 감정이 울컥 치솟는 것을 느꼈다.

"하지만 너무 많이 좋아해서…… 사랑하는 것 같기도 해."

"……."

"이런 마음 가져서 정말로 미안해."

품에 안고 등을 쓸어 주는 휘안의 말에 린지의 눈가에 눈물이 고였다. 연신 사과를 해 대는 휘안의 목소리에 - 그리고 좋아한다는, 사랑한다는 말에 린지의 입술이 떨려 왔다. 울고 싶지 않았다. 한데 도무지 눈물을 막을 방법이 없었다. 아무리 입술을 깨물고 주먹을 쥐고 참아 보려고 해도 어느덧 흘러내린 눈물이 뺨을 타고 내려 턱 아래로 떨어져 내렸다.

'아파…….'

마음이 아팠다.

'이렇게 힘든 임무는 처음이야, 도저히 더는 못 하겠어. 더는…….'

이대로 가다가는 부서지고 말거야. 마음이 산산조각 나 형체도 없이 잘게 부서져서 아주 아프게 될 거야. 린지는 자신의 앞날을 예상할 수 있었다. 모든 것이 엉망이 되어 버릴 것이다.

chapter 14. 싫지 않다는 것

이른 새벽, 린지는 평소보다 더 일찍 일어나 있었다.

한동안 눈송이가 흩날리는 창밖을 바라보던 그녀는 소파에 앉아 책을 들어 올렸다. 요 며칠 동안 읽고 있던 책이었다. 책이라고는 몸서리칠 만큼 질색하던 린지가 누구의 권유가 아닌, 스스로의 의지로 책을 읽는 것을 본다면 아무도 믿지 못할 것이다. 그녀를 키워 온 유시젠 역시 린지의 능력이 무예 쪽에만 집중되는 것이 아쉬워 몇 번이나 공부를 시켜보려 했지만 결과는 대실패. 항상 부지런하고 성실한 린지지만, 글 앞에만 서면 춘곤증에 걸린 양 꼬박꼬박 졸아 댔었다.

하지만 지금 그녀는 책을 읽고 있었다. 그것도 제법 두꺼운.

"흐음."

책장을 넘기는 린지의 미간이 좁아졌다. 그녀가 읽고 있는 것은 아주 유명한 로맨스 소설로 남녀노소 다 한 번쯤은 읽어 봤을 정도로 폭풍적인 인기를 끌고 있었다.

남자 주인공은 권위 높은 공작이었고 여자 주인공은 몰락 귀족 출신으로, 빚을 갚기 위해 공작가의 시녀로 들어가게 된 여인이었다. 공작은 오만한 데다 바람둥이지만 굳센 여 주인공을 보며 사랑을 느끼게 된다는, 너무 뻔하지만 묘하게 시선을 끄는 스토리였다.

"뭐야 이거."

린지는 책장을 넘길수록 인상을 구겼다. 사실 이것은 린지가 태어나서 처음으로 읽어 보는 로맨스 소설이었다. 소설뿐만이 아니라 '로맨스'나 '사랑' 혹은 '연애'라는 단어와는 백만 광년 떨어진 삶을 살아왔기에 경험도 흥미도 없는 그녀였다. 때문에 그녀는 책 속에서 벌어지는 일들이 믿기지가 않았다.

"사랑해 린제! 널 위해서라면 내 목숨도 바칠 수 있어!"

남자 주인공 휘스의 대사를 읽던 린지의 몸에 소름이 돋았다. 그녀는 그 문장에 숨겨진 거대한 비밀을 찾아내기라도 하려는 듯 몇 번이나 곱씹어 읽어 내렸다.

'정말 모르겠네. 게다가 이름이 휘스랑 린제라니, 나랑 휘안 백작이랑 비슷하잖아.'

남자 주인공의 열띤 구애를 공감하지 못한 린지는 결국 책을 덮었다. 요 며칠 항상 이런 식이었다. 그들의 감정을 따라가지 못한 린지는 결국 어리둥절한 마음으로 책을 내려놓는다. 린지가 한숨을 내쉬며 의자 등받이에 몸을 기대는 순간이었다.

"너무 많이 좋아해서…… 사랑하는 것 같기도 해."

"으아아아악!"

문득 지난날의 기억이 떠오르자 린지는 비명을 지르며 자리에서 벌떡 일어났다. 해일처럼 덮친 부끄러움과 미묘한 감정에 린지의 얼굴은 새빨개져 있었다. 그녀는 그 목소리를 떨쳐 내려는 듯 고개를 획획 저었다. 하지만.

"너를 사랑하고 있어."

"꺄아아악!"

뒤이어 뱉어진 휘안의 대사들이 떠오르자 린지는 침대 위로 다이빙해서 몸을 굴렸다. 이불을 돌돌 말다가 뻥뻥 걷어차고 난리도 아니었다. 잠시 후, 숨을 거칠게 몰아쉰 린지는 두 손으로 얼굴을 짚었다. 손바닥으로 느껴질 만큼 뜨거운 열기가 얼굴에 몰려 있었다.

"왜 그런 말을 하는 거야……."

일주일이 지났지만 아직도 그날의 열기가 생생했다. 눈앞을 왔다 갔다 하는 그날의 휘안이 보고 싶지 않아 눈을 꽉 감으면 눈꺼풀 위로 아른거렸다. 때문에 린지는 그날 이후로 깊게 잠을 이룰 수가 없었다. 온몸을 관통하는 듯한 초조함, 이해할 수 없는 긴장감 때문에 자다가도 몇 번이나 깼던 것이다.

"미치겠네 진짜."

린지는 한숨을 내쉬며 천장을 올려다보았다. 이번에도 역시 휘안의 웃는 얼굴이 두둥실 떠올라 허공을 부유했다. 그녀는 멍하니 그의 잔상을 바라보며 중얼거렸다.

"거짓말……."

그날 일이 마치 꿈같았다. 자신을 죽이려고 한 레이라의 울부짖음, 그리고 바로 밀려온 휘안의 고백. 하얗게 뒤덮인 정원에서 눈발을 맞으며 뜨겁게 다가왔던 입술. 그리고 목소리…….

'그 녀석이 날 그렇게 생각하고 있었다니.'

믿기지 않았다. 휘안 데 르카플로네 백작이 자신에게 그런 감정을 품고 있었을 거라고는 꿈에서도 상상해 본 적이 없었다. 왜 아니겠는가? 휘안은 수많은 미인들의 사랑을 가볍게 여길 만큼 눈이 높은 철벽남이다. 유리나 공주 같은 미녀의 애정 공세를 지긋지긋하다고 여길 정도의 남자가 자신을 좋아한다고, 사랑한다고 말하다니…….

'정말 남색가였나.'

린지의 눈은 몹시 무겁게 가라앉아 있었다. 지난날 키벨과 유시젠이 은근슬쩍 내던졌던 말들이 이제 와 하나둘 수면 위로 떠올라 그녀를 괴롭혔다. 유시젠은 대놓고 백작이 남색가 같다고 평가했던 전적도 있었다.

'남자를 좋아했다니.'

휘안은 자신을 남자로 알고 있다. 그런데도 그는 사랑한다고 말하며 입을 맞췄고, 그 이상의 관계를 원한다고 노골적으로 표현했었다. 즉 그는 남자를 좋아했던 것이다.

"아니면 양성애자, 뭐 이런 건가……. 그런 게 아니고서야 남자인 나를."

그러고 보니 그가 그날 '남자는 처음이지만'이라는 대사를 던진 적이 있었다. 그렇다면 남자를 좋아한 전적이 없다는 걸까?

'그럼 남색가가 아니잖아. 나는 여자니까. 아니지, 하지만 휘안은 내가 남자인 걸 모르잖아. 그 녀석은 자신이 남자를 좋아한다는 사실을 받아들였단 말이야?'

머리가 지끈지끈 아파 와 절로 한숨이 튀어나왔다. 요 근래 린지의 머릿속은 항상 이런 식이었다. 그날 밤 휘안과 있었던 일로 가슴이 쿵쾅거리고 혼란스러운 감정을 느끼다가 이성적으로 생각하기 시작하면 결국 침울해졌다.

'그런데 이 녀석은 아직도 안 오고 말이야.'

그날 밤이 지나고 다음 날 아침, 린지는 떨리는 마음 반 도망가고 싶은 마음 반으로 백작을 깨우기 위해 방으로 향했었다. 그러나 그는 언제 떠났는지 르카플로네 영지로 간 후였고 아직까지도 자리를 비운 상태였다. 린지를 이렇게 혼란스럽게 만들어 놓고 혼자 쏙 사라진 것이다!

"에라, 모르겠다."

린지는 슬슬 여섯 시를 가리키는 시계를 보고 자리에서 발딱 일어났다. 휘안이 있든 없든 그녀는 여섯 시마다 그의 방에 가서 확인할 의무가 있었다. 그녀는 일주일째 텅 비어 있던 휘안의 방으로 향하며 투덜거렸다.

'그 녀석 혹시 부끄러워서 도망간 거 아니야? 그럴 수도 있지. 그렇지 않고서야 그다음 날 바로 사라져서 지금까지 안 왔을 리가…….'

속으로 꿍얼거린 린지는 의무적으로 방문을 노크했다. 그리고 다음 순간, 목소리가 들려왔다.

"들어와, 린지안 군."

린지가 손을 흠칫 멈추며 문을 바라보았다. 심장이 쿵 하고 내려앉는 소리가 울렸다. 휘안이 돌아온 것이다.

"잘 지내고 있었어?"

휘안은 커피 한 잔을 마시며 데스크에 앉아 있었다. 휘안과 눈이 마주치는 순간, 린지는 발끝에서부터 꿈틀거리는 묘한 감정이 몸 위로 슬금슬금 올라오는 기분을 느꼈다. 어쩐지 도망가고 싶은 심정이었다.

"자, 잘 다녀오셨습니까."

태연한 척 말하려고 했지만 린지의 첫마디는 떨림을 품고 있었다. 그러나 그녀는 자신이 떨었다는 것도 눈치채지 못할 만큼 정신이 없는 상태였다. 어디선가 기차가 지나가는 것 같은 요란한 환청이 들리는 것 같았기 때문이다.

"응. 그나저나 날이 너무 추워졌더라고. 쉽게 돌아다닐 수가 없을 정도야. 린지안 군도 조심하도록 해."

"아, 네, 알겠습니다."

허둥거리는 린지를 아는지 모르는지, 휘안은 평소처럼 말끔한 얼굴로 씩 웃더니 신문을 향해 시선을 내렸다. 그는 신문 한 페이지를 넘긴 후 다시 커피를 한 모금 마셨다.

'……'

린지는 멍하니 그 모습을 바라보았다. 모락모락 김이 올라오는 따뜻한 커피의 향기, 휘안의 등 뒤로 잘게 부서지는 환한 아침 햇살, 그리고 그의 고갯짓에 따라 흔들리는 은빛 머리칼……. 린지는 마치 휘안을 생전 처음 본 것만 같은 기분이 들었다.

"린지안 군?"

"아, 네."

린지는 휘안의 의아한 물음에 그제야 자신이 그를 넋 놓고 바라보고 있었다는 것을 깨달았다. 그녀는 허둥지둥 고개를 숙이며 주위를 두리번거렸다.

"아, 아침 드셔야죠. 금방 준비해 오도록 하겠습니다."

"아니, 괜찮아."

등을 돌아 나가려던 린지는 휘안의 거부에 자리에서 멈춰 섰다. 그는 신문을 탁 덮더니 자리에서 몸을 일으켰다. 그러고 보니 그는 이미 외출 준비를 끝마친 상태였던 것이다. 휘안은 옷걸이에 걸려 있던 코트를 걸치며 씩 웃음을 지었다.

"트와일럿의 임원진들과 아침 약속이 있거든."

"아아, 그렇군요. 알겠습니다. 그럼 저도 나갈 준비 하도록……."

린지는 난감하게 웃는 휘안의 얼굴을 보고 말을 멈췄다.

"린지안 군은 오지 않아도 돼."

"네?"

"아무 일도 하지 말고 쉬고 있도록 해. 그동안 많이 다쳤잖아? 나 혼자 다녀올 수 있어."

"네? 하지만……."

휘안은 상냥한, 하지만 단호한 목소리로 말했다.

"명령이야."

명령이라는 마법의 단어를 말한 휘안은 정말로 혼자 트와일릿에 가 버렸다. 덕분에 또다시 할 일이 없어진 린지는 그의 '명'에 따라 멍하니 침대에 누워 있었다. 집사에게 가서 일을 달라고 요청했으나, 집사는 이미 휘안에게 언질을 받은 것인지 방에서 쉬는 것이 해야 할 일이라는 말까지 던진 것이다.

'좀 서운하네. 예전엔 그렇게 데리고 나가더니.'

그렇게 한동안 방에서 멀뚱거리며 시간을 때운 린지는 휘안의 마차가 도착했다는 소식을 듣고 자리에서 일어났다. 그녀는 그를 마중 나가기 위해 저택 밖으로 나섰다.

"어머, 겨울에도 정말 아름다운 정원이네요."

정원을 가로지르는 와중 린지는 앞에서 들려오는 목소리에 귀를 기울였다. 귀족 영애의 것이 분명한 우아한 억양이었다.

"그래? 하지만 봄에는 더 아름답지."

휘안이 걸어오고 있었다. 그의 옆에는 팔짱을 끼고 있는 여인이 있었는데, 길게 늘어뜨린 붉은 생머리가 인상적이었다.

린지와 눈이 마주친 휘안이 웃으며 손을 들었다.

"린지안 군, 마중 나와 준 건가?"

"아, 예, 예에."

린지는 그의 목소리에 그제야 정신을 차리며 재빨리 그에게 다가가 서류 가방을 건네받았다. 휘안의 팔짱을 낀 여인이 린지를 빤히 쳐다보는 것이 보였다.

"아, 안으로 모시겠습니다."

린지는 그녀에게도 허리를 숙여 인사해 보이며 재빨리 앞장섰다. 어째서인지, 휘안의 가방을 건네받은 린지의 손끝이 잘게 떨리고 있었다.

"어머, 휘안도 참. 이런 거 필요 없는데!"

새처럼 가느다란 여인의 목소리가 저택에 울렸다. 에르제트 후작 가문의 영애인 루피아가 깔깔거리며 웃음을 터뜨렸다.

"고맙게 받을게요. 아아, 너무 예뻐!"

루피아의 앞에는 반짝거리는 목걸이와 귀걸이 세트가 비단 안에 고이 담겨 있었다. 휘안은 좋아하는 그녀의 모습을 지켜보다가 문득 목걸이를 들고 일어났다.

"어머, 내가 해도 되는데……."

그렇게 말하면서도 루피아의 얼굴에는 좋아하는 티가 엄청 나고 있었다. 백작은 그녀의 등 뒤로 다가가 목걸이를 걸어 주었다.

"예뻐. 역시 당신에게 어울릴 것 같았어."

"어머, 휘안도 참……. 정말 고마워요. 소중히 여길게요."

한편, 린지는 후작 영애가 주문한 차를 타면서 그들의 속삭임을 듣고 있었다.

'얼씨구. 좋단다.'

잠시 잊고 있었지만 휘안은 바람둥이였다.

최근에 린지는 휘안과 좋은 관계를 유지했다. 그 관계가 너무나 윤택하여 그에 대한 죄책감 때문에 마음이 아파 올 정도였다. 그의 믿음을 완전히 사고 소중한 사람 중 한 명이 되어 예쁨받아 왔다. 그래서였을까. 휘안은 신기할 만큼 여자들과의 교류를 끊었었다. 하지만 그것은 잠시였을 뿐이었다.

"실례하겠습니다."

린지는 정중하게 말한 후 테이블 위에 찻잔을 올려놓았다. 루피아 영애가 특별히 부탁한 로즈마리 티였다. 루피아는 다가온 린지를 흘끗 올려다본 후 인상을 팍 찡그렸다. 얼마 전, 추수제 때 봤을 때도 느낀 거지만 이 시종은 여인의 기를 죽일 만큼 아름다웠던 것이다.

'재수 없어. 피부는 왜 저렇게 좋아? 잡티 하나 없네.'

매일 아침, 장미수로 세안하고 온갖 에스테틱을 받아 가며 관리하는 자신과는 비교도 되지 않을 만큼 매끄러운 우윳빛 피부다. 사내 주제에 저렇게 뽀얗고 야리야리하다니, 귀족 영애들의 얄미움을 받기엔 충분한 시종이었다. 루피아 역시 굉장히 투명한 피부를 가지고 있는지라 지금껏 살아오며 자신보다 고운 피부를 가진 사람을 본 일이 없었다. 린지안이라는 저 시종을 만나기 전까지 루피아는 피부에 대한 자부심이 대단했다. 하지만 저 백설 같은 시종을 본 이후로 루피아는 자신감을 상실하게 되었다.

'뭐, 그래도 휘안이 딱히 아끼는 것 같지 않으니까.'

한때 휘안이 시종에게 홀라당 빠졌다는 이야기가 떠돌았지만 헛소문이었을 뿐. 실제로 추수제 때의 파티에서 휘안은 이 시종의 뺨을 내리치지 않았던가? 그 일 이후로 그런 풍문은 싹 사라져 버렸다. 그뿐만 아니라…….

'쳐다보지도 않잖아.'

줄곧 휘안의 눈동자는 자신만을 향해 있었다. 애정 넘치는 그의 보라색 눈을 바라보며 루피아는 샘솟는 행복을 느꼈다. 그녀의 헛된 자신감이 아니었다. 휘안이 먼저 여자에게 다가오지 않는 것은 이미 유명한 일화였다. 그는 항상 접근하는 여자들과 어울릴 뿐, 먼저 다가갔다는 이야기를 들은 적이 없었다. 그러나 휘안은 루피아에게 먼저 다가왔다. 다가와 인사를 건네고, 외모를 칭찬하고, 함께 외출할 것을 제안했던 것이다.

'시종에게 빠졌다는 것은 휘안에게 차인 여자들의 핑계임이 분명해. 봐, 내 눈에서 시선을 못 떼잖아.'

루피아는 시종이 타 온 로즈마리 티를 마시며 웃었다.

"고마워요. 이 목걸이, 정말 갖고 싶었던 건데."

"당신이 좋아하니 기쁘군."

휘안이 그렇게 말하는 와중, 용무를 다 본 린지가 인사를 올린 후 방문을 나섰다. 탁! 방문이 닫히는 소리가 들리자 줄곧 루피아를 바라보고 있던 휘안이 고개를 돌렸다. 그는 묘한 표정으로 시종이 나간 문에 시선을 주고 있었다.

"휘안? 왜 그러죠?"

"아니. 아무것도 아니야."

휘안은 다시금 그녀를 바라보았다. 평소처럼 웃는 얼굴이었다.

그날 저녁, 침대 위에 대자로 누운 린지의 얼굴은 멍했다. 실제로 그녀는 거의 넋이 나간 상태였다.

'뭐야, 그 녀석.'

휘안은 오후 내내 루피아와 즐거운 시간을 보낸 후 그녀를 보내고 또다시 혼자 밖으로 나가 버렸다. 이번엔 무슨 용무인지 알려 주지도 않고 나가 버린지라 린지는 또다시 할 일 없이 방에서 빈둥거릴 수밖에 없었다. 게다가 아직까지도 들어오지 않고 있다. 이미 취침 시간이 지났는데도, 어디 갔는지 말도 안 해 주고 들어올 생각을 안 하니……. 갑자기 부아가 치밀어 올랐다.

'이상한 놈.'

휘안이 오늘 보여 준 모습 중 이해할 수 있는 부분이 단 한구석도 없었다. 물론 그는 평소처럼 상냥하고 다정한 웃는 얼굴이었다. 언제나처럼 똑같은 모습이었던 것이다. 하지만 그래서는 안 되지 않은가? 린지는 이제 전과 같이 휘안을 바라볼 수 없었다. 그날 밤 휘안이 내던진 그의 마음이 모든 것을 바꾸어 놓아 버렸다. 때문에 그들의 관계는 전과 같을 수 없는 것이었다.

'그렇게 좋아한다고, 아니 사랑한다고 말해 놓고. 그렇게 키, 키스해 놓고 이래도 되는 거야?'

그날 밤의 휘안은 믿기지 않을 정도로 애절해 보였다. 그녀를 사랑한다고, 원한다고 온몸으로 말하고 있었던 것 같았다. 그런데 아무 일도 없었다는 듯한 모습은 무어란 말인가. 마치 그날 일은 아무것도 아니라는 듯, 그저 스쳐 지나가는 바람처럼 가벼운 해프닝이라는 듯…….

'확실한 건 나 혼자만 고민했다는 거야.'

휘안이 없는 일주일 동안 얼마나 머리를 싸매고 고민했던가. 자다가도 몇 번이나 벌떡 일어나고 꿈에서도 그가 나오는 둥 그동안의 그녀는 거의 정상이 아니었다.

과연 휘안도 그러했을까? 오늘의 태도를 보니 답은 쉽게 나왔다. 그는 아무렇지도 않았을 것이다. 린지에게 태풍과도 같은 영향력을 행사해 놓고, 본인은 태연하게 흥얼거리며 평상시의 일상을 이어 나갔겠지. 그렇게 생각하자 화가 치밀어 올라 견딜 수 없었다.

"하긴 그 녀석 특기가 뒤통수치는 거였지!"

린지는 침대 위에서 발을 크게 구르며 소리쳤다. 그동안 묘하게 울렁거리며 크게 맥동했던 심장 소리에 잠이 깼던 것, 온몸을 바싹 쪼이는 알 수 없는 초조함을 느꼈던 것, 그 모든 것이 억울하게 느껴졌다. 휘안 녀석은 천하태평 한데 마음고생 한 것은 자신 혼자였다!

'게다가 여자랑 데이트까지 하고.'

이 부분이 제일 어이가 없었다. 사랑을 고백한 상대가 눈앞에 떡하니 있는데 다른 여자랑 놀아나다니? 린지는 휘안이 무슨 생각을 하고 있는지 먼지만큼도 짐작할 수 없었다. 사이코패스이거나 또라이임이 분명했다.

'재수 없어.'

가슴속에서 부글거리는 뜨거운 감정이 끓어올랐다. 너무나 화가 나서 제어가 안 될 정도였다. 린지는 침대 위에서 바둥거리며 구르다가 씩씩 거리며 자리에서 몸을 일으켰다.

"휘안, 이 나쁜 자식 같으니라고!"

린지가 느꼈듯, 그 이후로도 휘안의 태도는 무서울 만큼 전과 다름이 없었다. 아니, 단 하나 달라진 것이 있다면 더 이상 린지가 깨우지 않아도 일어나 있는 것이었다. 무슨 바람이 분 건지 모르겠지만 백작에게는 대단한 발전임이 분명했다.

"오늘도 아침 식사는 나가서 드실 겁니까?"

휘안은 린지가 챙겨 주는 목도리를 건네받으며 고개를 끄덕였다.

"응. 약속이 있어서."

"그러시군요."

최근 들어 휘안은 저택에서 밥을 먹는 일이 거의 없었다. 얼마나 많은 약속들을 달고 사는 건지, 항상 밖에서 누군가와 밥을 먹었다. 오늘 아침도 밖에서 먹는다는 소식에 린지는 담담하게 고개를 끄덕였다.

"린지안 군은 오늘 푹 쉬도록 해."

"……."

이번에도 안 데리고 나가는군. 린지는 눈을 가느다랗게 뜨며 휘안을 바라보았다. 하지만 별다른 항변을 하는 대신 순순히 고개를 끄덕이다가 말했다.

"괜찮으시다면 오늘 외출을 해도 될까요?"

"응? 외출이라고?"

"네. 저택에서 쉬느니 밖에서 살 것 좀 사고, 바깥공기도 쐬고 싶어서요."

린지가 일하면서 이런 말을 꺼낸 건 처음이었기에 휘안이 눈을 동그 랗게 떴다. 그는 잠시 할 말을 잃은 표정이었으나 곧 고개를 끄덕였다.

"물론이지. 보람찬 자유 시간 보내도록 해, 린지안 군."

"감사합니다."

린지는 그날 오후, 예전 휘안이 사 주었던 코트와 목도리로 온몸을 둘러 싸고 밖으로 나섰다. 살을 얼리는 듯한 추위에 몸서리가 쳐질 정도였다.

'으, 추워.'

린지는 지나가던 마차를 잡아타고 루단테 로드로 향했다. 사실 휘안에 게 외출한다고 말한 것은 충동적인 결정이나 마찬가지였다. 오늘도 밖에 나간다고 말하는 휘안을 보니 저도 모르게 그렇게 말해 버린 것이다.

'잘됐어. 그렇지 않아도 생각 정리할 것도 있었으니까.'

린지는 눈이 쌓인 루단테 로드를 걸었다. 항상 쇼핑을 즐기는 귀부인 들로 가득했던 거리가 추위 때문인지 몹시 한산했다. 그녀는 넋 놓고 거 리를 걷다가 문득 자리에서 멈춰 섰다. 멈춰 선 그녀의 모습이 여성복 매장 유리 창문에 비춰지고 있었다. 유리 너머로 디스플레이 된 원피스 와 털 코트, 여성용 장갑들을 바라보던 린지는 익숙한 구조라는 것을 깨 닫고 간판을 바라보았다.

"······레너드 녀석이 데리고 왔던 곳이잖아."

레너드의 얼굴이 떠오르자 린지의 눈썹이 일그러졌다. 모처럼 밖에 나왔는데 그 재수 없는 자식이 떠오르다니······. 린지는 더러운 것을 보듯 서둘러 고개를 돌리며 발걸음을 옮겼다.

'젠장, 레너드 자식. 다음에 만나면 가만두지 않을 거야.'

린지는 속으로 레너드에 대한 증오를 불태우며 온갖 욕설을 중얼거렸다. 만약 만나게 되면 복수하리라, 그렇게 결심하고 있었지만······ 대체 어떻게 해야 할 수 있을까. 그 녀석은 고대 지식을 가진 연금술사에 힘도 린지보다 훨씬 강해서 육탄전으로는 도저히 당해 낼 수가 없다.

문득 휘안의 얼굴이 스쳐 지나갔다. 린지는 또다시 자리에서 우뚝 멈춰 서며 그를 떠올렸다. 자신의 원망을 대신 떠안겠다고 말했던 휘안의 진지한 눈이 떠올랐다. 하지만 그녀는 단칼에 거절했었다. 그러자 그는 뭐가 그렇게 유쾌한지 낄낄 웃었고, 잠시 후에는 입을 맞추었었지······.

"으아아!"

열심히 파묻어 두었던 기억이 떠오른 린지의 입에서 비명이 터졌다. 그녀는 씩씩 숨을 몰아쉬며 또다시 걸음을 재촉했다.

'젠장, 생각하지 않기로 했잖아! 그 녀석의 변덕일 뿐이라고!'

그 변덕을 진지하게 받아들이고 휘둘렸던 자신이 한심하게 느껴질 뿐이었다. 왜 그렇게 심각하게 생각했을까? 아무리 휘안에게 이런저런 사정이 있다 한들, 그가 바람둥이라는 것은 변하지 않는 사실이었다. 다만 이번에 그의 바람기가 자신에게도 닿았을 뿐이었다.

'바람둥이 자식. 남자인 시종에게도 마수를 뻗치다니, 그리고서는 아무 일도 없었다는 듯이 행동하다니.'

하지만 더 이상 휘둘리지 않을 것이다, 휘안 데 르카플로네. 린지는 마음을 다잡으며 걷다가 문득 허기를 느꼈다. 그러고 보니 이 시간이 되도록 아침도 먹지 않았다. 린지는 주위를 둘러보다가 가장 가까이에 있는 레스토랑으로 들어갔다. 그리고 창가 쪽에 자리를 잡고 대충 메뉴를 정해 주문했다. 날이 추워서인지 레스토랑 내부도 몹시 한산했다.

'잘됐네. 생각 정리하기 좋아.'

레스토랑에 흘러나오는 부드러운 재즈를 들으며 린지는 턱을 괴었다.

'대체 누구일까.'

그동안 미뤄 두고 있던 의문이 떠올랐다. 저택 내부에, 누군가 린지의 비밀을 아는 자가 있다. 누군가가 린지의 옷을 갈아입힐 때 붕대를 풀어 가슴을 확인한 것이다. 그 사실을 눈치챈 린지는 그날 바로 도망가려 했지만 레이라와의 일이 터져 떠나지 못하게 되었다.

'지금이라도 떠나야 하는 걸까.'

누군가가 그 비밀을 알고 있고 언제 휘안의 귀에 들어갈지 모를 일이다. 자신의 비밀이 들통 나기 전에 저택을 떠나야만 했다. 최악의 상황에는 왜 성별을 감추었냐는 문책만으로 끝나지 않을 것이다. 의심 많은 휘안이라면 린지에게 또 다른 목적이 있다는 것을 알아차리고 심한 고문을 행할 수도 있었다.

휘안이 고문을 한다. 린지는 그 문장을 몇 번이나 마음속으로 중얼거려 보았다. 여자란 것을 알게 된 휘안이 고문을 해 온다— 가능성이 없는 일은 아니었다. 그는 순진하게 '그냥 여자로 일하면 힘들어서 남장했다'는 말을 믿어 줄 사람은 아니었다.

'휘안이 내게 고문을 할 수 있을까.'

그녀는 또다시 필연적으로 휘안을 떠올려 버리고 말았다. 그는 자신을 몹시 소중하게 여기고 있다. 최근 '그 사건' 이후로 멀어진 느낌이 없잖아 있지만, 그전까지만 해도 휘안은 진심으로 린지를 아껴 왔다. 때문에 만일 린지가 줄곧 거짓말을 해 왔다는 것을 알게 되면……

'상상하기 싫어.'

린지는 한숨을 푹 내쉬었다. 그가 자신에게 느낄 배신감을 상상하자 등 뒤로 한기가 일었다. 어쩐지 그 모습을 생각하니 마음이 시큰거리면서 아파 오기까지 했다. 지금껏 줄곧 린지를 괴롭혀 왔던 죄책감보다 더욱 고통스러운 감정이었다.

답은 정해져 있다. 처음 떠올렸던 방안이 정답이었다.

"떠나야 해……."

린지는 나지막이 중얼거렸다. 어째서인지 그 결정을 내리는 것이 어려워 지금껏 생각하길 미뤄 왔지만 답은 변치 않는다. 다시 생각해 봐도 지금이야말로 린지가 떠나야 할 때였다. 린지안 아르즈벨이라는 이름으로 잠복근무하는 임무를 끝낼 때였다.

그때 점원이 음식을 내오자 린지의 생각이 깨졌다. 그녀가 스푼을 들어 음식을 먹으려는 순간이었다.

"린지안 군?"

린지는 옆에서 들려오는 목소리에 고개를 획 돌렸다. 한 여인이 놀라운 기색을 숨기지 못한 채 린지를 바라보고 있었다.

"린지안 군, 맞죠?"

"아."

린지는 그녀를 떠올리고는 곧바로 자리에서 일어났다.

"레진 님."

트와일럿의 간부, 레진이었다.

"정말 신기하네요. 이런 곳에서 우연히 만나고."

린지는 레진과 합석하여 함께 식사를 하게 되었다. 생각하는 것을 방해받게 되었지만 언젠가 한 번쯤 사적으로 이야기를 나눠 보고 싶었던 상대였기에 반가운 마음이 앞섰다.

"예. 뵙게 되어 정말 반갑습니다."

"어머."

린지의 진지한 어조에 레진은 눈을 동그랗게 뜨더니 웃음을 터뜨렸다.

"저도 반가워요. 그런데 여기서 뭘 하고 있나요? 일하는 시간 아니에요?"

"아, 지금은 자유 시간입니다. 백작님께서 자유 시간을 주셔서……."

"어머나. 저도예요. 모처럼 휴가를 신청했거든요."

레진은 스파게티를 말아 입에 넣은 후 말했다.

"요새 너무 바빠서 쇼핑을 못 했거든요. 그래서 날 잡고 겨울옷 한번 사려고 휴가를 냈어요. 트와일릿은 복지가 굉장히 좋아서 직원들에게 제공하는 휴가가 무제한이거든요."

"정말 좋네요."

"그럼요. 게다가 월급도 굉장하니, 다들 이곳에 오려고 혈안이죠. 요새는 왕실 관료보다 트와일릿의 직원이 되고 싶어 하는 귀족들이 더 많더라고요."

"그렇습니까?"

"그럼요. 백작님이 대표라는 사실이 새어 나가고 간 뒤에 더 심해졌어요. 엘칸 대륙 최고의 부자가 대표로 있는 회사인데, 왜 아니겠어요? 내가 장담하는데 르카플로네 백작 가문이 레란 왕가보다 훨씬 돈이 많을걸요."

"……."

소문이란 의외로 대단해서 거의 진실에 가깝게 퍼져 있었다. 레란 왕가는 물론, 전 대륙을 싸잡아도 백작보다 거대한 부를 가진 자는 없을 것이다. 린지는 르카플로네 영지에 숨겨진 미스릴 동굴을 떠올려 냈다.

"그건 그렇고…… 린지안 군, 별다른 일은 없었나요?"

레진은 후식으로 나온 차를 마시며 린지를 은근한 눈빛으로 쳐다보았다.

"네. 레진 님은요?"

"저야 뭐 항상 똑같죠. 음, 그러니까……."

린지는 의아한 눈빛으로 그녀를 바라보았다. 레진은 뭔가 묻고 싶은데, 어떻게 물어야 할지 모르는 사람처럼 보였던 것이다. 잠시 후 레진은 태연한 척 한두 번 기침을 해 보이며 질문했다.

"레이라 양이었던가? 린지안 군의 여자친구 말이에요. 아직까지 잘 지내고 있는 건가요?"

"아……."

레진은 순간 흐려지는 린지의 표정을 놓치지 않았다. 그녀는 기대감에 두근거리는 마음으로 린지의 대답을 기다렸다.

"아뇨. 레이라는…… 저택을 떠났습니다."

나이스! 레진은 속으로 주먹을 불끈 쥐며 웃었다. 역시나 헤어졌구나! 저 나이 때의 연애는 오래가지 못하는 법. 혹시나 하고 물어봤는데 역시나 헤어진 것이다. 레진은 너무 좋아하는 티를 내지 않기 위해 또다시 헛기침을 하며 물었다.

"흠흠. 안타깝네요. 그럼 린지안 군은 지금 여자친구가 없는 건가요?"

"……."

린지는 쓰게 웃었다. 처음으로 사귄 여자친구, 레이라는 더 이상 친구도 뭣도 아니었다. 그녀에게 더 이상 여자친구라고 불릴 만한 사람은 이 세상에 존재하지 않았다. 아니, 어쩌면 처음부터 없었다고 해야 맞는 거겠지.

"네. 없습니다."

아싸! 레진의 표정은 담담했지만 이미 마음속으로는 팡파르를 울리고 있었다. 그녀는 위로 솟구치려는 입꼬리를 애써 내리며 주먹을 말아 쥐었다. 너무 좋아서 웃음이 터질 것 같았던 것이다.

"그렇군요. 음, 뭐 다른 별다른 일은 없나요? 일은 어렵지 않고요?"

"네. 요새는 비교적 한가한걸요."

표정 관리에 성공한 레진은 침착한 얼굴로 말을 이어 갔다.

"그래요? 의외네요. 요새 백작님은 굉장히 바쁘시거든요. 트와일릿에 잠깐 들러도 얼굴만 비추시고 다시 금방 사라지세요. 그래서 린지안 군도 굉장히 바쁠 줄 알았거든요."

"……그렇습니까."

망할 백작. 린지는 속으로 욕설을 지껄이며 애써 웃었다. 역시나 백작은 지금 몹시 분주하게 지내고 있는 것이 분명했다. 집에 붙어 있는 시간이 거의 없을 정도니, 엄청나게 바쁜 시기이겠지. 그런데도 예전과는 달리 린지를 집 안에만 콕 박아 놓고 데리고 다니지 않는다. 대체 왜 그는 그렇게 변한 것일까?

'……혹시 내가 여자란 걸 알게 됐나. 그래서 거리를 두고 있다가 정을 뗀 후에 고문하려고?'

문득 떠오른 가설에 린지의 안색이 나빠졌다. 제법 신빙성 있는 이야기였다. 린지의 표정이 구겨진 것을 본 레진이 걱정스레 물어 왔다.

"린지안 군? 괜찮은 건가요?"

"아, 예, 괜찮습니다. 걱정해 주셔서 감사합니다."

"아무래도 요새 일이 힘든 모양이네요."

린지를 바라보는 레진의 입이 근질거렸다. 지금 말해야 한다고, 지금이 최고의 타이밍이라고 누군가가 귀에서 속삭이는 것만 같았다. 결국 레진은 숨을 크게 들이쉰 후 제안했다.

"린지안 군. 혹시 나와 일할 생각 없어요?"

린지가 눈을 동그랗게 뜨고 쳐다보는 모습이 너무 귀여웠다. 레진은 귀여운 시종의 뺨을 꼬집어 주고 싶은 마음을 애써 참으며 침착한 척 이어 말했다.

"예전에 내가 했던 제안 기억나죠? 내 비서로 일해 준다면 지금 백작가에서 받는 것보다 더 좋은 대우를 해 주겠어요."

"아……."

"린지안 군이 유능해 보이는 인재라 시종 일만 하는 것이 안타까워서 그래요. 내 아래에서 본격적으로 다양한 일을 배워 보는 것이 린지안 군의 미래를 위해 더 도움 되지 않겠어요? 내 저택으로 오도록 해요."

린지가 굳은 표정으로 바라보자 레진은 조금 초조해졌다. 언제 또 이런 기회가 올지 모른다, 그녀는 그렇게 생각하며 강하게 밀어붙였다.

"백작가에 비할 바는 못 되지만 제 저택도 시내에 위치해 있고 어디 가서 빠질 정도는 아니에요. 시종, 시녀들 같은 고용인들도 충분히 있기에 잡일을 할 필욘 없을 거예요. 그저 편하게 공부한다는 생각으로 일해 줘요."

레진의 제의에 린지는 바로 거절하지 않았다. 며칠 전까지만 해도 이런 이야기를 들었더라면 생각할 필요도 없이 바로 사양했을 테지만─.

'어쩌면 좋은 기회일 수도 있어.'

어차피 린지는 백작가를 떠나야 했다. 여자란 게 밝혀지면 백작은 막대한 배신감을 느낄 텐데, 그녀는 그 모습을 보고 싶지 않았다. 차라리 냉정한 얼굴로 자신을 고문하는 것이 더 낫다고 생각할 정도로.

린지는 그의 무너지는 얼굴을 보고 싶지 않았다.

'이 핑계로 백작가를 떠나면 되잖아. 갑자기 그만둔다고 하는 것보다는 더 그럴싸해.'

다른 곳에 스카우트되어 이직하는 것은 흔한 일이었다. 시종이 더 많은 것을 배우고 다양한 일을 하고 싶다고 하면, 백작은 기꺼이 보내 줄 것이다. 예전의 백작이라면 아마 그녀를 붙들고 놓아주지 않았을지도 모른다. 그러나 최근에 린지에게 별다른 신경을 쓰지 않는 백작이라면 얘기가 달라진다.

'그리고 레진 님과 며칠 일하다가 일이 적성에 안 맞는다고 하면서 그만두고, 왕실로 복귀한다.'

이것은 최고의 시나리오였다.

"어머, 백작님의 시종이 데이트를 하고 있네요."

루피아는 레스토랑의 창가 안으로 보이는 커플을 보다가 문득 익숙한 얼굴임을 깨달았다. 자신과 같은 붉은 머리칼에 눈동자, 그리고 훨씬 더 희고 고운 피부를 가진 시종이 창가 자리에 앉아 있었다.

"연상의 여인과 만나고 있나 봐요. 잘 어울리는걸요?"

그런 시종의 맞은편에는 육감적인 몸매를 가진 여인이 앉아 웃음을 짓고 있었다. 두 사람은 무엇이 그렇게 즐거운지, 얼굴에 밝은 웃음을 띠고 있었다. 루피아는 그들을 흥미롭게 바라보다가 자신의 옆에 서 있는 사내를 올려다보았다.

"알고 계셨나요, 백……."

루피아는 휘안의 얼굴을 보고 말을 끝맺지 못했다. 자리에 우뚝 멈춰선 휘안이 한 대 얻어맞은 양 얼떨떨해 보였다. 언제나 웃는 얼굴인 휘안에게서 볼 수 있을 거라고는 생각하지 못했던 표정이었다.

"백작님? 왜 그러세요?"

루피아는 걱정스러운 듯 말했지만 그녀의 목소리는 휘안에게 닿지 않았다. 휘안의 두 눈은 서로 이야기를 나누고 있는 자신의 시종과 레진에게 꽂혀 있었다. 갑자기 자유 시간을 달라고 했던 시종, 그리고 마찬가지로 어제 불쑥 휴가를 신청했던 회사의 직원이다. 누가 봐도 약속을 하고 만난 것임이 분명했다.

문득 레진이 손을 린지에게 내뻗는 것이 보였다. 그러자 한 치의 망설임도 없이 린지가 레진의 손을 마주 잡았다. 휘안은 더 이상 그 모습을 지켜보지 못하고 시선을 떨구었다.

"백작님!"

루피아의 외침에 휘안은 그제야 그녀를 향해 시선을 돌렸다. 시종과 같은, 하지만 조금 더 옅어 다홍빛에 가까운 눈동자가 불만스레 자신을 바라보고 있었다.

"갑자기 왜 그러시는 거죠?"

"아니, 아무것도 아니야."

"이상한데요? 표정이 안 좋으세요."

루피아는 휘안을 물끄러미 바라보았지만 아까 전 그 넋 나간 기색은 어디에도 보이지 않았다. 평소처럼 우아한 미소를 띠고 있는 모습에 루피아는 의문을 느꼈다. 자신이 잘못 봤던 것일까?

"그럴 리가. 기분 탓이겠지."

휘안은 루피아를 끌어당기며 다시 걸음을 옮겼다.

그날 밤, 폭설이 내렸다. 달빛을 받은 눈발이 세차게 내려 시야를 가렸다. 쉴 틈 없이 퍼붓는 눈송이들 사이에서 사람들은 서둘러 집 안으로 귀가했다.

'으으, 추워!'

저택으로 돌아온 린지는 온몸에 묻은 눈을 털어 냈다. 하지만 그새 녹아내렸는지 목도리와 코트 일부분이 젖어 물기가 묻어나고 있었다. 린지는 물을 툭툭 털며 백작가의 난방이 빵빵한 것에 감사했다. 저택 안에 들어오자마자 따끈한 열기가 몸을 덮어 주었던 것이다.

"……."

자신의 방문 앞에 다다른 린지는 문고리를 잡는 순간, 뭔가 이상한 느낌을 받고는 멈춰 섰다. 방 안에서 인기척이 느껴졌던 것이다.

'누구지?'

린지는 헛기침을 한두 번 한 후 방문을 열고 들어갔다. 캄캄한 방 안에는 서늘한 달빛만이 어렴풋이 드리워져 있었다. 아무것도 보이지 않는 어둠 사이에서 린지는 차분하게 전등을 켰다.

"예르시카 님?"

린지는 놀란 척 목소리를 높였다. 금발을 하나로 틀어 묶은 여인이 의자에 앉아 있었다.

"예르시카 님, 여기서 무엇을 하시는 겁니까?"

"너를 기다리고 있었다, 린지안 아르즈벨."

예르시카는 냉기가 느껴지는 새파란 눈동자로 린지를 바라보았다. 응시라기보다는 쏘아본다는 단어가 더 적절한 눈빛이었기에 린지는 당혹스러움을 느꼈다.

"……."

예르시카의 맞은편에 앉은 린지는 가시방석에 올라앉은 기분이었다. 그녀는 예르시카의 눈치를 흘끔 보다가 말을 걸었다.

"어쩐 일로 기다리신 겁니까?"

예르시카는 가만히 린지를 바라보았다. 그녀의 차갑고도 복잡한 눈동자와 마주치는 순간, 린지는 불길한 예감을 받았다. 두 사람 사이에 살얼음 같은 침묵이 흘렀다. 얼마나 지난 걸까, 린지는 흐르는 시간을 가늠할 수 없었다. 불안함이 솟구쳐 올라 등의 근육이 빳빳하게 경직되어 갔다. 잠시 후, 열리지 않을 것처럼 굳게 잠겨 있던 예르시카의 입술이 움직였다.

"네가 여자라는 것을 알고 있다."

린지는 주먹을 꽉 쥐었다. 불길한 예감이 적중해 버렸다. 언젠가 일어날 일이란 걸 알고 있었지만 너무나 갑작스러웠다. 린지는 주먹을 꽉 쥔 상태로 예르시카를 바라보았다. 그녀의 절박한 얼굴을 보며 예르시카는 담담하게 말을 이어 갔다.

"그동안 많이 고민해 봤다. 대체 네가 왜 남장을 하고 있는 건지……."

"……."

예르시카는 쓰디쓴 웃음을 입가에 걸었다. 어쩐지 자조적인 기색이었다.

"이해가 가더군. 남장을 하고 사는 것─ 나도 한때에는 고려해 본 일이었으니까. 이 세상엔 기댈 곳 없는 여자가 홀로 살아가기에 너무나 위험하지. 특히나 외모가 아름다운 여자는."

"예르시카 님."

예상치 못한 얘기가 들려오자 린지의 눈이 커졌다. 예르시카는 백작의 기사였지만, 여자이기 때문인지 수많은 편견의 대상이었다. 사교계에서 예르시카는 검술이라고는 쥐뿔도 모르고, 단지 예뻐서 관상용으로 데리고 다닌다는 소문까지 있었던 것이다. 처음 만났을 때 여자라고 무시하지 말라는 예르시카의 차가운 경고가 떠올랐다.

"네 사정은 이해하지만 백작님을 속인 것은 별개의 문제다."

예르시카의 말투가 순식간에 돌변했다. 안쓰러운 듯, 자신의 상처를 바라보듯 이어 가던 목소리가 차갑게 냉각됐다. 그녀는 일부러 감정을 찍어 내리는 억센 눈빛으로 린지를 바라보았다.

"백작님의 곁을 떠나라."

"……."

"그것이 내가 너에게 해 줄 수 있는 최대의 배려다. 그러면 아무에게도 말하지 않겠다."

린지는 대답할 수 없었다. 입 안이 허하게 비는 것 같은 느낌이었다. 알겠노라고, 그러겠다고 대답해야 했지만 혀가 사라진 것처럼 말을 만들어 낼 수 없었다. 린지는 초점 잃은 눈으로 예르시카를 바라보았다.

예르시카는 마치 그 시선에서 도망치듯 재빨리 자리에서 일어났다.

"이 저택에서 떠나라, 린지안 아르즈벨."

그 한마디를 마지막으로 예르시카가 방을 빠져나갔다.

방문이 닫히고 예르시카의 발걸음 소리가 멀어져 갈 때까지 린지는 손끝 하나 움직일 수 없었다. 한동안 예르시카가 앉아 있던 자리를 보고 있던 린지의 입에서 어느 순간 웃음이 튀어나왔다.

"핫."

이게 뭐야. 린지는 속으로 중얼거리며 웃음을 흘렸다.

'정말 대놓고 떠날 타이밍이네.'

우스워서 견딜 수가 없다. 마치 운명의 신이 지금이야말로 떠나야 한다고 계시를 내려 주는 것처럼, 떠나야 할 이유와 핑계들이 하나둘씩 생겨나고 있지 않은가? 린지는 키득거리며 웃다가 고개를 설레설레 저었다. 마치 자신의 마음이 약해져 이곳을 떠나지 못할까 봐 신이 쐐기를 박아 준 것 같았다.

'그래, 잘됐어. 차라리 잘된 거야.'

린지는 테이블 위에 놓여 있던 연애 소설책을 바라보다가 쓰레기통 안으로 밀어 넣었다. 두꺼운 책이 쓰레기통 안으로 떨어짐과 동시에 린지의 마음에도 무언가가 떨어져 나갔다. 그 떨어진 자국에서 쓰린 고통이 알싸하게 퍼져 갔다.

"이게 맞는 거야."

그녀는 나지막이 중얼거렸다. 연애, 사랑? 개뿔 같은 소리다. 이런 연애 소설책에 호기심을 가지고 기웃거리다니, 스스로가 한심해서 견딜 수가 없었다. 어차피 이 선택밖에 없다는 걸 알면서, 무엇을 꿈꿨던 걸까. 무엇을 기대했던 걸까.

'죄송해요, 오라버니. 진작 출발했어야 하는 건데······.'

충분할 만큼 수많은 비밀과 놀라운 진실들을 캐내었다. 누군가에게 정체가 탄로 난 마당에 더 이상 이 저택에 버티고 있을 이유가 없었다.

린지가 결심하는 순간이었다. 그녀는 창문 너머로 정원을 걸어 들어오는 한 사내를 발견했다. 새하얀 눈송이에 젖은 남자, 휘안 데 르카플로네였다. 그가 저택 안으로 향하는 것을 본 린지는 자리에서 발딱 일어났다. 쇠뿔도 단김에 빼라고 했다.

'결심이 흐려지기 전에 말하자.'

이 저택을 떠날 순간이니까.

"휘안 님?"

린지는 그의 방 안에서 인기척을 느끼고는 방문을 두드렸다. 그가 방 안에 들어온 것이 분명한데 이상하게도 대답이 없었다. 혹시 잠들었나 해서 문 안쪽으로 주의를 기울여 보았는데, 그는 방 안에서 이동하며 움직이고 있었다. 즉 깨어나 있는데 대답을 하지 않는 상황이었다.

"휘안 님? 주무십니까?"

조심스레 노크하며 물었지만 이번에도 답이 없었다. 린지는 다시 노크하려고 하다가 이내 망설이며 손을 내렸다.

'얘기할 기분이 아닌가. 바쁜가 봐.'

확실히 예전과는 달랐다. 없는 척하며 린지와의 만남을 거부하다니─ 예전의 휘안이라면 상상조차 할 수 없는 일이었다. 린지는 자신의 결심을 말하지 못하게 된 것과는 별개로 가슴 한구석의 묵직한 통증을 느끼며 등을 돌렸다.

그녀가 떠나려고 하는 순간이었다. 굳게 닫혀 있던 문이 왈칵 열림과 동시에 휘안이 린지를 잡아당겼다. 그녀가 순식간에 방 안으로 끌려들어 가는 순간 방문이 거칠게 닫혔다.

쾅!

린지는 놀라서 숨조차 멈춘 상태였다. 어두운 방 안, 그녀의 팔을 잡고 있는 휘안이 말없이 그녀를 바라보고 있었다. 암흑 속에서도 선명한 보라색 눈동자와 정면으로 마주친 린지는 바로 말을 꺼낼 수 없었다.

"배, 백작님?"

심장이 쿵쾅거렸다. 이렇게 방 안으로 확 끌어당길 거면서 왜 없는 척했단 말인가? 혹시 일부러 놀라게 하려고 그런 걸까? 그렇다고 하기엔 백작의 표정에 장난기가 없었다.

"......"

백작의 손이 잡고 있는 팔뚝이 화끈거렸다. 그의 체온이 마치 불에 덴 것처럼 강렬하게 다가왔다. 린지는 어쩐지 피가 얼굴로 몰리는 것 같은 기분을 느끼며 고개를 돌렸다. 휘안의 시선을 마주 볼 자신이 없었다.

린지가 고개를 돌리자 휘안의 손에 힘이 풀렸다. 린지를 놓아준 백작은 뒤로 빙글 돌더니 테이블 위의 빈 잔에 위스키를 따랐다. 그는 거침없이 한 잔을 털어 마신 후 입을 열었다.

"무슨 일이야?"

다행히도 평소와 다름없는 부드러운 어조였다. 린지는 그의 목소리를 듣는 순간 팽팽한 긴장감이 한순간에 풀리는 것을 느끼며 안도의 한숨을 내쉬었다.

"밤늦게 죄송합니다. 드릴 말씀이 있어서 찾아왔습니다."

"......"

위스키 잔을 잡고 있는 휘안의 손이 흠칫 굳었다. 그러나 잠시일 뿐,

그는 태연하게 잔을 테이블 위로 올려놓으며 소파에 앉았다.

"앉아, 린지안 군."

"감사합니다."

린지가 자리에 앉는 동안 휘안은 또다시 위스키를 채워 넣고 있었다. 그는 또다시 한 잔을 깔끔하게 비운 후, 린지를 바라보았다.

"무슨 용건이야?"

"그동안 백작님 곁에서 일하게 되어 영광이었습니다."

린지는 곧바로 준비했던 대답을 뱉어 냈다. 이렇게라도 바로 말하지 않으면 평생 말할 수 없을 것 같았던 것이다.

"다른 곳으로 일자리를 옮기려고 합니다. 물론 백작가에서 일하는 것처럼 좋진 않겠지만, 다른 공부도 해 보고 싶고 새로운 환경도 겪고 싶어서요."

"......."

"만약 괜찮으시다면, 다른 개인 시종을 뽑고 인수인계를 확실히 마치기 전까지 근무하겠습니다. 백작님을 모시는 일에 피해가 가지 않도록 할 터이니 걱정하지 않으셔도 됩니다."

준비해 온 말을 허둥지둥 내뱉은 린지는 말이 끝나갈 때쯤에는 저도 모르는 사이 고개를 숙인 상태였다. 도저히 백작의 눈을 바라보며 말을 이을 자신이 없었다.

침묵이 흘렀다. 숨이 막힐 만큼 묵직하고 두려운 침묵이었다. 두 사람 사이에 옅게 퍼지는 숨소리, 그리고 째깍거리며 이동하는 시계의 초침 소리만이 어두운 방 안에 울려 퍼졌다.

"그만두겠다고?"

침묵을 깬 것은 백작이었다. 그는 깊게 잠긴 목소리로 되물었다. 린지는 바닥에 시선을 꽂은 상태 그대로 고개를 끄덕여 대답했다.

"예."

"내 곁을 떠나겠다고?"

뒤이어 따라오는 휘안의 목소리는, 화가 나 있었다. 린지는 그 감정의 차이를 확연히 느낄 수 있었다.

"지금 날 떠나겠다고 말하는 거야?"

린지는 아무 말도 꺼낼 수 없었다. 심지어 고개를 들어 올려 휘안의 눈조차 바라볼 수가 없었다. 어느 순간부터 손끝이 바들바들 떨려 와 주먹을 콱 쥐고 버티고 있어야만 했다.

쨍그랑!

순간, 유리잔이 터지는 소리가 들리자 린지가 고개를 획 들어 올렸다. 휘안의 손에 들려 있던 유리잔이 산산조각 나 부서져 있던 것이다. 그의 손바닥에서 피가 흐르자 린지는 서둘러 손수건을 꺼내어 감쌌다.

"괜찮으십니까?"

그녀는 피가 줄줄 흘러나오는 상처를 급히 감싼 후 자리에서 발딱 일어났다. 그리고 비상용 구급상자를 찾아 꺼내었다.

"조심하셨어야죠! 대체 왜 유리잔이……."

상처에 붕대를 감던 린지는 휘안의 눈과 마주치고는 말을 이을 수 없었다. 휘안은 화가 나 있었다. 그 사실이 너무나 명백하여 믿기지 않을 정도였다. 분노하여 린지를 노려보는 그의 눈매는 단 한 번도 목격한 적 없는 표정이었다. 심지어 레너드를 눈앞에 두고도 부드럽게 휘어졌던 눈이었다. 철천지원수 앞에서도 미소 짓던 휘안의 표정이- 부서져 있었다.

그녀는 그제야 왜 멀쩡한 유리잔이 깨졌는지 알아차렸다. 휘안은 너무나 화가 났던 것이다. 그래서 저도 모르게 잔을 쥔 손에 힘을 주었던 것이다.

"왜?"

잠시 후, 휘안의 입술이 다시 한 번 열렸다. 그는 린지에게서 단 한순간도 시선을 떼지 않고 물었다.

"공부하고 싶다고? 새로운 환경에서 일하고 싶다고? 그것을 지금 나보고 믿으라는 건가?"

"배, 백작님······."

"솔직하게 말하는 게 어때? 내 마음이 부담스럽다고."

린지는 멍하니 휘안을 바라보았다. 분노로 굳어 있던 휘안의 입가에 쓰디쓴 웃음이 맺혔다. 보는 이가 마음 아플 만큼 고통스러워 보이는 웃음이었다.

"미안해. 그때 너에게 그런 짓 해서 미안해. 네 감정을 생각하지 않고 내 멋대로 굴어서 정말 미안해, 린지안 군."

어둠 속에서 휘안이 빠른 속도로 중얼거렸다.

"나도 알아. 그 순간에 내가 칼튀루스 후작이나 에드워드, 다른 무례한 녀석들과 다를 바 없었다는 거······. 그래서 다시는 그런 일 절대 없을 거야. 맹세할 수 있어."

"백작님······."

"너에게 부담이 가도록 하지 않을 거야. 최근처럼 적당히 거리를 두고 지내면 되잖아? 다시는 네가 싫어하는 짓 하지 않을게. 그러니까······."

분노로 가득 찼던 휘안의 눈에는 이제 애절함만이 가득했다. 가질 수 없는 것에 대한 열망으로 들끓는 두 눈이 린지를 향해 있었다. 그 눈과 마주한 린지는 심장이 거세게 조여 오는 고통을 느꼈다. 생전 느껴 본 적 없는 강렬한 통증이었다.

"그러니까······."

휘안은 어느새 린지의 손을 잡고 있었다. 거친 붕대와 그 너머로 느껴지는 뜨거운 체온에 린지는 살이 데는 것만 같았다. 그는 말을 끝맺지 못했다. 다만 눈빛으로 모든 것을 이야기하고 있었다. 가지 말라는, 이 저택에 머물라는 강렬한 소망을.

그의 진심이 린지의 마음에 강렬하게 와 부딪쳤다. 그 순간, 린지는 마음속 아주 깊은 곳을 단단히 보호하던 막이 산산조각 나는 소리를 들었다. 지금껏 접근하지 못하도록 막아 왔던 껍질이 완전히 부서져 내렸다.

린지의 손끝이 떨렸다. 사실 그녀의 온몸이 떨리고 있었으나 스스로가 자각할 수 없었다. 온몸이 후끈거려서 모든 감각이 마비된 것만 같았다. 모든 것이 멀게만 느껴지는 이 순간, 찢어질 듯이 아파 오는 마음만이 유일하게 느낄 수 있는 감각이었다.

"싫지…… 않습니다."

린지가 중얼거렸다. 자신이 무어라고 말했는지도 알 수 없었고, 심지어 입술을 움직인 것조차도 의식하지 못했다. 가슴 깊은 곳에 눌러 담다가 더 이상 견디지 못하고 불쑥 튀어나온 진실이었다.

"……뭐?"

휘안의 표정이 또다시 변했다. 환청을 들은 자의 얼굴과 같았다. 그의 믿기지 않는다는 시선을 바라보며, 린지의 입술이 또다시 저절로 움직였다.

"싫지 않았습니다."

"……."

휘안의 아랫입술이 떨리는 것이 보였다. 린지의 손을 잡은 휘안의 손끝 역시 떨리고 있었다.

"싫지 않았다고?"

"네."

지금 무슨 말을 하고 있는 건지, 어떤 대화를 나누고 있는 건지 알 수 없었다. 마치 아주 중요한 스위치가 망가져 버린 것 같았다.

그래, 싫지 않았어. 린지의 마음이 자연스럽게 인정했다. 휘안의 체온과 그의 고백이 싫지 않았다. 어쩌면 커다란 깨달음일 수도 있는 그 진실을, 린지는 무언가에 홀린 것처럼 내뱉었다.

"싫지 않았어요."

달빛이 어렴풋이 스며든 방 안, 창밖으로는 새하얀 눈발이 여전히 거세게 흩날리고 있었다. 린지는 아무것도 볼 수 없었다. 그녀는 완벽하게 아무 생각도 할 수 없었다. 눈앞의 남자에게서 너무나도 빛이 나서 마치 눈이 멀어 버린 것만 같았다.

휘안의 손이 린지의 얼굴을 쓰다듬었다. 까칠한 붕대의 감촉도, 손가락의 체온도 모든 것이 얼얼했다. 린지는 천천히 다가오는 휘안의 얼굴을 바라보았다. 입술에 따스한 체온이 닿는 순간, 그녀는 눈을 감았다.

'싫지 않아.'

싫지 않아, 싫지 않아…… 그것이 지금 그녀의 머릿속에 존재하는 유일한 단어였다. 휘안은 조심스러웠다. 마치 금방이라도 부서질 유리 인형을 대하듯, 가볍게 입술을 내리눌렀다. 팔 안으로 휘감긴 린지의 몸에서 거부의 몸짓이 없자 그의 손에 힘이 콱 들어갔다. 휘안은 린지의 목덜미를 끌어당기며 입술을 머금었다.

역시나 싫지 않았다.

chapter 15. 달콤한 꿈

"백작님, 들어가겠습니다."

문을 열고 들어가는 순간 커피 향기가 코끝을 간질였다. 린지는 향긋하면서도 그윽한 그 향기를 맡으며 방문을 닫았다. 방 안에 가득한 것은 커피의 향기뿐만이 아니었다. 린지는 잔잔하게 울리는 음악을 깨닫고는 귀를 기울였다. 장식처럼 놓여 있었던 백작의 LP판에서 레코드가 돌아가고 있는 것이 보였다.

"좋은 아침."

음악과 커피를 즐기며 백작은 데스크에 앉아 있었다. 싱긋 웃으며 신문을 접는 그 모습을 보는 순간 린지는 눈을 가느다랗게 떴다.

"정말 신기하네요."

"응? 뭐가?"

휘안은 천연덕스럽게 고개를 갸웃 기울이며 커피를 홀짝 들이마셨다. 그의 태연한 모습을 보며 린지는 속으로만 중얼거렸다.

'하여튼 사람이 획획 바뀐다니까.'

늦잠꾸러기 모습은 이제 온데간데없이 찾아볼 수가 없었다. 아침 여섯 시 땡 하는 순간 방문을 열고 들어서면 일어나서 목욕까지 끝마친 백작이 모닝커피를 마시며 업무를 보고 있었으니까. 예전 같았더라면 이불 속에 파묻힌 백작을 깨우기 위해 한바탕 전쟁을 치르고 있었을 시간이었다.

"아침 식사는 어떻게 하시겠습니까?"

"린지안 군이랑 같이 할 거야."

백작은 태연하게 말하며 커피 잔을 내려놓았다.

"맛있는 레스토랑을 알고 있거든. 같이 가자."

"네?"

이건 또 무슨 뜬금없는 소리란 말인가? 처음 듣는 계획에 린지가 되묻자 백작은 대답하는 대신 자리에서 일어났다. 그리고 싱글싱글 웃는 얼굴로 그녀에게 다가와 말했다.

"그래서 말인데, 지금 내 옷 어때?"

그가 조금씩 다가오자 린지는 저도 모르게 뒷걸음질 쳤다. 그녀는 당혹스런 얼굴로 대답했다.

"머, 멋지십니다."

"그래? 혹시 린지안 군이 다른 옷을 추천하면 그걸로 바꿔 입으려고 했지."

"아뇨. 지금도 충분히……."

백작은 뻔질뻔질 웃으며 린지에게 가까이 다가왔다. 벽에 등이 탁 부딪친 린지가 물러설 곳이 없어지는 순간, 백작의 손이 린지의 허리를 휘감았다. 린지는 얼굴을 확 붉히며 휘안을 노려보았다.

"왜, 왜 이러십니까?"

백작은 즐거워 죽겠다는 표정으로 웃고 있었다. 그는 린지를 끌어당겨 품 안에 꼬옥 안은 후, 머리칼에 얼굴을 파묻었다. 그리고 그녀의 향내를 맡으며 중얼거렸다.

"아아, 좋다. 린지안 군 냄새."

"흐익! 뭡니까, 그게!"

내 냄새라니, 그게 뭔데! 린지가 질겁해서 백작을 밀어내려 했지만 그는 더욱 강하게 끌어안고 떨어지지 않았다. 백작의 손길이 등을 타고 내려가자 린지의 등에 소름이 확 돋아 올랐다.

"배, 백작님."

오늘도 또 이러는 건가. 린지는 당황스런 눈으로 백작을 올려다보았다. 그녀의 표정을 즐기듯이 바라본 그가 귀여워 죽겠다는 듯, 린지의 뺨을 꼭 감싸 안았다. 그리고 망설이지 않고 입 맞췄다.

"……!"

린지의 주먹에 힘이 불끈 들어갔다. 그녀는 휘안의 가슴팍을 두드리며 밀쳐 냈지만 그의 몸은 이번에도 역시 꿈쩍도 하지 않았다. 잠시 후, 가쁜 숨과 함께 휘안의 입술이 떨어졌다. 린지는 그 틈을 타 버르적거리며 웅얼거렸다.

"이, 이러지 마세요……."

그렇게 말하는 순간에도 휘안의 입술과 스칠 정도로 가까이 있었다. 스치듯이 닿은 입술이 더 매혹적이었는지 휘안이 또다시 린지의 허리와 목덜미를 잡고 끌어당겼다. 린지는 또다시 그의 입술에 막혀 아무런 말도 내뱉을 수 없었다.

'아, 진짜, 이거, 너무해…….'

머리가 빙글빙글 돌아 생각을 제대로 이을 수가 없었다. 이미 여러 번 경험한 거지만, 휘안과는 매번 키스할 때마다 온몸의 힘이 다 풀리고 어디론가 빨려 들어가는 듯한 기묘한 느낌이 들었다. 때문에 결국엔 다리에 힘이 풀려 휘안의 몸에 매달리고 만다. 그때가 가장 조심해야 할 타이밍이었다.

"히익!"

그의 손이 셔츠 안으로 파고들려 하는 낌새를 느낀 린지가 발작하듯 몸을 떨었다. 이렇게 반응할 때만큼 휘안은 린지에게서 순순히 떨어져 나갔다. 그는 두 손을 들어 올리며 아쉽다는 듯 혀를 날름 내밀었다.

"아아, 아깝네. 역시나 오늘도 여기서 막히는군."

"이, 이……."

린지는 붉게 달아오른 얼굴로 몸을 부들부들 떨었다.

"자꾸 왜 이러십니까! 이러지 말아 주세요!"

"응, 응. 노력해 볼게."

휘안은 성의 없는 목소리로 말한 후 빨개진 린지의 뺨을 꼬집었다.

"하지만 내 노력을 알아줘, 린지안 군. 여기서 매번 멈추는 내 마음은 어떻겠어? 정말 나는 자제력이 대단하다니까. 안 그래?"

"……!"

휘안이 능청스레 말하며 눈을 찡긋하며 웃자 린지의 얼굴이 더더욱 붉어졌다. 그녀는 자신의 뺨을 잡고 있는 휘안의 손을 뿌리치며 외쳤다.

"저, 저는 남자입니다만! 자꾸 이러시면 곤란합니다!"

"에이. 이제 와서 무슨 소리야."

휘안은 시답잖은 소리를 듣는 듯 손을 획획 저으며 옷걸이에 걸린 목도리를 끌어당겼다. 그리고 린지의 목 위로 돌돌 말아 주며 웃었다.

"그때 싫지 않다고 말했잖아?"

"그, 그건……!"

"그리고 눈까지 감았잖아."

린지는 입술을 부들부들 떨 뿐, 아무런 항변도 하지 못했다. 휘안은 린지의 말문이 막힌 것을 만족스러운 표정으로 바라보았다. 너무 분하지만 대꾸할 말이 없었다. 휘안의 말이 한 치의 거짓도 없는 진실이었기 때문이다.

'젠장, 내가 미쳤었지! 그때 왜 그래 가지고!'

매일 밤 그때 생각만 하면 자다가도 벌떡 일어나서 이불을 걷어찼다. 휘안에게 그만둬야겠다고 말하러 간 날 벌어진 일들 때문에 린지는 미칠 것 같은 심정이었다. 그날 이후, 휘안의 태도는 적극적으로 돌변하여 린지에게 엉겨 붙었던 것이다. 휘안은 단 한시라도 그녀와 떨어져 있으려 하지 않았다. 게다가 단둘이 있는 상황만 되면 어떻게든 슬금슬금 다가와 스킨십을 시도했다. 때문에 이렇게 매일 아침에 깨우러 갈 때마다 깨 쏟아지는 신혼부부처럼 모닝 키스를 했던 것이다.

'내가 미쳤어, 미친 게 분명해!'

왜 그때 싫지 않다고 말하고 눈을 감은 것일까. 린지는 그날의 자신을 이해할 수 없었다. 그때 자신은 가지 말라고 휘안이 애절하게 말하는 것을 뿌리치고 일어나야만 했다. 그렇게 이 저택을 떠나는 것이 옳은 길이었다. 그러나 그녀는 자신도 모르는 사이에 엉뚱한 말과 행동을 하고 말았다. 싫지 않다고 말한 후, 휘안이 입 맞추자 눈을 감아 버리기까지 하다니! 짧은 시간 읽었던 연애 소설에 악영향을 받은 것이 분명했다. 린지는 그날 튀어나온 자신의 또 다른 인격을 때리고 싶어서 견딜 수 없었다.

하지만 후회는 아무리 빨라도 늦은 법. 휘안은 린지가 자신을 싫어하지 않는다는 것─ 정확히 말하면, 그의 고백과 입맞춤을 싫어하지 않았다는 것을 깨닫고는 완전히 태도를 바꾸었다. 마치 탱크로 밀어붙이는 양 저돌적으로 나왔던 것이다.

'다시 간다고 해 봤자 안 놔줄 게 뻔하고, 매일매일 붙어 있으려고 하니 쉽게 도망갈 수도 없어.'

즉 린지는 더 이상 저택을 쉽게 떠날 수 있는 상태가 아니었다. 누구를 원망할 것도 없었다. 스스로가 굴러들어 온 절호의 기회를 걷어찬 꼴이었으니, 원망할 거면 자신의 또 다른 인격을 탓해야만 했다.

그때, 노크 소리가 상념을 비집고 들려왔다.

"백작님. 들어가도 되겠습니까?"

"응, 물론이지. 들어와, 집사."

문이 열리고 거구의 노인이 방 안으로 들어왔다. 그는 휘안에게 인사한 후, 그가 코트를 꺼내 입는 것을 보고 질문했다.

"외출하십니까?"

"응. 린지안 군과 함께 나갈 거야."

"그러시군요."

집사는 얼굴을 붉히고 있는 린지를 바라보았다. 흡사 꿰뚫어 보는 듯한 눈빛이 부담스러웠지만 휘안은 용케도 태연하게 웃는 표정이었다.

"그런데 왜 그래, 집사? 무슨 일 있어?"

"아, 아닙니다. 다만 요새 결재해 주셔야 할 서류가 밀려 여쭙고자 해서 찾아온 겁니다."

"아아, 그거 말이지."

휘안은 잠시 집사를 물끄러미 바라보더니 손뼉을 딱 부딪쳤다.

"집사가 대신 해 주면 안 될까?"

"……네?"

"내가 요새 바빠서 백작가 관련 서류에 신경을 못 썼어. 집사라면 저택 사정에 대해 나보다 더 잘 알 거 아냐? 집사가 대신 내 일을 해 줬으면 좋겠어."

집사는 물론 린지마저 놀랄 정도로 파격적인 제안이었다. 가주가 처리하는 서류들 중에는 직계 가족들에게만 공유하는 건들도 수두룩했는데,

그것이 지금 집사가 밀렸다고 얘기한 서류였다. 그런데 그것을 집사에게 맡기다니?

'하긴 저번에 나에게 같이 정리해 달라고 했었지.'

그런 중요한 서류들을 아무렇지도 않게 맡기다니 휘안은 대체 무슨 생각인 걸까? 집사 역시 마찬가지 생각이었는지 잠시 넋 놓고 있다가 서둘러 고개를 저었다.

"백작님, 그것은 안 됩니다. 제가 어찌 감히……."

"부탁이야, 집사. 집사의 능력을 알고 있으니까 맡기는 거야."

휘안은 코트의 단추를 마저 채우며 밝게 말했다.

"당분간 잘 부탁할게. 알겠지?"

"……알겠습니다."

집사가 마지못해 대답하자 휘안이 빙그레 미소 지었다.

결국 린지는 휘안과 함께 마차를 타고 '맛있는 레스토랑'으로 향했다. 그녀는 휘안이 루단테 로드로 갈 줄로만 알았다. 하지만 예상은 보기 좋게 빗나갔다. 루단테 로드와는 전혀 정반대로, 수도 샤를을 벗어나고 있었던 것이다.

"백작님. 어디로 가는 거지요?"

벌써 두 시간째 마차가 달리고 있었다. 점점 한적해지는 바깥을 보며 린지가 의아하게 물었다. 백작은 그녀의 맞은편에 앉아 책을 읽고 있다가 그녀의 물음에 고개를 들어 올렸다.

"말 안 했나? 르카플로네 영지에 갈 거야."

"……."

너무 어이가 없어서 바로 반응할 수가 없었다. 잠시 후, 린지는 펄쩍 뛰며 외쳤다.

"네에에?!"

"르카플로네 영지에 기가 막히게 맛있는 곳이 있거든. 린지안 군이 꼭 먹어 봤으면 좋겠어."

"그, 그럼 지금 카제타 산맥에 가는 겁니까?"

"응. 물론 그전에 잠시 내려서 아침은 간단히 먹는 게 좋을 것 같아."

린지는 눈을 휘둥그렇게 뜨고 백작을 바라보았다. 분명 아침 같이 먹자고 나온 것 같은데 언제 목적지가 바뀌었단 말인가? 하여튼 이놈의 백작의 변덕은 몇 개월이 지나도 도저히 따라갈 수가 없었다.

"왜 그렇게 쳐다봐?"

린지가 빤히 쳐다보자 백작이 히죽 웃으며 몸을 일으켰다. 맞은편에 앉아 있던 휘안이 린지의 옆에 털썩 앉으며 편하게 몸을 기대었다. 특대 사이즈의 마차인지라 한쪽 의자가 소파처럼 넓고 푹신해서 두 사람은 거뜬하고도 남았던 것이다. 하지만 휘안은 작정한 듯 린지의 옆에 찰싹 붙어 앉은지라 린지는 몸을 움츠리며 경계했다.

"왜, 왜 여기 앉으십니까? 좁은데요?"

"아니, 혼자 앉아 있으니까 휑하더라고. 넓고 춥고 쓸쓸해서 외롭다고나 할까."

휘안이 슬금슬금 다가오자 린지는 마차 벽으로 몸을 바싹 붙였다. 이 패턴은 너무나도 익숙한, 휘안이 입 맞추기 전의 상황이었던 것이다. 린지는 사색이 된 얼굴로 속삭였다.

"바, 밖에 마부가 있다고요!"

"하지만 안에는 우리 둘밖에 없지."

"배, 백작님! 진짜 이러지 마세요! 마차에서 이러시면……!"

"뽀뽀만 살짝 할게. 조금만, 아주 조금만……."

그는 그렇게 속삭이면서 린지의 얼굴을 잡아당겼다. 물론 뽀뽀만 살짝 하는 거에서 끝나지 않았다. 처음엔 살짝 대고만 있더니, 이윽고 견디지 못하겠는지 그녀를 끌어당기며 입술 안으로 파고들었다. 입 안을 부드럽게 휘감는 아찔한 감촉에 린지는 주먹을 콱 틀어쥐었다.

'아, 안 돼! 이번에는 절대 안 돼!'

마차에서까지 이러다니, 한번 하기 시작하면 앞으로도 계속 이럴 것이다. 휘안의 방 안에서야 어쩔 수 없다고 쳐도 마차 안에서만큼은, 다른 사람이 바로 바깥에 떡하니 버티고 있는 장소에서만큼은 완강하게 거부해야 했다. 아주 완강하게, 화도 내면서, 단호하게 거절을……

하지만 어느 순간 린지는 자신이 무슨 생각을 하고 있는지 까먹고 말았다. 아찔하게 넘나드는 쾌락에 머릿속이 또다시 새하얗게 물들었다. 그녀는 자신이 마차 소파 위에 거의 반쯤 눕게 되었다는 것을 의식하지 못했다. 린지의 위로 그녀를 품듯이 올라탄 휘안은 린지의 머리칼을 쓰다듬으며 단단히 고정시켰다.

"……."

휘안이 천천히 입술을 떼고 린지를 내려다보았다. 그녀는 새빨개진 얼굴로 휘안을 바라보고 있었다. 정신이 쏙 빠진 린지의 눈빛을 보고 휘안의 입가에 웃음이 어렸다. 사랑스러워서 견딜 수가 없었다.

휘안은 또다시 고개를 숙여 린지의 입술을 찾았다. 린지는 거부하려는 듯 휘안을 밀다가, 결국엔 또다시 그의 옷깃을 말아 쥐고 말았다. 스킨십에 면역력이 없는 린지에게 휘안의 능숙한 키스는 견디기 힘든 종류의 것이었다. 그녀는 이성을 지키고 있기가 몹시 힘들었다.

싫지가 않은 것, 그것이 정말로 문제였다.

'……입술 아파. 부었나 봐.'

카제타 산맥에 도착한 린지는 뾰루퉁한 얼굴이었다. 대체 얼마 동안 백작과 키스를 한 걸까. 마차가 식당 앞에 멈춰 설 때까지 몽롱한 정신이었다.

그렇게 간단하게 식사를 하고, 또 카제타 산맥에 가는 동안 린지는 일부러 잠든 척을 했다. 백작과 눈이라도 잘못 마주쳤다가는 또 그가 덤벼들 것이 뻔했던 것이다. 그렇게 카제타 산맥에 도착하고 나서야 린지는 슬그머니 눈을 떴고, 백작은 그녀의 속셈을 다 안다는 듯 묘하게 웃어 주었다. 어쩐지 굉장히 부끄러웠다.

"조심해, 린지안 군."

카제타 산맥의 그 비밀스런 동굴을 지나면서 백작은 린지의 팔을 잡았다. 다음 순간, 땅이 흔들리며 바람이 거세게 몰아치는 현상이 찾아들었다. 린지는 이번에는 태연하게 그 자연재해를 견뎌 가며 걸음을 내딛었다.

'근데 엄청 잘해. 진짜 잘해.'

심지어 린지는 아직까지도 그 생각 중이었다. 린지는 쿵쿵 떨리는 대지를 휘안과 함께 걸으면서 생각에 잠겼다. 경험이 없는 린지지만 본능적으로 느낄 수 있었다. 휘안이 엄청나게, 무지하게 키스를 잘한다는 것을.

'다들 키스할 때 이런 기분이 되는 건가? 그런 것 같지는 않은데. 왜 나는 아무 생각도 할 수 없게 되는 거지?'

그와 입을 맞추는 내내 블랙홀로 빨려 들어가서 머리가 마비되는 것만 같은 기분이 들었다. 정신을 똑바로 차려야 한다고 결심을 해도 그의 입술이 부드럽게 움직이는 순간, 다리에 힘이 풀리며 정신이 아득해졌다. 단 한 번도 해 본 적이 없지만 마치 마약을 하게 되면 이런 기분이 아닐까, 이런 생각이 들 정도인지라 린지는 완강하게 반응할 수가 없었다.

'하기야 명색이 바람둥이니까. 한두 번 해 봤겠어? 셀 수도 없이 많은 여자들과 했을 텐데, 처음 해 보는 나 정도는 정신을 쏙 빼놓을 수 있겠지.'

그렇게 생각하자 어쩐지 울컥 화가 치밀어 올랐다. 그때 마침 동굴의 끝이 보이며 밝은 빛이 스며들었다. 르카플로네 영지에 도착한 것이다.

"다 왔다. 린지안 군, 괜찮아?"

백작이 그녀의 머리를 쓰다듬으며 물었지만 린지는 대답하지 않았다. 어쩐지 기분이 굉장히 불쾌했다.

"린지안 군?"

"아, 네. 괜찮습니다."

"……?"

린지의 목소리에 감정이 드러난 건지 백작이 그녀를 물끄러미 쳐다보았다. 그리고 직설적으로 물었다.

"기분 안 좋아?"

"에?"

"미간에 주름이 져 있는데."

휘안이 린지의 미간 사이를 손가락으로 톡 짚자 그녀의 얼굴이 붉어졌다. 그녀는 얼굴을 획획 흔들며 말했다.

"아, 아뇨! 그런 거 아닙니다. 르카플로네 영지에 들어올 때마다 벌어지는 이 현상이 익숙하지 않아서 그런 겁니다."

"으음, 이게 좀 불편하긴 하지."

그렇게 말한 휘안은 싱긋 웃더니 다시 린지의 손을 잡았다.

"자, 가 볼까?"

르카플로네 영지는 서서히 어둠이 내려앉고 있었다. 동굴과 연결된 영주 성 정원은 샤를에 있는 르카플로네 저택의 것보다 훨씬 크고 아름다웠다. 린지는 정원을 지나쳐 백작 성 안으로 따라 들어가다가 정문을 지키는 기사들을 보고 서둘러 손을 빼내려고 했다. 하지만 휘안은 단단히 잡은 채 그녀를 놓아주지 않았다. 린지가 있는 힘껏 손을 잡아당겼지만 돌덩이 안으로 굳어진 양 미동조차 없었다.

"르카플로네 백작님을 뵙습니다."

기사들은 갑작스레 찾아온 백작에게 당황하는 대신 정중하게 허리를 숙여 인사를 올렸다. 시종과 손을 깍지 끼고 있는 백작의 모습에도 흐트러짐이 없었다.

"예르시카는 안에 있나?"

"예."

"알겠어. 수고해."

휘안은 격려하듯 씩 웃어 주며 성문 안으로 들어갔다. 그러자 이번에는 수많은 시종, 시녀들이 백작과 마주치자마자 하던 일을 멈추며 인사를 올렸다.

"어서 오세요, 백작님."

"응. 다들 하던 일 해."

백작은 대수롭지 않게 손을 흔들며 그들에게 씩 웃어 주었다. 고용인들은 시종과 손을 잡고 있는 백작을 보고 흠칫 놀란 듯했지만, 기사들처럼 뛰어나게 표정 관리를 잘 해내었다. 대단한 충심이었다.

"배, 백작님. 손은 놓아주세요."

하지만 린지는 그들의 눈빛에서 강력한 물음표를 느끼고는 얼굴이 새빨개진 상태였다. 그냥 잡은 것도 아니고 손가락 하나하나를 교차해 깍지를 낀 상태다. 연인 사이가 아닌 이상 다 큰 남자들끼리 이렇게 잡을 리가 없었던 것이다. 하지만 휘안은 태연한 표정으로 웃으면서 대꾸했다.

"응? 싫은데?"

"하, 하지만……!"

린지는 주위를 획획 둘러보다가 새빨개진 얼굴로 속삭였다.

"사람들이 보고 있습니다!"

"뭐 어때?"

휘안이 의아한 표정으로 묻자 린지는 할 말을 잃었다. 그는 정말로 뭐가 어떠냐고, 무슨 상관이냐고 묻는 눈빛이었다. 가식이라고는 한 점도 섞이지 않은 진심 어린 표정을 보고 린지는 말문이 막혀 왔다.

"오해할 겁니다."

"응?"

"백작님과 저의 관계를 오해할 거라고요. 그럼 백작님에 대한 안 좋은 소문이 퍼질 수도 있고……."

계단을 오르던 백작의 발걸음이 멈춰 섰다. 그는 그 어느 때보다도 환하게 웃으며 린지를 내려다보았다.

"오해가 아니잖아?"

"……네?"

"우리 서로 좋아하는 사이 아니야?"

순간 린지는 뒤통수를 맞은 듯한 얼얼함에 입을 쩍 벌렸다. 하지만 휘안은 그녀의 경악한 눈빛을 봤으면서도 아무렇지 않게 말을 이었다.

"소문에 대해서는 걱정하지 마. 이 성에서 일하는 자들은 나를 위해 목숨조차 바칠 수 있을 사람들이야. 내가 어떤 식으로 행동해도 성 밖으로 얘기가 흘러 나가는 일 없어. 그리고……."

그는 진하게 미소 지으며 천천히 허리를 숙였다. 그리고 린지의 귓가에 부드럽게 속삭였다.

"소문나도 상관없어."

히죽 웃으며 허리를 편 휘안은 린지의 머리를 쓰다듬으며 다시 발걸음을 옮겼다.

"내가 린지안 군을 애틋하게 생각하는 것은 언젠가 사람들이 알게 될 거야. 그리고 군이 숨길 생각도 없는걸. 상관없어."

린지는 현기증을 느꼈다. 가뿐하게 걷는 휘안의 뒤를 쫓는 것이 어렵게 느껴질 정도였다.

'그게 무슨 소리야. 서로 좋아하는 사이라고?'

내가 휘안을 좋아한다는 소리야? 린지는 어이가 없어져서 휘안의 옆모습을 올려다보았다. 앞을 똑바로 바라보며 걷고 있는 휘안은 몹시 상쾌해 보이는 표정이었다. 조금 더 과장되게 표현해 본다면 그는 행복해 보였다. 지금 이 순간이, 린지와 함께 손을 잡고 걷고 있다는 것이 그를 행복하게 만들었다.

'알아. 이 녀석이 나를 그렇게 생각한다는 거.'

하지만 자신의 감정은? 린지는 순간 입술을 꾹 깨물며 시선을 아래로 내리깔았다. 싫어하는 건 아니었지만, 좋아한다고 말하기엔…….

"린지안 군, 농담이니까 그렇게 침울해할 필요 없어."

그때 옆에서 들리는 목소리에 린지는 고개를 들어 올렸다. 휘안이 장난기 가득한 눈빛으로 미소 짓고 있는 것이 보였다.

"린지안 군이 내가 싫지 않다고 말한 게 전부라는 거 알아. 방금 전한 말은 소망 사항을 말해 본 거니까 그렇게 심각해하지 마."

"……죄송합니다."

"아냐. 그냥 내가 너무 들뜬 것뿐이니까. 사실 난 싫어하지 않다고 말해 준 것만으로 충분해."

노랫가락을 흥얼거리듯 밝게 말하는 목소리에 린지는 대답할 수 없었다. 동시에 굉장히 찜찜하고 답답한 감정이 가슴을 내리누르는 것을 느꼈다. 검은 장막에 가로막힌 듯한 기분이었다.

그때 린지는 맞은편에서 걸어오는 여인을 보고 숨을 멈췄다. 휘안 역시 그녀를 발견하고 손을 흔들었다.

"예르시카."

금빛 머리카락의 여인이 걸어오고 있었다. 그녀를 발견한 린지는 차마 시선을 마주치지 못하고 서둘러 고개를 숙였다.

"백작님, 오셨습니까."

"응. 갑자기 와서 놀랐지?"

"……오실 거라고 생각 못 하고 있긴 했습니다."

예르시카는 정중하게 대답하다가 문득 시선을 아래로 내렸다. 그녀의 새파란 눈동자에 린지의 손을 단단히 잡고 있는 휘안의 손이 들어왔다. 순간 그녀의 눈동자가 잘게 떨렸으나 잠시였을 뿐, 예르시카는 다시 침착하게 말했다.

"어쩐 일로 오셨습니까?"

"굳이 용건이 있어서 와야 하는 건 아니잖아? 그냥 린지안 군이랑 맛있는 거 먹으러 왔어."

밝게 웃으며 말하는 휘안의 얼굴을 보며 예르시카는 할 말을 잃었다. 그렇게 이야기하는 휘안은 너무나도 해맑아 보였다. 단 한 줌의 거짓도 없는 미소를 보며, 그녀는 휘안의 이런 표정을 본 것이 처음이라는 것을 깨달았다.

"……좋은 시간 보내십시오."

"응, 예르시카도 수고해."

휘안은 손짓으로 인사하며 그녀를 지나쳤다. 휘안의 손에 단단히 붙들려 걸어가는 린지는 등 뒤로 꽂히는 예르시카의 시선을 느꼈다.

'……왜 모른 척해 주는 거지?'

예르시카는 경고했다. 린지가 여자라는 것을 알고 있다고, 그러니 더 이상 백작을 속이지 말고 떠나라고 확실히 전달한 것이다. 하지만 그 경고를 무시하고 여전히 백작 곁에 있는 린지를 보고 예르시카는 아무런 반응이 없었다. 따로 그녀를 불러내 또다시 경고하는 일도, 백작에게 모든 것을 밝히는 일도 없었다. 때문에 린지는 몹시 불안하면서도 의아했다. 그녀가 아는 예르시카라면 이 사실을 백작에게 말해야만 했던 것이다.

"린지안 군, 옷만 더 챙겨서 바로 나갈 거야."

그때 린지의 상념을 뚫고 휘안이 말했다. 방 안으로 들어온 휘안은 그제야 린지의 손을 놓아주며 옷장을 활짝 열었다.

"네? 나간다고요?"

그의 말에 예르시카에 대한 생각을 떨친 린지가 물었다. 이제 겨우 르카플로네 성에 도착했는데 또 어디를 나간단 말인가?

"응. 맛있는 거 먹으러 가기로 했잖아. 추우니까 외투 챙겨서 나가자."

"……이 시간에요?"

린지는 창밖을 바라보았다. 이미 하늘은 새까만 어둠에 잠식되어 있었고 시계는 아홉 시 반을 가리키고 있다. 레스토랑들도 하나둘 문을 닫을 시간이었던 것이다.

"응. 여기 목도리 받아."

"……."

하지만 린지는 휘안의 고집 어린 표정을 보고 항변하지 않았다. 이런 표정을 지을 때 그가 고집을 꺾은 적은 단 한 번도 없었던 것이다.

'대체 어디를 가려고 이러는 건지.'

피곤한데 내일 가면 어디가 덧나나. 린지는 속으로 투덜거렸으나 입 밖으로 꺼내지 않았다.

그로부터 한 시간 후, 린지는 그렇게 말하지 않은 것을 뼈저리게 후회했다.

"대체 어디를 가시는 거예요!"

그들은 산을 오르고 있었다. 그것도, 새하얀 눈으로 뒤덮인 설산을.

어쩐지 휘안이 이것저것 챙겨 주기에 조금 수상한 느낌을 받긴 했다. 대체 언제 미리 사 놨는지 알 수 없는 털 부츠와 패딩 점퍼를 입으라고 건네줄 때 뭔가 이상하긴 했다. 그러나 린지는 굳이 캐묻는 대신 순순히 그를 따라왔다. 그리고 지금, 그녀는 푹푹 꺼지는 눈을 밟으며 산을 오르고 있었다!

린지의 손을 잡고 걷던 휘안이 환하게 웃으며 대답했다.

"산 정상에 가는 거야. 기가 막히게 맛있는 곳이 있거든."

"지금 이 시간에 말입니까?!"

"응. 산이 높지 않은 편이니까 곧 도착할 거야. 조금만 힘내."

휘안의 말에 린지는 알겠노라고 대답할 수 없었다. 물론 그의 말처럼 산은 높은 편이 아니었다. 마음만 먹는다면 한 시간이면 충분히 정상에 오를 수 있을 만큼 적당한 높이였다. 하지만 이 추운 겨울, 오밤중에 밥 하나 먹으려고 오를 정도는 아니었다. 린지는 결국 짜증을 참지 못하고 투덜거렸다.

"굳이 지금 가는 이유가 뭡니까? 이렇게 춥고 늦은 밤에 올라야 할 만큼 맛있는 곳인가요?"

"응, 응. 물론이지. 내가 괜히 이러는 게 아니라고."

"그럼 내일 왔어도 되는 거잖아요!"

"하지만 지금 오고 싶었는걸. 조금만 참아, 거의 다 왔어."

"······!"

말을 말자, 말을 말아! 린지는 화를 꾹 참으며 입을 다물었다. 때마침 엎친 데 덮친 격으로 눈까지 내리기 시작하자 린지는 한숨을 폭 내쉬었다. 밥 하나 먹자고 이런 추운 겨울밤에 눈을 맞으면서 산을 오르다니······.

'하여튼 이상한 녀석이라니까.'

그러나 린지는 이 말을 내뱉지 않고 그를 흘겨보았다. 어둠 속에서도 반짝이며 빛나는 은빛 머리칼의 사내는 즐거운 듯 미소 짓고 있었다. 거세게 불어오는 찬 바람도, 하얀 눈송이들도 그의 행복을 막을 수 없는 것 같았다.

'뭐가 저렇게 신나는 거야.'

그의 표정을 본 린지는 왠지 모를 머쓱함을 느끼며 고개를 돌렸다. 최근 들어 휘안은 저런 표정을 자주 지었다. 평소에 짓는 습관적인 미소와는 완전히 다른, 보기만 해도 행복이 느껴지는 웃음이었다.

그렇게 한동안 산을 오른 후 린지와 휘안은 정상에 도착했다. 그녀는 산의 정상에서 쓰러져 가는 오두막집을 발견하고 설마 하는 심정으로 물었다.

"저기가 백작님께서 말씀하신 곳입니까?"

눈으로 뒤덮인 오두막집은 몹시 낡아 보여 툭 건드리면 쓰러질 것처럼 보였다. 이층집으로 보였지만 천장이 몹시 낮은 게 예상될 만큼 작고 허름했다. 폐가라고 해도 믿을 만했지만, 창문 틈으로 희미하게 흘러나오는 빛을 보니 버려진 집은 아닌 것 같았다.

휘안은 그 오두막을 바라보더니 기쁜 미소를 지었다.

"응. 여전하네."

"……."

설마 했는데……. 린지는 어이가 없어서 헛웃음이 나왔지만 휘안은 달랐다. 그는 린지의 손을 잡아끌고 오두막집으로 걸어갔다.

똑똑.

"안에 계십니까?"

순간 방 안에서 우당탕, 하고 누군가가 급하게 뛰어나오는 소리가 들렸다. 곧이어 문이 벌컥 열리며 백발이 새하얗게 센 노인이 얼굴을 보였다.

"배, 백작님?"

"오랜만입니다, 라우트 씨."

라우트라 불린 노인은 놀란 표정으로 휘안을 올려다보다가 서둘러 문을 활짝 열었다.

"이, 일단 안으로 들어오십시오! 대체 이 시간에 어쩐 일이신지……."

오두막집 안은 예상했듯 몹시 좁고 천장이 낮아 휘안이 허리를 숙이고 있어야 할 정도였다. 아무리 봐도 이런 늦은 밤에 찾아오게 만들 만큼 훌륭한 레스토랑으로는 보이지 않았다.

"늦은 시간에 죄송합니다. 엘린 씨의 스튜가 생각나서 찾아왔습니다."

"어머, 백작님 아니십니까!"

그때 한 명의 노인이 지팡이를 짚고 걸어 나왔다. 긴 백발을 하나로 곱게 땋아 내린 여인이었는데, 백작을 보고 놀라워하면서도 몹시 반가워하는 기색이었다. 라우트는 자신의 아내인 엘린의 옆에 서며 손사래를 쳤다.

"죄송하기요! 언제든지 환영입니다."

"오히려 영광이지요. 이 늙은이의 보잘것없는 스튜를 찾아 주시다니……."

"그런 말씀 마시지요. 엘린 씨의 스튜는 제가 먹어 본 것 중에 최고니까요."

넉살 좋게 웃은 휘안은 뒤에 멀뚱하게 서 있는 린지를 끌어당겨 소개했다.

"제 개인 시종입니다. 이 녀석에게 그 스튜를 꼭 맛보여 주고 싶어서 찾아왔지요."

"리, 린지안 아르즈벨입니다."

린지가 고개를 숙인 후 들어 올렸을 때 노부부는 놀란 눈으로 그녀를 쳐다보고 있었다. 그들의 시선에 린지가 의아해질 찰나, 엘린이 활짝 미소 지으며 반겼다.

"아이고, 반갑습니다. 이런 누추한 곳까지 오시느라 고생이 많으셨습니다."

"아, 아닙니다."

"일단 추우니 이 층에 올라가서 몸을 녹이고 계시지요! 제가 스튜가 완성되자마자 가지고 올라가겠습니다."

그녀는 놀라우면서도 몹시 밝아 보이는 표정으로 부엌으로 사라졌다.

"처, 천장이 굉장히 낮네요."

노부부의 권유에 이 층으로 올라간 린지는 이곳이 거의 다락방에 가깝다는 것을 깨달았다. 일 층보다도 더 천장이 낮아서 휘안이 허리를 깊게 숙이고 있어야만 했다. 그곳엔 낡은 침대와 상다리가 낮은 좌식 테이블이 카펫 위로 덩그러니 놓여 있었다.

"웃차."

하지만 휘안은 이곳이 몹시 익숙한 듯 좌식 테이블이 놓인 카펫 위에 앉아 손짓했다.

"뭐 해? 어서 이리 와 앉아."

"아, 네."

린지는 머뭇거리며 그의 옆에 가 앉았다. 그리고 잠시 주위를 둘러보다가 결론을 내렸다.

"이곳은 식당이 아니군요."

"응. 그냥 가정집이야."

휘안이 순순히 자백하자 린지는 눈을 가느다랗게 뜨고 그를 응시했다.

"하지만 날 믿어도 좋아. 그 어떤 고급 레스토랑보다 맛있으니까."

"네에, 네에. 그러시겠죠."

린지는 비꼬듯이 중얼거리다가 문득 뺨에 꽂히는 시선을 느끼고는 고개를 돌렸다. 휘안이 그녀를 지그시 바라보고 있었다.

'내, 내가 너무 무례했나?'

웃음 없이 자신을 바라보는 휘안을 보고 린지는 덜컥 겁을 먹었다. 그러고 보니 방금 자신이 시종치고는 굉장히 까불거리는 대사를 뱉었던 것이다. 하지만 린지의 걱정과는 달리 휘안의 관심은 다른 곳에 있었다. 그는 손을 내밀어 추위에 붉게 달아오른 린지의 뺨을 쓰다듬었다.

"추워?"

순간 린지의 심장이 쿵, 하고 내려앉았다. 그녀는 얼굴로 피가 쏠리는 것을 느끼며 황급히 고개를 저었다.

"아, 아뇨."

기습 공격을 당한 기분이다. 너무 무례하게 굴어서 휘안의 기분이 상한 것은 아닐까, 하고 걱정하는 찰나에 자신을 걱정하는 말을 던지니 몹시 당혹스러웠다.

휘안은 더더욱 붉어진 린지의 뺨을 보며 옅은 미소를 지었다. 그는 린지의 붉은 머리카락을 부드럽게 쓰다듬으며 말했다.

"너와 함께 이곳에 오고 싶었어. 내가 정말 좋아하는 곳이거든."

"……."

그의 목소리가 그 어느 때보다 따스했다. 린지는 저도 모르게 다시 고개를 들어 올려 휘안을 바라보았다. 줄곧 그녀를 바라보고 있던 보라색 눈동자가 너무나도 다정하게 비춰졌다. 린지에 대한 애정이 노골적으로 드리워진 눈이었다.

타닥, 타닥.

벽난로의 장작이 타들어 가는 소리가 정적 안을 맴돌았다. 린지는 마치 마법에 사로잡힌 것처럼 아무것도 생각할 수 없었다. 자신을 사랑스럽게 바라보는 눈빛에 최면에 걸린 것만 같았다.

잠시 후, 린지는 천천히 고개를 돌려 휘안의 시선을 피했다. 그때에 그녀의 얼굴은 아까보다 더 붉어져 귓불까지 새빨개져 있었다. 언제부터 인지, 크게 맥동하고 있는 심장 소리가 이제야 귀에 들려왔다.

'수, 숨 막혀.'

어째서인지 숨을 쉬는 것이 굉장히 불편했다. 린지는 화끈거리는 얼굴을 감싸며 자그맣게 중얼거렸다.

"그, 그렇게 보지 마세요."

심장이 터져 버릴 것 같으니까. 린지는 차마 뒤에 이어지는 말을 잇지 못하고 마음속으로 웅얼거렸다. 과장이 아니라, 이대로 더 시선을 맞추고 있다가는 심장이 폭발해 버릴 것만 같았다. 휘안은 붉어진 린지를 바라보다가 미소를 지었다.

"키스해도 돼?"

린지는 깜짝 놀라서 그를 바라보았다. 그는 이미 린지의 얼굴을 잡고 가까이 다가오고 있었다. 입술에 닿은 따뜻한 체온에 린지의 심장이 더 크게 뛰기 시작했다.

'대답 듣지도 않을 거면서 왜 물어본 거야……'

추워서일까. 휘안의 체온이 너무나도 기분이 좋았다. 그 따스함과 애절함이 그렇게 반가울 수가 없었다. 추우니까, 이렇게 안으면 따뜻하니까…… 린지는 그렇게 웅얼거렸다. 마음속 누군가가 미친 게 아니냐고 힐난하는 소리가 들렸지만 어쩐지 머리가 마비되어 들리지 않았다.

휘안은 린지의 반응에 조금 놀란 상태였다. 그동안 단 한 번도 린지가 자신을 밀치지 않은 적이 없었다. 딱 한 번, 싫지 않다고 말한 날 거부하진 않았지만 그 후로는 항상 휘안을 거절해 왔다. 다만 그가 주는 쾌락에 못 이겨 몸을 바르르 떨며 옷깃을 잡았을 뿐이었다. 이렇게 순순히 자신을 받아들이는 린지는 의외였다. 휘안은 그녀의 달달한 입술을 머금으며 천천히 몸을 어루만졌다. 역시나 남자라고 생각되지 않을 만큼 고운 선이었다.

린지의 등이 보슬보슬한 카펫 위로 닿았다. 하지만 그녀는 자신이 눕혀졌다는 것을 조금도 깨닫지 못한 상태였다. 언제나처럼, 아니 평소보다 더 아찔한 휘안의 입술에 거의 넋이 나가 있었다.

휘안은 아주 천천히 손을 움직여 린지의 허리를 쓰다듬었다. 그리고 조심스럽게 셔츠 안으로 손을 밀어 넣었다. 한 줌에 잡히는 게 아닐까 의심될 정도로 가느다란 허리가 한 손에 와 닿았다. 항상 이때쯤에서 린지는 그를 밀쳐 냈지만……

'어라?'

밀쳐 내지 않는다. 휘안은 조금 더 과감하게 손을 파고들어 그녀의 등을 어루만졌다. 쏙 들어가는 허리의 굴곡이 몹시 자극적이었다. 린지에게서 거부가 없자 휘안은 엄청난 갈등을 느꼈다. 거부하지 않는다면 자신은 멈출 수 없을 것이다. 그는 스스로를 몹시 잘 알고 있었다. 사실 이것은 휘안이 간절하게 기다려 온 순간이기도 했다. 얼마나 이 소년을 안고 싶었는지…… 같은 남자를 상대로 이런 마음을 품은 자신이 미친 게 아닐까, 라는 자책조차 할 수 없을 만큼 이 욕망은 절대적이었다.

이 시종 앞에서는 성 정체성에 대한 갈등과 고민도 부질없게 느껴질 정도였다. 그는 단 한 번도 이 감정과 욕망에 저항할 생각조차 할 수 없었다. 자신이 얼마나 이 소년을 사랑하는지, 원하는지 처음 깨달았던 순간 그는 순순히 굴복했다. 외면하기엔 너무나도 강렬했던 것이다. 얼마나 이 희고 부드러운 속살을 느끼고 싶었는지, 그 욕망은 린지가 알게 된다면 깜짝 놀랄 만큼 짙고도 짙었다.

린지의 흰 살결은 몹시 부드러웠다. 그는 그 속살을 음미하듯 천천히 어루만지며 조금씩 손을 위로 움직였다. 그때였다.

똑똑.

"휘안 님, 스튜가 다 됐습니다."

순간, 린지의 정신이 아득한 늪에서 훅 빠져나왔다. 그녀는 휘안의 몸을 강하게 밀치며 자리에서 벌떡 일어났다. 그리고 새빨개진 얼굴로 서둘러 옷을 추슬렀다. 휘안은 노골적으로 아쉬운 표정으로 입맛을 다시다가 말했다.

"네, 들어오십시오."

엘린이 스튜 접시를 들고 방 안으로 들어섰다. 그녀는 테이블 위에 스튜를 올려놓은 후 미소 지었다.

"부디 이 스튜가 두 분을 실망시키지 않길 바랍니다."

"고맙습니다."

엘린이 방문을 나서자 휘안은 씩 웃으며 스푼을 들어 올렸다. 그리고 그때까지도 경직되어 있는 린지를 바라보며 넉살 좋게 말했다.

"식기 전에 어서 먹어, 린지안 군."

"……네, 네에."

대답하는 목소리가 어쩐지 갈라져 있었다. 린지는 잘게 떨리는 손을 움직여 스푼을 잡았다. 심장이 두근거려서 도저히 참을 수가 없었다.

'미쳤어. 미쳤어, 린지 아즈벨!'

미친 게 분명하다. 린지는 쿵쿵 뛰는 심장 소리를 들으며 이를 악물었다. 방금 전 엘린의 노크가 없었더라면…….

'왜 거부하지 않은 거야!'

휘안의 손이 그녀의 옷 안으로 파고들었다. 그리고 가슴을 칭칭 휘감은 붕대 아래까지 올라오도록 내버려 두었다. 단 한 번의 저항 없이, 그대로 받아들인 것이다.

'미쳤어. 미친 게 분명해. 난 미쳤다고.'

강하게 내려앉은 자괴감에 입맛이 뚝 떨어졌다. 물론 휘안의 입맞춤이 너무나 달콤하고 아찔하긴 하지만 정신을 놓아서는 안 된다. 그런데 그 지경이 될 때까지 넋을 놓고 있다니……. 린지는 자신이 몹시 혐오스러워지기 시작했다. 대체 왜 이렇게까지 망가져 버린 걸까? 더 이상 휘안의 앞에서는 도저히 이성적으로 행동할 수가 없었다.

"린지안 군? 안 먹고 뭐 해?"

휘안은 스푼을 잡고 멍하니 있는 린지에게 말했다. 그는 장난스럽게 웃으며 그녀의 머리를 쓰다듬었다.

"갑자기 쓰러뜨리거나 하지 않을 테니까 어서 먹어."

"아, 아, 알겠습니다."

린지는 그의 손길에 또다시 허둥지둥하며 서둘러 스푼을 움직였다. 그리고 스튜를 입 안에 밀어 넣는 순간…….

"……."

맛있다.

린지는 순간 머릿속을 휘젓던 고민을 잊고는 휘안을 바라보았다. 휘안은 그녀의 표정을 보고 예상했다는 듯 우쭐거리며 웃었다.

"어때? 맛있지?"

그녀는 대답하는 대신 한 숟갈 더 떠먹었다. 역시나 맛있었다. 이렇게까지 맛있는 스튜는 생전 처음이라고 말해도 과장이 아닐 정도였다.

"괴, 굉장히 맛있습니다."

얼떨떨해하는 린지를 본 휘안이 뿌듯하게 미소 지었다.

"그치? 장난 아니지?"

"네. 진짜 맛있어요."

"그럴 줄 알았어. 하하."

휘안은 마치 소년처럼 해맑게 웃었다. 진심으로 좋아하는 그 모습에 린지는 문득 마음 한편이 저려 오는 것을 느꼈다.

스튜를 다 먹은 린지는 그릇을 일 층으로 가지고 내려갔다. 도란도란 이야기를 나누고 있던 노부부는 린지가 내려오자 깜짝 놀라 자리에서 일어났다.

"아이고! 왜 직접 가지고 내려오십니까. 저를 부르시지 그랬어요."

"아, 아닙니다."

린지는 빈 접시들을 내밀며 어색하게 웃었다.

"굉장히 맛있었습니다. 잘 먹었어요."

"하하, 우리 마누라 솜씨가 대단하지요?"

린지의 말에 라우트는 호탕하게 웃음을 터뜨리며 자랑스럽게 얘기했다.

"엘린의 스튜는 세상 그 어느 곳에 내놔도 최고일 겁니다."

"아이고, 이 양반이 노망이 났나. 부끄럽게 그런 소리는 왜 하는 거야."

엘린은 얼굴을 붉혔지만 기분이 좋아 보였다. 린지는 사이좋게 토닥거리는 노부부를 바라보다가 마음이 따스해지는 것을 느꼈다.

'행복해 보인다.'

허름한 오두막집에서 살아가는 두 부부의 주름진 얼굴엔 서로에 대한 애정이 맴돌았다. 린지는 바깥에서 본 오두막을 보고 폐가라고 생각한 것이 미안해지기 시작했다. 그 안에는 이렇게나 행복한 부부가 살아가고 있는데……

"설거지는 제가 하겠습니다."

린지가 부엌 싱크대로 가자 엘린이 깜짝 놀라 만류했다.

"아닙니다! 아뇨, 절대로 안 됩니다. 백작님의 시종분께 이런 일을 시킬 수는 없습니다."

"아니요. 제가 하고 싶어서 하는 겁니다."

린지는 씩 웃어 보이며 고무장갑을 착용했다.

"지금껏 먹어 본 것 중 최고의 음식을 공짜로 먹을 수는 없잖아요."

"아이고, 안 그래도 되는데……."

하지만 린지는 엘린의 말을 뒤로 흘리며 물을 틀었다. 이런 허름한 오두막집에서 나올 거라고 생각하지 못했던 따뜻한 물이 콸콸콸 흘러나왔다. 그녀가 정말 설거지를 시작하자 엘린과 라우트가 옆에서 안절부절못하는 모습이 보였다. 린지는 그들이 불편해하는 것을 깨닫고는 일부러 활짝 웃었다.

"그러지 말고 비법 좀 알려 주세요. 어떻게 이런 세계 최고의 스튜를 만들게 된 겁니까?"

"세계 최고라뇨, 어찌 그런 과찬을……."

"아뇨. 세계 최고 맞아요. 이렇게 맛있는 스튜는 처음이었다고요."

그녀의 칭찬에 라우트가 어깨를 펴며 아내의 손을 꼭 잡았다.

"그럼, 그렇고말고요. 제 아내의 스튜는 세계 최고지요. 휘안 백작님도, 그리고 그 아버님 되시는 전대 백작님께서도 이 스튜를 드시려고 자주 찾아오셨을 정도니까요."

린지는 그의 말에 눈을 동그랗게 뜨고 라우트를 바라보았다. 그는 회상하는 듯한 아늑한 눈빛으로 말을 이었다.

"휘안 님이 아직 어렸을 때, 백작님과 백작 부인, 그리고 귀여운 백작 영애 아가씨와 넷이서 함께 자주 오셨었습니다. 가끔 고양이도 데리고 오셨지요. 그렇게 이 스튜를 좋아해 주셨는데……."

"……."

라우트의 눈이 순식간에 물기로 젖어 들었고 밝게 웃고 있던 엘린 역시 눈가에 고인 눈물을 닦아 냈다. 갑작스레 감상에 젖어 버린 그들을 바라보며 린지는 할 말을 잃었다.

"그래도 휘안 백작님께서는 아직까지 저희를 기억해 주시고 또 이렇게 찾아 주시니까요. 정말 감사할 따름이지요."

"그, 그랬군요……."

린지는 어색하게 대답했다. 덜그럭거리는 접시 소리와 물 흐르는 소리가 한동안 침묵 위를 맴돌았다.

"가족을 잃으신 백작님께서 홀로 찾아 주시는 것이 한편으로는 마음이 아팠지요."

엘린은 린지를 바라보았다. 그녀를 바라보는 노인의 눈빛에 깊이를 알 수 없는 따스함과 애정이 느껴졌다.

"이렇게 다른 사람과 함께 온 것은 처음입니다. 그래서 안심이 되네요."

"……."

"이제 휘안 백작님도 혼자가 아니시군요."

덜그럭, 린지는 대답 없이 그릇을 닦아 냈다. 수세미로 그릇을 훑는 손동작은 몹시도 기계적이어서 린지는 자신이 어떻게 닦고 있는지도 인식할 수 없었다. 다만 갑자기 찾아온 당혹스러움에 어쩔 줄 몰라 했다.

"부디 백작님을 잘 보살펴 주세요. 정말 좋으신 분입니다."

보살펴 달라니…… 내가? 린지는 어떻게 반응해야 할지를 몰라 침묵을 지켰다. 물론 자신이 시종으로서 백작의 시중을 들고 있긴 하지만 보살핀다는 것과는 다른 느낌이었다.

"배, 백작님을 정말로 좋아하시나 봐요."

결국 린지는 딱히 할 말이 없어 이렇게 말했다. 라우트와 엘린은 몹시 공감하는지 고개를 끄덕였다.

"물론이죠. 저희는, 그리고 저뿐만 아니라 르카플로네 영지의 모든 시민들이 그럴 겁니다. 진심으로 백작님을 존경하고 사랑하지요."

"……."

마지막 접시를 닦던 린지는 살짝 고개를 돌려 그들을 바라보았다. 라우트와 엘린은 결코 빈말을 하고 있는 것이 아니었다. 순간 두 눈에 드러난 충성심에 린지가 깜짝 놀랄 정도였다. 보통 영지민들이 이렇게까지 영주를 좋아하던가?

'보통은 두려워하지.'

대부분의 평민들이 귀족을 바라보는 시선은 두려움이었다. 인심 좋은 귀족에게는 존경심을 보인다. 린지는 엘린와 라우트처럼, 이렇게 깊은 애정과 충성심을 가진 주민들을 본 적이 없었다.

린지의 의아한 시선을 느꼈는지 엘린이 웃음을 지었다.

"저희가 특이하다고 생각하시나요?"

"……예. 솔직히 말하자면, 그렇습니다."

그러자 라우트가 이해한다는 듯 고개를 끄덕였다. 그는 다른 손으로 지팡이를 바꿔 잡으며 말했다.

"르카플로네 시민들은 모두 영주님을 사랑합니다. 모두가 그분께 은혜를 입었고…… 또 기대하는 바가 크니까요."

"……"

"저희는 세금을 내지 않습니다. 알고 계십니까?"

그 말에 린지는 놀란 눈으로 그를 바라보았다. 그녀의 충격받은 눈빛에 라우트가 껄껄 웃으며 말을 이었다.

"저희가 왕실에 내야 할 세금들을 백작님께서 대신 내주고 계십니다."

"……아."

놀라운 사실이었다. 보통 영지 사람들의 세금의 일부분은 영주에게, 또 왕실에 종속되기 마련이었다. 근데 그 돈을 영주인 백작이 다 부담한단 말인가? 영지의 모든 사람들의 세금을? 그것은 보통 일이 아니었다. 만약 일반 귀족이라면 감당할 수 없을 일이었겠으나……

'백작이라면 가능하지.'

린지는 그의 영지 숲 한구석에 비밀스럽게 자리한 미스릴 광산을 떠올렸다. 그 정도의 부를 가진 백작에게 영지민들의 세금을 대신 부담하는 것은 대수로운 일이 아닐 것이다.

"뿐만 아니라 저희처럼 수입이 없는 가정에는 꾸준히 지원금을 보내 주시지요. 생활비는 물론 따뜻한 온수, 난방, 장작 값까지 해결해 주시고……."

"……저, 정말인가요?"

"네. 게다가 이 집을 재건축해 준다고 제안도 해 주셨어요. 저희가 거절하긴 했지만요."

맙소사. 이쯤 되면 거의 성자, 성군 수준이었다. 린지는 백작이 그런 일을 하고 있을 거라고는 상상해 본 적이 없었다. 수입 없는 가정에 지원금을 보내 주고 무상 재건축까지 제안을 했다고?

"설마 모든 영지 사람들에게 그러시는 건가요?"

"네. 한 집도 빠짐없이 지원해 주고 계십니다."

린지는 그릇을 닦는 것을 잊고 멍하니 그들을 바라보았다. 문득 위에서 잠시 누워 쉬고 있을 백작이 다른 사람처럼 느껴졌다. 다정한 척하지만 속은 굉장히 냉정한 사람일 거라고 생각했는데, 이렇게 영지민들을 위한 복지에 힘쓰고 있었을 줄은…….

'그리고 이 사실은 왕실도 모르는 일이야.'

즉 르카플로네 백작과 그의 영지 시민들은 모두가 입을 맞추어 왕실 모르게 이런 일을 하고 있었던 것이다. 린지는 문득 백작이 영주 성의 시종들을 향해 했던 말을 떠올렸다.

"그들 모두가 내게 목숨을 걸고 있는 자들이야."

어쩌면 그것은 영주 성에 일하는 자들만을 향한 것이 아닐지도 모른다. 영지의 시민들 모두가 백작을 깊이 따르고 있었던 것이다.

"대, 대단하시네요."

린지는 다시금 접시를 닦으며 말을 더듬었다.

"백작님께서 그렇게까지 영지 시민분들을 위해 힘쓰시는 것은 몰랐습니다. 정말 대단하시네요."

"그렇지요."

"그런데 왜 집은 재건축하지 않은 건가요?"

그녀는 화제를 돌리기 위해 물었으나 엘린과 라우트에게는 뼈 있는 질문인 것 같았다. 노부부는 잠시 서로를 바라보더니 옅게 미소 지었다. 어쩐지 몹시 슬퍼 보이는 미소였다.

"르카플로네 영지에 젊은이들이 적은 것을 알고 계시지요?"

"⋯⋯네, 알고 있습니다."

린지는 고개를 끄덕이며 하준이 한 말을 떠올렸다. 과거 대대적인 납치 사건이 일어나 어린아이들이 사라져 버렸다고, 그래서 지금 이 영지에는 어린아이들과 중장년, 노년층이 대부분이라고⋯⋯.

"그때 제 아들도 같이 사라졌습니다."

"⋯⋯."

그녀가 아무런 대답도 못 하자 엘린이 쓸쓸한 목소리로 말을 이었다.

"이 집은 제 아이와의 추억이 깃든 곳입니다. 차마⋯⋯ 없앨 수가 없더군요."

"⋯⋯죄송합니다. 괜한 것을 물어서."

화제를 돌리려고 한 말인데 분위기를 침체시키고 말았다. 린지의 미안해하는 표정을 본 엘린과 라우트가 고개를 저었다.

"아뇨, 아닙니다."

"……"

"그래서 백작님께서 더 영지의 시민들에게 신경을 써 주시는 거죠. 대부분의 가정이 그때 아이를 잃었으니까요."

일종의 위로금……인 걸까. 린지는 다 닦은 그릇을 선반 위에 올려놓으며 생각했다. 백작은 그때, 영지에서 일어난 아이들의 납치 사건에 큰 책임을 느끼고 있는 걸까? 때문에 과하다 싶을 정도의 복지를 베풀어 시민들을 위로하는 것일까?

"그래도 백작님께서라도 돌아오셔서 다행입니다."

"……네?"

"납치 사건이 있을 당시, 백작 가문의 모든 분들께서 다 실종되셨거든요."

린지가 아무 말 못 하자 라우트가 쓴웃음을 지었다. 주름진 뺨이 움푹 파여 들어갔다.

"근엄하신 전 백작님도, 아름다우셨던 백작 부인도, 사랑스러웠던 백작 영애도 모두 사라지셨지만— 이렇게 휘안 백작님이라도 돌아와 주셔서 너무 행복합니다."

새하얀 입김이 눈앞으로 어른거렸다. 린지가 발을 내딛자 곱게 쌓인 눈이 뽀드득 소리를 내며 움푹 파였다. 그녀는 자신의 발자국을 내려다보다가 고개를 들어 올렸다.

'많이도 오네…….'

눈발이 더 심해지고 있었다. 시야를 제대로 확보하지 못할 정도의 폭설이었다. 갑작스레 심해진 폭설에 엘린과 라우트는 하룻밤 머물고 갈 것을 권했고 백작은 흔쾌히 수락했다. 한데 그들이 가진 손님방이라고는 이 층뿐이었기에, 린지와 백작은 한방에서 자야 했다. 그리고 지금, 그가 씻는 중 사이 린지는 바깥바람을 쐬기 위해 잠시 집 밖으로 나온 상태였다.

'……같은 시기였을 줄은 몰랐어.'

눈을 맞으며 서 있는 린지의 머리는 혼란스러웠다. 방금 전 엘린과 라우트가 해 준 말 때문이었다. 12년 전─아니, 이젠 해가 지났으니 13년 전이다. 같은 연도에 일어난 사건이라는 것은 알고 있었다. 하지만 그것이 정확히 같은 시기였을 줄은…….

'왜 아무도 몰랐던 거지?'

왜 왕실은 그 사실을 모르고 있는 걸까? 아니, 정확히 말하자면 유시젠은 그 사실을 알지 못했다. 더불어 대부분의 귀족들도 모르는 이야기였다. 백작 가문의 인원이 실종된 정확한 시점을 아는 자들은 아무도 없었던 것이다.

'납치 사건과 같은 시점에 일어났다면…….'

백작 가문 역시 납치당한 것이 분명하다. 아무도 돌아오지 못했던 대대적인 의문의 납치, 오로지 백작만이 살아서 돌아온 그 사건.

'모를 리가 없잖아?'

아무리 생각해도 이해가 되질 않았다. 백작 가문이 사라졌다면, 그 사라진 시점 이후로 매달 왕실에 보내는 세금도 끊겼을 것이다. 누군가가 일부러 조작이라도 하지 않는 이상 그들이 실종된 시점을 모른다는 것은 말이 되질 않았다.

"대체 누가 그들을 납치한 거지."

그렇게 말하는 순간, 하늘색 머리칼의 청년이 머릿속을 스쳐 지나갔다. 레너드 아롭…… 그의 얼굴이 떠올랐다. 순간 린지의 몸은 벼락을 맞은 듯 뻣뻣이 경직됐다. 그녀는 꼭 쥐고 있던 두 손을 털썩 내리며 눈을 커다랗게 떴다. 너무나도 놀랍고 충격적인 깨달음이었다.

'그 녀석이야.'

그들을 납치한 것은 레너드였다!

이제야 모든 것을 알 수 있었다. 린지는 레너드라는 이름이 떠오르는 순간 어지럽게 흩어져 있던 퍼즐이 단숨에 제자리를 찾는 것을 경험했다. 인체 실험, 대대적인 납치 사건, 알 수 없는 증오 관계, 그리고 백작 가문의 실종…….

'말도 안 돼.'

린지는 덜덜 떨리는 손으로 입을 가로막았다. 만약 자신의 가설이 사실이라면 그것은 너무나도 끔찍한 일이었다. 이 모든 것이 레너드가, 레너드라는 미친 연금술사의 인체 실험과 관련된 일이라면…….

'그 개자식, 단 한 번도 자기가 납치해 본 적이 없다고 말해 놓고서는!'

증오심이 단숨에 그녀를 집어삼켰다. 린지는 카제타 산맥에서 만났던 레너드가 했던 말을 떠올렸다. 그 천연덕스러운 가증스러움에 화가 나서 견딜 수 없었다. 그에게 납치되었을 르카플로네 영지의 아이들, 그리고 백작 가문의 일원들을 떠올리자 가슴이 활활 타올랐다.

'설마 휘안도…….'

인체 실험을 당한 걸까. 그렇게 생각하자 린지는 견디지 못하고 자리에 주저앉았다. 해일처럼 밀려오는 안타까움과 애틋함이 온몸을 잠식했다. 휘안이 너무나도 가엾고도 가여워 눈시울이 뜨거워졌다. 레너드를 향한 그의 증오를, 그 살기를 이해할 수 있었다.

"불쌍해……."

만약 자신의 생각이 맞다면…… 휘안은 감당할 수 없는 슬픔을 안고 살고 있을 것이다. 자신의 가족을, 부모와 여동생을, 그리고 사랑하는 영지의 아이들을 잃고 홀로 살아남은 휘안이 너무나도 가여웠다.

'하준과 예르시카도 레너드의 피해자겠지.'

엘테스의 국왕이면서 맹목적으로 휘안을 따르는 하준, 그리고 예르시카 역시 레너드가 벌인 미친 짓의 희생자일지도 모른다. 그리고 레너드를 감당할 수 있는 단 한 사람 휘안을 따르는 것은 어쩌면 당연한 일이었다. 린지는 그들에게 얽힌 기묘한 관계를 이제야 이해할 수 있었다.

이해할 수밖에 없었다. 이 오두막은 그런 곳이었다. 휘안에 대해 더 알 수밖에 없는, 그를 이해할 수밖에 없는 장소였다. 그 때문에 휘안이 린지를 이곳에 데려온 것일지도 몰랐다. 가족 외에 그 누구도 함께 온 적이 없다던 이 장소에…… 그는 린지를 데려왔다.

'나를 믿고 있으니까…… 내게 이해받고 싶으니까.'

린지는 눈송이들이 뿌옇게 흐려진 것을 깨달았다. 인식하지 못한 사이 눈물이 얼굴을 적시고 흘러내리고 있었다. 그녀는 서둘러 눈물을 닦아내며 두 손으로 얼굴을 감쌌다. 어쩜 이렇게 가여울 수가……. 처음으로 마음을 온전히 열고 함께하고 싶어 하는 자가, 사실은 스파이라니. 배신자라니. 린지는 자신이 배신자라는 그 사실이, 자신에게 속고 있는 휘안이 너무나도 안타까워 견딜 수 없었다.

"린지안 군?"

문득 린지는 위에서 들려오는 목소리에 고개를 획 들어 올렸다. 2층의 창문으로 휘안이 고개를 내밀고 그녀를 내려다보고 있었다.

"나 다 씻었어. 린지안 군도 어서 올라와서 씻어."

"아, 알겠습니다."

휘안이 씩 웃는 것을 보며 린지는 서둘러 오두막 안으로 들어갔다.

"밖에 추위? 또 얼굴이 빨개졌네."

"조, 조금요. 씻고 나오겠습니다."

린지는 휘안의 눈을 최대한 피해 서둘러 욕실 안으로 들어갔다. 비좁은 욕실은 생각보다 몹시 깨끗해서 휘안이 목욕을 즐기기에 무리가 없어 보였다. 린지는 문을 잠그고 샤워를 하며 달아오른 얼굴을 가라앉혔다. 따스한 물줄기들을 맞아 붉은 머리칼이 축 늘어졌다.

'복잡해.'

머리가, 아니 마음이 너무 복잡해서 방심하는 순간 눈물이 울컥 터질 것만 같았다. 린지는 최대한 어지러운 감정을 가라앉히려고 노력하며 머리를 쓸어 넘겼다.

'아무 생각도 하지 말자. 일단은, 아무것도 생각하지 마.'

일단 수도 샤를로 돌아가서 생각하자. 린지는 그렇게 결정을 내리다가 문득 자신의 생각에 놀라 인상을 찡그렸다.

'내가 뭘 생각해? 내게 무슨 결정권이 있다고?'

그녀는 혼란스러움에 입술을 악물다가 머리를 흔들었다. 이제 정말 됐으니까, 아무것도 생각하지 말자. 그녀는 그렇게 결심하며 물을 잠갔다.

"……안 주무시고 계셨습니까?"

린지는 어깨에 수건을 얹고 젖은 머리를 닦으면서 나왔다. 침대에 누워 창밖을 바라보고 있던 휘안은 린지에게 시선을 돌렸다.

"……."

린지는 어둠 속에서 누워 있는 그를 보고 새삼 어색함을 느끼며 시선을 돌렸다. 그녀는 수건으로 머리칼을 탁탁 털어 내며 등을 돌렸다.

'잠옷은 또 왜 이렇게 헐렁한 거야.'

엘린과 라우트가 건네준 잠옷은 린지에게 너무 큰 사이즈였다. 휘안에게 딱 맞을 정도였으니 린지는 마치 부모님 옷을 뺏어 입은 듯한 행색이었다. 기장이 너무 길어 손이 겨우 빼꼼 나올 정도였던 것이다.

'그건 그렇고 난 어디서 자?'

린지는 방 안을 둘러보았다. 아무리 살펴봐도 잘 만한 곳은 저 침대

하나가 전부였으나 저기서 잘 생각은 눈곱만큼도 없었다. 차라리 저 상을 치워 카펫 위에서 자는 게…….

"……뭘 그렇게 보십니까?"

그녀는 문득 자신을 뚫어져라 보고 있는 휘안을 보고 머쓱하게 말했다. 휘안은 마치 홀린 듯이 그녀를 바라보고 있었는데 그 시선이 몹시 부담스러웠다. 그때, 휘안이 갑자기 얼굴을 감싸고 한숨을 크게 내쉬었다. 그리고 고개를 설레설레 저으며 뭐라고 혼자 작은 목소리로 중얼거렸다.

"왜, 왜 그러세요?"

"아아, 나에게 이런 시련을……."

휘안이 무언가 중얼거렸으나 린지는 알아들을 수가 없었다. 그녀가 당황스러워하자 휘안이 난감하게 웃으며 고개를 들어 올렸다.

"린지안 군, 이건 정말 너무하네."

"에? 뭐, 뭐가요?"

그녀는 저 혼자 투덜거리듯 중얼거리는 휘안을 바라보며 인상을 찡그렸다. 자신이 없는 동안 술이라도 한잔 마신 걸까? 저렇게 횡설수설하는 모습은 처음이었다. 휘안은 미간을 좁히며 불만스러운 듯 말했다.

"옷이 너무 크잖아. 쇄골이 훤히 다 보인다고."

"아, 그렇죠. 다른 걸 달라고 했는데 남는 게 이것뿐이라고 하셔서……."

린지는 커다란 소매를 들어 올리며 어색하게 웃었다. 그 모습을 못마땅한 듯 바라보던 휘안이 미간을 좁히며 다시 고개를 흔들었다.

"됐고, 어서 자자."

"저는 여기서 자겠습니다."

린지는 휘안의 말이 끝나마자 카펫 위를 가리켰다. 그러나 휘안은 이번에도 고개를 저었다.

"안 돼. 감기 걸릴 생각이야? 침대 위에서 자."

"하지만……."

린지가 머뭇거리자 휘안이 피식 웃으며 말했다.

"내가 불편한 거라면 아래에서 잘게."

"그, 그런 말도 안 되는 소리 마십시오! 어찌 제가 감히……."

"그럼 사이좋게 이불 덮고 자는 걸로 하고, 어서 이리 와."

휘안이 자신의 옆을 툭툭 쳤지만 린지는 다가가지 못하고 머뭇거렸다. 물론 휘안과 일전에 같은 침대에서 잔 일이 몇 번 있긴 했지만, 그땐 휘안이 린지에게 대시하기 전이라 아무 일도 없었다. 지금은 저돌적으로 들이대는 상태인지라 무슨 일이 벌어질지…….

휘안은 그녀의 생각을 읽었는지 눈을 가느다랗게 떴다.

"아무 일도 없을 테니까 이리 와."

"저, 정말이지요?"

"……조금 만지는 것도 안 돼?"

"안 됩니다!"

린지가 질색하며 소리 지르자 휘안이 웃음을 터뜨렸다.

"장난이니까 이리 와. 이불 안 덮고 자면 정말로 감기 걸리고 만다고."

"……."

"꼭 명령이라고까지 해야겠어?"

결국 그녀는 휘안의 옆에 누울 수밖에 없었다.

'으, 불편해.'

침대는 비좁아 아무리 떨어지려고 노력해도 몸이 닿을 수밖에 없었다. 린지는 심장이 쿵쾅거리며 뛰기 시작하는 것을 느끼며 이불을 꼭 잡았다.

'뭐야. 왜 이렇게 떨리지? 저번에는 이러지 않았는데.'

심장이 떨려서 발끝까지 저릿했다. 린지는 자신의 두근거림이 휘안에게 들리지 않기를 바라며 슬쩍 눈을 움직였다. 휘안이 자신을 바라보고 있었다. 린지가 깜짝 놀라 눈을 크게 뜨자 휘안이 싱긋 웃었다.

"잘 자, 린지안 군."

그렇게 말한 휘안은 린지가 뭐라고 대답할 사이도 없이 옆으로 몸을 빙글 돌렸다. 갑자기 등을 돌린 휘안을 보며 린지는 잠시 망설이다가 입을 다물었다. 잘 자라는 말에 대답할 타이밍을 놓치고 만 것이다.

'뭐야. 좁아서 불편한 건가? 자기가 같이 자자고 해 놓고는.'

린지는 휘안의 등을 보면서 알 수 없는 서운함을 느꼈다. 괜스레 심술이 난 린지는 입을 쭉 내밀며 그를 바라보았다.

'……어깨가 굉장히 넓네.'

영지의 시민이 건네준 잠옷을 입고 이렇게 좁은 침대에 누워 있는 백작을 보자니 마치 다른 사람처럼 느껴졌다. 린지는 멍하니 그의 등을 바라보다가 새삼 휘안이 얼마나 남자다운 몸을 가졌는지 깨달았다. 조각처럼 섬세하고 아름다운 얼굴과는 달리, 잠옷 아래로 탄탄한 등과 넓은 어깨의 선이 드러났던 것이다. 린지는 심장이 더 거세게 뛰는 것을 느끼며 눈을 질끈 감았다.

'대체 왜 이렇게 떨리는 거지? 나 미쳤나 봐.'

정신 병원에 가 봐야겠다. 린지는 심각하게 생각했다. 아무래도 정신적으로 이상이 온 것이 분명했다. 휘안을 속이고 있다는 죄책감에 정신 착란이라도 온 게 아닐까? 그렇지 않고서야 이런 기분을 느낄 리가 없지 않은가. 이것은 지금껏 린지가 경험해 본 적이 없는 감정이었다. 때문에 그녀는 이것이 어떤 감정인지, 이것의 정체가 무엇인지 도무지 알 수 없었다.

그때 부스럭거리는 소리와 함께 휘안이 다시 등을 돌렸다. 린지는 그 소리에 다시 눈을 떴다.

"……?"

자신을 바라보는 눈에 린지가 의아한 표정을 짓자 휘안이 엷게 미소 지었다.

"보고 싶어서."

린지의 심장이 쿵, 하는 소리를 울렸다. 그녀는 할 말을 찾지 못하고 있다가 천천히 시선을 내렸다. 쿵쿵거리는 소리 때문에 시끄러워서, 너무 정신이 없어서 죽을 것 같았다. 마치 심장이라도 토해 내고 싶은 심정이었다.

"린지안 군, 날 봐 봐."

린지는 그의 말에 간신히 떨리는 눈을 들어 올려 휘안을 바라보았다. 자신을 바라보는 따스한 눈빛에 심장이 잘게 떨려 왔다. 휘안은 웃었다. 낡은 잠옷을 입었음에도 불구하고 미소 짓는 휘안은 눈이 부시도록 아름다웠다.

"나는 너를 사랑해."

그 순간, 린지는 더 이상 자신의 심장 소리를 들을 수 없었다. 미친 듯이 쿵쾅거려서 정신없게 만드는 심장 소리도, 쩌릿쩌릿한 손발의 감촉도 더 이상 느낄 수 없었다. 그녀가 들을 수 있는 것, 느낄 수 있는 것이라고는 휘안의 목소리뿐이었다.

"네가 남자여도 상관없어. 그리고 너도 나를 그렇게 생각해 줬으면 좋겠어."

"……."

"사람들이 뭐라고 말해도 좋아. 내가 너를 지켜 줄게. 이 세상 그 누구보다도 네가 행복하도록 최선을 다할 거야. 그러니까 나에 대해 진지하게 생각해 줘."

린지는 시선을 내리고 싶었다. 아니, 당장에라도 침대에서 벌떡 일어나 도망가고 싶었다. 애틋하면서도 떨리는 눈빛으로 고백하는 휘안에게서 벗어나고 싶었다. 하지만 그녀는 아무것도 할 수 없었다. 시선을 피하기는커녕, 숨조차 내쉴 수 없었다.

"사랑해, 린지안."

휘안의 목소리가 너무나도 달콤했다. 생에 들어 본 그 어떤 목소리보다도 달콤해서, 마치 꿈을 꾸고 있는 것 같았다. 깨고 싶지 않은 달콤한 꿈을.

백작은 르카플로네 영지에서 일주일을 머물렀다. 맛있는 것 먹으러 온 것치고는 제법 긴 머무름이었다. 심지어 그는 스튜를 먹고 온 다음 날부터 눈코 뜰 새 없이 바빠져서 얼굴을 보기 힘들 정도였다. 항상 옆에 린지를 데리고 다녔던 휘안은 혼자서 늘 어딘가로 사라졌던 것이다. 때문에 린지는 영지 성에서 혼자 돌아다닐 때가 많았다.

'익, 이런 젠장.'

물론 혼자 다니는 것이 편하긴 했다. 성안의 모든 사람들은 린지에게 몹시 친절하고 다정했다. 단 한 사람, 예르시카를 제외하면.

'마주쳐 버렸네.'

정원에서 예르시카와 마주친 린지는 경직된 자세 그대로 얼어 버렸다. 예르시카 역시 린지와 마주치자 자리에 그대로 멈춰 섰다.

"아, 안녕하십니까."

린지가 긴장한 기색으로 인사를 올리자 예르시카의 눈썹이 슬쩍 올라갔다. 그녀는 노골적인 적대감을 드러내며 린지를 노려보았다.

"……."

"그, 그럼 이만……."

예르시카가 아무 말 않고 서 있자 린지는 슬그머니 발걸음을 옮겼다. 이대로 무사히 지나치길 바라며 서둘러 걷는 찰나.

"거기 서라."

그냥 지나칠 리가 없지. 차갑게 잡아채는 그녀의 목소리에 린지는 눈을 콱 감았다. 그리고 자포자기의 심정으로 뒤를 돌았다.

예르시카는 린지를 살펴보았다. 머리부터 발끝까지 한차례 훑어본 후, 딱딱하기 그지없는 어조로 말했다.

"내 말이 기억나지 않는 거냐?"

"......"

역시나 그 얘기로군. 분명히 언젠가 할 줄은 알았다. 린지는 올 게 왔다는 심정으로 주먹을 움켜쥐었다. 어차피 한 번쯤은 넘어야 할 위기였다.

"분명히 내가 경고했을 텐데. 백작님 곁을 떠나라고."

"......죄송합니다."

린지는 기어들어 가는 목소리로 대답했다. 분명히 그러려고 했다. 예르시카의 경고를 받는 날, 린지는 백작의 곁을 떠날 작정이었다. 그래서 그에게 떠나겠노라고 이야기까지 했었다. 하지만 린지는 여전히 휘안의 옆에 있다. 왜, 떠날 수 없는 걸까.

"언제까지 여자라는 것을 속이고 백작님 곁에 있을 생각이지?"

"......"

"너는 지금 백작님을 속이고 있다. 그의 믿음을 저버리고 있어."

예르시카는 차분하게, 하지만 잔인할 만큼 직설적으로 린지의 아픈 부분을 찔러 왔다. 얼음송곳보다 시리고 날카로운 눈동자가 찌를 듯이 린지를 노려보았다.

"이렇게까지 백작님의 곁에 머무는 의도가 뭐냐."

"......"

"넌 대체 누구냐. 린지안 아르즈벨."

린지는 죄 지은 사람처럼 고개를 푹 수그렸다. 아니, 실제로 그녀는 죄를 지은 사람이었다. 때문에 도저히 예르시카의 두 눈을 떳떳이 바라볼 수 없었다. 잠시간의 침묵이 흐른 후, 린지의 입술을 비집고 작은 목소리가 흘러나왔다.

"시간을…… 주세요."

"뭐?"

린지는 천천히 고개를 들어 올려 예르시카를 바라보았다. 당혹스러워하는 푸른 눈동자가 그녀를 경계하고 있었다. 역시나 나를 싫어하고 있다. 린지는 그녀의 눈을 보며 뼈저리게 느꼈다. 지금 당장이라도 검을 뽑아 휘두르지 않는 그녀의 인내심이 감탄스러울 정도였다. 하지만 이 여자의 모든 결정은 휘안을 위해서였다. 그녀는 진정으로 휘안을 위해 살고 있었으니까. 휘안을 속이고 있는 주제에, 충직한 예르시카를 원망할 수 있을까.

"언젠가 반드시 떠나겠습니다. 하지만 지금은…… 휘안 님께서도 그것을 원치 않으십니다."

그 말에 예르시카의 눈썹이 흠칫 떨렸다. 그녀는 그 말의 의미를 너무나도 잘 알고 있었다.

'나도 알아. 휘안 님이 이 녀석을 각별하게 생각한다는 것.'

어쩌면 휘안 자신보다 그의 감정을 제일 먼저 알아차린 것은 예르시카일지도 몰랐다. 그녀는 아주 오랜 시간 동안 휘안만을 바라보며 살고 있었으니까…….

때문에 휘안의 변화를 그 누구보다도 잘 느낄 수 있었다. 그는 단 한 번도 보여 주지 않은 미소를 시종에게 보여 주었다. 예르시카는 그가 린지의 손을 잡고 성안을 거닐었던 모습을 떠올렸다. 그 누구의 시선도 개의치 않는 모습에, 이미 휘안은 저 시종을 자신의 사람으로 점찍었다는 것을 느낄 수 있었다. 사람들의 시선 따위 상관하지 않고 자신의 사람을 소중히 여기고 지키려 하는, 휘안 특유의 강직함이었다. 예르시카는 그 강직함을 좋아했다. 아주 많이…… 좋아했다.

'휘안 님.'

시종이 여자라는 것을 알게 되면 어떤 반응을 보일까. 사랑하는 사람의 성별이 사실은 여자라는 것에 더 기뻐할까. 아니면 배신감에 치를 떨고 상처를 받게 될까……. 둘 다 무서웠다. 그 어떤 결과도 예르시카가 바라는 미래가 아니었다. 그녀는 주먹을 꽉 쥐며 린지를 바라보았다.

"그 말을 믿겠다."

차라리 아무것도 밝히지 않고 그대로 사라져 주는 것, 그것이 최고의 시나리오였다.

"아아, 이제야 돌아가는구나. 정말 바쁜 나날이었어."

린지가 휘안의 얼굴을 제대로 보게 된 것은 다음 날 아침에서였다. 휘안은 르카플로네 영지에서의 일정을 모두 끝내고 샤를로 돌아가겠다고 선언했다. 린지는 그와 함께 카제타 산맥으로 향하는 동굴 안으로 발걸음을 옮겼다. 이제는 익숙한 지진과 태풍과도 같은 거친 바람이 몰아쳤다. 휘안은 린지의 어깨를 끌어안으며 천천히 한 걸음씩 뚫고 앞으로 향했다. 이제 제법 익숙해져서 혼자 걸을 수 있다고 말했지만 휘안은 들은 척도 하지 않았다.

"……어라?"

동굴 밖으로 빠져나온 린지는 낯선 풍경이 펼쳐진 것을 보았다. 분명 카제타 산맥의 동굴과 연결되어 있어야 하는데, 이곳은 낯설고도 울창한 숲이었던 것이다.

"여긴 어디죠?"

"아아, 루바트 숲이야."

"에엑?"

루바트 숲은 온갖 사나운 야생 동물의 서식지로 공식적인 출입 금지 구역이었다. 그런데 지금 그 숲에 와 있다는 말인가? 휘안은 린지의 표정을 읽고 환하게 웃으면서 고개를 끄덕였다.

"응. 카제타 산맥의 동굴은 막아 놨어."

"어, 언제요?"

"삼 일 전에. 아아, 정말 바빴다니까."

그는 능청스럽게 말하며 기지개를 폈다. 그리고 대체 언제 준비해 놓은 건지, 동굴 바깥에 걸려 있는 말의 고삐를 잡고 훌쩍 올라탔다. 그리고 자신의 앞을 툭툭 두드렸다.

"뭐 해? 어서 타?"

"왜, 왜 한 마리뿐이지요?"

"그야 이 핑계로 린지안 군이랑 더 붙어 있으려고 하지."

린지가 얼굴을 확 붉히자 휘안이 웃음을 터뜨렸다. 그는 키득거리며 린지에게 손을 뻗었다.

"어서 타."

"……"

린지는 망설이다가 어쩔 도리가 없음을 깨닫고 그의 손을 맞잡았다. 그는 단숨에 린지의 몸을 끌어 올려 자신의 앞에 앉혔다. 어마어마한 악력이었다.

'한 손으로 들어 올리네. 천하장사도 아니고.'

순간, 목에 따뜻한 감촉과 숨결이 느껴지자 린지의 온몸에 소름이 돋았다. 그녀가 몸서리치며 비명을 꽥 지르자 휘안이 또다시 웃었다.

"하하하. 너무해, 발작하는 줄 알았잖아."

"뭐, 뭐 하시는 겁니까?"

린지가 새빨개진 얼굴로 그를 올려다보자 휘안이 태연하게 대답했다.

"목에 뽀뽀했는데?"

"누, 누구 마음대로요!"

"그야 내 마음대로지. 나, 이래봬도 린지안 군의 주인이거든."

"……!"

맞는 말인지라 뭐라고 대꾸할 말이 없었다. 휘안은 할 말을 잃은 린지의 얼굴을 즐겁게 바라보다가 고삐를 획 흔들었다.

"자, 가자."

린지는 입술을 꾹 깨물며 다시 몸을 앞으로 돌렸다.

'뭐야. 계속 놀리기만 하고.'

얼마 전 그의 고백이 마치 꿈속의 일같이 느껴졌다. 너무나도 진지하고 애절한 눈동자로 사랑한다고, 그러니 진지하게 생각해 달라고 부탁했던 그 사람과 동일 인물이란 게 믿기지 않았다.

'하여튼 이상하다니까.'

그때의 일을 떠올리자 린지의 심장이 또다시 달음박질쳤다. 창문을 등지고 자신을 바라보던 고요한 눈동자는 떠올릴 때마다 기묘한 고통을 선사했다. 마음속의 실이 팽팽하게 당겨지는 듯한, 아프면서도 묘한 쾌감이 있는 감정이었다.

달그락 달그락. 말발굽이 지축을 울리는 소리가 들렸다. 휘안의 몸에 등을 기댄 린지는 그의 팔 안에서 묘한 감정을 느끼고 있었다. 지금, 뒤에 붙어서 말을 몰고 있는 이 남자가 자신을 사랑하고 있다. 그 감정의 크기에 린지는 새삼스럽게 또다시 충격을 받았다. 떠올리면 떠올릴수록 믿기지 않아서 놀라울 뿐이었다. 휘안이, 휘안 데 르카플로네 백작이 자신을 애타게 원하고 또 사랑하고 있다는 것이 너무나 생소했다.

'대체 왜 날…….'

그 많은 미녀들, 귀족 영애들과 공주들을 거절한 그가 사랑하는 것은 보잘것없는 시종이다. 게다가 그는 자신을 남자로 알고 있을 텐데 대체 어떻게 사랑을 품게 된 것일까.

'으, 모르겠다. 또 심장이 터질 것 같아.'

린지는 빠르게 뛰고 있는 말에게 감사했다. 덕분에 자신의 심장 소리는 자연스럽게 묻히게 되었으니까. 그때, 휘안이 고개를 슬쩍 내려 린지의 귀에 입술을 가져다 댔다. 린지가 흠칫 놀라 몸을 굳히는 순간 그가 속삭였다.

"린지안 군, 내가 준 검 가지고 있어?"

"아, 으, 네?"

또 그가 기습적인 스킨십을 해 오는 줄로만 알았던 린지는 그의 말을 한 번에 알아듣지 못했다.

"예전에 내가 준 미스릴 검 말이야."

"아, 물론이죠. 지금 허리춤에 차고 있지 않습니까?"

하도 예상치 못한 접촉을 많이 해서 이번엔 귀에 입술을 맞추는 줄로만 알았다. 린지는 괜한 민망함을 느끼며 대답했다. 그러자 휘안이 씩 웃으며 한쪽 손으로 린지의 머리를 쓰다듬었다.

"잘했어. 항상 소지하고 다니도록 해."

"네, 알겠습니다. 그런데 어째서요?"

휘안은 바로 대답하지 않았다. 빠른 말발굽 소리가 몇 번이나 교차하고 난 뒤 그의 목소리가 들려왔다.

"린지안 군. 저택에 가면……."

"네?"

"저택에 가면, 조금 소란스러운 일이 있을 거야."

린지는 그 말에 고개를 돌려 휘안을 올려다보았다. 불안한 대사와는 달리 그는 평소와 다름없이 다정하게 미소 짓고 있었다.

"놀라지 말고 나만 믿고 따라오면 돼. 알았지?"

"네? 대체 무슨 일인데요?"

"설명하자면 길어."

그렇게 말한 휘안은 한 손으로 말고삐를 말아 쥐더니, 다른 한 손을 들어 올려 린지의 목덜미를 끌어당겼다. 그의 입술이 단숨에 린지의 입술을 덮었다. 짧지만 강하게 그녀의 입술을 빨아들인 휘안이 웃는 얼굴로 고개를 들어 올렸다.

"그리고 이렇게 가까이에서 얼굴을 들이대면 우리 둘 다 낙마할지도 몰라."

"이, 이게 무슨 짓입니까!"

그제야 휘안이 입 맞췄다는 사실을 자각한 린지가 소리쳤다.

"아무리 그래도 그렇지, 달리는 말 위에서 뭐 하는 짓입니까! 위험하다고요!"

"그래, 그러니까 누가 유혹하래?"

린지는 어이가 없어서 헛웃음을 내뱉었다. 그리고 바로 쏘아붙이듯이 대꾸했다.

"제가 언제요?!"

"지금도 현재 진행형으로 하고 있어. 빨리 고개 돌려서 앞을 보지 않으면 또 뽀뽀할 거니까 그렇게 알아."

그 말에 린지는 몹시 약이 올랐지만 어쩔 도리 없이 고개를 돌릴 수밖에 없었다. 휘안이라면 농담으로 끝나지 않고 정말 다시 입을 맞추고도 남을 사람이었던 것이다.

"아하하!"

그런 린지가 웃긴지 휘안이 웃음을 빵 터뜨렸다. 키득거리는 휘안의 웃음소리에, 린지는 분하면서도 가슴이 두근거려 두 손이 미세하게 떨려왔다.

빠르게 지나가는 풍경이 좋았다. 뺨을 스치는 차가운, 하지만 상쾌한 바람이 좋았다. 흔들리는 말의 움직임도, 그리고 등 뒤에서 느껴지는 체온도, 휘안의 맑은 웃음소리도……

'아아, 좋다……'

문득 세상이 너무나도 아름답다는 생각이 들었다. 말을 탄다는 것이 이렇게 행복한 일이라는 것을 전에는 알지 못했었다. 특히나 누군가와 함께 말을 타고 달린다는 것이 이만큼이나 재밌을 줄은, 느껴지는 체온이 이렇게나 기분이 좋을 줄은……

모든 게 알지 못했던 것들이었다.

한 시간 정도 말을 달리자 그들은 르카플로네 저택에 도착할 수 있었다. 린지는 휘안과 함께 저택의 입구를 들어서는 순간 기묘한 느낌을 받았다.

'……뭐지?'

그녀의 감이 날카롭게 반응했다. 무언가 이상하다고 느낄 찰나, 휘안이 말 아래로 훌쩍 뛰어내려 그녀에게 손을 내밀었다. 린지는 자연스럽게 그의 부축을 받고 말 아래로 내려왔다.

린지와 휘안은 손을 잡은 채로 저택 안으로 걸어 들어갔다. 반쯤 눈이 녹은 정원의 풀밭은 황색으로 바스러져 있었다. 뽀드득, 뽀드득. 남아 있는 눈의 잔재가 신발 아래로 뭉개졌다. 그 소리가 생생하게 들릴 만큼 정원은 고요했다. 단 한 명의 고용인도 보이지 않았던 것이다.

'이건……'

린지의 손에 힘이 들어갔다. 긴장감이 발아래서부터 스멀거리며 타고 올라와 목덜미를 움켜쥐었다. 린지는 휘안과 함께 걸으면 걸을수록, 발끝에 미세한 균열이 가는 것이 느껴졌다. 파사삭, 파사삭. 그것은 환청이었다. 하지만 린지는 바닥이 부서지는 소리를, 지금껏 자신이 느꼈던 행복감이 거짓말처럼 부서지는 것을 똑똑히 들을 수 있었다. 그녀의 걸음이 조금씩 느려지자 휘안이 붙잡은 손에 힘을 주었다.

저택 안 역시 몹시 고요했다. 지금쯤 그들을 반기며 마중 나와야 할 시종들, 시녀들, 단 한 명도 눈에 띄지 않았다. 들리는 것이라고는 린지와 백작이 발을 맞춰 걷는 걸음 소리뿐이었다.

휘안은 린지를 잡고 자신의 집무실로 향했다. 마치 모든 이들이 다 연기처럼 사라진 듯한 적막함 속에서도 휘안은 망설이지 않았다. 린지는 멍하니 휘안의 뒷모습을 바라보며 그를 따라 걸었다. 지금쯤 그는 무슨 생각을 하고 있을까. 텅 비어 버린, 그 누구의 인기척도 느껴지지 않는 저택을 거닐며 뭘 떠올리고 있을까. 오래전 모두가 다 사라져 버렸다는 백작 가문이 이러지 않았을까, 그 아픈 기억을 또 떠올리고 있는 것은 아닐까, 린지는 걱정이 됐다.

'……안 돼. 아직, 안 돼.'

집무실이 점점 가까워질수록 린지의 혀끝이 바짝 말라 왔다. 속이 타들어 가는 듯한 통증이 마음을 아리게 했다. 이대로 복도가 길게 늘어져 영원히 저 집무실에 도착하지 않기를 바라는 소망이 피어났다.

'난 아직, 아직…….'

아직, 결정하지 못했단 말이야. 무엇을 결정해야 할지, 무엇을 생각해야 할지도 모르는데…….

린지의 숨이 거칠어졌다. 그녀의 가빠진 호흡을 느낀 휘안이 처음으로 뒤를 돌아보았다. 린지의 불안한 눈망울을 본 휘안이 걱정스레 웃었다. 그가 문고리를 잡고 말했다.

"내 말 기억하지?"

"······."

"날 믿고 따라오기만 해. 내가 지켜 줄게."

다음 순간, 그가 문고리를 돌려 문을 활짝 열었다. 휘안은 거침없이 방 안으로 들어섰다. 린지는 머뭇거렸지만 휘안의 강인한 힘이 그녀를 이끌고 들어갔다.

"······!"

린지와 휘안은 자리에서 멈춰 섰다. 휘안의 집무실, 그 데스크에는 한 사내가 앉아 있었다. 휘안 외의 그 어떤 사람도 앉지 못하던 그 자리에.

황금색 눈동자가 냉엄하게 내려앉았다.

"휘안 데 르카플로네 백작."

너무나도 익숙한, 그리고 그리웠던······ 하지만 이 순간만큼은 절대로 듣고 싶지 않았던 목소리였다.

"이제 오는가."

레란 왕국의 왕세자이자 린지의 단 하나뿐인 주군, 유시젠이 휘안의 집무실에 앉아 있었다.

린지는 서둘러 손을 놓으려 했지만 휘안은 그녀를 단단히 붙잡고 놓아주지 않았다. 찰나의 순간, 휘안을 응시하던 유시젠의 눈동자가 린지에게 향했다. 그리고 그들의 중간에 맞닿은 손으로 향했을 때 그의 눈썹이 살짝 흔들렸다.

"왕세자 전하를 뵙습니다."

휘안은 씩 웃으며 말했다. 자신의 저택이 텅 비어 있는 데다가 집무실에 왕세자가 앉아 있는 모습을 보고 조금도 놀란 기색이 아니었다. 그는 태연하게 미소 지었다.

"이런 누추한 곳까지 찾아와 주셔서 감사할 따름입니다."

"그 넉살은 여전히 좋군. 놀라지 않았나?"

유시젠은 린지에게서 시선을 떼 휘안을 쏘아보았다. 늘 마주칠 때면 린지의 가슴이 덜컹 내려앉을 정도로 강렬한, 그래서 너무나 존경했던 눈빛이었다. 휘안은 히죽 웃으며 어깨를 으쓱여 보였다.

"아뇨, 놀랐습니다. 전하께서 기별도 없이 이리 찾아와 계시니 놀랄 수밖에요. 게다가 뒤에 서 있는 집사가 절 보고 알은체도 안 하니, 이상하군요."

휘안의 말처럼 유시젠의 뒤에는 거구의 노인이 그림자처럼 서 있었다. 늘 휘안을 보며 충성스럽게 눈을 빛냈던 사내였다. 그에게 흠이 되는 일을 없애고자 불철주야로 노력했던 집사가—.

"미안하게 됐지만 원래는 내 부하라서. 자네에게 충성해야 할 시기는 지난 것 같군."

린지는 바르르 떨리는 눈으로 집사를 바라보았다. 휘안과 린지의 시선을 받으면서도 집사의 표정에는 단 하나의 흔들림도 없었다. 마치 이제야 자신이 있을 곳에 돌아왔다는 양, 그의 표정은 근엄하기까지 했다. 하지만 휘안은 충격을 받는 대신 감탄사를 내뱉었다.

"대단하네, 집사. 긴 시간 동안 나를 속이느라 수고했어."

벼락같은 깨달음이 내리꽂혔다.

'오라버니의 그림자였어.'

그는 그림자였다. 대체 언제부터— 아니 처음부터, 처음 만난 그 순간부터, 그전부터 유시젠의 그림자였다. 린지는 유시젠의 그림자 중에서 장기 임무를 맡아 한 번도 얼굴을 본 적이 없는 자들이 여럿 있다는 것을 알고 있었다. 하지만 그것이 집사일 줄은, 백작의 곁에서 그를 보필했던 집사가 왕세자의 또 다른 그림자일 줄은—.

집사는 대답하지 않았다. 린지의 떨리는 시선에도, 휘안의 감탄에도 아무런 반응이 없었다. 그의 얼굴엔 미안함이나 거만함, 그러한 감정들은 단 한 줌도 찾아볼 수 없었다. 집사가 바라보는 것은 오로지 유시젠뿐이었다. 그는, 유시젠의 비밀 병기니까.

"그럼 내가 왜 이곳에 왔는지 알겠군."

유시젠은 휘안의 데스크 앞에 놓인 종이 뭉치를 들어 올렸다. 그리고 다소 거친 동작으로 휘안을 향해 내던지듯 흩뿌렸다. 팔랑거리는 새하얀 종이들이 허공 위를 부유하며 내려앉았다. 수십, 수백 장의 종이들 너머로 유시젠의 차가운 목소리가 들려왔다.

"자네가 지금까지 지은 죗값을 치를 준비는 돼 있나."

"죗값이라니요?"

휘안이 능청스럽게 묻자 유시젠이 입술을 삐뚜름하게 올렸다. 린지는 저 미소를 몹시 잘 알고 있었다. 누군가를 공격하기 전 승기를 잡았을 때 짓는 특유의 미소였다. 그녀가 좋아하는 미소였으나 지금 이 순간만큼은 너무나도 두렵게 느껴졌다.

"국법으로 금지된 인체 실험을 행한 죄."

"……."

"수많은 사람들을 납치하여 그 실험에 강제로 쓴 죄."

"호오. 그리고요?"

"재산 은닉, 탈세, 뇌물 수수, 불법 거래, 노예 경매. 그리고 국법으로 금지된 고대 연금술사의 유물을 소유한 죄."

말도 안 돼, 거짓말이야. 휘안은 그런 일을 하지 않았다. 사람들을 납치해서 인체 실험에 쓰다니, 과거 그런 식으로 영지민들을 잃은 휘안이 그런 일을 할 리가 없다. 그런데 대체 저 서류는 어디서 나왔단 말인가!

'저건 조작된 거야!'

유시젠은 냉소 지으며 깍지를 꼈다. 사납게 느껴질 만큼 차가운 눈동자에는 단 한 줌의 자비도 찾아볼 수 없었다.

"자네를 국법에 따라 처리하겠다."

린지는 멍하니 유시젠을 바라보다가 휘안을 향해 시선을 돌렸다. 철저하게 조작된 죄명들을 들으면서도 휘안은 흔들림이 없었다. 언제나와 다름없이 평온하고도 태평한 미소였다.

"순순히 투항한다면 다치는 일은 없을 거야. 그러니 그 시종은 이만 내버려 두는 게 어떤가."

유시젠은 린지를 흘끗 쳐다보며 툭 던지듯이 내뱉었다. 순간, 린지는 문밖으로 느껴지는 수많은 인기척들이 저택을 장악했다는 것을 깨달았다. 비밀리에 매복해 있던 왕실 기사들은 이미 백작의 도주로를 차단해 놓은 후일 것이다. 문밖에만 해도 수십 명의 기사들이 검을 뽑아 들고 있었다.

'어, 어떡하지.'

창문으로 도망가기에는 유시젠과 집사가 버티고 서 있다. 다른 고귀한 왕세자들과는 달리, 유시젠에게 검은 절대 장식품이 아니었다. 맨 처음 린지에게 검술을 가르쳐 주었던 것은 유시젠이었다. 그는 검술의 천재라는 별명을 가지고 있는 왕세자였다. 열다섯 시절부터 그를 능가하는 기사가 없어 호위를 대동하지 않는 것으로 유명했던 것이다.

'……하지만 가능할 거야.'

린지는 빠르게 계산했다. 단 한 번도 유시젠과 진지하게 맞붙어 본 적은 없지만, 승산은 있었다. 지금껏 단 한 번도, 레너드를 제외한 누구에게도 패배해 본 적이 없는 린지였다. 그러니 자신이 유시젠과 집사를 막는 사이 휘안이 도망간다면…….

순간, 린지의 손끝이 잘게 떨렸다. 그녀는 자신이 하고 있는 상상을 깨닫고는 충격을 받았다.

'내가 무슨 생각을 하는 거야!'

감히, 감히 오라버니에게 검을 들어 올릴 생각을 하다니.

린지는 끔찍한 혐오감에 속이 울렁거렸다. 자신이 단단히 미친 게 분명했다. 어린 날의 그녀를 구해 주고 길러 준 유시젠을 상대로 검을 맞대는 상상을 하다니, 이건 하늘이 갈라지는 날이 있어도 일어나면 안 되는 일이었다. 그녀는 절대로 유시젠에게 대항할 수 없다. 아니, 절대로 대항하지 않을 것이다. 하지만……

휘안은 린지가 두려움에 떨고 있다고 생각했는지 손을 더 꼭 잡았다. 따스하고도 강렬한 체온에 린지의 마음이 혼란스러웠다. 문을 열기 전, 그가 했던 말이 떠올랐다.

"날 믿고 따라오기만 해. 내가 지켜 줄게."

순간 눈물이 울컥 치솟아 오를 것만 같았다. 린지는 입술을 악물고 그 뜨거운 감정을 참아 냈다.

"미안하지만 이 손을 놓을 생각은 없습니다."

휘안이 씩 웃으며 린지와 잡은 손을 슬쩍 들어 보였다. 그러자 유시젠이 노골적으로 미간을 좁히며 휘안을 노려보았다. 보통 사람이라면 겁을 집어먹고 눈물을 흘렸을 만큼 사나운 눈매였지만 휘안의 표정엔 흔들림이 없었다. 마치 짐승처럼 휘안을 노려보던 유시젠이 나지막이 조소했다.

"시종과 남색을 즐기며 놀아난다는 말도 정말이었군."

쿵!

린지는 망치로 얻어맞은 듯한 기분에 눈앞이 얼얼했다. 그러나 휘안은 유시젠의 경멸스러운 표정에도 태연하게 웃으며 고개를 끄덕였다.

"예, 사실입니다. 때문에 그 어떤 상황에서도 이 손을 놓을 생각이 없습니다. 절 잡아가려면, 시종과 함께 잡아가 주시지요."

"내가 못 할 것 같나."

순간, 유시젠이 자리에서 일어났다. 마치 산이 몸을 일으키는 것만 같은 위압감이 내뿜어졌다. 수많은 실력자들, 그림자들을 카리스마로 거느리는 그였다. 심지어 린지조차 유시젠의 눈빛에 그대로 주저앉고 싶은 적이 수없이 많았다.

"무슨 배짱으로 이렇게 여유를 부리는지 모르겠군, 백작. 자네가 이곳에서 빠져나갈 수 있을 거라고 생각하나?"

아무도 예상하지 못한 일이 벌어졌다.

"하하."

휘안의 어깨가 들썩였다. 그는 웃음을 참아 내는가 싶더니, 결국 견디지 못하고 키득거리는 소리를 내뱉어 냈다. 그가 뜬금없이 킬킬거리자 린지와 유시젠은 물론 집사 역시 황당한 시선으로 그를 바라보았다.

잠시 후, 휘안이 손사래를 치며 웃음을 삼켜 냈다.

"아아, 이거 실례. 하지만 너무 웃겨서……."

"뭐?"

"당신에게만큼은 그런 이야기를 듣고 싶지 않아서."

휘안의 어조가 달라졌다. 린지는 그의 말투에서 선명한 분노를 읽었다. 아니, 분노라기보다는 더 날카롭게 벼려져 증오에 가까운 목소리였다.

"레란의 왕세자 전하. 당신은 행복하십니까?"

알 수 없는 말에 유시젠이 그를 쏘아보았다. 휘안은 아랑곳 않고 말을 이었다.

"행복하시겠죠. 악을 처단하고 정의를 구현하는 멋진 왕세자 전하잖아? 이러니 레란의 국민들이 당신을 존경해 마지않지. 내심 모두가 미스릴 탐색에 미친 국왕이 어서 죽고 당신이 왕위에 오르길 바라고 있는 거 알고 있겠죠?"

"죽고 싶어 환장했구나."

린지는 유시젠의 황금색 눈동자 위로 살기가 넘실거리는 것을 보았다. 그가 정말 화가 나고 있는 것이 보이자 린지는 조급해졌다.

'이, 이 멍청이 백작. 도발해서 어쩌자는 거야!'

린지는 유시젠을 존경했지만, 동시에 그에 대한 두려움을 가지고 있었다. 그가 얼마나 칼날처럼 단호하고도 날카로운 사내인지 알고 있었던 것이다. 한데 그런 무서운 남자의 코털을 건드리다니- 휘안의 정신이 나간 게 분명했다.

"여기서 죽는 것이 소원이라면 그렇게 해 주마."

그렇잖아도 날카로운 유시젠의 눈매가 지금 이 순간에는 마치 칼날처럼 느껴졌다. 마주치면 그대로 베여서 조각나 버릴 것만 같았다.

"언젠간 죽겠지. 하지만……."

휘안은 그의 살기를 받으면서도 부드럽게 미소 지었다.

"적어도 당신 때문에, 더 이상 희생당하진 않을 겁니다."

"……뭐?"

그의 알 수 없는 말에 유시젠의 표정이 흐려졌다. 자신 때문에 희생당하진 않을 거라니…… 마치 과거에는 희생당한 적이 있다는 말처럼 들렸던 것이다.

휘안은 그 빈틈을 놓치지 않았다. 그는 린지를 잡은 반대 손으로 허리춤의 검을 확 뽑아 올렸다. 빛 속에서도 찬란하게 빛나는 미스릴 검이 마치 성물처럼 허공을 갈랐다. 놀란 유시젠이 검을 뽑아 올리는 순간, 휘안이 검을 바닥으로 내리찍었다.

콰콰쾅!

린지는 바닥에 균열이 가는 것을 느꼈다. 쩌적이며 금이 가고 거친 대리석 먼지가 피어올랐다. 그의 검격에 바닥이 움푹 패어 부서진 것이다!

그 순간, 린지는 온몸이 진동하듯 떨리는 것을 느꼈다. 동시에 휘안의 미스릴 검에서 환한 빛이 뿜어져 나오더니 휘안과 린지의 몸을 감싸 안았다. 몸이 붕 뜨는 듯한 가벼움을 느끼는 순간 린지는 서둘러 고개를 들어 올렸다. 경악한 표정을 한 유시젠과 눈이 마주쳤다.

그의 눈은 돌아오라고 말하고 있었다. 이제 임무는 끝났다고, 다 됐으니까 이제 자신의 곁으로 돌아오라고-.

"……!"

린지가 눈빛으로 무언가 전하기도 전에 시야가 획 바뀌었다. 격렬한 어지러움이 머리를 때렸다. 눈앞에 시린 빛이 확 터졌다가 캄캄한 어둠이 덮치기를 반복했다. 정신을 잃을 것만 같은 어지러움 속에서 휘안의 체온만이 마치 동아줄처럼 그녀를 단단히 붙들어 맸다.

"허윽!"

얼마나 지났을까, 린지는 격하게 숨을 내뱉으며 자리에 주저앉았다. 세상이 흔들리는 것처럼 격한 어지러움이 눈앞을 뱅글뱅글 맴돌았다. 그녀가 머리를 부여잡고 신음하자 백작이 그녀의 등을 두드렸다.

"린지안 군, 괜찮아?"

"아……."

휘안의 목소리에 린지는 지끈거리는 머리를 부여잡고 고개를 들어 올렸다. 그가 걱정스러운 눈으로 그녀를 바라보고 있었다.

"여, 여긴……."

어지러움 속에서도 린지의 눈이 경악으로 물들었다. 그녀는 백작의 등 너머로 보이는 것을 보고 입을 벌렸다. 르카플로네 영주 성, 아침에 떠났던 그곳에 다시 돌아온 것이다!

"어, 어떻게……."

"연금술로 이동했어. 이제 좀 괜찮아?"

린지는 멍하니 휘안을 바라보았다. 그때까지도 휘안은 린지의 손을 잡은 상태 그대로였다.

"연금술……."

문득 레너드의 얼굴이 떠올랐다. 그가 트와일릿의 비밀 통로에 린지를 혼자 내버려 두고 감쪽같이 사라졌던 장면이 떠올랐다.

"어, 어떻게……."

"얘기는 나중에 하고 일단 일어나자, 린지안 군."

"아, 네, 네에."

린지는 휘안의 부축을 받고 자리에서 일어났다. 다행이라고 해야 할지, 몇 번 눈을 깜빡이고 숨을 들이마시자 어지러움이 거짓말처럼 사라졌다. 휘안은 그녀의 손을 붙잡고 성안으로 들어갔다.

"휘안."

린지는 또다시 놀라 고개를 획 돌렸다. 엘테스의 왕이자 지난날 바람처럼 획 사라진 하준이 다가오고 있었다.

"하준, 기다리고 있었어?"

"그래. 생각보다 일찍 왔군."

"응. 일이 일사천리로 진행됐어. 예상대로 집사가 판을 벌여 놓고 있더군."

그들은 알 수 없는 대화를 주고받았다. 이윽고 하준은 린지를 흘끗 쳐다보더니 씩 웃음을 지었다.

"어이, 시종. 턱 빠지겠다."

"에, 에에?"

"뭘 그렇게 놀라고 자빠졌냐. 입 다물어라. 파리 들어가겠다."

예전과 같이 장난기 가득한 어조에 린지는 저도 모르게 입을 다물었다. 하준은 그런 그녀를 바라보다 피식 웃더니 문득 휘안과 두 손을 잡고 있는 것을 눈치챘다.

"야, 너……."

"응? 왜?"

"……아니, 됐다. 지금 그런 얘기를 할 때가 아니지. 일단 방으로 가자."

하지만 하준은 조금 혼란스러운 듯 검은 머리칼을 탈탈 털더니 등을 획 돌렸다.

"가자, 린지안 군."

"아……."

린지는 또다시 휘안의 손에 이끌려 그를 쫄래쫄래 쫓아갔다. 뭐가 뭔지, 하나도 알 수가 없었다. 기다리고 있었다는 하준의 태도는 뭐란 말인가? 일사천리로 일이 진행됐다는 말은 무슨 의미일까?

'대체 뭐가 어떻게 돌아가는 거야!'

그들은 휘안의 집무실로 향했다.

"오셨습니까, 휘안 님."

방문을 열고 들어가자 예르시카가 자리에서 벌떡 일어나 인사를 올렸다. 예르시카는 아침에 갔으면서 왜 이렇게 빨리 돌아왔냐고 묻지 않았다. 그녀 역시 하준처럼 휘안이 이 시점에 올 것을 기다리고 있던 기색이었다.

"응. 많이 기다렸어?"

휘안이 소파에 앉자 하준과 예르시카가 맞은편에 따라 앉았다. 린지가 멀뚱하게 뒤에 서 있자 휘안이 그녀의 손을 잡아끌어 옆에 앉혔다. 예르시카와 하준이 동시에 미간을 좁혔지만, 둘 중 누구도 그것에 대해 얘기하지 않았다.

"집사는?"

하쥰이 슬쩍 물어 오자 휘안이 피식 웃음을 흘렸다. 그는 고개를 설레설레 저으며 말했다.

"예상대로지 뭐. 왕세자의 그림자 노릇을 하고 있더군."

순간 린지의 마음이 철렁 내려앉았다. 그녀는 떨리는 기색을 애써 숨기며 그들의 대화에 귀를 기울였다.

"하지만 내가 아는 왕세자는 굉장히 현명해. 곧 집사가 자신의 진정한 부하가 아니라는 것을 깨달을 거야. 아니, 지금도 알고 있을지도."

"그 레너드의 꼭두각시 새끼는 이중 간첩질이 질리지도 않나. 재수 없는 자식."

린지는 연달아 놀랐다. 휘안의 충실한 집사인 줄 알았던 그가 사실은 린지와 같은 왕세자의 그림자였던 것도 충분히 놀라운데, 그것도 거짓이란 말인가? 왕세자의 그림자인 척하는 레너드의 꼭두각시라고?!

'대체 이거 뭐가 어떻게 돌아가는 거야.'

그럼 집사는 레너드의 명령을 받아 왕세자의 그림자인 척하면서 왕세자의 명령을 받아 휘안의 집사 노릇을 했단 말인가? 린지는 머리가 붕괴될 것 같은 충격에 더 이상 생각을 이을 수 없었다.

"린지안 군, 많이 놀랐지?"

휘안이 어리벙벙한 표정을 짓고 있는 린지를 바라보았다. 그녀의 얼빠진 얼굴이 우스운지 웃음을 흘린 그가 린지의 머리를 쓱쓱 쓰다듬었다.

"집사가 첩자라는 것은 예전부터 알고 있었어. 그리고 내 생각엔, 아마 왕세자 역시 알고 있을 거야. 다만 누구의 첩자인지 몰라서 그것을 잡아내기 위해 모른 척하고 있겠지."

"아……"

그래서 자신을 그림자로 투입한 건가. 휘안의 말을 듣고 나서야 린지는 왜 집사라는 첩자가 있음에도 불구하고 자신을 추가로 배치했는지 이해할 수 있었다. 아마 유시젠도 어떤 낌새를 느끼고 집사가 배신자라는 것을 알아차렸을 것이다. 때문에 진정으로 믿을 수 있는 부하, 린지 아즈벨 자신을 투입시켰겠지⋯⋯.

'그래, 난⋯⋯ 나는 믿으시니까. 아마 그 어떤 그림자보다도 나를⋯⋯.'

린지는 주먹을 꽉 쥐었다. 어쩐지 입 안이 굉장히 썼다.

'돌아오라고 하셨어⋯⋯.'

마지막 마주친 유시젠의 시선에서 린지는 그의 마음을 읽어 냈다. 10년이 넘는 세월 동안 그를 모셔 온 린지였기에 알 수 있었다. 그가 이제 임무는 끝났다고, 다시 돌아오라고 말한 것이다. 아마 그는 지금도 린지가 임무를 위해 휘안의 곁에 붙어 있다고 철석같이 믿고 있을 것이다.

'그래, 휘안의 동태를 살피기 위해서야. 그렇기에 여기 있는 거잖아.'

하지만 자신의 말이 진심인지 스스로도 믿을 수가 없었다.

"이쯤 됐으니 린지안 군에게 말해도 되지?"

그때 내던진 휘안의 말에 하준이 입을 다물었다. 예르시카 역시 대답 없이 조용히 시선을 아래로 내리깔았다. 갑작스런 침묵에 린지가 당황하자 휘안이 웃음을 지었다.

"다들 동의하는 거야?"

그의 말에 하준은 칫 소리와 함께 말했다.

"네 맘대로 해라. 네가 말하고 싶으면 말하는 거지."

"⋯⋯뜻대로 하십시오."

뭔지는 몰라도 휘안의 말에 따르는 것 같았다. 그들의 수긍에 휘안이 만족스러운 듯 고개를 끄덕였다. 그리고 그는 린지의 손을 잡았다. 또다시 깍지를 끼고 잡아 오는 손에 어쩐지 민망해진 그녀가 뿌리치려 하자 휘안이 손가락에 힘을 주어 붙잡았다. 하준과 예르시카의 시선에 아랑곳

하지 않는 모습이었다.

"린지안 군, 이게 무슨 일인지 궁금하지?"

"……네."

궁금했다. 아니, 궁금한 것을 넘어서 혼란스러울 지경이었다. 너무나도 많은 일들과 충격적인 사실들이 한꺼번에 쏟아져 나왔다. 하지만 가장 중요한 본질적인 문제에 대해서 그녀는 알지 못했다. 이런 일이 왜 벌어지고 있는 것인지.

휘안은 부드러운 시선으로 린지를 바라보았다. 노골적인 애정이 느껴지는 눈빛인지라 린지는 부끄러움을 느끼며 예르시카와 하쥰의 눈치를 봤다. 예르시카는 시선을 아래로 내리고 있었고 하쥰은 짜증이 나는 듯 인상을 찌푸리고 있었다.

"르카플로네 영지는 레란 왕국에서 분리되어 백작령으로 거듭날 거야."

"……"

린지는 그의 말을 이해하지 못했다. 너무나도 충격적인지라, 아니 충격을 넘어서 말도 안 되는 일이었기에 받아들이지 못했던 것이다.

"르카플로네 영지 모든 시민들의 서명과 엘테스 왕국의 국왕, 하쥰의 지지가 있을 거야. 엘칸 대륙에 르카플로네가 레란의 영지 중 하나가 아닌 왕권이 침범할 수 없는 백작령임을 선언하고, 오로지 백작인 나만이 다스릴 수 있는 땅이 되는 거지."

"그게 무슨……."

린지의 아랫입술이 바르르 떨려 왔다. 지금 휘안은 자신이 무슨 소리를 하는 건지 알고 있는 걸까? 지금 그가 하려고 하는 것, 그것은…….

"반역……."

그것은 반역이었다. 역사상 몇 번 이런 비슷한 일들이 벌어진 적이 있었다. 실제로 엘칸 대륙 최남단에 위치한 칸테르 공국과 서쪽에 있는 마르틴 후작령은 각각 루바테른 왕국과 젤나스 왕국에서 분리된 독립 국가였다. 하나 칸테르 공국 같은 경우, 왕이 그의 동생을 아껴 동생에게 대공의 칭호를 하사한 후 땅을 떼어 준 것이었다. 그리고 마르틴 후작령은 반역을 일으켜 독립국을 성사시킨 거지만, 그럴 만한 뚜렷한 대의와 명분이 있었다. 하지만 휘안은? 휘안에게도 그럴 명분이 있단 말인가.

"그래."

휘안은 린지의 시선을 읽고 담담하게 고개를 끄덕였다. 그는 놀란 린지를 진정시키려는 듯 엄지손가락으로 그녀의 손등을 쓰다듬었다. 그 모습을 본 하준은 심기가 불편한 듯 얼굴을 잔뜩 구겼다.

"린지안, 르카플로네 영지에 대대적인 납치 사건이 있었다는 것 알고 있어?"

휘안의 말에 린지는 고개를 끄덕였다.

"백작 가문의 사람들이 실종됐다는 것도?"

"……."

이번에 린지는 아무런 반응도 보일 수 없었다. 휘안의 입에서 이런 얘기가 나오는 것은 처음이었던 것이다. 마치 한 줌의 그림자도 없는 양 언제나 밝은 모습만 보여 주었던 휘안에게서 그의 과거 이야기가 나온 적은 없었다.

"왕은 숨기려고 노력하지만, 사실 그 시점은 같아. 르카플로네 영지의 아이들이 납치되었고 백작 가문의 모든 사람들이 실종되었지."

그 무엇보다 커다란 비밀이 휘안의 입에서 나오고 있었다. 그녀는 떨리는 눈으로 휘안을 바라보다가 조심스레 말했다.

"레너드가 납치를 한 겁니까……?"

이것은 그녀가 세운 가설이었다. 르카플로네 영지의 아이들과 백작 가문의 일원들이 레너드에 의해 납치된다. 그리고 온갖 인체 실험을 당한다− 이것이 가장 가능성이 큰 이야기였다. 하지만 휘안은 고개를 저었다.

"아니."

"네?"

"우리를 납치한 것은 왕실의 기사들이었어."

린지는 짧게 숨을 들이마셨다. 상상하지도 못한 대답이었다. 그녀가 놀라서 몸을 굳히자 휘안이 쓰게 웃으며 말을 이었다.

"정확히 말하자면 국왕의 명령을 받은 기사들이었지. 그들에 의해 르카플로네 영지는 폐쇄되었고, 아이들은 납치당해 끌려갔지. 그들은 계획적으로 일을 꾸몄어. 백작 가문의 식수에 독을 풀어 사병들을 모조리 죽여서 피를 보지 않고 제압했지. 아마 이건 레너드가 제안한 일일 거야. 그 녀석은 독을 좋아하거든. 저항하는 아버지와 어머니를 죽이고, 내 여동생과 나를 끌고 갔어."

"……."

"그리고 그들은 우리를 레너드에게 넘겼고, 그곳에서 난 하준과 예르시카를 만났어. 예르시카는 르카플로네 영지 시민이었고, 하준은……."

너무나도 끔찍한 이야기를 휘안은 아무렇지도 않게 풀어 나갔다. 그가 하준을 흘끗 쳐다보자 하준은 못마땅한 표정으로 투덜거렸다.

"나는 내 아비가 팔아넘겼다. 미스릴 광산과 왕자, 둘 중 하나를 바치라는 레너드의 말에 나를 넘기더군."

"아……."

"뭐 이제는 지난 얘기지."

하준은 감상적인 분위기가 될까 봐 겁이라도 나는 듯 시니컬하게 웃으며 손을 휘저었다.

"휘안 덕분에 다시 엘테스 왕국으로 돌아가 왕위를 이을 수 있었지.

인체 실험에서 살아남아 돌아온 나를 괴물 바라보듯 한 아비는, 안타깝게도 병들어서 자연사했다. 내가 언젠가 직접 죽여 주고 싶었지만."

그렇게 말하는 하쥰의 목소리에 어쩐지 텅 빈 허무가 스쳐 지나갔다. 잠시 먼 곳을 바라보던 하쥰은 짜증이 치미는지 눈썹을 찌푸리며 말했다.

"다 휘안 덕분이지. 휘안이 인체 실험을 하는 연금술사들을 깡그리 해치워서 우리를 구해 주었으니까. 그 녀석, 레너드만 빼고."

린지는 휘안을 바라보았다. 자신의 손을 잡고 웃음 짓고 있는 이 남자가, 수많은 비밀을 가지고 있을 거라고 예상했었지만 그녀의 충격은 너무나도 컸다. 린지는 마치 악질적인 동화 속의 이야기를 듣는 것만 같은 심정이었다.

"레너드는 내게 특별한 실험을 했어. 자신과 같은 힘을 가진 사람을 만들고 싶다고 했지. 그 실험을 당한 다른 아이들은 다 죽었고 살아남은 것은 나 혼자야. 하지만 레너드가 예상하지 못한 게 있다면, 그 녀석보다 훨씬 더 강해졌다는 것이지. 그리고 그가 가진 연금술에 대한 지식도 내게 전달됐어."

놀라운 얘기를 아무렇지도 않게 말하며 휘안이 다시 한 번 웃었다.

"그래서 난 우리를 실험한 연금술사들을 다 죽이고 탈출했어. 레너드 녀석은 재빠르게 도망가서 놓치고 말았지만."

그는 웃고 있었다. 마치 즐거운 이야기를 늘어놓듯 얼굴에는 어둠 하나 걸쳐져 있지 않았지만, 린지는 느낄 수 있었다. 휘안의 안에 오랜 시간 동안 증류된 또렷한 분노를.

"레란 왕가는 연금술사들의 협박에 굴복하여 르카플로네 영지의 영주와 그 시민들을 버렸다. 때문에 르카플로네도 레란을 버리기로 한 거야. 이것이야말로 완벽한 정당방위이지 않겠어?"

린지는 차마 그를 말릴 수 없었다. 그것이 유시젠에게 해가 되는 일이라는 것은 잘 알고 있지만, 왕가의 희생자들을 눈앞에 두고 반대할 수 없었다. 도리어 린지는 그들 세 사람 사이의 특별한 유대감을 뼈저리게 이해했다. 버려진 소년 소녀들이 그곳에서 온갖 실험을 당하고 인생을 되찾기까지 얼마나 많은 고난이 있었을까. 린지로서는 감히 동정해서도 안 될 역경이었을 것이다.

"그러기 위해 준비해 왔어. 나는 미스릴을 자금 삼아 레란을 넘어 엘칸에 큰 영향력을 끼치는 트와일릿을 만들었고 르카플로네 영지, 이 땅을 보호할 수 있는 연금술을 위해 미스릴을 캐내었지. 하준은 혹시 모를 사태를 위해 군사를 양성했지만…… 내 계획대로라면 그들이 실력 행사할 일이 없어야만 해. 전쟁은 없을 거야."

그렇게 말하는 휘안의 눈빛은 진심이었다.

"더 이상 이 비극으로 인한 희생자는 없길 바라."

"없을 거다."

잠자코 휘안의 말을 듣고 있던 하준이 툭 내던졌다. 그는 확신에 찬 얼굴로 휘안을 똑바로 쳐다보았다.

"칼바스는 물론 전 대륙의 수뇌부들은, 내 아비처럼 연금술사의 두려움을 잘 알고 있으니까. 그 초월적인 지식을 가진 널 거스를 생각을 하지 않을 것이다. 하지만……."

하준은 잠시 말끝을 흐렸다. 린지는 듣지 않아도 그가 무엇을 애기하려는지 짐작할 수 있었다.

"……레너드만 끼어들지 않으면 된다."

그의 이름이 언급되자 세 사람의 표정이 눈에 띄게 굳었다.

레너드 아롭. 마치 저주처럼 느껴지는 그 이름. 휘안을 실험하여 강인한 육체를 만들어 주고, 연금술을 심어 준 고대의 연금술사. 그리고 이 모든 일의 원흉인 그 녀석, 레너드만 끼어들지 않는다면 모든 것은 휘안의 뜻대로 될 것 같았다. 아니, 될 것이다.

하지만 린지는 레너드를 알고 있었다. 함께한 시간은 얼마 되지 않았지만 레너드는 파악하기 힘든 사람이 아니었다. 그는 속이 훤히 다 보일 만큼 순수하고 솔직했으니까. 마치 잔악한 짓을 서슴없이 저지르는 어린아이 같았다. 때문에 그녀는 예감했다. 레너드는 절대 이 '재미있는 일'을 그냥 넘어가지 않을 거란 걸. 그는 어떤 형태로는 이 일에 관여하여 사람들의 반응을 지켜보고 연구할 것이다. 순수한 호기심과 흥미 때문에.

"하지만 레너드가 가만히 있을 리 없지. 녀석은 나타날 거다."

휘안 역시 린지와 마찬가지의 생각을 하고 있었다. 하지만 그는 두려워하는 기색이 아니었다. 도리어 잘됐다는 듯 씩 웃어 보이기까지 했다.

"그리고 그것이 내가 레너드를 제거할 수 있는 기회가 될 거야."

예르시카와 하준이 휘안을 바라보았다. 레너드를 제거한다, 그 단어에 두 사람의 눈빛이 뜨거워졌다. 두 사람의 눈동자 속에서 복잡한 감정이 휘몰아쳤다. 부서져 버린 유년기에 대한 고통, 증오, 억울함, 그리고 복수를 이루어 줄 단 한 사람에 대한 강력한 희망이 넘실거렸다. 인생을 다 걸고서라도 이루고자 하는 소원이었다.

그들뿐만이 아닐 것이다. 린지는 낡은 오두막집에서 돌아오지 않는 아들을 추억하며 살아가는 노부부를 떠올렸다. 르카플로네 영지의 모든 이들의 마음속에 있을 그 감정…… 아이를 잃어버린 슬픔과 분노, 그리고 복수심이 휘안의 두 어깨를 짓누르고 있었다. 하지만 휘안은 담담하게 웃었다.

"얼마 남지 않았어. 그러니 나를 믿고 기다려. 그동안 기다려 왔던 숙원, 내가 이루어 줄게."

은발의 사내는 마치 요술 램프 같은 말을 하고는 미소를 지었다. 너무나도 능숙하고 매끄러운 말이었다.

그날 린지는 잠을 이룰 수 없었다. 휘안의 옆방에 자리 잡은 그녀는 침대에 누워 뜬눈으로 천장을 바라보았다. 잠이 오지도 않았고, 자려고 노력하지도 않았다.

'어떻게 해야 하지.'

그녀는 창밖을 바라보며 한숨을 내쉬었다. 어슴푸레한 빛을 발하는 초승달이 밤하늘 위에 덩그러니 걸려 있었다. 그녀는 멍하니 달빛을 바라보다가 또다시 한숨을 쉬었다.

'오라버니······.'

유시젠을 떠올리자 가슴이 콱 막힌 것처럼 답답해졌다. 마지막으로 마주쳤던 그 눈빛, 이제 돌아오라는 그 눈빛이 자꾸만 눈앞에서 아른거렸다. 린지는 한동안 침대 위에서 뒤척이다가 자리에서 일어났다. 그러다 문득 창문에 비친 얼굴을 보고 멈칫 굳었다. 목덜미까지 내려오는 짧은 머리카락. 그리고 자는 순간에도 붕대로 칭칭 감고 있는 가슴.

'임무는 끝났어······.'

남장을 하고 있는 자신을 보는 순간, 깨달음이 밀려왔다. 이것은 본래 자신의 모습이 아니다. 늘 긴 머리를 하나로 묶고 유시젠의 곁에 머무르며 그의 명령을 따라 왔던 그녀. 이것 역시 그의 명령을 받아 남장을 하는 것일 뿐.

'이건 내가 아니야.'

게다가 지금 그녀에겐 목소리를 변색시켜 주었던 물약이 없다. 수도 르카플로네 저택에 두고 온 것이다. 아마 며칠 정도 후면 목소리도 점차 원래대로 돌아오게 될 것이다. 그전에 떠나야만 했다.

'아아, 머리가 복잡해. 어떻게 해야 할지 모르겠어.'

린지는 고개를 획획 내젓다가 외투를 걸쳐 입고 방을 빠져나갔다. 도저히 잠들 수가 없으니 산책이라도 하면서 마음을 정리할 생각이었다.

"어이, 시종."

멍하니 복도를 걷고 있을 때 그녀는 맞은편에서 걸어오는 인기척을 느꼈다. 하준이 어둠 속에서 손에 램프 하나만을 들고 다가오고 있었다.

"하준 님."

"뭐냐. 너도 잠이 안 오냐?"

매서운 눈매를 가진 남자가 린지를 향해 퉁명스럽게 말했다. 그 역시 침대 위에서 뒤척이다가 나온 것인지, 잠옷 차림 위에 가운을 두른 상태였다.

"네. 그래서 조금 걸으려고 나왔습니다."

"하기야, 잠이 안 올 만도 하지."

하준은 시종을 보며 혀를 끌끌 찼다. 하룻밤 사이에 너무나도 많은 일들이 일어났다. 충직한 상관이라고 믿어 왔던 집사는 이중 첩자인 데다가 르카플로네 영지가 가진 가슴 아픈 사연들, 그리고 휘안이 하려고 하는 원대한 계획들을 한꺼번에 알게 되었으니 얼마나 머리가 복잡하겠는가.

"따라와라."

"네?"

"잠 안 온다며."

그렇게 말한 하준은 등을 휙 돌려 걷기 시작했다. 린지는 영문도 모른 채 허둥지둥 그의 뒤를 쫓았다.

"놀랐냐?"

"네?"

"놀랐냐고."

린지는 하준을 올려다보았다. 대체 어디로 향하는지, 지하로 내려와 복도를 걷는 그의 시선은 앞을 똑바로 향하고 있었다. 그녀는 하준이 뜻하는 바를 알아차리고 고개를 끄덕였다.

"네, 놀랐습니다."

어찌 그런 이야기들을 듣고 태연할 수 있을까. 르카플로네 영지를 백작령으로 만들어 레란의 영향권 아래에서 벗어나겠다고 한 그 이야기. 심지어 그의 계획이 실현 가능해 보여서 더 놀라웠다.

"그래, 놀랐겠지. 하지만 마음 단단히 먹어라. 어차피 너도 이미 한배를 탔으니 우리와 함께 운명을 같이해야 해."

"하, 하하. 그런가요?"

"당연하지."

린지는 나지막하게 웃음소리를 흘렸다. 하준의 말에 마음 한구석을 누가 잡아당기는 듯한 고통이 느껴졌다.

"그런데 지금 어딜 가시는 건가요?"

"잠 안 오니까 재밌는 거 보러."

짧게 대답한 하준이 문득 자리에 우뚝 멈춰 섰다. 그는 복도 끝에 있는 문의 손잡이를 잡아당겨 열었다.

끼익—!

오랜 시간 동안 열지 않았는지 녹슨 이음새가 소음을 만들었다.

"여긴……."

들어가는 순간 허공 속을 부유하는 먼지가 느껴졌다. 정말로 오랫동안 방치된 방임이 확실했다. 린지가 어둠 속을 바라보고 있을 때, 하준이 벽을 더듬어 스위치를 눌렀다.

"젠장. 불도 안 들어오는군. 3년 전쯤에 들렀을 때는 들어왔었는데."

하준은 투덜거리며 말하다가 손에 쥔 램프를 더 높이 들어 올렸다.

"휘안의 어린 시절이 궁금하지 않나?"

그 말에 린지는 귀를 쫑긋 기울였다. 노골적으로 궁금해하는 눈빛을 본 하준이 입꼬리를 들어 올려 웃었다. 그는 램프를 벽을 향해 기울였다.

"와아⋯⋯."

램프에서 흘러나오는 빛이 벽을 향하는 순간, 린지는 빼곡하게 붙어 있는 액자들을 보고 감탄했다. 그녀는 이곳이 어디인지 알아차렸다. 백작 가문 혈족들의 사진을 걸어 놓는 전시관이었던 것이다.

"여길 봐라. 휘안 세 살 때다."

"우와."

린지는 하쥰이 비춰 주는 액자를 보고 또다시 감탄했다. 액자 안에는 동글동글한 보라색 눈동자의 아이가 인형을 안고 소파에 앉아 있었다. 너무나도 귀엽고 사랑스러워 아기 천사라고 해도 믿을 만한 외모였다.

"귀, 귀엽네요."

이 능청스러운 인간의 어린 시절은 어떠할까, 가끔 충동적인 호기심을 종종 느껴 왔다. 어린 휘안은 이미 떡잎부터 아름다움을 품고 있었다. 린지는 세 살의 휘안을, 그리고 다섯 살의 휘안을, 일곱 살의 휘안을 순서대로 훑어보았다. 정말이지 미소년이라는 말이 딱 어울릴 만큼 잘생긴 소년이었다.

'어릴 때도 장난 아니었네. 하기야 그러니까 지금 그 정도로 멋있는 거겠지.'

다음 액자로 시선을 옮기던 린지는 휘안 옆에 서 있는 한 소녀를 보고 걸음을 멈춰 세웠다. 구불거리는 은발에 휘안을 똑 닮아 요정 같은 분위기를 풍기는 미소녀였다. 린지는 액자 아래의 명패를 내려다보았다.

휘안 데 르카플로네, 9세.
리라 데 르카플로네, 5세.

'리라 데 르카플로네⋯⋯ 휘안의 여동생.'

린지는 천천히 다음 액자를 향해 시선을 돌렸다. 그것은 온 가족이 다 모여 있는 가족사진이었다. 린지는 휘안의 아름다운 외모를 누구에게서 물려받았는지 그제야 알 수 있었다. 아름다운 백작 부인의 은발과 근엄한 백작의 보라색 눈동자 모든 것에 휘안의 흔적이 있었다. 화사하게 웃고 있는 백작 부인 옆에 똑같이 생긴 소녀가 손을 잡고 앉아 있었고 휘안은 그 옆에 서 있었다.

"저건……?"

린지는 휘안이 무언가를 안고 있는 것을 보고 눈을 가느다랗게 떴다. 적갈색 털을 가진 고양이가 휘안의 품 안에 얌전히 안겨 있었다.

"휘안이 아끼던 고양이라고 하더군. 리오였던가. 봐 봐, 아래에 표기되어 있잖아."

하준의 말에 린지는 그 사진의 명패를 읽어 내렸다.

카빈스텔 데 르카플로네 백작, 35세.
엘리제이 데 르카플로네 백작 부인, 34세.
휘안 데 르카플로네 백작 영식, 13세.
리라 데 르카플로네 백작 영애, 9세.
리오 데 르카플로네, 3세.

"푸훗……."

리오 데 르카플로네라니. 린지는 저도 모르게 웃음을 터뜨렸다. 아무리 고양이를 좋아하고 반려묘로 여겨도 그렇지, 리오 데 르카플로네라니…… 린지는 그들이 얼마나 저 고양이를 사랑했는지 느낄 수 있었다. 한 가족이라고 생각했기에 저렇게 성을 붙여 함께 사진을 찍은 것이다.

이 가족사진은 너무나 행복해 보였다. 모두가 다 특출할 만큼 눈부신 외모를 가졌다는 것을 제외하면 행복해 보이는 평범한 가족사진이었다.

사진 안, 열세 살의 휘안은 소년 특유의 싱그러움과 순수함이 묻어나는 모습을 하고 있었다. 열네 살이 되기 전 이 행복이 부서질 거라고는 꿈에도 모르는 모습.

사진 속 사랑스러운 동생, 아름다운 어머니, 듬직한 아버지 그리고 귀여운 고양이 모두가 사라지고 자신 혼자만이 남겨질 줄은 상상하지 못한 그런 모습.

"……우냐?"

"우, 울긴요."

린지는 새빨개진 눈시울을 닦으며 말을 더듬었다. 너무나 행복해 보이는 가족사진을 바라보자니 마음이 먹먹해져서 견딜 수 없었다. 이들 모두가 죽고 휘안 혼자만이 외롭게 남아 힘든 시간을 겪어 냈을 것이다, 그 생각에 뜨거운 무언가가 목구멍을 콱 막는 기분이었다.

하준은 눈물을 글썽이는 린지를 보며 혀를 끌끌 찼다. 얼마 전, 마지막으로 봤을 때까지만 해도 시종은 의외로 냉정해 보이는 면이 있던 녀석이었다. 한데 지금은 완전히 변해 있었다. 지금 이 시종은 휘안의 아픔에 공감하여 슬픔을 느끼고 있다.

"휘안은 손잡는 걸 싫어했어."

"……네?"

하준의 뜬금없는 이야기에 린지는 그를 올려다보았다.

"좀 이상했지. 옛날부터 이 여자, 저 여자 잘 만나고 진도도 뺄 때까지 다 뺐는데도 손잡는 건 싫어하더라고."

"……그게 무슨 얘기죠?"

"나도 왜 그런지는 몰라. 다만 휘안에게 있어서 손을 잡는다는 건, 입을 맞추고 잠자리를 갖는 것보다 더 중요한 의미인 건 분명했어. 에스코트할 때를 제외하고 자발적으로 손을 잡은 적이 없으니까."

초상화 속의 휘안을 바라보던 하쥰의 시선이 천천히 린지에게 향했다.

"네 손은 잡고 놔주질 않더군."

린지는 할 말을 잃고 입술을 꾹 깨물었다. 답해야 할 말을 찾지 못하고 침묵하려는 찰나 하쥰이 낮은 웃음을 뱉어 냈다.

"휘안의 결정이니 그럴 이유가 있었겠지. 네가 시종인 것도, 남자인 것도 뛰어넘을 만한 이유가."

"……."

"휘안의 손을 놓지 마라."

순간 하쥰의 목소리가 돌변했다. 잔잔한 어조로 말을 이어 가던 그는 강하게 힘을 주어 말했다.

"녀석이 누군가의 손을 잡은 것은 처음이야. 그러니 절대로 놓지 마."

"……하쥰 님."

"부탁이다."

램프의 어른거리는 빛이 하쥰의 얼굴 위로 녹아들었다. 빛과 어둠의 극명한 대조 속에서 하쥰이 쓴웃음을 지었다.

"이번 일이 마무리되면 이제 행복해져야지. 나도, 예르시카도, 그리고 휘안도."

"……."

"반드시 행복해질 거다, 우리 모두."

강인해 보이는 하쥰에게서 나올 거라고 생각지 못했던 여린 소망이었다. 그러나 린지는 그 소망을 절대 비웃을 수 없었다. 도리어 행복해지고 싶다는 그 말에 또다시 눈물이 울컥 치솟아 올랐다. 그녀는 마음속으로 기원했다.

'행복해졌으면 좋겠어.'

모두가 다치지 않고 행복해진다면 얼마나 좋을까. 얼마나 좋을까…….

‘오라버니, 전 어떻게 해야 하는 겁니까.’

휘안의 행복을 바라면 바랄수록 린지의 가슴이 아파 왔다. 왜냐하면 그의 행복은 곧 깨질 것이기 때문이다. 그가 사랑하는 자신 때문에, 그를 속여 오고 배신해 온 자신 때문에…….

휘안은 행복해질 수 없을 것이다.

chapter 16. 진실의 대가

"……거기서 뭐 하냐?"

정원을 거닐던 유시젠은 기가 막히다 못해 코까지 막혀 오는 것만 같았다. 국왕과의 면담을 마치고 온 그는 몹시 화가 나 있는 상태였다. 레란의 왕이자 아버지라는 자가 미스릴에 미쳐 있는 그 모습은 볼 때마다 유시젠을 힘들게 만들었다. 오늘도 미스릴을 포기할 것을 설득하러 갔다가 도리어 싸우고 온 유시젠이었다. 아무리 냉정해지려고 해도 화가 머리끝까지 올라와 있던 유시젠은, 정원의 나무 위를 보고 순식간에 화가 날아갔다.

"오, 오라버니……."

정원에는 거대한 고목이 여러 개 심어져 있었다. 왕실과 함께 오랜 역사를 함께한 나무였기에 두께는 성인 남성 세 명이 끌어안아도 감쌀 수 없을 만큼 두꺼웠고 고개를 한껏 들어 올려야 끝이 보일 만큼 높이 치솟아 있다. 그 고목 높은 꼭대기에 매달려 한 소녀가 울고 있었다.

"거기서 뭐 하냐고 물었다, 린지 아즈벨."

어이가 없어서인지 유시젠의 목소리는 평소보다 더 차갑게 흘러나왔다. 나무 꼭대기 위에 매달려 훌쩍거리던 소녀는 유시젠을 보고 몹시 당황한 기색이었다.

'저기까진 어떻게 올라간 거야.'

소녀를 거두어들여서 가르친 지 3년이 되어 갔다. 올해 열한 살이 된 저 쪼그만 소녀는 천재라는 말이 걸맞을 정도로 뛰어난 육체를 가지고 있었다. 하지만……

'그 육체 능력을 저런 곳에 사용하다니.'

유시젠은 팔짱을 끼고 소녀를 바라보았다. 훌쩍거리고 있는 꼴을 보아하니 호기심에 올라갔다가 내려오질 못해 울고 있는 것만 같았다. 하지만 린지는 아닌 척 담담한 목소리를 꾸며 내었다.

"겨, 경치가 좋아서요. 여기서 구경하고 있었습니다."

순간 유시젠은 웃음이 터져 나올 뻔해서 입 안을 깨물어야만 했다. 그는 웃음을 참으며 차가운 표정으로 다시 물었다.

"그래? 경치는 어떠냐."

"조, 좋네요. 엄청 좋아요. 아하하."

"언제쯤 내려올 생각이지?"

"조금 더 있다가 내려가죠 뭐. 하, 하하."

혼자 내려올 수는 있을는지. 올라가는 건 위를 보기에 거침없을지 몰라도 내려오는 건 이야기가 다르다. 까마득한 지상을 내려다봐야만 하는 것이다. 아무리 담대하다고 할지언정 열한 살짜리 소녀가 침착함을 유지하긴 힘든 일이었다.

'끝까지 도와 달라고 안 하는군.'

유시젠은 일부러 아무 소리 않고 린지를 바라보았다. 소녀는 어색하게 웃기만 할 뿐 약한 소리를 하거나 도움을 청하는 일이 없었다.

'저것만큼은 변하지 않아.'

처음 만났을 때와 비교하면 지금 린지는 많이 변한 상태였다. 더 이상 자신을 천사님이라고 부르지 않고(가끔 혹독한 훈련을 시킬 땐 악마 같다고 말한 적도 있다.), 자신을 어려워하지 않으며 친근하게 군다. 하지만 도움을 요청하지 않고 아무것도 기대하지 않는 것은 처음과 같았다.

유시젠은 왠지 기분이 상하는 것을 느끼며 린지를 노려보았다. 어디한번 언제까지 매달려 있을지 볼 작정이었다.

'……에이 씨.'

하지만 잠시 후, 찬 바람에 오들오들 떠는 소녀의 모습을 보는 순간 유시젠의 결심은 단숨에 무너져 내렸다. 그는 욕설을 중얼거리며 소매를 걷어붙였다. 도와 달라는 말 한마디 안 하는 꼬맹이를 위해 내가 나무를 타야 된다니, 젠장, 오늘 운수 더럽게 없군 등등의 자조적인 대사였다.

"오라버니?"

유시젠이 나무를 타고 올라오자 린지가 눈을 동그랗게 떴다. 소녀는 눈에 띄게 당황하며 허둥지둥했다.

"지, 지금 뭐 하시는 겁니까?"

"뭐 하긴. 겁 많은 다람쥐 하나 잡으러 간다."

순간 린지의 얼굴이 빨개졌다. 그녀는 나무를 잡고 있던 한 손을 떼서 획획 가로저었다.

"괜찮습니다! 저 혼자 내려갈 수 있습니다!"

"할 수 있긴 개뿔. 헛소리 지껄이지 말고 나무나 꽉 잡고 있어."

"아뇨! 정말로 괜찮아요! 진짜 괜찮……!"

손을 내젓던 린지는 순간 나무를 딛고 있던 발이 삐끗하는 것을 느꼈다. 중심이 흐트러지자 떨어지는 것은 한순간이었다.

"……!"

너무 놀라서였을까, 아니면 오랜 시간 매달려 있어 근육이 굳어서였을까. 린지는 자신을 때리며 스쳐 지나가는 나뭇가지들을 잡아야 한다는 생각을 하지 못했다.

"뭐 하는 거야!"

나뭇가지에 부딪치며 빠르게 떨어지는 순간 유시젠의 고함 소리가 들렸다. 동시에 그녀는 무언가가 자신을 획 잡아채는 것을 느꼈다. 온몸을 따뜻하게 감싼 체온과 함께 시야가 어둡게 물들려는 찰나, 격렬한 통증이 느껴졌다.

쾅!

"크윽."

유시젠의 가슴팍에 부딪친 린지는 깜짝 놀라 몸을 들어 올렸다. 유시젠이 떨어지던 그녀를 잡아채 끌어안았던 것이다! 그 덕에 유시젠의 몸이 땅 위로 직격으로 떨어져 그 충격을 흡수했다.

"오라버니!"

린지는 사색이 되어 유시젠의 몸을 잡았다. 순간 유시젠의 눈썹이 일그러지는 것을 본 린지는 서둘러 손을 뗐다.

"이런 젠장……."

유시젠은 욕설을 지껄이며 천천히 몸을 일으켰다. 다행히 부드러운 흙과 풀로 덮인 정원이었기에 망정이지, 만약 돌이나 대리석이었다면…… 린지는 생각하고 싶지도 않았다. 하지만 아픈 것은 아픈 것이다. 자신 때문에 다친 유시젠을 보고 린지의 얼굴이 새하얗게 질렸다.

"괘, 괜찮으십니까? 죄송합니다, 정말 죄송……."

"……."

유시젠은 쓰라린 듯 인상을 찡그리고 있다가 눈물을 글썽이는 린지를 보고 더더욱 험악한 표정을 지었다. 그렇잖아도 날카로운 그의 눈매가 더 사나워지는 것을 본 린지는 결국 눈물을 흘리고 말았다. 유시젠을 다치게 하다니, 분명 자신은 내쫓기고 말 것…….

"뚝 그쳐."

그러나 유시젠의 입에서 나온 것은 당장 꺼지라는 욕설이 아니었다. 린지가 눈물을 줄줄 흘리며 그를 올려다보자 유시젠의 표정이 묘하게 변했다.

"뚝 그치라고. 여자가 그렇게 울고 그러는 거 아니야."

"……네?"

"함부로 눈물 흘리지 마라, 린지."

퉁명스럽게 말한 유시젠은 손을 들어 올려 린지의 어깨를 툭툭 두드렸다. 그것은 유시젠 나름의 위로였지만, 열한 살 소녀 린지가 이해하기에는 너무나 고차원적인 방법이었다. 그녀는 액면 그대로 받아들이고는 서둘러 눈물을 닦았다.

"죄, 죄송합니다. 다시는 울지 않겠습니다."

"……."

위로는 먹혀들지 않았지만 울음을 그치게 하는 것은 성공했다. 유시젠은 눈두덩이 붉어진 소녀를 바라보았다. 그의 성격상 난 괜찮으니까 신경 쓰지 말고 앞으로 다신 위험한 짓은 하지 마라, 라는 부드러운 대사를 할 수 없었다. 그래서 유시젠은 이렇게 말했다.

"넌 내 사람이다, 린지. 나는 약한 사람을 좋아하지 않아."

"……."

"함부로 마음 아파하지도 말고 울지도 말아라. 알겠냐? 다른 사람은 물론 나 때문에 우는 것도 안 돼."

소녀가 진지한 표정으로 고개를 끄덕이는 것을 본 유시젠은 또다시 웃음을 참아야만 했다. 대신 그는 근엄한 표정으로 강조했다.

"기억해라. 넌 내 사람이다."

"무슨 생각해?"

순간 린지는 소스라치게 놀라며 고개를 돌렸다.

"배, 백작님."

휘안이 그녀를 물끄러미 쳐다보고 있었다. 그는 눈에 띄게 놀란 린지를 보고 기분이 상한 듯 삐뚜름하게 웃었다.

"응? 왜 그렇게 놀라?"

"아, 죄송합니다."

"뭘 그렇게 보고 있었어?"

휘안은 린지가 방금 전까지만 해도 보고 있던 곳으로 시선을 돌렸다. 르카플로네 성 정원에서 가장 큰 고목이 하늘을 향해 쭉쭉 뻗어 있는 것이 보였다.

"나, 나무가 커서요. 신기해서 보고 있었습니다."

린지의 말에 휘안은 미심쩍어하면서도 순순히 고개를 끄덕였다.

"그치? 몇 백 년은 더 된 나무야. 르카플로네 성에 있는 나무 중에 가장 크지."

그녀의 입가에 쓰디쓴 웃음이 걸렸다. 저것보다 조금 더 큰 나무가 유시젠 왕세자 궁전의 정원에 있다. 린지는 그 나무에 얽힌 옛 추억을 회상하고 있었다.

'그땐 그랬지. 지금 생각해 보면 오라버니도 참, 위로가 서투르셨다니까.'

어린 여자애 달래려고 함부로 울지 말라는 소리나 해 대다니. 하지만 그런 점이 좋았다. 겉으로는 퉁명스럽고 거칠어도 자신의 사람에게 있어서는 한없이 너그러운 사람이니까.

"……아무래도 린지안 군이 다른 곳에 정신이 팔린 것 같네."

또다시 멍하니 나무를 바라보는 그녀의 옆모습에 휘안이 투덜거렸다. 그제야 린지는 정신을 차리며 변명했다.

"죄송합니다. 요새 생각이 많아서……."

"흐응."

휘안은 린지를 가만히 바라보다가 손을 뻗어 그녀의 뺨을 꼬집었다.

"무슨 생각을 그렇게 할까, 우리 린지안 군?"

"느, 느아즈세여!"

"느아즈세여가 무슨 말이야? 원하는 게 있으면 또박또박 제대로 말해 보도록 해. 내가 다 들어줄게."

그렇게 말해 놓고서 휘안은 한쪽 손을 들어 올려 반대쪽 뺨도 잡아당겼다. 싱글싱글 웃으며 즐거워하는 모습에 린지는 약이 확 오르는 것을 느끼며 발버둥 쳤다.

"느아즈세여! 으프여!"

"응? 뭐라고? 조금 더 확실히 얘기해 봐."

이렇게 뺨을 잡아당기고 있는데 어떻게 얘기하라는 거야! 린지는 순간 심술이 솟구쳐서 말했다.

"이 뭉충한 배짜가! 바브 뭉층이 뭉개!"

이 기회를 타서 처음으로 욕을 시도해 본 린지였다. 그러자 휘안이 더 더욱 짙은 미소를 지으며 뺨을 꼬집었다.

"응? 응? 뭐라고 했어? 뽀뽀해 달라고?"

"……즈승흠니다."

"그래그래. 사과는 빠를수록 좋지."

린지가 재빨리 꼬리를 내리자 휘안이 만족스럽게 웃으며 손을 놓아주었다. 그리고 그녀의 머리칼을 익숙하게 헤집으며 말했다.

"나를 옆에 두고 다른 생각 하지 마."

"네? 왜요?"

린지는 붉어진 뺨을 어루만지며 시큰둥하게 물었다.

"나쁜 생각 하는 건 아닐까 걱정이 돼."

"무슨 생각이요?"

"르카플로네 백작령을 떠나고 싶다든가."

휘안의 말에 린지는 바로 대답하지 못했다. 머뭇거리는 붉은 눈동자를 읽은 휘안이 다시 한 번 웃었다.

"떠나지 않을 거지?"

"……."

"원하는 것은 뭐든지 해 줄게. 갖고 싶은 것도 다 줄게. 시종 일을 더 이상 하지 않아도 좋아. 그냥 마음 편하게 탱자탱자 놀며 맛있는 거 많이 먹어."

장난스럽게 말했지만 린지는 그 안에서 미세한 불안을 느꼈다. 그는 린지가 떠날까 봐 마음을 졸이고 있었다. 그 불안이 린지에게 느껴지자 그녀의 가슴이 시큰거리며 아파 왔다. 하지만 이제는 익숙한 고통이었기에 린지는 아무렇지도 않게 웃어 보였다.

"그게 뭡니까. 저보고 할 일 없는 백수가 되라는 소리십니까?"

"응. 돈 많은 백수. 모든 사람들의 꿈 아니야?"

엉뚱하면서도 묘하게 맞는 말이었기에 린지는 웃음을 터뜨렸다.

"저 돈 별로 없는데요. 앞으로 계속 먹고살려면 열심히 일해야 해요. 노후 대비도 해야 하고……."

"하지만 난 돈이 많은데?"

린지는 허망한 눈으로 휘안을 바라보았다. 그걸 지금 말이라고 하는 소리인가? 돈이 많다고?

'돈 많은 정도냐, 짜샤. 미스릴 광산 소유자잖아!'

자손 대대로 펑펑 쓰며 놀고먹고 살아도 세계 최고 부자 1위라는 타이틀을 뺏기지 않을 정도다. 그런데도 천연덕스럽게 자신을 그저 부자라고 칭한 휘안이 얄미웠다.

"백작님이 돈이 많은 거지 제가 많은 게 아니지 않습니까."

"……."

린지가 퉁명스럽게 말하자 휘안이 그녀를 빤히 쳐다보았다. 잠시 후, 그가 유혹하듯 속삭였다.

"그게 다 린지안 군의 것이 될 수 있는데?"

"네?"

"내 것이 네 것이 될 수 있어. 이곳에 나와 함께 있어 준다면."

웃으면서 한 말이었지만 그의 자수정 같은 눈동자는 몹시 진지했다. 그의 눈을 빤히 쳐다보던 린지는 그 말의 의미를 이해하고 얼굴을 붉혔다. 순식간에 그녀의 뺨이 달아오르자 휘안이 미소 지었다.

"어때? 이 성에서 나와 함께 평생 지내면 내 모든 것이 린지안 군의 것이 되는 거야. 그때 그 미스릴 광산 봤지? 그게 다 린지안 군 거 된다니까."

"그, 그게 무슨 말씀이십니까!"

린지는 새빨개진 얼굴로 말을 더듬었다. 장난스럽게 말하고 있지만 휘안이 하는 말은 거의 프러포즈에 가까웠던 것이다. 그녀가 눈에 띄게 당황하자 휘안은 재미있는 듯 계속 말을 이었다.

"생각해 봐. 린지안 군은 이제 앞으로 인생을 즐기기만 하면 돼. 가고 싶은 곳이 있다면 어디든 갈 수 있어. 세계 일주를 하는 건 어때?"

"……세계 일주요?"

린지가 그 단어에 반응하자 휘안이 신이 나서 고개를 끄덕였다.

"응. 세계를 누비며 여행하자. 엘칸 대륙을 둘러본 후, 미지의 땅이라고 불리는 바다 건너 대륙으로 넘어가 보는 거야. 우리가 처음으로 탐사한 사람이 되는 거지. 그곳에 무엇이 있을지, 누가 살고 있을지 궁금하지 않아?"

"그렇긴 하죠."

"나는 어디든지 갈 수 있어. 함께 가자."

유혹이라는 것을 알고 있지만 순간 솔깃할 만큼 달콤하게 들렸다. 린지는 저도 모르게 대륙을 여행하는 자신의 모습을 상상했다. 자유롭게, 그 어느 곳에도 얽매이지 않고, 떠나고 싶은 곳으로……

"됐습니다. 그리고 전 딱히 일을 그만두고 싶은 게 아니니 상관없습니다."

린지가 딱 잘라 말하자 휘안이 노골적으로 아쉬운 기색을 내비쳤다. 하지만 그는 딱히 상심하는 기색 없이 웃으며 린지의 어깨에 손을 얹었다.

"그럼 떠나지 말고 계속 내 시종으로 일해 줘. 알겠지?"

"……"

"도망가면 잡으러 갈 거야."

휘안은 린지의 턱을 잡고 장난스럽게 흔들었다. 웃음기 어린 부드러운 경고였기에 순간 린지의 등이 뻣뻣해졌다.

"농담 아니야. 어차피 나한테 잡혀 올 테니 애초부터 도망 안 가는 게 현명할 거야."

"그, 그게 무슨 협박이십니까."

장난인 듯 아닌 듯한 말에 그녀가 항변하자 휘안은 아무렇지도 않게 웃음을 지었다. 린지는 마음 한편이 굉장히 켕기는 것을 외면하며 애써 태연한 척했다.

"군사들이 모두 돌아왔습니다."

순간 칼바스의 얼굴이 일그러졌다. 그는 손에 들고 있던 종이를 으스러져라 쥐며 뒤를 돌아보았다. 왕의 노기 어린 눈빛에 기사단장은 어쩔 줄 몰라 하며 고개를 조아렸다.

"지금 뭐라고 했나?"

"구, 군사들이 모두 돌아왔습니다. 어찌 된 일인지 르카플로네 영지가 나타나지 않아서……."

"그게 지금 말이라고 하는 소리인가!"

왕이 쾅, 하고 책상을 내리치는 소리가 방 안을 울렸다. 기사단장은 어깨를 굳히면서도 단호하게 말을 이었다.

"믿기 힘든 사실이지만 진실입니다, 폐하! 그 어떤 길로 가도 르카플로네 영지는 나타나지 않았습니다."

기사단장 제이른은 몹시 억울했다. 하지만 동시에 칼바스 왕의 심정을 백 프로 이해했다. 르카플로네 영지가 나타나지 않는다니, 이게 무슨 헛소리란 말인가!

'하지만 진짜다. 진짜란 말이야!'

르카플로네 영지가 나와야 할 곳엔 그 뒤에 있는 영지, 람피스 영지가 나와 버리질 않나, 아니면 처음 출발한 곳으로 돌아와 있질 않나, 도저히 이성적으로 설명할 수 없는 일들이 벌어진 것이다. 누가 고의적으로 미로를 만들어 르카플로네 영지를 꽁꽁 숨겨 놓은 것만 같았다. 하지만 그것은 말이 되지 않는 이야기다. 고대의 연금술사가 장난질을 하는 것도 아니고, 이게 대체 무슨 경우란 말인가.

국왕 역시 마찬가지 생각인지 분노해서 외쳤다.

"헛소리할 생각이면 나가 봐라!"

"……이만 물러나겠습니다."

제이른은 결국 국왕을 납득시키지 못하고 자리에서 물러났다.

탁!

그가 문을 닫고 나가자 방 안에는 칼바스 혼자만이 남게 되었다. 그는 혼자가 되자마자 다리에 힘이 풀려 왕좌에 털썩 주저앉았다. 종이를 힘껏 말아 쥔 손이 덜덜 떨리고 있었다. 그것은 르카플로네 백작의 편지였다.

진애하는 레란의 국왕 폐하께.

본론만 쓰겠습니다.

공식적으로 선언했듯, 르카플로네는 영지는 더 이상 레란의 영토에 속하지 않고 오로지 저만이 다스릴 수 있는 르카플로네 백작령으로 거듭날 것입니다.

저는 이 과정에서 피를 보고 싶은 생각이 없습니다. 합법적이고 평화로운 진행을 위해 레란의 국왕 폐하의 도움이 필요합니다. 르카플로네를 백작령으로 인정하고 레란의 독립국으로 인정한다는, 왕실의 인장이 찍힌 문서를 만들어 주시길 바랍니다.

저는 당신께서 그렇게 할 것이라 믿어 의심치 않습니다.

만약 당신이 거부하신다면, 과거 르카플로네 영지의 아이들을 모조리 납치하여 인체 실험을 했다는 것, 그리고 백작 가문의 사람들 역시 그 인체 실험에 동원됐다는 증언들과 확실한 증거 자료들이 레란뿐만 아니라 엘칸 대륙 전체로 퍼져 나갈 것입니다. 엘네스의 국왕 하세르쥰 폐하 역시 이 사실을 증언해 주실 겁니다.

현명한 판단 내려 주시길.

— 휘안 데 르카플로네.

"......."

깔끔하고 우아한 서체의 편지였으나 읽어 내려가는 칼바스의 마음은 엉망으로 일그러졌다. 그는 편지를 찢을 기세로 쥐며 입술을 악물었다.

'이것은 업보다. 나의 업보.'

오래전, 유시젠을 살리기 위해 르카플로네 영지를 거의 통째로 연금술사에게 바쳤다. 그리고 그것은 지금까지 칼바스의 숨통을 죄어 왔다. 연금술사의 인체 실험에서 살아 돌아온 휘안 데 르카플로네, 그가 직접 형벌을 내리고 있었다.

'피를 보고 싶지 않다고? 그것이 진심이냐?'

레란의 국왕은 편지에 적힌 말을 믿을 수 없었다. 휘안은 르카플로네를 백작령으로 만드는 것으로 모든 원한을 끝맺겠다는 식이었다. 하지만 칼바스는 그 말이 믿기지 않았다. 자신이 증오스러울 텐데, 유시젠을 지키기 위해 수천 명을 팔아먹은 자신이 미울 만도 할 텐데ㅡ.

'꿍꿍이가 있을 게 분명해. 내가 르카플로네 백작령을 인정하는 문서를 순순히 작성하게 만든 뒤 죽일 생각일 거다.'

그래서 그는 이 편지를 무시하고 르카플로네 영지에 군사를 보냈다. 레란에 르카플로네 백작을 천하의 역적으로 선포한 뒤 전쟁을 선언, 군사를 보내 단숨에 짓밟을 예정이었으나.

방금 전 그 군사들이 허무하게 돌아왔다는 소식을 받았다. 칼바스는 기사단장에게 화를 낸 것과는 달리 그의 말을 믿고 있었다. 그는 그런 현상에 대해 아주 잘 알고 있었다.

'고대의 연금술사가 르카플로네 영지에 있다. 그리고 그들을 돕고 있어.'

레너드는 아닐 것이다. 휘안이 레너드와 손을 잡을 리 없다는 것을 아주 잘 알고 있었다.

'대체 이 시점에 레너드는 왜 안 나타나는 것이야.'

그가 아는 유일한 연금술사이자 줄곧 칼바스를 협박해 왔던 사내는 종적을 감춘 지 오래였다. 얼마 전 미스릴을 받아 간 이후로 감감무소식인 것이다.

'이럴 때일수록 더 즐거워하는 작자일 텐데.'

그런데 레너드가 나타나지 않는 것이 수상하다, 그렇게 생각하는 순간이었다.

"……!"

칼바스는 누군가의 발걸음 소리를 들었다. 그는 온몸에 소름이 돋아오르는 것을 느끼며 왕좌의 팔걸이를 잡았다. 뒤에서 다가오는 발걸음 소리가 조금씩 더 가까워지고 있었다. 칼바스는 이런 상황을 몹시 잘 알고 있었다. 예고도 없이, 그 어떤 기별도 없이 나타나는 자— 바로 레너드였던 것이다. 하지만 그의 예상은 보기 좋게 빗나갔다.

"뭘 그렇게 긴장하고 계십니까."

"……!"

칼바스는 믿기지 않는다는 눈으로 옆을 올려다보았다. 반짝이는 은빛 머리칼의 아름다운 사내가 미소를 지으며 그를 내려다보고 있었다. 휘안데 르카플로네와 눈이 마주치는 순간 칼바스는 발작하듯 몸을 떨며 소리쳤다.

"밖에 누구 없느냐!"

대체 언제, 어떻게 들어온 것인가! 칼바스는 이 천인공노할 반역자를 처단하기 위해 외쳤다. 곧 방 밖에서 대기하고 있을 수많은 기사들이 들어올 것이다.

하지만, 들어오지 않았다.

"소용없습니다. 아무런 소리도 새어 나가지 못하게 차단했거든요."

휘안이 부드럽게 미소 지으며 말하자 칼바스의 어깨가 굳었다. 그게 대체 무슨 소리란 말인가? 자신의 목소리가 밖에 닿지 않는다고?

"예. 제가 막아 놓았거든요."

"뭐?!"

"당신의 군대가 내 땅에 들어올 수 없게 해 놓은 것과 마찬가지지요."

칼바스는 사내의 두 눈을 바라보았다. 지극히 부드러우면서도 자신만

만한 눈빛…… 순간 칼바스는 깨달았다. 이자다. 연금술사는 다름 아닌
르카플로네 백작이었다.

"어, 어떻게 이런 일이……."

"당신 덕분이지요."

휘안은 놀라서 더듬거리는 칼바스의 말을 끊고 정중하게 말했다.

"당신 덕에 레너드에게 당한 인체 실험 때문입니다. 그 과정에 있어서
레너드의 힘이 제게 왔습니다. 아니, 정확히 말하자면 레너드를 능가하
는 힘이 왔죠. 육체의 힘도, 연금술에 대한 지식도……."

그렇게 말한 휘안은 빙긋 웃으며 어깨를 으쓱였다.

"바꿔 말하자면 저도 연금술사입니다."

"……."

칼바스의 머릿속이 순식간에 새하얗게 질렸다. 받아들일 수 없는 충격
적인 사실, 그리고 그 뒤에 이어지는 공포가 그를 잠식했다. 그의 말이
사실이라면, 정말 르카플로네 백작이 연금술사라면 –.

"예. 당신에게는 선택의 여지가 없는 것이지요."

휘안은 웃으며 칼바스의 생각을 대사로 내뱉어 주었다.

"하지만 선택할 수 있는 권리가 있다고 착각하는 것 같기에 제가 직접
온 겁니다. 그것이 착각이라는 것을 알려 주기 위해서요."

"허, 헛소리. 네가 연금술사라고? 그런 말도 안 되는……."

칼바스가 말을 다 끝내기도 전에 휘안은 주머니를 뒤적거렸다. 그리고
아주 자그마한 돌멩이를 꺼내더니 칼바스의 앞에 내밀었다.

"이게 뭔지 아십니까?"

"……."

휘안이 짙게 웃으며 돌멩이를 강하게 쥐는 순간, 검은 돌에서 붉은빛
이 흘러나왔다. 그 기이한 장면에 칼바스가 넋을 놓는 순간이었다. 그는

문득 진동하는 대지를 느끼고 서둘러 책상에 손을 얹었다.

쿠구구구궁.

칼바스의 착각이 아니었다. 그의 손이, 방의 스탠드와 책상, 침대가 격하게 흔들렸다. 그가 너무 놀라 아무 말도 못 하자 휘안이 웃었다.

"지금 레란 왕국엔 갑작스런 지진이 일어났습니다. 물론 아직은 약하지만, 제가 마음먹기에 따라서 얼마든지 강해질 수 있죠."

휘안은 품 안에서 종이를 꺼내 칼바스에게 내밀었다. 그것은 르카플로네 백작령을 인정하며, 레란은 어떤 간섭도 하지 않겠다는 문서였다.

"인장을 찍으시지요."

"……."

선택의 여지가 없었다. 칼바스는 휘안이 내민 문서에 왕실의 인장을 내리눌렀다. 르카플로네의 독립을 인정하게 되는 순간이었다.

"잘하셨습니다."

휘안은 웃으면서 돌멩이를 한 번 더 감싸 쥐었다. 그러자 붉은빛이 사라지며 대지를 때렸던 진동이 서서히 멎어 갔다. 지진이 사라졌을 때 칼바스의 두 눈엔 노골적인 두려움이 서려 있었다.

'날 죽일 게 분명하다.'

휘안이 문서를 거두어 가는 것을 본 칼바스는 자신의 죽음을 직감했다. 이로써 르카플로네 백작은 원하는 것을 성취했으니, 남은 것은 복수뿐이었다. 오래전 그와 르카플로네 영지를 레너드에게 팔아넘긴 자신을 단죄할 순간이었던 것이다.

"좋네요. 일이 이렇게 쉽게 쉽게 끝나서. 진작 이럴 것을, 애꿎은 군인들만 고생했잖습니까."

하지만 달려드는 것은 휘안의 검날이 아니었다. 그는 장난기 어린 어조로 말하며 빙그레 미소를 지었다. 마치 어린아이처럼 짓궂은 표정이었다.

"최대한 레란에 피해 가는 일 없도록 할 테니, 앞으로 잘 지내봅시다."

"……."

지금 장난을 치는 것인가. 칼바스는 휘안의 반응이 믿기지 않았다. 허리춤에 매달려 있는 검을 뽑지 않는 것도, 자신을 죽일 듯이 노려보지 않는 것도, 흔한 원망의 말 한마디 내뱉지 않는 것도 믿기지 않았다. 심지어 그의 눈동자는 몹시 맑고도 깨끗했다. 증오와 원망으로 가득할 것이라고 생각했는데…….

"왜 날…… 살려 두는 것이냐."

"예?"

"내가 미울 텐데."

레란의 국왕은 자신도 모르는 사이 그렇게 물었다. 아직까지도 그는 또렷하게 떠올릴 수 있었다. 오래전 레너드의 협박을 받았던 날의 자신의 모습이 눈앞에 아른거렸다. 그 협박을 받고 유시젠을 택하고 르카플로네를 버린 자신의 선택 또한 생생했다. 단 한 번도 잊어 본 적이 없다. 매일 밤 수많은 영혼들이 꿈에 나타나 자신의 발을 잡고 지옥으로 끌고 들어가는 꿈을 꾸었다. 단 하루도 편하게 발 뻗고 자 본 일이 없었다.

만약 눈앞의 이 사내, 휘안 데 르카플로네가 자신의 목을 긋는다고 할지언정 그를 욕할 수 없었다. 그렇게 된다면 자신이 저질러 놓은 일을 그대로 되받는 것일 뿐이니까.

휘안은 칼바스의 말을 듣고 고민하는 표정이었다. 그는 물끄러미 왕을 바라보다가 천천히 입을 열었다.

"사실은 죽일 생각이었습니다."

"……."

"당신이 레너드의 협박을 받았다는 건 알고 있습니다. 그 협박으로 인해 유시젠 왕세자 대신, 우리 가문과 르카플로네 영지민들을 팔아넘겼죠."

"그래, 내가 그랬다."

칼바스는 왕좌의 손잡이를 부서져라 비틀어 쥐며 말했다. 그는 오랜 시간 동안 쌓인 무거운 죄책감과 무력감이 온몸을 달구듯 뜨겁게 달아오르는 것을 느꼈다.

"실험에 끌려온 아이들 중, 당신과는 정반대의 선택으로 오게 된 아이도 있었습니다. 아시겠지만 엘테스의 왕세자였던 하세르쥰⋯⋯ 그 녀석은 아버지에게 버림받았죠."

휘안의 입가에 쓴웃음이 걸렸다. 미스릴을 지키고자 했던 엘테스의 전 국왕은 하쥰을 대신 실험으로 보냈다. 덕분에 국왕은 연금술사의 손길에서 벗어났지만 하쥰의 인생, 그의 유년기는 끔찍한 비명으로 물들었다.

"만약 당신이 그러한 선택을 했다면 유시젠 왕세자 역시 그곳에 있었겠죠."

"⋯⋯."

"내가 그것을 옳다고 말할 수 있을까요. 아버지에게 버림받아 고통스러워했던 하쥰을, 그 녀석의 아픔을 똑똑히 지켜보았는데⋯⋯."

칼바스는 어렴풋이 미소 짓는 휘안을 바라보았다.

"그렇다고 해서 당신의 선택이 옳다는 건 아닙니다. 그 선택으로 인해 내 어머니, 아버지, 여동생⋯⋯ 그리고 수많은 아이들이 죽어 나갔으니까. 더불어 저 또한 고통받았습니다."

휘안은 자신의 손바닥을 내려다보았다. 셀 수도 없을 만큼 수많은 튜브와 주삿바늘이 자신의 몸에 꽂히고 알 수 없는 용액들을 주입당했었다. 아늑한 의식 속에서 그는 강렬한 증오를 품었다. 괴물 같은 연금술사들, 그리고 국왕에 대한 증오⋯⋯.

어머니와 아버지가 죽고 여동생마저 실험을 이겨 내지 못하고 죽어 버렸다. 그들의 시체를 보며 휘안은 맹세했다. 이렇게 만든 자, 연금술사들, 특히나 레너드를 반드시 부숴 버리겠노라고, 죽는 한이 있더라도 그자와 함께 죽겠노라고. 아니, 그들뿐만이 아니다. 그들에게 르카플로네를 넘겨준 국왕도 해치울 생각이었다. 그리고 그가 그런 선택을 할 수밖에 없게 만든 유시젠 왕세자도, 모두가 다 미웠다. 미움뿐이었다.

"그래서 다 죽이려고 했습니다. 당신도, 당신의 아들도, 레너드도, 모두 다……."

그런데 언제부터 그 생각이 바뀌었더라. 오랫동안 뿌리내렸던 그 복수의 방향을 바꾸게 된 것은, 놀랍게도 얼마 되지 않은 시간 전이었다. 단 하나에 초점이 맞춰져 있던 그의 시야에 다른 길이 들어오는 순간부터였다.

"하지만 그렇게 된다면 나 또한 행복할 자격이 없어지겠죠."

휘안은 칼바스를 향해 미소 지었다. 사실, 일 년 전까지만 해도 자신이 왕을 향해 이렇게 웃어 보일 수 있을 거라고는 상상하지 못했었다. 스스로도 인식하지 못한 사이 자신은 너무나도 많이 바뀌어 있었다.

"그런데 최근 들어 못 견디게 행복해지고 싶더군요. 복수니 뭐니, 그냥 빨리 다 해치우고 사랑하는 사람과 조금이라도 더 많은 시간을 보내고 싶다는 생각뿐입니다."

"……나를 용서하는 거냐."

휘안은 칼바스의 두 눈에 가득 고인 눈물을 보았다. 한평생 자신의 선택으로 인해 죄책감에 시달린 왕, 아니 한 아버지의 모습이었다. 아들을 지키고자 수많은 사람들을 사지로 내몬 아버지였다.

"그렇습니다."

"대체 왜……."

칼바스가 눈물을 흘리자 휘안은 천장을 올려다보았다. 이 자리까지 오기 위해 빼앗은 목숨들이 몇 개더라. 그가 정보 길드 포그의 수장이란 사실을 우연히 알아차리고 몇 번이나 협박해 온 칼튀루스, 그를 죽인 것도 자신이었다. 왕실에 밀서를 넣어 감옥에 갇히게 만든 후 쥐도 새도 모르게 그를 죽였다. 에드워드는 어떠한가? 레너드가 그에게 위험한 지식, 연금술을 전수해 주려는 것을 깨닫고 그를 처단했다. 에드워드는 죄책감 없이 인체 실험을 하는 작자였으므로 연금술을 알게 된다면 걷잡을 수 없이 위험한 인물이 되었을 것이다.

이런저런 이유로 인해 휘안이 죽인 자들은 한둘이 아니었고, 그는 그들의 이름을 모조리 다 기억했다. 단 한 명도 잊을 수 없었다.

"나도 내가 죽인 자들에게 용서받고 싶습니다. 그뿐입니다."

"……."

"그리고 행복해지고 싶으니까."

휘안은 시종을 떠올렸다. 붉은 머리칼과 새하얀 피부를 가진 소년, 그 소년을 떠올릴 때마다 그의 심장이 간절하게 행복을 빌어 왔다. 온몸의 세포가 이제는 행복해지고 싶다고 비명을 질러 와서 견딜 수가 없었다. 복수, 증오, 죽음, 이런 비참하고 무서운 것들과는 다 이별하고 이제 좋은 것만 보고 느끼고 싶었다. 복수를 명분으로 더 이상 누군가를 괴롭히고 죽이는 것도 진저리가 났다. 이젠 행복해지고 싶다. 하지만……

"모두 다 레너드를 제거한 이후의 얘깁니다."

칼바스는 휘안의 눈빛이 단숨에 어두워지는 것을 보았다. 맑았던 미소가 순식간에 음험함으로 물들었다. 단 한 곳만을 향하는 증오가 날카로운 검날처럼 벼려져 있었다.

"레너드만큼은 용서할 수 없습니다."

예르시카도, 하쥰도, 그리고 실험당한 수많은 르카플로네의 아이들도 레너드만큼은 잊을 수 없으리라. 이 모든 불행을 만든 존재, 레너드.

모든 것의 시발점은 그였다. 하쥰을 버림받게 만든 것도, 르카플로네를 버림받게 만든 것도, 그리고 버린 자들을 죄책감에 시달리게 만든 것도, 이 모든 것을 단순한 흥미 하나로 시작한 자. 레너드 아롭.

휘안은 레너드만큼은 용서할 수 없었다.

레란의 국왕이 르카플로네 영지의 독립을 인정했다는 소식은 빠르게 퍼져 갔다. 정식으로 백작령이 되어 르카플로네 백작의 권한 아래 놓이게 된 것이다. 말이 백작령이지, 새로운 국가의 탄생이나 마찬가지였다. 하지만 국가라고 할지언정 다른 나라들에 비해 터무니없이 작고 인구수도 적은 곳에 누가 관심을 보이겠는가?

하지만 이곳은 르카플로네 백작이 다스리는 곳이었다. 세계 최고의 기업 트와일릿의 대표이자 대륙 최고의 갑부로 명성이 자자한 자의 땅이었다. 심지어 세금을 걷지 않고 매번 시민들에게 막대한 생활비를 지원해 준다는 환상적인 복지를 듣고 르카플로네 백작령으로 이민을 오고 싶어 하는 자들이 늘어나는 태세였다.

"……이유라도 듣고 싶군요."

유시젠은 아버지의 앞에 서 있었다.

왕세자 유시젠은 이 사실을 신문으로 알게 되었다. 레란의 국왕 칼바스가 르카플로네 백작령을 인정하며, 앞으로 그 어떤 간섭을 하지 않을 것이라는 성명을 낸 것을 신문으로 접한 것이다. 유시젠을 비롯한 모든 귀족들은 충격을 받았다. 하지만 그 누구도 이 일로 걸고넘어지지 않았다. 그가 결정 전 단계였다면 누군가는 찬성하고 누군가는 반대했겠지만─ 이미 모든 것은 끝난 후였던 것이다.

이미 모든 것이 끝났다. 이제 와 취소하라고 해서 될 문제가 아니다. 때문에 유시젠은 이 일에 대한 추가적인 논의가 필요 없다는 것을 알고 있었다. 하지만 도무지 그냥 넘어갈 수 없었다.

"이유라도 말해 주시죠."

금안의 왕세자는 왕석에 앉은 국왕을 도전적으로 응시했다.

"대체 왜 순순히 백작의 말을 들어준 겁니까?"

"……."

"그 어떤 왕이, 통치하는 국가의 귀족이 자신의 영지를 독립적으로 운영하겠다는 말에 순순히 허락할 수 있는 겁니까."

"……."

"앞으로 제2의, 제3의 르카플로네 백작 같은 사례가 나오면 어쩌실 겁니까."

"그럴 일은 없다."

칼바스는 나지막이 대답했다.

"르카플로네 백작 외에 내가 독립을 인정하는 영지는 없을 것이다."

"백작을 특별 대우했단 소리로 들리는군요."

칼바스는 대답 대신 고개를 끄덕였다.

"이 일이 터지기 전 제가 백작의 저택을 급습한 것은 알고 계십니까? 저택에 심어 놓은 제 부하가 백작의 비리들을 캐내어 보내왔습니다. 그 증거 서류들도 확보해 놓은 상태이고요."

"그것은 모두 조작된 것일 거다."

"……뭐라고요?"

"그 부하가 네 심복인 것은 확실한가? 그가 조작했을 것이다. 그리고 설령 나는 그것이 조작된 것이 아닌 진실이라 할지언정 상관하지 않을 거다."

무책임한 언사에 유시젠은 헛웃음을 뱉어 냈다.

"너도 더 이상 르카플로네 백작에게 관심 갖지 말거라. 이제 와서 무슨 소용이 있겠느냐. 전쟁이라도 해서 그 땅을 뺏어 오길 바라는가? 이미 내가 왕실의 인장을 찍어 백작령임을 인정했는데?"

"……."

"다 끝난 일이다. 그러니 이제 너도 잊어라."

처음엔 화가 났지만 말이 이어지면 이어질수록 이상하다는 생각이 들었다. 오랜만에 본 국왕, 칼바스는 몹시 변해 있었다. 마치 세상의 짐을 모두 다 내려놓은 듯한 후련하면서도 공허한 모습이었다. 흡사 죽음을 앞두고 해탈한 노인처럼 느껴지기도 했다.

"폐하."

"잊어라, 유시젠. 내 처음이자 마지막 부탁이다."

국왕의 말에 유시젠은 흠칫 굳었다. 그는 단 한 번도 왕의 입에서 부탁이라는 단어를 들어 본 일이 없었다. 칼바스는 아들의 것과 똑같은 황금색 눈동자로 그를 바라보았다.

"그리고 행복해져라."

유시젠은 저도 모르게 입을 벌렸다. 칼바스가— 자신의 아버지가 그를 향해 미소 지었던 것이다.

'……대체 무슨 일이 벌어진 거지.'

국왕과의 면담을 마치고 자신의 궁으로 돌아온 유시젠은 몹시 찜찜한 마음이었다. 평소 미스릴에 미쳐 정사를 돌보지 않는 것은 물론 늘 자신을 멀리했던 왕이었다. 그런데 그 왕이 오늘 보여 준 모습은, 그 눈빛은…….

'무슨 일이 있었던 게 분명해.'

유시젠은 인상을 찡그리며 머리를 짚었다. 마치 아주 어릴 적 자신을 바라보며 웃어 주었을 때와 같은 눈빛이었다. 언제부터인가 돌변해서 미스릴에 집착하여 단 한 번도 미소를 보여 준 일이 없었다. 그런 아버지가 변했다. 유시젠이 알지 못하는 일이 일어난 게 분명했다.

'르카플로네 백작과 관련이 있을 거야.'

르카플로네 백작을 떠올리자 유시젠의 입술이 비틀렸다. 마지막으로 봤던 날, 자신의 부하를 잡고 놓아주지 않던 휘안의 모습이 눈앞에 생생하게 그려졌다. 유시젠의 주먹 위로 뼈가 선명하게 도드라졌다. 눈앞 데스크 위로는 집사가 건네준 서류가 즐비해 있었다. 백작의 비리와 온갖 죄를 밝히는 서류였다.

'조작된 거라고?'

그렇다면 정말이지 기가 막힐 만큼 깔끔하고 완벽한 조작이었다. 유시젠은 바보가 아니었다. 그 역시 집사가 건네준 이 서류가 조작될 가능성을 염두에 두고 철두철미하게 조사했다. 그리고 전후 상황이 다 맞는 것을 확인한 후에야 백작가를 급습했던 것이다. 만약 이 서류가 조작이라면 대체 누가 이렇게까지 완벽하게 할 수 있는지 궁금할 정도였다.

'집사 녀석의 뒤에 있는 놈이겠지.'

유시젠은 집사가 다른 자의 명령을 따르고 있다는 것을 알고 있었다.

그는 자신의 그림자였다. 하지만 솔직히 평가해 본다면, 린지나 키벨처럼 목숨까지 맡길 수 있을 정도로 믿음이 가는 그림자는 아니었다. 그를 르카플로네 백작가의 집사로 잠입시킨 후 몇 번이나 수상쩍은 느낌을 받고 린지를 추가 투입시키기로 결정했다. 아무래도 집사를 완전히 믿을 수 없었던 것이다. 그럼에도 불구하고 그는 집사를 쳐 내지 않았다. 대체 그 뒤에 있는 작자가 누구인지 궁금했던 것이다.

'어떤 놈인지 꼭 한번 상판을 봐야겠어.'

그는 린지의 얼굴을 떠올렸다. 마지막 순간 마주친 그녀의 붉은 눈동자가 몇 번이나 눈앞을 아른거렸다. 유시젠은 저도 모르게 주먹을 꽉 말아 쥐었다.

'이제 됐어. 돌아와라, 린지.'

그런데 왜 이렇게 불안한 걸까. 유시젠은 치밀어 오르는 불쾌한 감정을 인정하지 않았다. 린지는 곧 자신에게 돌아올 것이다. 언제나처럼 힘들어 죽겠다는 표정으로 돌아와 온갖 엄살을 피우겠지.

'힘든 임무였으니 상을 줘야겠군.'

유시젠은 그동안 린지가 여행을 갈망하고 있었다는 것을 아주 잘 알고 있었다. 어깨에 올린 짐을 다 내려놓고 여행을 다녀오라고 해야겠다. 유시젠은 그렇게 결정했다.

'그러니 어서 내게 돌아오길, 린지 아즈벨.'

르카플로네 영지가 백작령으로 인정받자 휘안은 몹시 바빠졌다. 그렇잖아도 바쁜 사람이었지만 이제는 정말 눈코 뜰 새 없이 바빠졌다는 말이 딱 어울릴 정도가 된 것이다. 그는 각국에서 보낸 축하 사절단을 맞이해야 했고, 르카플로네 시민을 위한 법도 재정비해야 했다.

'나 좀 떼고 다녀라 제발!'

휘안은 바쁜 와중에도 린지를 옆구리에 딱 붙이고 다녔다. 개인 시종이라는 명목하에서였지만 유난히 살갑게 구는 휘안의 태도에 모두가 그들의 관계를 눈치챈 기색이었다. 휘안은 타인의 시선 따위 신경 쓰지 않고 린지를 사랑스럽다는 눈빛으로 바라보았으니까.

"이제 제발 그만 좀 하세요."

그날 밤, 모든 일정을 끝내고 온 휘안이 통증을 호소하자 린지는 그의 어깨를 마사지했다. 근육이 뭉친 것인지 목 부분이 몹시 단단해져 있었다. 린지는 그의 목을 주물거리며 투덜거렸다.

"아아, 시원하다. 응, 거기 좀 더."

"아무리 그래도 그렇지, 사절단 앞에서 손 붙잡고 안 놔주시는 건 너무하십니다. 그건 예의가 아니라고요."

"좀 더 아래로. 응, 거기, 거기. 아 시원해."

"사람이 말하면 좀 들으세요!"

하지만 휘안은 눈을 감고 마사지를 즐기기만 할 뿐 린지의 잔소리는 한 귀로 흘려 넘기고 있었다. 그는 해죽 웃으며 살짝 풀린 눈으로 린지를 올려다보았다.

"린지안 군 마사지 굉장히 잘하네. 진짜 시원하다."

"……제가 한 말 하나도 안 들으셨죠?"

"응. 하핫."

한 대 치고 싶다…… 린지는 한숨을 푹 내쉬며 고개를 설레설레 저었다. 오늘 낮에는 사절단으로 온 타국의 공작 앞에서 깍지 낀 손을 안 놔 주어 몹시 곤혹스러웠던 것이다. 그런데도 이놈의 백작은 사람 말을 귓구멍으로 듣지도 않고……!

"아아, 허리 아파. 린지안 군, 허리도 주물러 주라."

"네, 네. 알겠으니 누워 보십쇼."

린지는 투덜거리며 침대 위로 털썩 누운 백작의 옆에 앉아 허리를 마사지했다. 예전에 유시젠이 하도 마사지하라고 부려 먹을 때 늘어난 실력이 발휘되는 순간이었다.

"린지안 군, 굉장히 잘하네. 시종으로 일하기 전에 마사지사였어? 와아, 시원해라."

"……칭찬으로 듣겠습니다."

한참을 휘안의 허리와 등을 마사지해 준 린지는 어깨가 뻐근해질 정도가 돼서야 그만둘 수 있었다. 휘안은 몹시 감동받은 표정으로 말했다.

"고마워. 진짜 다시 태어난 기분이야. 정말 시원했어."

"아닙니다. 뭐 이 정도 가지고……."

"이번엔 내가 해 줄게."

그렇게 말한 휘안이 린지의 손을 휙 끌어당겨 침대에 엎어트리듯이 눕혔다. 그녀가 저항할 사이도 없이 등 위로 올라타 어깨를 주물렀다.

"돼, 돼, 됐습니다!"

억지로 이불에 얼굴을 묻게 된 린지가 서둘러 고개를 돌렸다. 하지만 휘안은 이미 은혜를 갚겠다는 의지로 활활 타오르고 있었다.

"아니야. 린지안 군도 받아 봐. 정말 시원하다고."

그렇게 말한 휘안은 바르작거리며 버둥거리는 린지를 가볍게 제압하고 그녀의 목덜미와 어깨를 주물렀다. 솔직히 시원하긴 했지만 이렇게 맘 편하게 받고 있을 상황이 아니었다. 옷을 두껍게 껴입긴 했지만, 붕대의 감촉을 느끼게 된다면―!

하지만 다행히 휘안의 손은 바로 그녀의 허리로 향했다. 그는 두 손으로 가느다란 허리를 움켜잡듯 쥐더니 감탄사를 내뱉었다.

"굉장히 얇네. 두 손에 잡히겠어."

"그, 그게 무슨 소리십니까. 안 잡힙니다."

"아니야. 지금 거의 잡혔는걸. 맙소사, 이게 남자 허리라니⋯⋯."

"그건 휘안 님 손이 커서 그런 겁니다! 비켜 주세요!"

린지가 몸부림치자 휘안은 장난스럽게 웃으며 그녀의 몸을 꽉 짓눌렀다. 억눌린 신음이 내뱉어지는 순간, 그가 귓가에 대고 속삭였다.

"좋은 말로 할 때 마사지 받으세요, 시종 님. 명령이니까."

"⋯⋯!"

린지는 결국 할 말을 찾지 못하고 이불을 움켜쥐었다. 그녀가 그제야 잠잠해지자 휘안이 만족스러운 표정으로 마사지를 시작했다.

'⋯⋯그런데 이건 좀.'

휘안은 물끄러미 린지를 내려다보았다. 자신의 몸 아래에 얌전히 깔린 시종을 이렇게 계속 보고 있자니 조금 위험해 보였던 것이다. 그는 셔츠가 살짝 빠져나와 드러난 허리의 새하얀 속살을 보고 시선을 돌렸다.

'괜히 해 주겠다고 했나.'

별생각 없이 마사지를 해 주려 했는데 이제 와 보니 인내심 테스트였다. 휘안은 셔츠 안으로 손을 밀어 넣고 싶은 것을 애써 참으며 어깨를 주물렀다.

"앗."

그의 손이 목덜미에 닿자 린지의 입에서 웃음이 터졌다. 그녀는 간질거리며 와 닿는 손길을 참으려고 했지만, 결국엔 참지 못하고 터뜨리고 말았다.

"아하하핫, 그만하세요! 안, 안 되겠어!"

간지러워서 도저히 참을 수가 없다. 린지가 몸부림치며 웃는 얼굴로 휘안을 돌아보았다.

"……에?"

같이 웃고 있을 거라고 생각했는데 휘안은 웃고 있지 않았다. 그는 표정 없는 얼굴로 린지를 물끄러미 내려다보고 있었다. 고요하게 가라앉은 보라색 눈동자와 마주친 린지의 입가에도 웃음이 사라졌다.

"휘, 휘안 님? 왜 그러세요?"

휘안은 그제야 입꼬리를 슬쩍 올렸다.

"너무 야한 거 아니야?"

"네?"

"아, 잠깐만. 코피가 날 것 같아."

그는 휴지를 찾는 듯 코를 막으며 주위를 두리번거렸다. 그 익살스런 행동에 린지는 황당하면서도 웃음이 나오는 것을 느꼈다. 그녀가 피식 웃자 휘안도 그녀를 따라 웃었다.

"뭡니까, 그런 장난. 재미없습니다."

"장난이면 좋겠는데 장난이 아닙니다, 시종 님. 머리부터 발끝까지 야

하시네요. 왜 그렇게 태어나셨습니까."

휘안이 주문을 읊듯 장난스럽게 말하자 린지는 심술이 치밀어 올라 그를 밀쳐 냈다. 하지만 휘안은 낮은 웃음소리를 흘리며 린지의 팔목을 잡아챘다.

"제가 뭘요! 제가 뭘 어때서요! 이게 다 휘안 님 눈에 음란 마귀가 껴서 그런 거라고요!"

"그럴 리가. 난 지극히 정상이야. 다만 나의 시종님께서 과하게 야하게 생기셔서, 나처럼 순진한 남자를 유혹하고 있는 거라고."

"이이익! 그런 말도 안 되는 말씀 하지 마세요!"

"아하하핫!"

밀쳐 내려고 바동거리는 린지의 팔목을 잡고 있던 휘안의 몸이 그녀의 옆으로 털썩 쓰러졌다. 키득거리며 웃음을 흘리는 와중에도 린지의 두 팔목을 꽉 잡은 상태였다. 린지가 몸을 일으키려고 하자 휘안이 팔을 끌어당겨 다시 눕혔다. 베개 위로 머리가 거칠게 쓰러지자 그녀는 불만 가득한 눈으로 휘안을 노려보았다.

"린지안 군. 그렇게 뜨겁게 쳐다보면 심장이 터질 것 같다고."

"자, 장난치지 마세요."

내뱉은 대사와는 달리 린지는 시선을 아래로 슬쩍 내리깔았다. 휘안은 싱긋 웃으며 린지의 머리칼을 쓰다듬었다. 이제 그녀의 머리칼을 만지기만 해도 마음의 안정이 찾아오는 휘안이었다. 그는 부드러운 머리칼의 감촉을 음미하며 말했다.

"생각해 봤어?"

"뭘요?"

"내가 고민해 달라고 했잖아."

순간 린지는 휘안이 무엇을 말하는지 알아차렸다. 그녀는 저도 모르게 내렸던 시선을 들어 올려 휘안을 마주 보았다. 그는 부드럽게 웃고 있는 표정이었지만 눈빛만큼은 굉장히 진지했다.

얼마 전, 그는 산 위 오두막집에서 린지에게 고백했다. 진심으로 사랑하고 있다고, 그러니 자신에 대해 진지하게 고민해 달라고…….

린지가 아무런 말도 못 하고 입술을 달싹이자 휘안의 미소가 짙어졌다. 그는 갑작스럽게 그녀의 턱을 바짝 들어 올려 입술을 맞추었다. 린지가 흠칫 굳으며 뒤로 물러서려 하자, 다른 한쪽 팔이 달래듯 머리칼을 쓰다듬었다.

오두막집 이후로 처음으로 하는 키스였다. 그 후 단 한 번도 스킨십을 시도하지 않았기에 린지는 그동안 방심하고 있었다. 휘안의 키스가 얼마나 그녀를 끌어당겼는지, 정신을 쏙 빼놓았었는지…….

그녀의 입술을 부드럽게 쓰다듬는가 싶더니, 거칠다 싶을 정도로 격하게 입 안을 점령한다. 린지는 그의 움직임 하나하나에 발끝에서부터 짜릿함이 퍼지는 것을 느꼈다. 머리가 연속으로 무언가에 얻어맞은 양 얼얼해서 정신을 차릴 수가 없었다.

"싫지 않잖아, 그치?"

휘안은 린지에게 입술을 붙인 상태로 작게 속삭였다. 그 순간 느껴지는 그의 숨결과 목소리에 린지의 온몸이 전율했다. 그녀는 저도 모르게 휘안을 움켜잡으며 몸을 부르르 떨었다.

"사실은 좋은 거지, 린지안?"

몰라, 모르겠어. 그녀를 농락하듯 입술을 탐하는 휘안의 질문에 린지는 이성적으로 생각할 수 없었다. 그와의 키스가 싫지 않은 것은 분명했다. 그리고 조금 더 솔직히 말하면, 좋은 쪽에 가까웠다. 이것은 생전 느껴 보지 못한 쾌락이었다. 입맞춤 하나로 이 정도 쾌감을 느낄 수 있다는 것이 놀라웠다. 이다음 페이지에는 무엇이 있을지 궁금하기까지 했다. 하지만…….

"……!"

순간, 휘안이 입술을 조금씩 내려 그녀의 목덜미에 닿았다. 뜨거운 숨결이 닿는 순간 린지는 소스라치게 놀라며 그의 옷깃을 잡았다. 평소라면 멈췄을 휘안이었지만…….

휘안은 멈추지 않았다.

"휘, 휘안 님!"

그의 입술이 린지의 쇄골에 머무르자 그녀의 입에서 자신도 생전 처음 들어 보는 소리가 튀어나왔다. 그녀가 당황하며 두 손으로 입술을 막자 휘안이 거칠게 손을 잡아뗐다.

"막지 마."

"휘, 휘…….."

린지의 셔츠 안으로 파고드는 휘안의 손길이 평소보다 거칠었다. 그녀가 어쩔 줄 몰라 하며 당황했지만 휘안의 행동엔 거침이 없었다. 그는 고개를 아래로 내려 린지의 옷깃을 들어 올렸다. 순식간에 가슴팍 아래까지 옷이 올라가자 린지는 거세게 저항했다.

"하지 마세요!"

바로 붕대 아래까지 옷깃이 올라간 것이다. 린지는 휘안의 어깨를 밀쳤지만 그는 깜짝 놀랄 만큼 강경했다. 그는 마치 감상하듯 린지의 얇은 허리를 바라보더니 망설임 없이 고개를 내려 입술로 내리눌렀다. 그리고 한쪽 손으로는 쏙 파인 허리의 굴곡을 느끼듯 어루만졌다.

"휘, 휘안 님."

이러다가 들키고 말겠어! 린지는 있는 힘껏 버둥거렸다. 하지만 어째서인지, 조금이라도 저항하는 기색이 있을 때면 물러났던 휘안이 이번만큼은 돌덩이처럼 꿈쩍도 하지 않았다. 아니, 도리어 그녀가 그를 밀칠 때마다 더 강한 힘으로 밀어붙여 왔던 것이다.

"읍."

필사적으로 그를 밀쳐 내는 와중에도 몸은 솔직했다. 그의 입술이 그녀의 명치에 와 닿자 린지는 손으로 입을 막았다. 자신의 입에서 이런 소리가 나온다는 게 믿기지 않았던 것이다. 그러자 휘안이 이번에도 그녀의 손을 잡고 떼어 냈다.

"막지 말라니까."

"휘……."

이어지는 린지의 말을 휘안의 입술이 막았다. 또다시 그와 입을 맞추며 린지는 확실히 그가 달라졌다는 것을 느꼈다. 그는 조급해하고 있었다. 늘 부드럽고 여유롭게 그녀에게 쾌락을 선사했던 입맞춤이 아니었다. 휘안의 몸이 뜨겁게 달아올라 있는 것이 느껴졌다. 그의 눈빛이, 입술이, 손이— 모든 것이 린지를 원하고 있었다. 입술에서 느껴지는 갈망이 린지를 불태울 것만 같았다. 그동안 어떻게 참았는지 신기할 정도의 열기였다.

"제발 그만하세요."

린지는 있는 힘껏 그의 어깨를 밀쳤다. 이 이상 내버려 두면 자신도 어떻게 돼 버릴 것만 같았던 것이다.

"……제발, 그만하시라고요!"

순간, 두 사람의 눈이 마주쳤다. 그제야 린지의 눈빛을 확인한 휘안은 몹시 당황한 기색이었다. 그는 막 꿈에서 깨어난 표정으로 린지를 내려다보더니 자리에서 벌떡 일어났다. 그리고 린지가 뭐라고 할 사이도 없이 무릎을 꿇었다.

"잘못했어."

"휘, 휘안 님?"

그가 무릎을 꿇자 린지도 깜짝 놀라 몸을 일으켰다. 이건 또 무슨 짓이란 말인가. 정신없이 달려들다가 갑자기 무릎을 꿇고 앉다니!

휘안은 한숨을 푹 내쉬며 고개를 푹 수그렸다.

"미안해. 내가 이러면 안 되는데…… 잠깐 이성을 잃었었어."

"뭐, 뭡니까 대체! 일단 일어나 앉으십시오. 무릎 꿇지 마세요."

"용서해 줘."

그가 간절한 눈으로 말하자 린지는 결국 소리치듯 말했다.

"알겠어요, 알겠어! 용서할 테니까 무릎 꿇지 마시라니까요!"

"정말? 정말 용서해 주는 거야?"

"알았다고요오오오! 빨리 일어나세요!"

'귀족이라는 녀석이 아무 데서나 무릎을 꿇고 말이야.'

다음 날, 린지는 사절단으로 온 타국의 귀족을 상대하는 휘안의 뒷모습을 바라보았다.

"백작령으로 독립하신 것을 경축드립니다. 이는 저희 라오틴 국에서 드리는 축하의 선물입니다."

"영광입니다, 레르탄 공. 부디 라오틴의 국왕 폐하께 제 감사의 마음을 전해 주십시오."

예의 바르게 타국의 귀족과 이야기를 나누는 모습에 어제의 흔적은 없었다. 저 우아한 백작이 시종에게 달려들다가 무릎 꿇고 한 번만 용서해 달라고 빌었다고 말하면 누가 믿을 수 있을까.

'어제는 많이 놀랐어. 앞으론 절대 방심하지 말아야지.'

어제 생각만 하면 아직까지 가슴이 철렁 내려앉는다. 대체 어제 휘안은 무엇을 하려고 한 것일까? 지금까지처럼 입맞춤만 하려고 한 것은 아니었다. 그 이상의 것을 노골적으로 원해 왔던 것이다.

'들킬 뻔했잖아.'

앞으로는 키스하려고 하면 입술을 깨물어 버리자. 린지는 절대로 이성을 잃지 말자고 스스로를 타일렀다. 어제 휘안이 그 지경이 되도록 내버려 둔 자신의 탓도 있었다. 진작 밀쳐 냈어야 했는데!

'그런데 정말 정신을 못 차리겠단 말이야. 앞으론 정말 조심해야지.'

아예 정신이 혼미해질 사이도 없이 입술이 닿자마자 깨물어 버리자. 린지는 결심하며 휘안의 뒤통수를 노려보았다. 어제 한 마리 짐승처럼 달려든 사람이라고는 믿을 수 없을 만큼 산뜻한 모습이었다.

"아아, 드디어 다 끝났네. 피곤했다."

모든 사절단과의 면담을 마친 휘안이 피곤한 듯 기지개를 폈다. 그는 찌뿌둥한 듯 몸을 일으켜 스트레칭을 한 후 린지를 바라보았다.

"린지안 군도 뒤에 서 있느라 피곤했지?"

"아뇨. 괜찮습니다."

휘안이 가까이 다가오자 린지는 저도 모르게 뒷걸음질 쳤다. 린지가 뒤로 물러서자 휘안은 서운한 듯 입술을 내밀고 투덜거렸다.

"너무해. 날 그렇게 벌레 보듯이 쳐다보다니."

"제, 제가 언제요? 그 정도까진 아닙니다!"

"그럼 가만히 있어 보세요, 시종 님."

휘안은 씩 웃으며 린지를 끌어당기더니 와락 껴안았다. 그리고 그녀의 머리칼에 얼굴을 묻고는 마구마구 쓰다듬었다.

"아아, 좋다. 충전이 되고 있어."

"……제가 충전기입니까."

"응. 몰랐어? 이러고 있으면 기운이 나거든."

휘안은 슬쩍 몸을 떼고 린지를 내려다보았다. 그녀를 바라보는 눈동자에는 노골적인 애정이 그렁그렁 맺혀 있었다. 린지는 저도 모르게 얼굴을 붉히며 시선을 돌렸다.

"아아, 귀여워라."

그는 린지의 뺨을 꼬집으며 해죽해죽 웃었다. 린지는 그에게 뺨이 잡힌 상태 그대로 그를 쳐다보았다.

'뭐가 저렇게 좋다는 거야. 얼굴 근육 다 풀리겠다.'

얼굴 근육이 다 풀리겠다는 말은 결코 과장이 아니었다. 휘안은 본래 잘 웃는 자였으나 눈을 살짝 접든가 입꼬리를 들어 올려 웃는 정도였다. 하지만 언제부터인가 린지 앞에서는 얼굴의 근육이 다 녹아 버린 게 아닐까 걱정될 정도로 웃어 댔다. 한편으로는 실없어 보이긴 했지만, 누가 봐도 행복해 보이는 진심 어린 웃음이었다.

'……그렇게 좋냐.'

린지는 왠지 머쓱해지는 것을 느끼며 저도 모르게 웃었다. 아무래도 웃음이 전염된 모양이었다.

"오늘 저녁에 하준이랑 같이 밥 먹자. 괜찮지?"

휘안은 이렇게 스케줄을 잡을 때 린지의 의사부터 물어보기까지 했다. 린지는 고개를 끄덕이다가 문득 궁금해져서 물었다.

"엘테스와는 제법 거리가 먼데 굉장히 자주 왕래하시네요. 혹시 이것도……."

"물론이지. 하준의 방과 르카플로네 성을 연결시켜 놨어. 일 분도 안 돼서 왔다 갔다 할 수 있게."

린지는 눈을 가느다랗게 떴다. 연금술이란 거, 이렇게 실용적이었던가? 그녀의 표정이 우스운지 휘안이 낮은 웃음소리를 흘렸다.

"무슨 생각해?"

"아, 아뇨. 그러고 보니 장소를 이동할 때 외에 연금술을 쓰지 않으셔서요. 장소를 연결해 놓는다든가, 쉽게 접근하지 못하고 자연재해 현상을 불러일으킨다든가 하는 것 외엔……."

분명 연금술은 그것보다 더 위대하고 쓸모 있을 텐데? 연금술의 힘이라면 세상을 단숨에 혼란으로 빠뜨릴 수 있을 것이다. 그만큼 파괴적이고 강력하기에, 평범한 인간들을 공포에 빠지게 하는 힘이었다. 그런 힘을 가지고 있으면 대륙 통일도 어렵지 않을 것이다. 하지만 휘안이 원하는 것은 르카플로네 백작령, 단 하나뿐이었다. 심지어 그는 목표를 성취하는 과정에서 그 누구도 해치지 않았다. 어찌 보면 대단했던 것이다.

그녀의 호기심을 읽었는지 휘안이 어깨를 으쓱였다.

"글쎄. 솔직히 난 연금술을 좋아하지 않아."

"네?"

"이런 지식은 없어지는 게 낫다고 생각해. 상식에 얽매이지 않을 정도로 파괴적이니까."

그는 아무렇지도 않게 자신이 가진 최고로 위대한 지식을 폄하했다.

"필요 이상으로 강한 힘은 분란을 일으킬 뿐이야. 나는 나와 내 사람들을 지킬 수 있을 정도면 충분해. 트와일릿을 만들고 백작령으로 독립한 것도 그러기 위한 일들 중 하나이지."

"……."

"뭐, 그래도 멀리 사는 친구와 자주 볼 수 있는 연금술 정도는 포기하지 않을 거야. 하지만 그 이상의 연금술은 더 이상 쓰고 싶지 않아."

그는 마치 스스로에게 선언하듯이 말했다.

"그리고 이 연금술에 대한 지식도 아무에게도 주지 않을 거야. 나 혼자 알고 있다가 죽으면 이 세상에서 사라질 지식이겠지."

하지만 이것은 레너드를 죽였을 때의 이야기이다……

휘안은 이렇게 말함으로써 다짐을 다지는 것 같았다. 반드시 레너드를 없애겠노라고, 그리고 연금술을 사라지게 만들겠다고.

"린지안 군이랑 알콩달콩 영원히 행복하게 살면 좋겠다."

순간 뜬금없는 이야기로 결말을 맺자 린지의 얼굴이 확 붉어졌다. 휘안은 새빨개진 린지의 뺨을 꼬집었다.

"얼마나 행복할까. 그치?"

"누, 누가 행복하단 겁니까. 제 의사도 물어봐 주시죠."

그녀가 말을 더듬자 휘안이 웃음을 터뜨렸다.

"걱정하지 마. 내가 책임지고 행복하게 만들어 줄게. 그러니까 내 곁에만 있어 줘, 린지안 군."

장난스러우면서도 애절한 말에 린지는 대답할 수 없었다.

예르시카는 맞은편 건물에서 그들을 바라보고 있었다. 창문 너머로 보이는 휘안의 모습은 몹시 행복해 보였다. 뿌리치는 시종의 뺨을 잡고 흔들며 해죽 웃는 표정은 지금껏 그녀가 본 일 없는 웃음이었다.

예르시카는 한동안 못 박힌 듯 자리에 서서 그들을 바라보다가 간신히 걸음을 옮겼다. 어째서인지 두 발에 힘이 들어가지 않았다.

'행복해 보이신다.'

방으로 향하는 예르시카는 이 사실을 부정할 수 없었다.

휘안은 행복해 보였다. 아니, 실제로 그는 지금 온몸을 저리게 만들 만큼 막대한 행복감에 젖어 있으리라. 비록 아직까지 레너드라는 공적을 잡아내지 못했지만 그것을 제외하면 모든 것이 휘안의 희망대로 이루어졌다.

실험에서 벗어난 휘안은 강해지길 원했다. 그 누구도 더 이상 자신을, 그리고 자신의 사람들을 해하지 못할 정도로 강한 힘을 원했다. 그래서 그는 트와일럿이라는 기업을 만들어 세계 경제를 주물렀고, 음지에서는 정보부 포그로 온갖 흐름들을 읽어 냈다. 그리고 마침내 얼마 전에는 르카플로네를 백작령으로 독립시키기까지 했다. 이제 레너드만 사라지면 그가 하준과 예르시카에게 약속한 일은 모두 끝나는 것이다.

그럼 자신도 더 이상 그의 곁에 머물 구색이 없어지게 되겠지……. 예르시카는 온몸의 힘이 쭉 빠지는 것을 경험하며 자신의 방으로 향했다. 그녀는 침대 위에 힘없이 엎어져 허공을 올려다보았다. 푸른 바다처럼 아름다운 눈동자가 텅 비어 있었다.

'이제 곧 끝이 난다. 그럼 난 어떻게 되는 거지.'

그녀는 천천히 고개를 돌려 탁자 위의 거울을 바라보았다. 흐트러진 금빛 머리카락에 무표정한 얼굴을 한 여인이 보였다.

예르시카는 르카플로네 영지민 중 한 명이었다. 그러나 연금술사들의 '실험'을 위해 끌려가게 되었고, 그러는 와중 자신을 지키려던 부모님은 목숨을 잃고 동생 역시 죽게 되었다. 그녀는 마치 개처럼 끌려가 연금술사들의 손에서 실험을 당해 왔다.

대부분의 아이들이 실험을 이겨 내지 못하고 죽었다. 그렇게 고통스러운 나날은 휘안의 손에 의해 끝이 났다. 그녀보다 훨씬 더 끔찍한 실험을 당했고, 그 실험으로 인해 누구보다 강해진 소년은 연금술사들을 차례로 해치웠다. 마지막으로 남은 레너드가 도망가자 남은 소년, 소녀들은 해방되었다.

하지만 살아남은 아이들도 몇 년 후엔 인체 실험의 후유증으로 결국 모두 다 죽고 말았다. 마지막까지 운이 좋아 살아남은 것은 그녀와 하준, 그리고 휘안 이렇게 단 세 명…….

죽은 이와 살아남은 이, 그들의 소원을 짊어진 것은 휘안이었다. 그는 모든 실험당한 불쌍한 아이들의 증오를 받아들였다. 그리고 맹세했다. 반드시 레너드를, 최후의 연금술사를 제거하겠다고.

'……그래. 그 때문에 나는 휘안 님의 곁에 머물렀다. 하지만 그 이후엔?'

휘안은 넌지시 그녀에게 트와일릿을 가지라고 권했었다. 하지만 예르시카는 단칼에 거절했다. 자신이 있을 곳은 그의 아래라고 생각했던 것이다. 내심 트와일릿을 통째로 주겠다는 그의 제안이 서운하기까지 했다.

'……휘안 님은 행복해 보이신다. 분명 이 일이 끝나면 반드시 더 행복해지시겠지.'

잘된 일이야. 예르시카는 진심으로 그렇게 생각했다. 하지만 그와는 반대로, 도리어 더 불행해질 자신을 생각하자 마음 한구석이 너무나 아파 왔다. 만약 휘안의 곁에 지금까지처럼 기사로서 머물겠다고 하면 그는 흔쾌히 수락할 것이다. 그러면 자신은 여전히 그의 호위 기사로서 함께할 수 있겠지. 린지안 아르즈벨과 행복해하는 모습을 보면서…….

'아니야. 그것은 진실한 행복이 아니야.'

예르시카는 거울 속의 자신을 보며 중얼거렸다.

"그녀는 거짓말을 하고 있잖아."

그녀, 린지안 아르즈벨은 여자인 것을 감쪽같이 속이고 휘안의 시종 노릇을 하고 있다. 같은 여자로서, 아름다운 여인의 몸으로 혼자 살아가는 것이 힘들어 남장을 하게 된 린지안의 마음은 이해할 수 있었다. 그렇기에 당장 말하지 않고 그녀에게 스스로 떠날 기회를 준 것이다. 그것이 휘안을 위한 길이라고도 생각했다.

'……정말? 정말 그것뿐이야?'

예르시카는 주먹을 꽉 틀어쥐었다. 거울 속 푸른 눈동자의 여인이 자신에게 진득한 조소를 보내고 있다. 거짓말하지 마. 휘안 님을 완전히 뺏기게 될까 봐 두려웠던 거잖아.

"아니야……."

남자라고 생각하는데도 저 정도인데, 여자라는 걸 알게 되면 완전히 사랑에 빠져 버리게 될까 봐 두려운 거잖아. 그래서 묵인한 거잖아.

"아니야. 아니야……."

예르시카는 베개 속에 얼굴을 파묻으며 중얼거렸다.

'아니야, 난 휘안 님을 위해서…… 휘안 님이 상처받을까 봐. 그전에 린지안을 떠나게 만들려고…….'

하지만 이미 휘안의 감정은 돌이킬 수 없어 보였다. 예르시카는 그가 린지안의 손을 잡고 놓아주지 않을 때부터, 그리고 방금 전 함박웃음을 짓는 모습을 보며 확신했다. 린지안 아르즈벨을 사랑하고 있다는 것을.

왜 이렇게 된 것일까. 왜 휘안은 지금껏 온갖 고난을 함께해 온 자신이 아닌, 남자로 여기고 있는 시종을 사랑하게 된 것일까. 휘안의 아픔이 시작되는 순간부터 옆에 있었던 것은 그녀였다. 예르시카는 어린 소년이었던 휘안이 눈물을 흘리며 복수하겠노라고 하늘에 외치던 때에도 옆에 있어 주었다. 트와일릿을 처음 설립하고 시작하는 단계에도, 포그를 만들었을 때에도, 모든 시작을 함께하여 마침내 원하는 결말까지 거의 다 오게 되었는데…… 왜 그의 사랑이 향한 곳은 자신이 아닐까.

'아니야, 괜찮아. 받아들일 수 있어. 그분은 내게 과분하신 분이야. 하지만…….'

하지만 그 고귀한 사랑이 거짓말쟁이를 향해서도 안 된다. 성별을 감쪽같이 속이는 시종에게도 그의 사랑은 어울리지 않았다. 만약 그녀가 운 좋게 개인 시종이 되어 휘안과 함께하는 시간이 많아지지만 않았더라면, 휘안은 린지안에게 마음을 주지 않았을지도 모른다.

'……잠깐.'

예르시카의 머릿속에 섬광이 스쳐 지나갔다. 그녀는 저도 모르게 자리에서 몸을 벌떡 일으켰다.

'린지안 아르즈벨이…… 누구의 추천으로 개인 시종이 됐더라.'

그녀의 아름다운 손끝이 미세하게 떨려 왔다. 까맣게 잊고 있었던 사실이 머릿속으로 급부상해 왔다. 린지안 아르즈벨, 신입임에도 불구하고 백작의 개인 시종이 될 수 있었던 것은─.

'집사의 추천이 있었던 거잖아!'

그녀의 심장이 쿵쿵거리며 맥동했다.

'첩자인 집사가 추천한 개인 시종이, 성별을 속인 남장 여자……라고?'

그 모든 것이 우연이라고 하기엔 절묘했다.

'……말씀드려야겠다.'

예르시카는 주먹을 불끈 쥐며 결심했다. 그래, 역시 말씀드리는 것이 옳다. 다시 한 번 생각해 보니 린지안 아르즈벨은 너무 수상했다. 어느 날 갑자기 집사가 개인 시종으로 추천한 것으로 모자라 사실은 남자인 척하는 여자라고? 그 두 개가 우연히 겹쳐졌다는 말인가?

"그래, 말씀드리자. 이제 더 이상 잃을 것도 없는걸……."

예르시카는 본인도 이해할 수 없는 말을 중얼거렸다. 마치 다른 사람이 이야기를 하는 것처럼 텅 빈 목소리였다.

린지는 휘안과 정원을 산책하고 있었다. 르카플로네 성의 정원은 샤를에 있는 저택의 것과 비교가 되지 않을 정도로 넓고 아름다웠다. 추운 겨울에 제 색을 잃은 상태였지만, 봄이 오면 다양한 색채로 물들 것을 예상할 수 있었다.

"그야 당연하지. 저택의 것은 성의 정원을 축소해 놓은 버전이거든."

"헤에. 그렇군요."

린지는 연못가의 다리 위를 건너며 주위를 둘러보았다. 아직 2월, 눈의 잔재가 남아 있는 겨울의 끝자락이었다. 하지만 몇 달만 지나면 금세 들판은 초록빛으로 뒤덮일 것이다. 린지는 성의 정원이 어떻게 변할지 궁금해졌다.

"정원에 정성을 기울이시는 편이네요."

"응. 취미거든."

휘안은 린지의 머리를 쓰다듬다가 어깨 아래로 목도리를 휘감아 주었다.

"봄에는 정말 아름답게 변해. 그땐 정원에서 피크닉 하자."

"……."

휘안의 말에 린지는 말없이 싱긋 웃어 보였다. 그녀를 물끄러미 바라보던 휘안은 무언가 떠오른 듯 주머니를 뒤적거렸다.

"이거 선물이야."

린지는 그가 내미는 것을 멀뚱히 바라보았다. 검은 가죽 끈에 투박하게 매달린 푸른 보석이 달랑거리고 있었다. 린지가 받을 생각을 안 하자 휘안이 그녀의 팔을 덥석 잡아 손목에 휘감았다.

"뭐, 뭡니까?"

"선물이라니까. 팔찌로 하고 다녀."

"엑, 하지만……."

액세서리를 좋아하지 않는 린지가 인상을 찡그리자 휘안이 단호하게 웃었다.

"아쿠아마린이야. 항상 몸에 지니고 있도록 해."

"……에엑?"

린지는 그의 말에 깜짝 놀라며 푸른 돌을 바라보았다. 그러고 보니 사파이어라고 하기엔 색상이 더 짙은 푸른빛을 머금고 있었던 것이다. 마치 돌 안에서 파도가 넘실거리는 것만 같았다. 아쿠아마린은 세상에서 가장 귀한 보석 중 하나로 다이아몬드보다 더 값비싸기로 유명했던 것이다. 그런데 그런 귀중한 보석을 선물로 주다니……?

"아쿠아마린은 불행을 내쫓는 힘이 있다고 해. 그러니까 이것을 지니고 다니면서 좋은 일만 생기도록 노력해, 린지안 군."

웃으면서 하는 말에 차마 린지는 팔찌를 풀 수 없었다. 그녀는 잠시 머뭇거리다가 어쩔 수 없다는 듯 웃음을 흘렸다.

"그게 뭐 제가 원한다고 해서 됩니까."

"노력하란 말이야."

"뭘 노력해요. 좋은 일만 생기게 노력하라고요?"

"응. 내 옆에서."

휘안은 굳이 그렇게 덧붙이며 린지의 머리를 쓰다듬었다. 그녀는 멋쩍게 웃어 보이며 팔찌를 내려다보았다.

'……예쁘긴 하네.'

그러고 보니 누군가에게 보석을 선물로 받아 본 것은 생전 처음이었다. 생일 때마다 받는 거라고는 검, 화살, 방패, 가죽 신발 등등 임무와 관련된 것들뿐이었던 것이다. 간혹 유시젠이 거하게 금화를 건네준 적도 있었지만 이런 보석을 받아 본 적은 없었다.

'뭐 나쁜 기분은 아니네.'

그렇게 린지가 묘한 감정을 느끼고 있을 때였다.

"어이. 거기서 무슨 닭털을 날리고 계시나."

익숙한 비아냥거리는 소리와 함께 검은 머리칼의 사내가 나타났다. 하준은 휘안과 린지를 번갈아 보더니 미간을 좁히며 고개를 설레설레 저었다.

"아, 각오했는데 막상 보니까 열 받네."

"에? 그게 무슨……."

"아니, 아무것도 아니다. 어이 휘안, 밥상은 거하게 차려 놨냐?"

저녁 식사를 같이 하기로 한 약속 때문에 찾아온 모양이었다. 마치 옆집에 밥 먹으러 온 듯한 기색에 린지는 저도 몰래 웃음을 터뜨렸다.

"물론이지. 하준 네가 좋아하는 음식들로 차려 놨어."

"헹. 그래 봤자 네 녀석은 또 풀 쪼가리 먹을 거 아냐?"

"잘 알고 있네."

그들은 싱글거리며 한마디씩 주고받았다. 둘 사이에 감도는 편안한 기운을 느끼며 린지는 하쥰과 휘안이 진실된 친구라는 것을 느꼈다. 처음에 휘안이 친구가 있다고 말했을 때는 믿지 않았는데…….

'너무 격이 없어서 탈이지.'

특히나 저런 깡패 같은 녀석이 엘테스의 왕이라니. 린지가 저도 모르게 웃자 하쥰이 인상을 찡그렸다. 그는 험악한 기세로 린지의 귓불을 잡아당겼다.

"어쭈구리. 야, 시종. 너 지금 나 비웃었지."

"으앗! 아, 아파요!"

"감히 위대하신 엘테스의 국왕 폐하를 비웃어? 이게 죽으려고?"

"제, 제가 언제요! 으왓!"

린지의 귀가 하쥰의 손에 매달려 솟구치자 비명이 튀어나왔다. 눈물이 찔끔 나올 만큼 아픈 찰나, 보다 못한 휘안이 하쥰의 손을 잡아뗐다.

"그만해, 하쥰. 나도 만지기 힘든 린지안 군의 귀를 그렇게 함부로 대하지 마."

"뭐, 뭐라는 거야 이 자식이!"

하쥰이 당황스러운 듯 소리치자 휘안은 능글맞게 웃었다. 하쥰은 한동안 그를 못마땅하다는 듯 노려보다가 쳇 소리를 내며 혀를 찼다. 아무래도 마음에 안 드는 모양이었다. 그렇게 성을 향해 정원을 걷던 중, 하쥰이 입을 열었다.

"아직 레너드에게는 소식이 없냐?"

린지는 하쥰이 줄곧 그것을 묻고 싶어 했다는 것을 깨달았다. 그가 어렵게 물은 것과는 달리 휘안은 대수롭지 않게 대답했다.

"응. 계속 찾는 중이야. 그리고 의외로 오래 숨어 있네. 그 녀석 성격에 내가 잘되는 꼴을 가만히 지켜볼 리가 없는데."

레너드에 대한 정확한 분석이었다. 휘안은 하준의 어깨를 잡으며 강한 어조로 말했다.

"하지만 녀석을 찾는 건 시간문제니까 걱정하지 마. 내 손으로 그 녀석을 이 세상에서 지울 테니까."

"······그래. 걱정하지 않는다. 널 믿으니까."

휘안의 확신에 찬 말에 하준의 입가에 미소가 서렸다. 그때 하준은 건너편에서 다가오는 금발의 여인을 보고 손을 흔들었다.

"어이, 얼음 마녀."

"······국왕 폐하를 뵙습니다."

다가온 예르시카가 허리를 숙이자 하준은 온몸에 소름이 돋았는지 팔을 벅벅 긁었다.

"뭐냐, 너. 안 어울리게."

예르시카는 하준을 바라보지 않았다. 그녀는 어쩐지 넋이 나가 보이는 시선으로 린지를 바라보았다. 순간 그녀의 유리알 같은 푸른 눈동자와 마주친 린지의 가슴이 덜컥 내려앉았다.

'뭐지?'

예르시카의 표정이 심상치 않았다. 마치 유령이라도 보고 온 듯 넋이 나간 눈을 눈치챈 것은 린지 혼자뿐만이 아니었다. 하준은 물론 휘안마저 걱정스러운 기색으로 그녀를 바라보았다.

"예르시카? 어디 아파?"

"······드릴 말씀이 있습니다."

"뭔데 그래?"

휘안이 걱정스럽게 질문하며 동시에 린지의 손을 잡았다. 무의식적으로 잡은 것이겠지만, 그 어떤 행동보다 지금 예르시카에게는 자극적으로 느껴졌다. 그녀는 눈을 질끈 감은 후 천천히 떴다.

"린지안 아르즈벨에 대해서입니다."

순간 차가운 바람이 네 사람 사이를 가르고 스쳐 지나갔다. 린지는 흩날리는 예르시카의 금빛 머리칼을 지켜보았다. 문득 그녀의 손을 쥐고 있는 휘안의 손에 힘이 강하게 들어갔다.

"어이, 그게 무슨 말이야. 시종에 대해서라니?"

하쥰이 불길한 표정으로 예르시카와 린지를 번갈아 보았다. 예르시카는 쓰게 웃음 지을 뿐 하쥰을 바라보지 않았다. 그녀의 눈은 오로지 휘안만을 향해 있었다.

"얘기해 봐."

휘안은 미소 지으며 넌지시 말했다. 그렇게 말한 휘안은 잡고 있는 린지의 손을 더더욱 강하게 쥐었다. 린지는 어쩐지 그 손에서 느껴지는 절박함에 찢어지는 듯한 통증을 느꼈다.

"린지안 아르즈벨은 여자입니다."

역시나. 린지는 눈을 감지 않았다. 마음 같아서는 까마득한 절망에 당장에 눈을 감고 귀를 막고 싶은 심정이었지만, 그녀는 아무것도 하지 않았다. 두 다리에 꼿꼿하게 힘을 쥐어 버티고 섰다.

"……뭐? 그게 무슨 헛소리야."

잠시 후, 살얼음 같은 침묵 끝에 하쥰의 얼빠진 목소리가 들려왔다. 하쥰은 괴이한 것을 들었다는 시선으로 예르시카를 바라보고 있었다.

그 순간에도 휘안의 눈은 담담했다. 다만 그는 미소만큼은 유지할 수 없었다. 예르시카는 웃음기가 사라진 휘안의 얼굴을 보며 말을 이었다.

"린지안 아르즈벨은 지금껏 백작님을 속였습니다. 녀석은 남자가 아닙니다."

"……."

"성별 외에 더 속이고 있는 것이 있을 겁니다. 린지안 아르즈벨을 개인 시종으로 추천한 것이 집사라는 것을 알고 계실 테지요. 어쩌면 그들과 한통속일 수도 있습니다."

휘안은 자신의 귀를 의심했다. 만약 다른 이가 이런 얘기를 했더라면 한 귀로 흘리거나 헛소리 취급을 했을 것이다. 하지만 눈앞의 이 여인은 예르시카였다. 지금껏 자신과 단 하나의 목표를 가지고 싸워 온, 믿을 수 있는 몇 안 되는 사람이었던 것이다.

"……."

휘안은 천천히 고개를 돌려 린지를 내려다보았다. 그는 시종이 무언가 말대답을 할 거라고 기대했다. 그게 무슨 헛소리입니까, 저는 백작님을 속인 적 없습니다, 라고 당당하게 소리칠 거라고 생각했다.

하지만, 시종은 아무 말도 하지 않았다. 아무런 말도…… 하지 않았다.

"린지안 군."

휘안의 말에도 린지는 고개를 들지 않았다. 늘 이렇게 부르면 또 왜 그러십니까, 라고 심술맞게 대답하며 자신을 바라보았던 붉은 눈동자였다. 하지만 시종은 아무것도 듣지 못한 양 반응하지 않았다.

"린지안……?"

순간, 린지의 고개가 들렸다. 린지는 휘안과 눈을 마주쳤다. 붉은 눈동자가 자신을 향해 미소 지어 주자 휘안은 팽팽하게 긴장되었던 마음이 단숨에 녹아드는 것을 느꼈다. 웃어 주었다, 역시 아닌 것이다. 역시나 예르시카가 헛소리를…….

"어쩔 수 없군요."

다음 순간, 린지가 강하게 그의 손을 뿌리쳤다. 지금껏 단 한 번도 겪어 보지 못한 거친 힘이었다. 휘안이 저도 모르게 뒤로 물러서는 순간, 시종은 믿기지 않는 몸놀림으로 허리춤의 검을 뽑아 올렸다. 휘안이 선물로 준 미스릴 검이 번뜩이며 섬광처럼 허공을 갈랐다.

"……!"

가장 먼저 반응한 것은 예르시카였다. 완전히 넋이 나간 휘안, 놀라서 몸이 굳은 하준과는 달리 예르시카는 이 정도의 반응을 예상하고 있었다. 어느 정도 몸부림을 치거나 반항이 있을 거라고 생각했으나……!

"큭!"

하지만 이 정도의 검술은 예상할 수 없었다. 시종의 팔목을 향했던 검이 허공을 갈랐다. 눈에 포착되지 않을 정도의 빠른 움직임으로 예르시카의 뒤로 이동한 린지가 검을 휘둘렀다. 그녀가 가까스로 막아 내는 순간, 미스릴에 부딪힌 검날이 유리 조각처럼 부서졌다.

"뭐 하는 짓이냐!"

예르시카의 검이 부서지는 것을 본 하준도 더 이상 가만히 있지 않았다. 그는 이 상황을 이해할 수 없었지만 동료인 예르시카를 공격하는 것을 지켜보고 있을 수만은 없었다. 그가 린지에게 뛰어드는 순간이었다.

"……!"

어떻게 이런 움직임을 보이는 건지 믿을 수 없었다. 놀라울 만한 유연함으로 하준의 검을 스쳐 보낸 린지가 검등으로 하준의 손등을 내리쩍었다. 하준은 인상을 찡그릴 뿐 결코 검을 떨어뜨리지 않았다. 그가 검의 궤도를 바꿔 내리그었지만, 시종의 머리털 하나 벨 수 없었다. 말 그대로 귀신같은 움직임이었다.

"가만히."

어느 순간 예르시카의 목을 틀어잡은 시종이 검을 겨누며 말했다. 귀를 의심하게 만들 만큼 차가운 목소리였다.

"움직이지 마십시오."

"……."

"움직인다면 이 여자를 여기서 죽이겠습니다."

번뜩이는 미스릴이 예르시카의 목으로 향했다. 그녀는 린지에게 목을 틀어잡혀 쉽게 움직일 수 없는 상황이었다.

"······너 무슨 짓이냐."

하준의 표정이 기괴하게 일그러졌다. 일단 예르시카를 구하기 위해 검을 휘두르긴 했지만 그는 아직도 이 상황을 받아들일 수 없었다. 방금 전까지만 해도 웃고 떠들고, 자신에게 귀를 잡혀서 툴툴거렸던 시종이었다. 그런데 그 시종이 지금은 예르시카의 목을 잡고 협박하고 있다.

린지는 하준을 똑바로 쳐다보았다. 그녀는 일부러 하준의 옆에 넋 나간 표정을 한 휘안을 바라보지 않았다.

"말을 가져오십시오. 그리고 도주로를 터 주십시오."

"야! 너 지금 뭐 하는 거냐고 묻잖아!"

견디지 못한 하준이 거칠게 소리쳤다. 그러자 린지는 입에 가느다란 미소를 머금었다. 지금껏 그들이 본 적 없었던 종류의 미소였다.

"제가 지금 뭘 하는 걸로 보이십니까?"

믿을 수 없었다. 하준은 뒤통수를 망치로 여러 번 얻어맞은 기분이었다. 그는 침을 꿀꺽 삼키며 부서진 예르시카의 검과 그녀를 인질로 잡고 있는 린지를 번갈아 보았다.

"젠장."

가슴속에서부터 울화통과 함께 욕지거리가 치밀어 올랐다. 분노, 억울함, 실망감이 한 번에 소용돌이쳐서 그는 하마터면 눈시울이 붉어질 뻔했다. 하준은 상상하지 못했던 끔찍함 속에서 말했다.

"너······ 우릴 속인 거냐."

"그래요."

하준의 목소리는 잔뜩 갈라져 있었지만 린지의 답변은 칼날 같았다.

차갑게 그의 감정을 뿌리친 린지가 기계적으로 말했다.

"어서 말을 준비해 주시죠."

"웃기지 마. 우리가 네 말을 순순히……."

순간, 하준은 눈앞의 광경이 천천히 흘러가는 것을 목격했다. 미스릴 검을 든 린지가 팔을 들어 올렸다. 그리고 정확히 예르시카의 허벅지에, 한 치의 오차도 없이 꽂아 넣는 장면들이 느리게 보였다.

"아악!"

허벅지가 관통당하자 예르시카의 입에서 비명이 튀어나왔다. 순식간에 새하얀 눈 위가 그녀의 피로 젖어 들었다. 하준은 그 붉은색에서 도저히 현실감을 읽을 수 없었다.

"내가 지금 장난하는 것 같습니까."

린지는 고통으로 인해 경련하는 예르시카의 목을 틀어잡으며 차분하게 말했다.

"오 분. 오 분 안에 말을 가져오지 않으면 이 여자의 오른쪽 다리를 날려 버리겠습니다."

"아, 아악……."

"그리고 그다음엔 손과 발을 하나씩 분리할 것입니다."

하준은 눈앞에서 협박하는 시종을 보는 순간, 그것이 진심이라는 것을 알아차렸다. 사나운 붉은 눈동자에서는 그 어떤 망설임도 온정도 남아 있지 않았다. 마치 한 마리의 맹수 같았다.

"……말 준비해 와."

침묵을 깬 것은 휘안이었다. 그는 이 광경을 보고 얼어 있던 시종 한 명에게 말했다. 시종은 나무 뒤에 숨어 있었지만, 휘안의 말을 듣고 서둘러 말을 가지러 뛰어갔다.

"예르시카를 잃을 수 없어."

휘안의 목소리가 마치 겨울바람처럼 싸늘하게 스쳐 지나갔다. 예르시카는 허벅지를 불태우는 듯한 통증 속에서 덜덜 떠는 입술을 열었다.

"휘, 휘안 님…… 전 괜찮습니다. 이 배신자를 보내 주지 마십……."

"이건 명령이다."

그의 목소리가 차가웠다. 너무나도 차가워서 예르시카는 더 이상 아무 말도 할 수 없었다. 하준 역시 그 어떤 말도 덧붙이지 않았다. 다만 그는 예르시카를 잡고 있는 린지를 죽일 듯이 쏘아보았다.

잠시 후, 시종이 말을 가져오자 린지는 망설임 없이 올라타 예르시카를 끌어당겼다.

"르카플로네 백작령을 벗어나면 예르시카를 풀어 주겠습니다."

"……더러운 개자식."

"연금술로 절 막을 생각 하지 마십시오. 무엇을 하시든, 제가 예르시카의 목숨을 뺏는 것이 더 빠를 테니까요."

"끝이라고 생각하지 마라."

하준은 린지를 노려보았다. 머리끝까지 화가 치솟아 올라 당장이라도 덤벼들어 저 녀석을 죽여 버리고 싶은 마음뿐이었다. 그는 살기로 활활 타오르는 눈으로 경고했다.

"내가 말했지, 배신하지 말라고!"

"……."

"네놈을 반드시 찾아낼 거다. 찾아내서 죽이고 말 거다!"

"어디 한번 열심히 노력해 보시죠."

린지는 삐뚜름한 미소를 만들어 보이며 말의 고삐를 잡아당겼다. 그리고 내리치는 순간, 말이 크게 울며 달리기 시작했다.

그들을 스쳐 지나가는 순간, 린지는 휘안의 눈동자와 마주쳤다. 완벽하게 굳은, 그리고 완벽하게 절망한 보라색 눈동자와 마주치는 순간 린지는 서둘러 얼굴을 돌렸다. 단 일 초라도 휘안의 눈을 마주할 수 없었다.

……린지안 군…….

순간, 린지는 거칠게 스쳐 지나가는 바람 속에서 휘안의 목소리를 들었다. 린지의 눈에 눈물이 왈칵 치솟아 올랐다. 그녀는 고개를 서둘러 흔들어 눈물을 떨어뜨려 내며 앞을 직시했다. 빠르게 뛰는 말로 인해 풍경이 거칠게 지나갔다.

……린지안 군…….

달그락거리는 말발굽 소리 위로 휘안의 목소리가 공진했다. 린지는 결국 어쩔 도리 없이 눈물을 쏟아 내고 말았다.

'잘했어. 잘했어, 린지 아즈벨.'

이 방법밖에는 없었다. 린지는 스스로를 타이르듯 중얼거리며 말고삐를 말아 쥐었다.

'알고 있었잖아. 결말은 이렇게 될 거란 걸.'

영원히 행복하게 같이 살자고? 웃기는 소리다. 린지는 단 한 번도 휘안의 말에 긍정의 답을 해 준 적이 없었다. 그동안 최대한 모른 척하고 있었지만 마음속 깊숙한 곳에선 알고 있었다. 조만간 떠나야 된다는 것, 그의 마음에 못을 박아야 한다는 것. 휘안의 행복을 자신의 손으로 갈기 갈기 찢어 버려야 된다는 것…….

'잘한 짓이야. 이제 돌아가자. 오라버니가 기다리고 계셔.'

이대로 남았더라면 그들에게 심문당해 유시젠에 대한 정보가 나올 수도 있다. 죽는 한이 있더라도 유시젠에게 피해를 줄 수 없었다. 때문에 린지는 그들에게 도망치는 것 외에는 할 수 있는 것이 없었다.

이것이 잘한 짓이라는 것을 아는데, 아주 잘 알고 있는데…….

왜 자꾸 눈물이 나오는 걸까.

한두 방울씩 흘러나왔던 눈물이 어느덧 온 얼굴을 뒤덮고 있었다. 빠

르게 스쳐 지나가는 바람에 흩날리는 눈물방울들을 떨어뜨리며 린지는
달렸다.

'미안해, 정말 미안해…….'

말 못 한 진심이 이제 와 터질 듯이 맴돌았다.

미안해. 날 용서하지 마.

안녕, 휘안.

안녕.

chapter 17. 영원한 옥백

2월의 마지막 날 밤, 비가 쏟아져 내렸다.

'……겨울이 끝나려나 보군.'

굵은 빗방울이 창밖을 때리는 것을 보며 유시젠은 차를 마셨다. 뜨끈한 찻잔의 열기가 손안을 부드럽게 채웠다. 예고에도 없던 비는 해가 지기 시작할 무렵 내리기 시작하더니, 먹구름으로 하늘을 뒤덮고 거센 비를 뿌려 댔다. 이렇게까지 비가 쏟아지는 것을 오랜만에 보는지라 그는 약간 감상에 빠져 있었다.

콰쾅!

어둠에 잠겨 있던 유시젠의 얼굴에 빛이 번뜩였다. 그는 벼락까지 동반한 폭우를 멍하니 바라보며 문득 한 여인을 떠올렸다. 어린 소녀였을 시절, 천둥이 내리치는 밤이면 혼자 잠들지 못해 이불을 뒤집어쓰고 울먹였던 여인이었다. 그런데도 무섭다고 말 한마디 꺼내지 않고 이를 악물고 참아 내던 모습이 얼마나 안쓰럽고 사랑스럽던지…….

그 이후로 유시젠은 벼락이 내리치는 밤이면 저절로 린지를 떠올렸다. 이제는 어엿한 성인이 되어 이런 밤에도 혼자 잠들 수 있겠지만, 유시젠에게는 아직 어린아이처럼 느껴졌던 것이다.

"……."

얼음장처럼 차가운 창문 위로 손을 짚자 시린 냉기가 손바닥으로 파고들었다. 어째서인지 마음 한편이 몹시 불안했다. 때문에 이런 늦은 밤에도 쉬이 잠들 수 없었다.

'왜 돌아오지 않는 거냐.'

린지가 돌아오지 않았다. 자신이 귀환을 바라고 있다는 것을 알고 있음에도 불구하고, 여전히 백작의 곁에 있다. 지금쯤 그녀는 르카플로네 백작의 손을 꼭 잡고 있을까…….

유시젠은 한 손에 쥔 찻잔을 테이블 위로 내려놓았다. 그리고 얼굴을 뒤덮듯이 쓸어 넘기며 들릴 듯 말 듯한 한숨을 내쉬었다.

'이상한 생각 하지 마라, 유시젠. 린지는 내 사람이다.'

그런데 왜 이렇게 불안한 건지 이해할 수 없었다. 린지가 자신을 배신하지 않을 거란 걸 잘 알고 있다. 그녀가 칼을 내민다면 아무런 걱정 없이 받아들일 수 있을 만큼 유시젠의 신뢰는 두터웠다.

'그래, 내가 날 믿듯 린지 역시 날 믿는다. 린지가 의지할 수 있는 사람도 나뿐이야.'

어린 날 갈 곳 없는 소녀를 거두어 준 것은 자신이다. 린지가 믿고 따를 수 있는 것은 바로 자신뿐이다……!

"제장."

이렇게 자신을 다스리면 다스릴수록 린지를 믿지 못하고 있는 것 같아서 유시젠의 기분이 더러워졌다. 그는 욕설을 지껄이며 등을 돌렸다. 깨어나 있으니 쓸데없는 망상에 잠겨 있다. 억지로라도 잠을 청할 생각이었다. 유시젠은 침대 위로 몸을 눕히고 이불을 끌어 올렸다. 눈앞에 어른거리는 린지를 보고 싶지 않은 듯, 그는 눈을 콱 감았다.

쏴아아!

빗소리가 창문을 뚫고 울려 퍼졌다. 뒤이어 땅을 때리는 천둥 번개 소리에 유시젠은 이 소리가 린지에게 닿지 않길 기원했다. 강한 척하지만 사실은 아직도 천둥을 무서워하니까……

"……"

유시젠은 조심스레 감은 눈을 떴다. 그는 천천히 손을 움직여 베개 아래로 밀어 넣었다. 그의 손끝에 차가운 칼 손잡이의 감촉이 닿자, 그는 망설임 없이 말아 쥐며 자리를 박차고 일어났다.

"……!"

침입자를 향해 검을 내지르려는 순간, 유시젠의 팔이 흠칫 굳었다.

창가 앞에 한 소년이 서 있었다. 머리부터 발끝까지 비에 홀딱 젖은 소년의 몸에서 물이 뚝뚝 흘러내렸다. 하지만 자세히 보면 젖은 옷으로 인해 드러난 몸의 굴곡은 소년의 것이 아니었다. 잘록한 허리와 늘씬한 다리, 젖은 머리칼 사이로 비춰지는 아름다운 눈동자……

"린지."

유시젠은 손에 들고 있던 칼을 내동댕이치고 그녀에게 걸어왔다. 그는 찬 바람이 들어오는 창문을 닫은 후 서둘러 그녀의 몸 위로 망토를 둘렀다. 망토로 물을 닦아 주려는 순간, 그의 손이 멈춰 섰다. 린지의 몸이 불덩이처럼 뜨거웠다.

"린지, 괜찮은 거냐?"

유시젠은 그녀의 어깨를 잡으며 얼굴을 마주 보았다. 대체 얼마나 오랫동안 비를 맞은 건지, 린지의 입술은 혈색을 잃고 새파랗게 질려 있었다. 하지만 그녀의 눈을 마주 보는 순간 유시젠은 더 최악의 것을 발견했다.

"······우는 거냐?"

린지는 울고 있었다. 빗물과 섞여 있었지만 유시젠은 알아볼 수 있었다. 얼굴을 흠뻑 적시고 흘러내리는 물기의 절반은 린지의 눈동자에서 흘러나왔다는 것을. 새빨개진 그녀의 눈매를 보며 유시젠은 할 말을 잃었다.

"······오라버니."

"그래, 나다. 괜찮은 거냐? 대체 이게 어떻게······."

순간, 린지의 눈이 스르륵 감겼다. 동시에 마리오네트의 줄이 끊어진 것처럼 아래로 훅 주저앉았다. 유시젠은 무너지는 린지의 몸을 안아 들었다.

"린지, 이봐. 린지?"

눈물로 젖은 여인에게서는 대답이 없었다.

"린지안 군."

휘안이 웃으면서 그녀의 머리칼을 쓰다듬었다. 이제는 너무나 익숙해진 감촉이 머리에 와 닿자 린지의 마음에 온기가 퍼졌다.

"내 곁에 있어 줄 거지?"

뜨거운 열기가 온몸을 달궜다. 린지는 눈을 뜨기 전부터 자신의 몸이 뜨겁다는 것을 알아차렸다. 또한 돌덩어리를 얹어 놓은 게 아닐까 의심될 정도로 불쾌한 묵직함이 머리를 짓눌렀다.

"······으으."

머리 아파. 하지만 동시에 린지는 등에서 느껴지는 따스한 체온을 느꼈다. 누군가가 그녀를 뒤에서 꼭 끌어안고 있었다. 마치 온기가 빠져나가는 것을 막기라도 하듯, 두 손이 소중하게 그녀의 몸을 휘감았다.

'휘안, 이 녀석이!'

순간 린지는 저도 모르게 휘안을 떠올렸다. 하다못해 이제는 잠든 사이에 침대로 파고든 것인가! 그녀가 눈을 날카롭게 뜨며 뒤를 돌아보는 순간이었다.

"……."

린지는 두 눈을 깜빡였다. 보라색이 아닌 황금색 눈동자가 자신을 바라보고 있었다. 언제부터 그렇게 눈을 뜨고 있었는지 알 수 없을 만큼, 고개를 돌리자마자 마주친 시선이었다. 린지는 그가 누군지 깨닫고 발작하듯 소리쳤다.

"오라버니!"

그리고 동시에 마른기침을 뱉어 냈다. 콜록거리며 기침을 해 대는 린지의 심장이 두근두근 맥동했다. 유시젠이 자신을 끌어안고 있는 것, 그리고 방금 전 들은 자신의 목소리가 쇳소리처럼 갈라져 있었던 것이 그녀를 놀라게 한 것이다.

유시젠은 인상을 찡그리며 그녀를 바라보다가 상체를 일으켰다. 하얀 이불이 스르륵 내려가는 순간, 잠옷 가운만을 걸친 그의 모습이 드러났다. 린지는 그를 넋 놓고 바라보고 있다가 문득 고개를 내렸다.

'그러고 보니 지금 내가 뭘 입고 있는 거지.'

창백해진 린지는 두 손으로 자신의 몸을 더듬었다. 아니나 다를까, 지금 자신은 시종복이 아닌 유시젠의 것과 같은 잠옷 가운을 입고 있었던 것이다!

'뭐지. 이건 대체 뭐지!'

도저히 뭐가 뭔지 모르겠다. 왜 오라버니와 한 침대에서 잠든 건지, 게다가 누가 이것으로 갈아입힌 건지, 게다가…….

'왜, 왜 날 안고 계신 거지?'

린지의 얼굴이 점점 하얗게 질려 갔다. 그녀는 열로 인해 어질어질한 와중에도 어제의 일을 기억하려고 애썼다.

린지는 며칠 동안 말을 타고 질주했다. 연금술로 만든 '지름길'이 아닌 제대로 된 길을 이용하면 르카플로네에서 샤를까지는 상당히 긴 시간이었다. 하지만 린지는 거의 쉬지도, 자지도 않고 샤를을 향해 달렸다. 말이 지쳐 쓰러지면 새로운 말을 사서 달려왔다.

'그래, 그리고 샤를에 와서…… 비를 많이 맞았는데.'

거기서부터 기억이 물에 번진 양 희미했다. 아니, 사실 르카플로네 백작령을 벗어나 도망치는 순간부터 모든 것이 꿈처럼 느껴졌다. 거의 정신을 놓았던 것이다.

"오, 오라버니. 대체 이게 어떻게 된……."

린지는 이불을 잡고 끌어당기며 말을 더듬었다. 유시젠은 린지를 못마땅한 듯 내려다보더니 퉁명스레 말했다.

"열이 심하더군."

"네?"

"네가 그대로 죽는 줄 알았다."

창가 옆에 선 유시젠의 머리칼이 아침 햇살에 녹아들어 반짝였다. 그는 비가 멎은 창밖을 바라보다가 린지에게 시선을 돌렸다.

"젖은 상태 그대로 두면 더 심해질 게 뻔하니 옷을 갈아입혔다. 그리고 경련하듯 몸을 떨기에 안고 몸을 녹여 준 것뿐이야."

"아……."

"의사를 부를 수 없다는 거, 알고 있지 않느냐."

하기야 린지는 유시젠의 '비밀 병기'이자 '그림자'였다. 그 누구에게도 유시젠과 함께 있는 것을 들켜선 안 됐던 것이다.

'그래서 밤 동안 내내 껴안고 있었다는 거야?'

아무리 유시젠이라고 해도 린지는 그 사실을 태연하게 받아들일 수 없었다. 그녀는 얼굴을 붉히다가 문득 그와 시선이 마주치고는 날름 이불 속으로 숨었다.

"뭐냐, 린지. 설마 부끄러워하는 거냐?"

"다, 당연하죠! 저 이래 봬도 여자라고요!"

그러자 유시젠이 키득거리며 웃는 소리가 들려왔다.

"아, 그랬었냐? 새로운 사실을 알게 해 줘서 고맙군. 하지만 여성미라고는 눈곱만큼도 없으니까 좀 더 분발하는 게 어때."

"우씨!"

순간 린지는 유시젠의 말에 발끈하여 얼굴을 내밀고 그를 노려보았다. 이래 봬도 휘안이 홀딱 빠져 있던 몸인데……!

'……'

그렇게 말하려던 린지는 결국 아무런 항변도 내뱉을 수 없었다. 그녀는 한층 어두워진 얼굴로 다시금 이불 속으로 들어갔다. 린지의 마음을 아는지 모르는지 유시젠이 차갑게 말했다.

"허튼 상상 하지 말고 쉬기나 해라. 나가서 약을 받아 오도록 하지."

"아뇨, 괜찮습니다. 숙소로 돌아가서 쉬겠습니다."

순간 린지는 유시젠이 바로 옆까지 다가온 것을 느꼈다. 그는 이불 아래 린지의 어깨를 툭툭 두드렸다.

"됐다. 열이 내려갈 때까지 이곳에 있어라."

"네? 하지만 누가 보기라도 하면…….."

"이 방엔 나만 들어올 수 있으니 쓸데없는 걱정 하지 마."

유시젠은 일어나려는 린지의 이마를 꾹 눌러 도로 눕혔다.

"쓸데없는 짓 하지 말고 가만히 있어."

그렇게 말한 유시젠은 린지를 내버려 두고 침실 바깥으로 나갔다. 그의 박력에 눌려 다소곳이 눕게 된 린지는 눈을 깜빡였다. 그러니까 지금, 유시젠이 자신의 약을 가지러 나간 것인가……?

'뭐지? 어디 아프신가?'

자신의 열이 옮기라도 한 걸까. 린지는 미심쩍은 기분을 느끼며 몸을 뒤척였다. 일단 누워 있으라고 명하셨으니 따르긴 하겠지만 편한 기분은 아니었다.

'……왕세자의 침대 아니랄까 봐, 구름 위에 누워 있는 것 같아.'

린지는 유시젠이 누워 있던 옆자리를 바라보다가 이불을 끌어당겼다. 그가 머문 자리에 아직까지 따스한 체온이 배어 있었다. 그녀는 무표정한 얼굴로 이불을 쓰다듬었다.

유시젠의 체온이다. 린지는 실감했다. 자신은 유시젠에게 돌아왔다는 것을. 레란의 왕세자, 유시젠의 곁으로, 그녀가 본래 있어야 할 곳으로…….

"……에이 씨."

린지는 순식간에 고인 눈물을 삼켜 내며 욕설을 지껄였다. 눈물샘이 터지기라도 한 건지, 최근 들어 쉴 새 없이 눈물방울들이 샘솟았다. 특히나 르카플로네 저택을 벗어난 순간부터 유시젠에게 돌아오기 직전까지 그녀의 눈물은 그치지 않았다. 그런데도 또 흐를 눈물이 남아 있다니…….

'오라버니가 보면 큰일이야. 참자.'

린지는 저린 가슴을 꾹 참아 내며 눈물을 삼켰다.

'끝난 일이야. 다 끝난 일…….'

그렇다. 모든 것이 끝난 것이다. 남장을 하는 것도, 충실한 시종인 척 하는 것도 모두 끝이 났다. 린지안 아르즈벨은 사라져서 다시는 나타나지 않을 것이다. 본래 자신이 있어야 할 자리로 돌아왔으니 기뻐해야 하지 않겠는가.

린지는 이불을 콱 말아 쥐었다. 하마터면 머릿속에 그 사람을 떠올릴 뻔했다. 그 사람의 얼굴은 물론 이름조차 쉽게 떠올릴 수 없었다. 그랬다가는 정말 돌이킬 수 없게 되어 버릴 것 같아서, 린지는 필사적으로 생각의 흐름을 막았다.

'그래, 아무 생각 하지 말자. 나는 오라버니의 명만 따르면 돼. 그를 위한 일만 하면 돼…….'

그녀는 최대한 아무것도 생각하지 않기 위해 노력했다. 그렇게 한동안 눈을 감고 있다가 린지는 저도 모르게 잠에 빠져들었다.

"어이, 린지."

유시젠이 죽과 약을 들고 왔을 때 린지는 곤히 잠들어 있었다. 그는 침대에 누워 있는 붉은 머리칼의 여인에게서 아무 말이 없는 것을 보고 자리에 멈칫 굳었다.

"……."

그는 탁자 위에 쟁반을 탁 올려놓은 후 조심스레 침대로 다가갔다. 린지가 이불을 꼭 끌어안고 곤히 잠들어 있었다. 그것은 아주 희귀한 장면이었다. 정말 오랜만에 린지가 잠든 것을 지켜보는지라 유시젠은 잠시 넋을 놓았다. 물론 오늘 한 침대에서 같이 잠들다 눈을 뜨긴 했지만 그건 거의 기절하는 수준이었고…….

'……잘도 자는군.'

이렇게 일상 속에서 잠든 모습을 보는 건 거의 몇 년 만이었다. 유시젠은 침대맡에 앉아 그녀를 물끄러미 내려다보았다. 린지의 잠든 옆얼굴을 바라보며 그는 문득 가슴속에 맺혀 있던 불안이 눈 녹듯이 사라진 것을 깨달았다. 언제 그렇게 불안했었는지, 왜 그렇게 초조해했었는지 이제 와 생각해 보면 이해가 되질 않았다.

'당연하지. 린지는 내 사람인데.'

사서 걱정을 한 자신의 모습에 그는 피식 웃었다. 대체 왜 그런 걱정을 한 걸까? 린지가 돌아오지 않을 리 없는데.

린지는 세상모르게 잠들어 숨을 고르게 내뱉었다. 아침 햇살이 뿌려진 그녀의 새하얀 얼굴을 바라보며 유시젠은 고개를 갸웃 기울였다. 제대로 만나는 것은 오랜만이긴 했지만 뭐랄까, 그녀에게서 풍기는 분위기가 몹시 다르게 느껴졌던 것이다.

'언제 이렇게 컸지.'

유시젠은 잠든 린지를 꼼꼼히 살폈다. 그리고 그는 새롭게 알게 된 사실에 충격을 받았다. 지금 침대 위에서 잠들어 있는 린지는, 정말이지 머리부터 발끝까지 완벽한 여자였던 것이다.

'……원래 이랬었나?'

어쩐지 처음 보는 사람처럼 느껴져서 유시젠은 머쓱해졌다. 평생 어린 아이일 줄로만 알았는데 언제 이렇게 성장한 건지. 한편으로 그는 마음이 불편해지는 것을 느끼며 자리에서 일어났다. 겨우 가셨던 조급함이 조금씩 다시금 몰려오려 했던 것이다.

"어이, 린지. 자냐?"

결국 그는 린지를 깨우는 것을 택했다. 귀가 밝은 린지였기에 유시젠의 말 한마디는 잠에서 일어나기에 충분했다. 그녀는 눈을 비비다가 몽롱한 눈빛으로 그를 올려다보았다.

"더 잘 테냐? 아니면 이 귀한 몸이 몸소 가져온 죽을 영광스럽게 먹은 후 약 먹고 잘 테냐?"

"다, 당연히 후자를 선택해야죠. 감사합니다."

린지는 유시젠의 협박에 몸을 일으켰다. 그녀는 유시젠의 눈치를 보며 그릇을 받아 들었다. 어째서인지, 유시젠은 눈을 부리부리하게 뜨고 그녀를 노려보다시피 하고 있었던 것이다.

'뭐지. 내가 잠꼬대로 오라버니 욕이라도 한 건가?'

유시젠은 빈 그릇을 받아 들며 퉁명스럽게 말했다.

"그럼 조금 더 쉬어라. 잠 좀 깨면 씻기도 하고. 꼬질꼬질해 가지고, 쯧."

순간 린지는 울컥해서 대꾸했다. 꼬질꼬질하다니!

"그거야 다 정신없이 도망쳐서 그런 거잖아요! 그동안 거의 자지도 먹지도 못하고 달려왔다고요!"

"아무리 그래도 그렇지, 다 큰 계집애가 씻고는 다녀야지. 다시 돌아올 때까지 깨끗하게 씻고 있어라."

억울함이 치민 린지가 볼을 부풀리자 유시젠의 입가에 조소가 매달렸다. 그는 그녀를 한껏 약 올린 후 빈 그릇을 들고 문밖으로 나섰다.

'오라버니는 하나도 안 변했어. 정말 그대로야!'

마치 어제 헤어졌다가 방금 만난 양 유시젠의 모습은 그대로였다. 그녀를 놀리고 비꼬는 솜씨가 녹슬지 않았던 것이다. 린지는 투덜거리며 욕실을 향해 걸어갔다.

'……조금 꼬질꼬질하긴 하네.'

욕실 거울 앞에 선 린지는 유시젠의 말이 옳다는 것을 인정했다. 그녀는 초췌한 자신의 모습을 바라보다가 한숨을 푹 내쉬며 가운을 벗었다.

"아아. 좋다."

왕세자의 개인 욕실 아니랄까 봐, 거대한 욕조 안으로는 자동으로 입욕제가 첨가된 뜨끈한 물이 콸콸 쏟아져 나왔다. 라벤더 꽃 향이 나는 욕조 안으로 몸을 담근 린지의 입에서 감탄이 터져 나왔다. 따스한 물의 열기가 뭉친 피로를 단숨에 풀어 주는 듯한 기분이었다. 그렇게 한동안 목욕을 즐기며 깨끗하게 씻은 린지는 욕실을 나서기 직전 하나의 사실을 깨달았다. 그녀에게는 갈아입을 옷이 없었던 것이다!

'어, 어떡하지.'

심지어 속옷도 없다. 그동안 붕대로 상체를 돌돌 감고 다녔기에 브래지어는 당연히 없고, 그나마 입고 있었던 하의 속옷은 세탁이 필요한 상태!

린지는 어쩔 줄 몰라 하다가 일단 새 목욕 가운을 꺼내 입고 조심스레 밖으로 나섰다. 그사이 돌아온 유시젠은 책상에 앉아 책을 읽고 있었는데, 린지가 들어오자 시선을 흘끗 주었다.

"저기, 오라버니……. 옷이 없는데요."

"아, 그렇군."

유시젠 역시 그제야 깨달았는지 옷장을 열어젖혔다. 하지만 옷장 안에는 그의 옷뿐인지라 린지가 입을 만한 것이 없었다. 그는 잠시 이것저것을 고르다가 결국 어쩔 도리 없이 자신의 셔츠를 꺼내 들었다.

"일단 이거라도 입어라."

"저, 저기 그리고 오라버니……."

"또 뭔데?"

그가 노골적으로 성가신 표정을 짓자 린지는 찔끔 눈치를 보았다. 하지만 결국 어쩔 수 없었으므로, 용기를 내어 말했다.

"속옷이 없어요……."

"……."

침묵이 흘렀다. 유시젠은 표정의 변화 없이 여전히 귀찮다는 표정으로 린지를 노려보았다. 그 사나운 눈매에 린지가 우물쭈물하자, 그는 한숨을 푹 내쉬었다.

"나보고 지금 네 속옷을 챙겨 오라고?"

"……아뇨, 그냥 해 본 말이었어요."

린지는 다시 욕실 안으로 들어가 유시젠이 준 셔츠를 입었다. 품이 넉넉하여 엉덩이 아래까지 가뿐하게 가려 주었지만 아무래도 불편한 것은 어쩔 수 없었다.

"끄응, 괜찮겠지?"

린지는 거울 속 자신의 모습을 쳐다보았다. 더 이상 붕대를 감지 않는 지라 새하얀 셔츠 아래로 가슴이 봉긋하게 솟은 것이 보였다. 그리고 셔츠 아래로 길게 뻗은 새하얀 다리는 누가 봐도 아슬아슬했지만, 별도리가 없었다.

"하긴 오라버니인데 뭐 어때. 속옷 사 오라고 심부름 시키는 게 더 웃긴 일이지."

자신의 오라버니가, 일국의 왕세자가 여자 속옷 사러 나가는 것도 상당히 우스운 일이었다. 린지는 피식 웃음을 내뱉으며 문밖으로 나섰다.

"오라버니, 아래에 입을 건 없나요?"

걸어 나온 린지를 발견한 유시젠이 인상을 팍 찡그렸다. 엄청난 표정 변화에 린지가 멈춰 서자 유시젠이 자리에서 벌떡 일어났다. 그의 무시무시한 기세에 린지는 입을 합 다물었다.

"제가 무슨 말실수라도⋯⋯."

하지만 유시젠은 그 기세 그대로 린지를 지나쳐 문을 벌컥 열고 나가 버렸다. 쾅 소리와 함께 문이 닫히자 린지는 놀라서 눈을 껌뻑였다. 대체 왜 저렇게 화를 내고 나가 버리는 걸까.

'뭐야, 정말 오라버니는 너무해!'

이유 없이 유시젠의 짜증을 받게 된 린지는 억울한 심정으로 침대에 털썩 주저앉았다. 대체 자신이 뭘 잘못했기에 저렇게 사납게 노려보는 걸까.

'아아, 열나⋯⋯.'

잠시 잊고 있었지만 린지의 몸에는 아직까지 열이 남아 있었다. 그녀는 이불 안으로 몸을 밀어 넣으며 침대에 풀썩 누웠다. 목욕을 해서 개운하긴 하지만 덕분에 더 열이 나는 것 같기도 하고⋯⋯.

'대체 왜 화를 내시는 거야. 나는 이렇게 돌아왔는데.'

린지는 눈을 꾹 감고 속으로 구시렁거렸다. 대체 자신이 뭘 잘못했다고 저렇게 말없이 성을 내고 나가 버리는 건지 이해할 수가 없었다. 많은 것을 상처 입히고, 이렇게 돌아왔는데…….

그녀는 입술을 꾹 깨물며 더더욱 눈을 질끈 감았다. 허벅지를 찔렸을 때 터진 예르시카의 비명 소리와 고통의 경련, 그리고 상처받은 하준의 눈빛이 방금 일어났던 일인 양 생생했다. 최대한 손상이 적을 곳을 찌르긴 했지만, 그 고통은 말로 할 수 없었을 것이다. 예르시카에게는 아무 잘못도 없는데, 그저 그 사람을 위한 마음밖에 없는 여자인데…….

하준은 얼마나 놀랐을까. 모든 일을 다 끝내고 행복해지고 싶다고 말했던 남자였는데, 그 가녀린 진심을 보였던 사람의 배신에 얼마나 마음이 찢어질까. 그리고 가장 상처 입었을 그 사람은…….

'그만.'

린지는 뻗어 나가는 생각의 흐름을 단숨에 끊었다. 그녀는 두근두근 맥동하는 심장을 느끼며 이불을 콱 말아 쥐었다.

'생각하지 않기로 했잖아. 내게는 오라버니가 먼저야.'

마음속에 진득진득 달라붙은 감정이 그녀를 잡아당겼다. 조금이라도 방심했다가는 끝없는 나락 속으로 그녀를 끌고 들어갈 것이 분명했다. 그녀는 그 감정에게서 벗어나고자 머리를 흔들었다.

그렇게 얼마의 시간이 지났을까? 린지는 누군가가 자신을 부르는 소리를 듣고서야 잠들었었다는 것을 깨달았다.

"린지, 일어났어?"

린지는 멍하니 눈을 떴다. 키벨이 침대맡에 앉아 그녀를 내려다보고 있었던 것이다. 그녀는 반가운 마음에 활짝 웃으며 상체를 일으켰다.

"키벨!"

"오랜만이네. 반갑다, 린지."

그는 환하게 마주 웃어 주며 말했다.

"자는 거 깨워서 미안해. 하지만 주군의 명이 있어서……."

"어?"

키벨이 무언가를 불쑥 내밀었다. 분홍색 무늬가 그려진 예쁜 쇼핑백이었다. 린지는 얼떨결에 쇼핑백을 받아 들었다.

"이것뿐만이 아니야. 여길 봐 봐."

키벨이 침대 아래를 가리키자 린지는 그의 손가락을 따라 시선을 옮겼다. 그곳엔 수많은 쇼핑백들이 놓여 있었다.

"저, 저게 뭔데?"

"네가 확인해 봐 봐."

키벨이 장난스럽게 웃으며 말하자 린지는 서둘러 쇼핑백을 열어 보았다. 그리고 깜짝 놀라 외쳤다.

"이게 뭐야!"

그녀가 받아 든 분홍 쇼핑백에는 속옷이 들어 있었던 것이다! 그녀는 설마 하는 심정으로 일어나 침대 아래 쇼핑백들을 확인해 보았다. 역시나 각종 브랜드의 속옷들과 여성용 활동복, 신발 등등이 수북이 들어 있었다.

"설마 오라버니께서……."

"응. 내게 시키셨어. 근데 정확한 사이즈를 모르니까 일단 무작위로 여러 개 샀고."

그렇게 말한 키벨이 눈을 반짝반짝 빛내며 은근하게 물었다.

"그래서 말인데, 사이즈가 어떻게 돼?"

린지가 말없이 노려보자 키벨은 찔리는 듯 눈을 슬그머니 돌렸다.

"아니, 다음에 이런 일 있을 때 정확한 사이즈로 사 오려고 하지. 괜히 돈 낭비하는 거잖아. 일단 내가 대충 눈짐작해서 사 오긴 했지만……."

"시끄러."

그녀는 사납게 대답한 후 저도 모르게 웃음을 흘렸다. 아무리 그래도
그렇지 이렇게 한꺼번에 많이 사들이다니…… 린지는 아까 유시젠이 성을
내며 나간 것을 떠올렸다. 분명 화가 났을 거라고 생각했는데 이렇게 챙겨
줄 줄은 몰랐던 것이다. 한데 생각해 보면 유시젠은 항상 이래 왔다. 겉으
로는 차가워도 늘 이렇게 신경 써 주는 사람, 그것이 그녀의 주군이었다.

'오라버니도 참. 원망할 뻔했잖아요.'

린지는 그에 대한 고마움을 느끼며 웃음을 지었다.

잠시 후, 그녀는 사이즈에 맞는 속옷과 옷으로 갈아입고 나와 키벨과
작별 인사를 나누었다. 키벨은 다른 임무가 있는지 그녀와 오래 이야기를
나눌 수 없는 상황이었다. 그가 떠나기 전 린지를 걱정스럽게 바라보았다.

"괜찮은 거냐?"

"응? 내가 뭘?"

키벨은 태연하게 대답하는 린지를 보고 쓰게 웃었다. 차마 그녀의 눈
빛이 죽은 사람처럼 시들어 있다고, 그렇게 말할 수 없었다.

'장기 임무를 끝내고 왔으니 그렇겠지. 많이 지쳐 있을 거야.'

키벨은 그렇게 생각하며 린지의 어깨를 툭툭 두드렸다.

"일단 쉬어라. 그리고 주군께서 돌아오실 때까지 한 발자국도 움직이
지 말라고 전해 달라고 하셨어."

"알겠어. 고마워."

린지는 창문을 열고 바람처럼 사라지는 키벨을 향해 손을 흔들었다.

"……."

키벨이 사라지자 또다시 방 안에 공허함이 맴돌았다. 그녀는 그를 향
해 흔들던 손을 천천히 내렸다. 입가에 남은 웃음의 잔재가 연기처럼 사

라졌다. 순식간에 마음이 묵직하게 내려앉으려는 찰나, 유시젠이 방 안으로 들어왔다. 그는 옷을 제대로 입고 있는 린지를 확인하고 퉁명스레 말했다.

"이제야 좀 볼 만하군."

"감사합니다."

"아니, 됐다. 내 눈을 보호하기 위해 한 일이니까."

유시젠이 쌀쌀맞게 대꾸하자 린지는 입술을 쭉 내밀며 그의 뒷모습을 노려보았다. 하여튼 쓸데없이 날카롭다니까.

"몸은 좀 괜찮나?"

그가 코트를 벗으며 묻자 린지는 웃으며 고개를 끄덕였다. 괜한 허세가 아니라, 실제로 약을 먹고 푹 자서 그런지 몸이 한결 개운해진 것이다.

"네. 이제 숙소로 돌아가도 될 것 같습니다."

"됐다."

"……네?"

"당분간 여기 있어."

린지는 그의 말을 바로 알아듣지 못하고 눈을 껌뻑였다. 유시젠은 그녀에게 성큼성큼 다가와 눈을 똑바로 쏘아보며 강조했다.

"당분간 내 침실에서 지내라."

"에?"

"그렇게 해. 그리고 침실 밖으로는 한 발자국도 나가지 마."

너무나 당혹스런 말인지라 린지는 쉽게 대답하지 못했다. 그녀로서는 이해가 가지 않는 명령이었던 것이다. 이제 몸도 어느 정도 회복이 되어 가고 있는데 나가지 말라니?

"하지만 오라버니……."

"토 달지 말고 내 말대로 따라라. 알겠냐."

유시젠은 항변은 용서치 않겠다는 눈빛이었다. 결국 린지는 망설이다가 고개를 끄덕였다. 아무리 이해가 가지 않는다고 할지언정 이것은 유시젠의 명령이었다. 그녀로서는 거부할 권리가 없었다.

'뭐지? 대체 왜 그런 말씀을 하시는 거지?'

린지는 말없이 소파에 털썩 앉는 유시젠을 바라보았다. 그는 키벨에게 받은 듯한 보고서를 읽어 내리고 있었다.

'보고서……'

그러고 보니 린지는 아직 유시젠에게 보고를 올리지 않았다. 백작 가문에 잠입하여 새롭게 알게 된 사실들, 그 충격적인 진실들을 이야기하지 않았던 것이다.

'왜 묻지 않으시지?'

린지는 유시젠을 물끄러미 바라보았다. 마치 칼로 세밀하게 깎아 내린 듯 날카로운 콧날이 유독 조각처럼 돋보였다. 왜 유시젠은 아무것도 묻지 않는 걸까? 르카플로네 백작령으로 거듭난 이 순간, 더더욱 묻고 싶은 것이 많을 텐데?

잠시 후, 유시젠이 보고서를 내려놓자 린지는 조심스레 입술을 열었다.

"저, 오라버니."

"뭐냐."

"르카플로네 가문에 대한 보고를……."

순간 유시젠이 몸을 일으키자 린지는 놀라 입을 다물었다. 그는 등을 획 돌려 문손잡이를 잡고 말했다.

"됐다. 일단 쉬고 있어라."

그러고는 또 문을 쾅 닫고 나가 버렸다. 갑작스런 퇴장에 린지는 어안이 벙벙해져서 문을 바라보았다. 지금 백작 이야기를 꺼냈다고 나간 걸까? 대체 왜?

'대체 왜 저러시지?'

물론 유시젠은 원래 날카롭고 차가운 사람이었지만 저렇게까지 예민하게 굴진 않았다. 그런데 지금의 그는 어쩐지 말을 붙이기도 힘들 정도였던 것이다. 린지가 한동안 그의 변화에 대해 고심하고 있을 때, 문이 열리며 유시젠이 다시 들어왔다. 그의 손에는 그릇 두 개가 들린 쟁반이 있었다. 린지는 그가 자신의 죽과 약을 가져온 것을 보고 자리에서 일어났다.

"안 그러셔도 되는데…….."

"시끄럽게 굴 정신이 있으면 먹고 자라."

그는 린지에게 쟁반을 내민 후 차갑게 경고했다.

"난 씻고 올 거다. 오늘은 제법 피곤한 하루였으니, 피로를 풀기 위해 여유 있는 목욕을 즐길 생각이야."

"네?"

"그러니까 내가 씻고 나올 때까지 넌 이거 다 먹고 자고 있어라."

"에에에?"

"안 자고 있으면 혼난다."

그는 린지의 이마를 콕 지른 후 등을 획 돌렸다. 그가 쏜살같은 빠르기로 욕실로 들어간 것을 본 린지는 멍하니 눈을 끔뻑였다. 대체 유시젠은 왜 저러는 걸까?

'에이, 모르겠다. 일단 말은 듣고 보자.'

린지는 그가 가져온 죽을 먹은 후 약을 마셨다. 잠은 오지 않았지만 억지로 잠들기 위해 침대 위에 풀썩 누웠다. 하지만 곧 생각을 바꾸고는 몸을 일으켜 소파로 향했다. 어제는 제정신이 아니어서 그와 함께 잠들었을 수 있어도 오늘은 아니다. 어찌 감히 레란의 왕세자와 한 침대에서 잘 수 있겠는가?

린지는 소파 위에 몸을 웅크리고 누워 잠을 청했다. 물론 하루 종일 잤기 때문에 잠은 오지 않았다. 하지만 린지는 혼신의 힘을 다해 잘 생각이었다. 아니, 잠들지 못하더라도 잠든 연기를 할 것이다. 유시젠에게 혼나고 싶지는 않았으니까.

어느 정도의 시간이 흐른 후, 유시젠이 욕실에서 빠져나오는 것이 느껴졌다. 그때까지도 잠들지 못한 린지는 최대한 자는 척 연기를 하고 있었다.

"……."

린지가 소파에 누워 있는 모습을 본 유시젠의 미간이 좁혀졌다. 그는 물기를 가득 머금은 머리칼 위로 수건을 얹은 후 그녀에게 다가갔다. 린지는 입술을 살짝 벌리고 잠들어 있었다. 적어도, 유시젠이 보기에는 잠든 것처럼 보이기도 했다.

'자는 거야, 자는 척하는 거야?'

유시젠은 그녀를 뚫어져라 쳐다보았다. 그럼에도 불구하고 린지는 안정적으로 숨을 들이마시었다가 내쉬기를 반복했다.

"후."

문득 유시젠의 입에서 한숨이 흘러나왔다. 그리고 스스로 한숨을 내쉬었단 사실을 자각하고는 인상을 찡그렸다. 지금 내가 한숨을 내쉰 걸까? 대체 왜?

'……젠장.'

붉은 머리칼, 새하얀 뺨의 린지를 내려다보며 유시젠은 스스로 예민한 상태임을 인정했다. 린지가 돌아온 순간 끝난 줄 알았던 조급함이 다른 형태로 나타나 그를 불안하게 만들었다. 하지만 이번에는 왜 자신이 이런 감정을 느끼는지 알 수 없었다.

일전의 불안감은 린지가 혹여나 돌아오지 않을까 봐, 혹여나 계속 백작의 곁에 머물까 봐 생겨난 마음이었다. 한데 대체 왜, 자신의 곁으로 돌아온 지금 이 순간에도 계속 초조한 걸까. 왜 이렇게 불안한지…….

그는 린지를 내려다보았다. 가장 먼저 보이는 것은 진주처럼 빛나는 뺨과 그 위로 도드라진 붉은 입술이었다. 유시젠은 문득 린지의 얼굴선이 몹시 곱다는 것을 깨달았다. 더불어 그녀의 속눈썹이 몹시 길고 풍성하다는 것을 처음으로 알게 되었다.

'그래. 린지는 여자야.'

린지 아즈벨은 여자였다. 조그맣고 귀여웠던 소녀는 어느덧 이렇게 자신의 시선을 사로잡을 만큼 아름다운 여성으로 성장해 있었다. 왜 지금까지 몰랐는지 스스로 의아할 지경이었다.

유시젠의 황금색 눈동자가 천천히 린지를 훑었다. 길게 뻗은 목덜미, 물 흐르듯 유연하게 이어지는 허리와 골반의 곡선, 그리고 매끄러운 다리까지……. 린지를 살펴본 유시젠은 불안함의 정체를 깨달았다.

'린지는 내 사람이다. 하지만 여자로서의 린지는 내 것이 아니지.'

린지의 충심이 자신을 향하고 있다는 것을 잘 알고 있다. 그녀의 신념, 그녀의 목숨 모든 것이 유시젠을 위한 것이었다. 하지만 여자로서의 린지는? 한 여인으로서 린지의 마음은 어떻게 되는 거지? 만약 그것이 르카플로네 백작을 향했었다면? 때문에, 그녀가 그렇게 눈물을 흘렸던 거라면?

유시젠은 그녀가 자신에게 돌아온 어젯밤, 빗물 섞인 눈물을 쏟아 내던 장면을 잊을 수 없었다. 하루 종일 그의 머릿속에 달라붙어 괴롭혔던 것이다. 너무나 오랜만에 보게 된 그녀의 눈물에 유시젠은 줄곧 곤두서 있었다.

'백작이 시종에게 빠졌다는 소문이 있었지.'

소문으로 치부했으나 얼마 전, 르카플로네 백작이 그녀의 손을 잡고 놔주지 않는 모습을 보고 확신했다. 휘안은 린지에게 완전히 빠져 있었다. 아직까지도 린지가 남자라고, 시종이라고 믿고 있음에도 불구하고 사랑을 주고 있는 모습이 확연하게 드러나 있었다. 만약 그 모습에 여자로서의 린지가 반응했다면?

유시젠은 더 이상 생각을 이어 가지 못하고 주먹을 콱 쥐었다. 그는 머리 위에 얹어 놓은 수건을 바닥으로 떨어뜨린 후, 린지의 몸을 번쩍 들어 올렸다. 순간 린지가 움찔 놀라면서도 눈을 뜨지 않자 그의 입가에 미소가 맺혔다. 역시나 자는 척하고 있었던 것이다.

유시젠은 그녀를 들고 와 침대 위에 눕혀 주었다. 그리고 그 옆에 누운 후 조명등을 껐다.

"......"

고요한 침묵이 맴돌았다. 유시젠은 린지의 숨결이 흐트러진 것을 느꼈으나 아무런 말도 꺼내지 않고 그녀의 옆모습을 바라보았다. 만약에…… 아주 만약에. 지금 그녀에게 입을 맞추고 안아 버린다면, 자신의 여자로 만들어 버린다면 이 불안감은 사라질까? '여자'인 린지까지 가져 버린다면 이 초조함에서 해방될 수 있을까?

그것은 짧지만 강렬한 갈등이었다. 위험한 고민에 빠진 유시젠의 황금색 눈동자가 짙게 빛났다. 린지가 어떻게 반응할지는 쉽게 예상할 수 있었다. 처음엔 당황하며 거부하겠지만, 그가 강압적으로 나간다면 결국 순순히 받아들이겠지. 명령을 무기 삼는다면 린지는 자신에게 목숨도 내놓을 수 있을 테니까.

유시젠의 손끝에 힘이 들어가려는 찰나였다. 그 순간, 린지가 천천히 눈꺼풀을 들어 올렸다. 그러고는 죄지은 눈빛으로 조심스레 유시젠을 바라보았다.

"죄송해요……"

"……?"

갑자기 자는 척을 끝내고 사과하자 유시젠은 의아해졌다. 린지가 뒤이어 조그맣게 속삭였다.

"자는 척해서 죄송해요. 그러니까 그만 좀 노려보세요오⋯⋯."

"⋯⋯."

"하지만 정말로 잠들려고 노력했단 말이에요. 아무리 자는 척하는 걸 눈치채셔도 그렇지, 그렇게 뺨이 뚫어질 정도로 노려보시면 저보고 어떡하라는 거예요. 정말 너무합니다, 오라버니."

린지의 억울한 목소리와 불만스런 표정에 유시젠은 눈을 깜빡였다. 그리고 다음 순간 저도 모르게 작은 웃음을 터뜨렸다.

"하하."

"오, 오라버니?"

뚫어져라 노려보다가 갑자기 웃음을 터뜨리다니, 그의 갑작스런 변화에 린지는 당혹스러움을 느꼈다. 평소보다 이상한 건 알고 있었지만 이건 너무 이상하지 않은가. 잠시 후, 웃음을 거둔 유시젠은 한결 부드러워진 눈빛으로 그녀를 바라보았다. 그것은 몹시 보기 드문 표정이었기에 린지는 더더욱 그를 이해할 수 없었다.

"갑자기 그때가 기억나는군."

"네?"

유시젠은 다시 한 번 피식 웃음을 흘리며 말했다.

"이렇게 같이 누워서 잠든 적, 전에도 있었지. 널 처음 데리고 온 날 말이다."

"⋯⋯그, 그랬었죠. 왜 부끄러운 일을 들추고 그러십니까."

린지가 투덜거리자 유시젠이 또다시 웃었다.

"그때 넌 날 천사님이라고 불렀지. 하늘에서 내려온 천사처럼 아름답다고 말했던 거, 기억나냐."

"으아아아! 그, 그만하세요!"

린지는 저도 모르게 이불 안에서 킥을 날리며 버둥거렸다. 그녀에게는 부끄러운 역사였지만 유시젠에겐 즐거운 기억인지 그는 여전히 웃는 얼굴로 말을 이었다.

"그리고 그건 기억나냐? 나무 위에 올라가서 못 내려왔던 거. 결국 내가 데리러 올라가다가 같이 떨어진 적이 있었지."

"으아아아아! 오라버니이이!"

"나 원 참, 네가 열다섯 살 때였나, 그때 네가 만든 빵을 선물 받고 그거 먹고 체했던 걸 생각하면…… 네가 날 암살하려는 줄 알았지."

린지는 저도 모르게 유시젠의 입을 덥석 틀어막았다. 도저히 그의 말을 더 듣고 있을 자신이 없었던 것이다.

"……."

린지의 손이 입술을 덮자 유시젠이 그녀를 멀뚱히 쳐다보았다. 그의 눈빛에 그녀는 그제야 자신의 행동을 깨닫고 서둘러 손을 뗐다.

"죄송해요! 저도 모르게 그만……."

"……."

"그, 그러게 그렇게 부끄러운 과거 나열하지 말란 말입니다."

그녀는 소심하게 불만을 토로하며 그의 눈치를 흘끗 보았다. 아니나 다를까 유시젠의 눈빛이 또다시 사나워지자 린지는 서둘러 시선을 돌렸다.

"저는 역시 소파에서 자겠습니다."

그녀가 몸을 일으키려는 순간, 유시젠이 그녀의 팔을 잡아 눕혔다.

"……."

린지는 팔을 잡은 유시젠의 손에서 묘한 감정을 읽고는 조심스레 그를 바라보았다. 유시젠은 이해할 수 없는 눈빛으로 그녀를 바라보았다. 대체 그는 무슨 생각을 하고 있는 걸까.

"린지."

"네, 오라버니."

팔을 쥐고 있는 유시젠의 손아귀에서 힘이 풀렸다. 린지를 놓아준 유시젠은 천장을 향해 시선을 돌리며 말했다.

"장기 임무 수고했다."

뜬금없는 화제의 전환에 린지는 바로 대답하지 못했다. 하지만 유시젠의 마음속에는 줄곧 그 주제가 자리 잡고 있었다는 것을 알아차렸다.

"보고는 나중에 듣도록 하마. 이제 막 돌아와서 정신이 없을 테니, 조금 더 여유를 찾게 되면 그때 해라."

순간 린지의 마음이 덜컥 내려앉았다. 혹시 유시젠이 무언가 눈치를 챈 것일까? 왜 이런 제안을 하는지 이해할 수가 없었다. 그녀가 불안한 마음에 아무런 대답도 못 했으나 유시젠은 답을 재촉하지 않았다. 대신 한결 부드러워진 목소리로 계속 말했다.

"린지. 넌 내게 소중한 존재다."

"……예?"

"나는 네가 행복해지길 바란다."

이것이야말로 오늘 있었던 이야기 중에 가장 짐작할 수 없는 이야기였다. 린지는 갑작스런 유시젠의 말에 멍청한 표정으로 그를 바라보았다. 천장을 똑바로 올려다보는 유시젠의 옆모습은 몹시 미려했다.

"그리고 네가 행복해지는 일이 내 곁에 있는 것이었으면 좋겠군."

그렇게 말한 유시젠은 머쓱함을 느꼈는지 등을 획 돌렸다. 갑자기 그의 등을 마주하게 된 린지는 할 말을 잃었다. 그리고 다음 순간, 마치 소년처럼 고백하는 그의 마음을 깨닫고는 얼굴을 붉혔다.

"왜, 왜 그런 말씀을 하십니까. 당연히 전 오라버니 곁에 있는 것이 행복합니다."

"그럼 다행이군. 넌 내가 가장 믿고 아끼는 부하니까."

순간 린지는 가슴에 찌르는 듯한 통증을 느꼈다. 그녀의 표정이 완전히 무너져 내렸기에, 유시젠이 등을 돌려 그것을 보지 못한 것이 천만다행이었다.

"늦었다. 그러니 어서 자라."

"네, 네에."

"자는 척은 그만하고 진짜 자도록 해."

"알겠습니다."

그날 밤, 더 이상의 대화는 없었다. 린지는 잠시 후 유시젠의 숨소리가 규칙적으로 흩어지는 것을 느끼고 그가 잠에 빠져들었다는 것을 깨달았다. 그녀는 암흑을 뚫고 아련하게 빛을 발하는 백금빛 머리칼을 바라보았다. 어둠 속에서 보니 마치 은빛처럼 보이기도 해서, 순간 가슴이 아려 왔다.

'……그만. 이제 더 이상은 안 돼.'

린지는 시큰거리며 뜨거워지는 눈매를 느끼고 입술을 깨물었다. 또 눈물이 치솟아 오를 뻔했던 것이다. 그녀는 호흡을 가다듬으며 울컥 올라온 뜨거운 감정을 찍어 눌렀다. 사정없이 짓밟고 갈기갈기 찢어 버렸다.

'그래. 이곳이 내가 있어야 할 자리야. 그의 곁이 내 자리야. 이곳을 지키기 위해서라면 난 무엇이든 할 수 있어.'

그것이 네 행복을 부숴 버리는 일이라도 어쩔 수 없어, 휘안.

결국 린지는 그를 떠올리고 말았다. 마음속으로 휘안에게 조심스레 말을 건네는 순간, 모든 노력이 물거품이 된 듯 눈물이 왈칵 쏟아져 뺨을 타고 흘러내렸다. 하지만 린지는 눈물을 닦아 내는 대신 그대로 흐르게 내버려 두었다. 어차피 한 번은 흘려야 할 눈물이었다. 그리고 그것이 유시젠의 옆이라니, 정말이지 지독한 행운이지 않은가. 자신이 배신하고 온 자를 위해 마지막으로 눈물을 흘릴 최고의 장소였다.

'더 이상 미안해하지 않을게. 내게는 너에게 용서를 구할 자격도 없으니까. 휘안, 그냥 나를 미워하고 증오해. 난 너를 속이고 마음을 갈가리 찢어 놓았어. 네 행복을 부서뜨렸어.'

그러게 왜 나를 그렇게 사랑한 거야. 린지는 흐느낌이 터져 나오려는 입술을 깨물었다. 애정이 듬뿍 넘치는 보라색 눈동자를 떠올리자 눈물이 더욱 거세게 흘러내렸다. 제발 자신을 떠나지 말라고, 곁에 있어 달라고 말한 남자였다. 그리고 린지는 지금 그 남자를 잔인하게 상처 입히고 떠나 버렸다. 그럴 수밖에 없다는 것을 잘 알고 있었지만…….

마음이 왜 이렇게 아픈 건지. 린지는 심장이 찢어지는 듯한 격통에 숨을 제대로 내쉴 수 없었다. 상상했던 것보다 훨씬 더 아픈 통증이었다. 린지는 그 아득한 고통 속에서 유시젠의 머리칼, 그리고 강인한 등을 보았다. 휘안의 마음을 찢어 놓고 자신이 선택한 사람의 뒷모습을 눈에 새기듯 응시했다.

유시젠은 자신의 삶이었다. 도망치고 있던 어린 자신을 말 위에 태워준 그 순간부터 린지는 결심했다. 언젠가 이 사람을 위해 목숨을 바치겠노라고. 자신의 인생을 구원해 준 남자를 위해 살겠노라고…….

그를 위해서라면 자신의 사랑 따위는 중요하지 않았다. 유시젠의 곁에서 그를 보필하는 것이, 여자로서 사랑을 주고받고 행복해지는 것보다도 중요했다. 애초부터 유시젠에게 걸기로 작정한 인생이었다.

그녀는 처음이자 마지막으로 영원히 전하지 못할 진심을 고백했다. 그 누구에게도 닿지 않을 마음속 독백이었다.

'사랑해요, 휘안.'

며칠이 흘렀다. 유시젠의 침실에서 푹 쉰 린지의 몸은 완전히 회복되어 본래의 컨디션을 되찾은 상태였다. 그녀가 완전히 좋아진 것을 확인한 유시젠은 저녁이 되면 이제 숙소로 돌아가도 좋다고 말할 계획이었다. 슬슬 르카플로네 가문에 대한 보고도 들을 생각이기도 했다.

'그리고 여행을 가라고 해야겠다.'

유시젠은 집무실에 앉아 신문을 집어 들었다. 그는 커피 한 잔을 마시며 린지가 이 제안을 들으면 얼마나 좋아할지 상상했다. 기간이 얼마나 됐든, 일 개월이든 일 년이든 상관없으니 속이 풀릴 만큼 여행을 다녀오라고 제안하면 린지는 어떤 반응을 보일까? 분명 처음엔 거부하겠지만 결국엔 뛸 듯이 좋아할 것이다.

'경비도 든든히 챙겨 줘야겠군. 하고 싶은 것 다 하고 오라고 해야지.'

시간이 얼마나 걸리든 상관없다. 결국 그녀가 돌아올 곳이 자신의 곁임을 확신하고 있으니까.

유시젠의 마음은 몹시 평화로웠다. 며칠 전까지만 해도 린지가 떠날까 봐 초조해했던 것이 믿기지가 않았다. 린지를 잡아 놓기 위해 강제로 안을 생각을 했던 자신이 우습게 느껴질 정도였다.

'잠시 미쳤었어.'

그는 씩 웃으며 신문을 펼쳤다.

[세계 최고로 부유한 땅, 르카플로네 백작령]

신문 1면의 제목을 읽은 유시젠의 손이 흠칫 굳었다. 하지만 순간이었을 뿐, 그는 다시 느긋한 마음으로 신문을 읽어 내렸다. 1면에는 르카플로네 백작이 재정비한 최고의 복지와 어마어마한 연금, 그리고 막대한 경제력에 대해 찬양하는 글 일색이었다.

유시젠은 무심히 다음 페이지로 신문을 넘겼다. 그는 이제 르카플로네 백작과 그의 땅에 대해 신경을 끊을 생각이었다. 어차피 이제 르카플로네는 레란의 영역이 아니었다. 그러니 자신이 심혈을 기울여 가며 속속 파헤칠 필요도 없고, 그러고 싶지도 않았다. 될 수만 있다면 영원히 얽히지 않길 바랐다. 더 이상 그를 만날 일이 없길, 린지에게 그 이름이 들어갈 일이 없길—.

하지만 유시젠의 소원은 무참히 무너졌다.

"왕세자 전하, 손님이 찾아오셨습니다."

유시젠은 집무실 밖에서 들리는 비서의 목소리에 고개를 들어 올렸다.

"손님? 그게 누구지?"

"르카플로네 백작님께서 찾아오셨습니다."

순간 신문을 잡고 있던 유시젠의 손에 힘이 들어갔다. 하지만 그것은 잠시였을 뿐, 유시젠은 신문을 차분히 접은 후 침착하게 말했다.

"안으로 모셔라."

"예."

잠시 후 문이 열리고 한 사내가 안으로 들어왔다. 유시젠은 집무 책상에 앉은 상태 그대로 사내가 들어오는 모습을 단 한순간도 놓치지 않고 응시했다. 휘안 데 르카플로네는 마지막으로 봤을 때와 다름없이 근사한 모습이었다. 한 치의 흐트러짐도 없는 검은 슈트와 셔츠, 이마 위로 살짝 흐트러진 은발과 곧은 이목구비는 수려함의 극치였다. 언제나처럼 아름다운 모습이었지만—.

'……변했군.'

그의 보라색 눈동자가 어두운 그늘이 진 것처럼 몹시 탁하게 느껴졌다. 마지막으로 보았을 때는 당당하고 맑아 보이기까지 하는 눈빛이었다. 그때 휘안은 린지의 손을 잡고 놓아주지 않았었다. 하지만 지금 혼자가 된 휘안의 눈은 그때와는 완전히 다른 사람의 것이었다. 마치 잔뜩 벼려져 시선에 닿기만 하면 그대로 베일 듯한 살기가 느껴졌다.

그의 앞에 선 휘안은 가만히 유시젠을 바라보았다. 그리고 씩 웃으며 데스크 앞으로 성큼성큼 다가왔다.

"다시 만나게 되어 반갑습니다, 왕세자 전하."

"이렇게 다시 빨리 만나게 될 줄은 몰랐군."

유시젠은 싸늘하게 대답했으나 휘안은 여전히 웃는 얼굴이었다. 웃는 것은 입술 끝뿐이었다. 그 외의 모든 것은 악귀 같은 살기뿐이었기에 유시젠은 경계했다.

"그런데 기별도 없이 찾아오다니 이게 무슨 일이지? 우리가 이렇게 만날 사이는 아닌 것 같은데."

"그렇게 생각하십니까."

유시젠은 휘안이 들고 있는 상자를 바라보았다. 자신을 만나러 온 자리에 들고 온 것이니, 심상치 않은 물건임이 분명했다. 그의 시선이 상자로 향한 것을 본 휘안이 웃으며 상자를 내밀었다.

"잡설은 집어치우고 본론부터 얘기하도록 하죠. 전하께 선물을 가져왔습니다."

"……뭐? 선물?"

믿기지 않는 단어였다. 유시젠이 인상을 찡그리자 휘안은 싱긋 웃음으로 답하며 상자를 데스크 위로 올려놓았다. 툭, 하고 책상 위로 떨어지는 소리가 어쩐지 굉장히 불쾌하게 들려왔다.

"선물이라고? 백작이 내게?"

"예. 그렇습니다."

불길하다. 유시젠은 노골적으로 의심쩍은 기색을 보이며 상자와 백작을 번갈아 쳐다보았다. 설마 앞으로라도 잘 지내보자고 이제 와 선물을 주는 건 아닐 것이다. 그럼 대체 어떤 의도로 이런 것을 내민단 말인가?

유시젠이 고민하고 있자 백작의 입꼬리가 올라갔다. 그는 손바닥을 내밀어 보이며 권했다.

"어서 열어 보시지요."

"아니, 됐소."

유시젠은 고민 끝에 퉁명스럽게 대답하며 상자를 밀었다. 알 수 없는 패를 받았을 때는 거들떠보지도 않는 것이 최선이다. 그는 휘안에게 휘말릴 생각은 눈곱만큼도 없었다.

"성의만 받도록 하지. 이것은 도로 가져가서 반환하는 것이 좋겠군."

"죄송하지만 그건 안 됩니다."

"뭐?"

"세상엔 되돌릴 수 없는 일도 있습니다, 전하."

그것은 마치 저주처럼 느껴지는 문장이었다. 유시젠은 천천히 고개를 들어 올려 휘안을 바라보았다. 휘안의 몸에서 풍기는 살기가 조금씩 조금씩 더 짙어져 가는 것이 느껴졌다. 제어할 수 없는 광기가 그의 보라색 눈동자에서 흐르고 있었다.

"……"

유시젠은 천천히 손을 내밀어 상자를 열었다. 그리고 그 안에 있는 것을 확인하는 순간, 그의 금안이 얼어붙었다.

"어때요. 마음에 드십니까."

그곳엔 사람의 얼굴이 들어 있었다. 정확히 말하자면, 목부터 잘린 사람의 머리였다. 심지어 그 얼굴은 유시젠에게 있어서 익숙한 것이었다. 유시젠은 경악한 시선으로 그 얼굴─ 자신의 그림자이자 배신자, 그리고 휘안의 집사로 일했던 노인의 얼굴을 바라보았다.

"이게……."

유시젠은 의자에서 몸을 일으켰다. 그는 집사의 얼굴이 담긴 상자를 으스러져라 쥐며 말을 이었다.

"이게 뭐지."

"당신 그림자의 목."

휘안은 변함없이 웃는 목소리로 말했다.

"유시젠 왕세자 전하, 당신을 위해 친히 목을 잘라 가져왔습니다. 마음에 드십니까?"

유시젠은 휘안을 노려보았다. 대체 이자가 무슨 생각으로 이런 짓을 벌이는지, 어떤 목적을 가지고 이러고 있는지 파악이 되질 않았다. 아니, 단 하나의 가능성이 떠올랐지만 그것만큼은 생각하고 싶지 않았다.

"날 도발해서 얻는 게 뭐지?"

그는 휘안을 노려보며 날카로운, 하지만 이성을 잃지 않은 목소리로 물었다. 그가 침착함을 유지하자 휘안은 의외인 듯 어깨를 으쓱이며 씩 웃어 보였다.

"도발이라뇨. 그런 것, 할 생각 없습니다. 제가 원하는 건 단 하나입니다."

"그게 뭐냐."

순간 휘안의 입술이 호선을 그렸다.

"당신의 또 다른 그림자."

유시젠은 주먹을 콱 말아 쥐었다. 부디 아니길 빌었던 것이 지금 휘안의 입에서 튀어나온 것이다.

"내 시종으로 당신이 잠입시켰던 그 녀석."

"……."

"제가 원하는 것은 린지안 하나뿐입니다."

휘안의 어조는 담담했지만 그 안에서 느껴지는 절박함에 유시젠은 더더욱 주먹을 세게 쥐었다. 이 남자가 얼마나 린지를 원하고 있는지, 그러기 위해서 무엇이든지 할 작정이라는 것을 느꼈던 것이다.

"아시는지 모르겠지만, 린지안이 도주하던 때에 제 여기사를 상처 입혔습니다. 깊진 않았지만 허벅지에 칼을 찔러 넣었지요. 왕세자 전하의 부하가 제 사람을 공격한 겁니다."

"……."

"모두가 왕세자 전하를 비웃을 겁니다. 백작령으로 인정해 놓고, 이제와 뒤에서 공격하는 치졸한 이로 여기겠지요. 그리고 저는 제 사람을 공격한 대가를 공식적으로 요구할 생각입니다."

"미안하지만."

유시젠은 백작의 말을 단호하게 끊으며 말했다.

"미안하지만 내겐 그런 부하가 없다. 헛다리를 짚은 것 같군."

이것이 최선이었다. 린지를 보호하기 위해서는 아예 그녀를 모르는 척해야 했다. 유시젠은 시치미를 뚝 떼며 삐뚜름하게 웃었다.

"그래, 내가 이 사람을 당신의 집사로 잠입시켰다. 하지만 그것은 르카플로네가 백작령이 되기 전, 레란의 영토 중 일부분이었을 때의 얘기야. 백작령이 되기 직전 이자는 집사 일을 관두고 복귀했다. 다 아는 얘기일 텐데?"

그렇게 말하면서도 유시젠은 한편으로 짙은 불길함을 느끼며 휘안을 노려보았다. 자신이 이렇게 말할 걸 이 작자가 모르고 있을 리 없다. 아니나 다를까, 휘안의 표정은 그대로였다. 그는 미소 짓는 얼굴 그대로 유시젠을 바라보았다.

"그렇다면 얘기를 바꿔 보죠."

"……뭐?"

"당신이 모른다는 그 녀석, 린지안은 지금 이 왕궁에 있습니다."

유시젠의 심장이 쿵 하고 떨어져 내렸다. 하지만 그는 침착한 표정을 흐트러뜨리지 않은 채 퉁명스레 대꾸했다.

"그게 무슨 헛소리냐."

"더 정확히 말하자면 당신의 침실로 추정되는 곳에 있더군요. 며칠 내내 그곳에서 벗어나지 않고 있고…….”

그렇게 말하는 휘안의 입술이 뒤틀렸다. 그는 괴로운 사실을 인정하듯, 일그러진 얼굴로 미소 지었다.

"즉 당신과 며칠째 동침한 그 녀석이 바로 내가 찾는 시종입니다.”

"……."

어떻게 안 거지. 유시젠은 휘안의 두 눈을 바라보며 그가 모든 것을 다 알고 있음을 깨달았다. 지금 그가 내뱉은 말이 그냥 찔러 보는 것이 아닌, 사실임을 확신하고 있는 눈빛이었던 것이다. 대체 그 사실을 어떻게 안 것일까. 혹시나 휘안이 찾아낼까 봐, 때문에 그 누구에게도 보이지 않게 자신의 침실에 숨겨 놓은 건데 대체 어떻게……?

'……연금술.'

순간 스쳐 지나간 단어에 유시젠은 눈치챘다. 과거 린지의 보고 속엔 백작이 알케미스트나 연금술과 관련되어 있을 수 있다고 했다. 이번 것도 연금술을 이용해 파악했을 것이 틀림없다. 그렇게 생각하자 유시젠은 눈앞의 이 남자를 쉬이 상대할 수 없음을 깨달았다. 국왕 역시 이 때문에 백작에게 르카플로네 백작령을 내어 주었을 것이다. 연금술, 그 파괴적인 힘을 짐작할 수 없을 만큼 가지고 있는 자니까.

그렇다고 해서 린지를 내어 줄 생각은 없었다. 무슨 일이 있어도 그녀를 이자에게 넘기지 않을 것이다.

"무슨 헛소리를 하는지 모르겠군. 미안하지만 내겐 이런 대화에 낭비할 시간 따위 없어.”

그는 상대하기 싫다는 듯 말하며 자리에 앉았다. 그리고 신문을 펼쳐 들며 말했다.

"집사의 목을 자른 것은, 내가 이자를 몰래 잠입시킨 값으로 받아들이도록 하지. 죄를 묻지 않을 테니 이만 나가 봤으면 좋겠군. 그리고…….."

그는 신문 너머로 휘안을 쏘아보았다.

"자네가 백작령의 군주가 되었다고 하나, 감히 내 시간을 마음껏 취할 자격은 없다. 나와 만나고 싶으면 미리 접견 요청을 하도록 해라. 다음부터 이렇게 만나 주는 일은 없을 거다."

"새겨듣도록 하죠."

유시젠의 반응에 휘안의 반응은 매끄럽게 이어졌다. 유시젠은 그가 이렇게 순순히 나올 거라는 생각하지 못했기에 내심 의아해했다. 하지만 표 내지 않고 다시 신문으로 시선을 내리깔았다.

"귀중한 시간 내어 주어서 감사합니다. 그런데…….."

말을 끝맺기 전, 휘안이 상체를 아래로 숙여 작게 속삭였다.

"상자 안의 이 녀석, 그 녀석의 또 다른 배후는 알아내셨습니까?"

"……."

유시젠의 눈매가 흠칫 떨렸다. 그 미세한 반응을 본 휘안의 입꼬리가 더더욱 짙게 올라갔다.

"조심하시죠. 그자는, 당신이 무엇을 생각하든 그 이상으로 끔찍한 녀석이니까."

그 말을 끝으로 휘안은 우아하게 인사를 올린 후 방을 빠져나갔다. 그의 거침없는 발걸음 소리가 멀어져 가자 유시젠은 신문을 우그러뜨리듯 쥐었다. 역시나 휘안 역시 집사에게 또 다른 배후가 있다는 것을 아는 모양이었다. 그리고 그자의 정체까지 알고 있었다.

'내 생각보다 끔찍할 거라고? 대체 누구란 말이야!'

하지만 지금 그것을 생각할 때가 아니었다. 그는 창문 밖으로 르카플로네 백작이 왕궁을 빠져나가는 것을 지켜보았다. 휘안은 주저하기는커녕 단 한 번도 뒤를 돌아보지 않고 걸어갔다.

그가 사라지는 것을 확인한 유시젠은 곧바로 행동했다. 그는 빠른 걸음으로 문을 박차고 나가 자신의 침실로 향했다. 방문을 벌컥 열어젖히는 순간, 붉은 머리칼의 여인이 깜짝 놀라 자리에서 일어났다.

"오라버니?"

린지를 보는 순간 유시젠은 너무나 안심이 되어 다리에 힘이 풀릴 뻔했다. 그사이에 휘안이 무슨 일을 꾸며서 데려가진 않았을까, 너무나 걱정이 되었던 것이다. 그는 방 안으로 성큼 들어가 린지를 와락 껴안았다.

"오라버니?"

놀란 듯 자신을 올려다보는 린지의 눈을 보는 순간 유시젠은 자신이 절대 이 아이를, 이 여자를 휘안에게 넘길 수 없다는 것을 다시 한 번 깨달았다. 절대로, 무슨 일이 있어도 휘안에게 빼앗기지 않을 것이다.

"린지, 이곳을 떠나라."

어깨를 잡으며 해 오는 말에 린지는 고개를 끄덕였다.

"아, 알겠습니다. 숙소로 돌아가겠……."

"아니, 내 말은 왕실을 떠나라는 소리다."

이것은 예상치 못한 말이었다. 눈을 크게 뜬 린지를 보며 유시젠은 황급히 말을 이었다.

"최대한 멀리 왕실을 떠나라. 아니, 아예 레란 왕국을 떠나는 것이 좋겠군. 어디든 상관없으니 가거라."

"오라버니. 갑자기 이게 무슨 일입니까."

무슨 일이 있는 것이 분명했다. 린지는 생전 처음 초조해하는 유시젠의 모습을 목격했다. 언제나 침착하고 여유로운 사내가 마치 무언가에 쫓기는 양 다급했던 것이다. 이 사람을 이렇게까지 몰아붙일 수 있는 건 세상에 없을 것이다. 만약 있다면, 이 세상에 있어서는 안 될 파괴적인 힘이겠지.

"르카플로네 백작 때문입니까."

유시젠은 대답하지 않았다. 말하지 않고 떠나보낼 생각이었지만, 그는 도리어 냉정해진 린지의 눈을 보고 마음을 바꿨다. 그래, 믿어야만 한다. 린지가 자신을 택한 것, 그 선택을 믿는 거다.

"그래."

유시젠은 고개를 끄덕였다. 놀랍게도 린지의 표정에는 아무런 변화가 없었다.

"그가 방금 날 찾아왔다. 집사의 목을 선물이라고 들고 왔더군. 그리고 네가 지금 이곳에 있다는 것을 정확히 파악했다."

"……!"

그 말에 린지의 눈꺼풀이 파르르 떨렸다.

"그자가 고대의 연금술과 관련이 있다고 했지. 그러니 어서 떠나라. 그건 내가, 인간이 감당할 수 있는 힘이 아니야."

널 그자에게서 지킬 수 없을지도 몰라. 유시젠은 그 사실을 인정하기가 욕이 나올 만큼 싫었다. 하지만 그것은 사실이었다. 이미 휘안은 린지가 자신의 그림자라는 것을 캐내었고 또 그녀가 자신의 침실에 있다는 것까지 알아냈다. 그자에게서 린지를 지키기 위해선 최대한 자신과 먼 곳에 떨어뜨려 찾아낼 만한 단서를 주지 않는 것뿐이었다. 아주 먼 곳으로, 심지어 자신조차 모르는 곳으로…….

"그러니 가라. 백작이 널 포기할 때까지 먼 곳에 떠나 있어. 난 최대한 백작이 널 쫓지 못하게 방해하겠다."

"오라버니……."

유시젠은 린지를 내려다보았다. 짧은 순간, 그는 린지를 영원히 기억하려는 듯 응시했다. 어린 소녀였던 린지가 이렇게 아름답게 성장하여

한 사내의 마음을 뒤흔들고 그 사내에게 빼앗기지 않으려고 이런 짓까지 할 줄이야−.

'그래, 처음 봤을 때 나도 홀린 느낌이었지. 너의 그 강한 눈에.'

유시젠은 마지막으로 린지를 살며시 끌어안았다. 자신의 가장 충직한 부하, 그가 영혼마저 믿고 맡길 수 있는 여인이었다.

"가라, 린지."

린지는 지금 당장 챙길 수 있는 최소한의 것들만 꾸려서 왕실을 떠났다. 향후 몇 년 동안은 버틸 수 있도록 유시젠은 자신의 방에서 온갖 보석들을 꺼내 그녀에게 넘겼다.

'어디로? 어디로 가지?'

말고삐를 잡고 달리는 린지의 머릿속은 혼란스러웠다. 무작정 왕실과 최대한 멀어지기 위해 달리고 있었지만 자신이 어디로 향하는지 제대로 알 수 없었다. 그녀에게는 생각하고 고민할 시간도 없었다. 지금 휘안이 샤를에 있고 더군다나 자신이 왕실에, 정확히 왕세자의 침실에 있었다는 것을 알고 있다. 언제 잡으러 와도 이상하지 않을 상황인 것이다.

'대체 어떻게 알게 된 거지.'

그녀가 왕세자의 그림자라는 것은 아마 집사의 입에서 실토됐겠지. 결국엔 유시젠이 관련되어 있다는 것을 들키고 마는구나. 그것을 막기 위해 예르시카를 해하면서까지 도주한 건데…… 결과는 참담하기 그지없었다.

휘안이 찾아왔다. 유시젠에게 찾아와서 자신을 내놓으라고 했다고 한다. 대체 왜? 자신을 배신해 놓고 간 시종을 잡아서 무엇을 하려고? 복수를 하려고 하는 걸까? 그럴 수도 있을 거다. 믿은 만큼 배신감도 크고, 컸던 애정이 증오로 탈바꿈될 수도 있다. 또한 린지가 너무 많은 것을 안다고 생각했을 거다. 그의 비밀, 그의 아픔, 남들은 모르는 진실들을 린지에게 알려 주었으니까. 믿고 공유했으니까, 그것을 아는 그녀를 가만둘 수 없었을 것이다.

바람이 그녀의 뺨을 거칠게 스치고 지나갔다. 린지는 개의치 않고 더더욱 말의 속도를 높였다.

'일단 루데스 국으로 가자. 그리고 배를 타고 떠나는 거야.'

정신없이 달리며 린지는 조금씩 머릿속에 지도를 그려 갔다. 레란의 북쪽에 위치한 루데스로 넘어간 후, 제일 가까이에 있는 시간대의 배를 타고 아무 데로나 떠나자. 계획하지 말고, 발길 닿는 대로 떠나는 거다. 그렇게 해야지만 휘안에게 잡히지 않을 것 같았다.

'다 꿈같아.'

불끈 쥔 고삐의 감촉이 손바닥을 파고들었다. 달그락거리는 말발굽 소리가 바람 소리와 함께 스쳐 갔다. 어느덧 정신을 차려 보니 숲 안을 질주하고 있는 그녀는 지금 이 순간 현실감을 느낄 수 없었다. 휘안의 곁을 떠나 유시젠에게 돌아왔다가 다시 그를 떠나 정신없이 도망가는 자신의 모습이 믿기지 않았다. 마치 꿈속에서 일어나는 장면처럼 멀게만 느껴졌다.

그때였다. 린지는 저 멀리서부터 지축을 울리는 또 다른 말발굽 소리를 들었다. 소스라치게 놀라서 뒤를 돌아보자, 아주 먼 곳에서부터 말을 타고 달려오는 사내가 보였다.

"······!"

그녀는 하마터면 말에서 떨어질 뻔했다. 린지는 숨을 급하게 들이마시며 고삐를 강하게 쥐었다. 휘안이······ 휘안이 쫓아오고 있었던 것이다!

먼 곳에 있었지만 저 은빛 머리칼과 보라색 눈동자만큼은 선명했다. 그가 말을 타고 정확히 자신을 향해 달려오고 있었다. 린지는 말고삐를 강하게 내리치며 속도를 높였다. 언제부터? 아니, 대체 어떻게? 어떻게 자신이 이곳에 있다는 것을 알아차렸단 말인가? 린지조차도 지금 자신이 있는 곳이 어딘지 정확히 모르는데, 휘안이 어떻게……!

그녀는 이를 악물며 다시 뒤를 돌아보았다. 휘안은 어느덧 성큼 가까워져 그의 이목구비를 확인할 수 있을 정도의 거리에서 달리고 있었다. 순간 그의 눈동자와 정확히 마주친 그녀는 벼락이 내리꽂히는 것만 같은 충격을 받았다.

'아, 안 돼.'

린지는 서둘러 시선을 피하며 말의 속도를 높였다. 휘안이 탄 것은, 겁은 많지만 스태미나만큼은 비교 불가 대상이었던 최고의 흑마였다. 린지가 탄 일반 말과는 비교되지 않을 정도의 빠르기를 가진 말이었던 것이다.

"……!"

엎친 데 덮친 격으로 린지는 눈앞에 강물이 흐르는 것을 발견했다. 더 이상 말을 타고 달릴 수 없는 상황이었다. 그녀는 빠른 속도로 말에서 내려 강물 안으로 뛰어들었다.

강은 각오했던 것보다 훨씬 깊고 차가웠다. 온몸이 그대로 얼어붙는 듯한 추위였지만 린지는 미친 듯이 팔다리를 움직여 헤엄쳤다. 뒤를 돌아볼 엄두조차 나지 않는 가운데, 그녀는 누군가가 또다시 강물에 뛰어드는 소리를 들었다.

'안 돼.'

물이 거칠게 흩어지는 소리가 들렸다. 린지는 그 소리가 가까워질수록 필사적으로 움직였다. 겨울 강가의 냉기가 손발에 꽁꽁 엉겨 붙었지만, 린지는 더 이상 추위를 느낄 수 없었다. 느껴지는 것은 초조함과 불안감, 그리고 치밀어 오를 듯한 뜨거운 감정이었다.

'안 돼, 잡히면 안 돼. 잡히면…….'

순간, 린지의 몸이 강한 힘에 이끌려 획 돌아갔다. 린지는 휘안이 자신의 허리를 낚아채자 미친 듯이 발버둥 치며 그를 밀었다. 그녀의 움직임에 첨벙이는 물살들이 거칠게 튀어 올랐다.

"이것 놔!"

감히 눈을 마주칠 수 없었기에 그를 바라보지 않았다. 다만 그의 단단한 어깨, 너무나 익숙한 그 어깨를 바라보며 밀쳤다. 눈물이 울컥 쏟아져 내릴 것만 같았다.

"이것 놓으란 말이야!"

휘안은 꿈쩍도 하지 않고 그녀를 끌고 지나온 방향으로 헤엄쳤다. 린지는 그 어마어마한 악력에서 도저히 빠져나갈 수 없었다. 그의 팔을 때리고 발버둥 치고 심지어 물어뜯기까지 했음에도 불구하고, 휘안은 그녀를 놓아주지 않았다.

"놔! 놓으라고!"

휘안은 그녀의 몸을 번쩍 든 채로 강물 밖으로 빠져나왔다. 그제야 그의 눈을 처음으로 보게 된 린지의 몸이 흠칫 굳었다. 마치 어제 헤어졌다가 만난 사람처럼 휘안이 싱긋 웃었다.

"내가 말한 거 기억 안 나?"

다음 순간, 휘안의 손아귀가 린지의 뒷목을 콱 잡아챘다. 단말마의 신음과 함께 린지가 고개를 푹 숙이며 정신을 잃자 휘안의 미소가 짙어졌다.

"도망가면 잡으러 간다고 했잖아."

휘안은 기절한 그녀를 조심스레 안아 들고 말 위로 올라탔다. 린지의 몸을 품 안으로 조심스레 안은 휘안은 붉은 머리칼 위로 얼굴을 묻었다. 마침내 그의 입가에 미소가 번졌다.

"잡았다."

그날 밤의 달빛은 몹시 희미했다. 어두운 먹구름 속에 파묻힌 달빛의 잔재는 찾아보기 힘들 정도였다. 그 어느 때보다도 짙고 깜깜한 하늘을 바라보며 유시젠은 잔을 들어 올렸다.

탁.

단숨에 위스키를 한 잔 비운 유시젠은 탁상 위로 잔을 내려놓았다.

"젠장."

혼잣말로 욕설을 중얼거린 유시젠은 문득 창문에 비치는 자신의 모습을 바라보았다. 심기를 드러내듯 찡그려진 미간과 곧은 콧날, 그리고 날카로운 눈매. 레란 왕족의 상징인 황금색 눈동자는 분노와 불안으로 가득 차 있었다. 그는 자신의 모습을 견디기 힘든 듯 거칠게 머리칼을 쓸어 넘겼다. 손가락 사이로 백금빛 머리카락이 부드럽게 흩어졌다.

"젠장."

결국 그는 견디지 못하고 다시 한 번 중얼거렸다. 지금의 유시젠은 몹시 참담했다. 마치 가슴이 시커멓게 타들어 가 잿더미가 수북이 쌓인 듯한 느낌이었다. 그는 그 감정이 무엇인지 아주 잘 알고 있었다.

이것은 패배감이었다. 생전 처음, 누군가에게 완벽하게 당했다는 패배감이 불쾌하기 그지없었다. 하지만 그것보다 더 유시젠을 괴롭히는 것은 불안감이었다.

'린지…….'

그녀를 떠올린 유시젠은 배 속이 울렁거리는 초조함에 다시 한 번 위스키를 따랐다. 하지만 목구멍이 타들어 가는 듯한 술의 온기도 그녀에 대한 불안함을 지워 주지 못했다. 걱정이 됐다. 너무나 걱정이 돼서 도저히 잠을 이룰 수 없었다.

'린지, 괜찮은 거냐.'

지금쯤 그녀가 어디를 향해 가고 있을지, 혹시 백작에게 잡히지는 않았을지, 사고라도 난 건 아닐지 걱정이 되어 미치기 직전이었다. 그리고 그는 자신의 감정을 고스란히 내려다보며 생각했던 것보다 린지가 더 소중한 존재란 것을 깨달았다.

물론 그것은 당연한 일이었다. 린지는 유시젠이 처음으로 거둔 부하이 자 거의 자신이 기르다시피 한 아이였으니까. 여덟 살짜리 꼬마 소녀를 주워 검을 가르치고 세상을 가르쳤다. 린지가 단순한 부하 이상의 존재라고 생각해 오긴 했지만…….

지금, 손발 끝이 타들어 가는 초조함에 유시젠은 입술을 깨물었다. 그녀에 대한 걱정 그리고 무력감 때문에 온몸이 찌르는 듯 아파 왔다.

'마치 동생이 있다면 이런 마음일까.'

외동인 유시젠에게는 형제 자매가 없다. 때문에 그 감정이 어떨지 알수 없었지만, 지금 이 순간의 감정은 거의 가족을 잃을 것 같은 두려움이었다. 유시젠에게 린지는 가장 아끼는 부하를 넘어서 가족 같은 존재였다. 그가 믿고 등을 맡길 수 있는 단 한 사람. 그는 그제야 자신에겐 린지 이상으로 소중한 사람이 없다는 것을 깨달았다. 그런데 지금 그런 사람이 쫓기고 있다. 인간의 힘을 초월한 지식, 연금술사의 힘을 가진 백작에게.

연금술! 그 단어를 입 안으로 중얼거린 유시젠은 주먹을 꽉 틀어쥐었다. 그것은 도저히 유시젠의 힘으로, 인간의 힘으로 대항할 수 없는 영역의 것이었다. 때문에 유시젠은 태어나 처음으로 어마어마한 무력감에 젖어 있을 수밖에 없었다. 백작 앞에서 자신의 힘도, 권력도 바람 앞의 촛불처럼 연약하다는 사실이 분했다. 그래서 소중한 사람 하나 지켜 주지 못한다는 것이 너무나 화가 났다.

'그래서 이렇게 손 놓고 있자고? 린지가 걸린 일인데?'

아니, 절대로 그럴 수 없어.

"무슨 생각을 그리 하십니까?"

그 순간, 유시젠의 뒤에서 목소리가 들려왔다. 잔을 틀어쥔 유시젠의 손아귀에 힘이 들어갔다. 누군가가 그의 등 뒤에 서 있다. 그리고 지금 말을 걸었다. 그 순간이 되기 전까지 유시젠은 이 방 안에 자신뿐이라고 생각해 왔다! 하지만 그는 담담한 눈으로 뒤를 돌아보았다. 태평한 것을 넘어서 불쾌해 보이기까지 하는 얼굴인지라, 그의 뒤에 있던 자의 입가에 미소가 걸렸다.

"소문대로시군요. 이 정도로 놀라지 않으시는 겁니까."

유시젠은 인상을 찡그리며 침입자를 살폈다. 매끄럽게 짓고 있는 미소에 마치 소년 같은 해맑음이 느껴지는 사내였다. 희귀한 보석처럼 느껴지는 은회색 눈동자와 생전 처음 보는 하늘색 머리칼이 특이했다. 어디서 많이 들어 본 인상착의였다. 유시젠은 그자의 정체를 단번에 파악하고는 피식 웃었다.

"레너드 아롭, 난 널 초대한 기억이 없다."

"이런. 절 알고 계십니까? 이거 영광이네요, 하핫."

레너드는 쑥스러운 듯 머리를 긁적이며 웃었다. 유시젠은 가만히 그를 지켜보다가 탁상 위에 있는 위스키를 들어 올렸다. 그리고 빈 잔에 가득 따른 후, 레너드에게 내밀었다.

"한잔하겠나?"

유시젠의 제안에 레너드의 눈에 이채가 스쳐 지나갔다. 그는 유시젠의 잔을 냉큼 받아 들어 단숨에 털어 마셨다. 그리고는 몹시 유쾌한 듯 웃음을 터뜨렸다.

"하하하! 아, 이런 말씀 초면에 죄송하지만, 린지가 왜 그렇게 따르는지 알겠습니다. 솔직히 저도 방금 반할 뻔했거든요."

"미안하지만 난 아니야."

유시젠은 쓰게 웃으며 레너드를 살펴보았다. 린지가 편지로 위험하다고 경고하여 그토록 찾았지만 찾지 못했던 사나이였다. 연금술을 사용하고 린지보다 강한 검술을 구사하는, 위험천만한 폭탄 같은 남자라고 묘사했었지.

"이런 야심한 밤에 주무시지 않고 뭘 하고 계셨는지 여쭈어도 되겠습니까?"

레너드의 은근한 말에 그는 위스키를 마셨다. 뜨거운 알코올을 넘기는 유시젠의 눈은 냉정할 정도로 침착했다. 그는 아주 차가운 영역에서 빠르게 계산했다. 잔을 내려놓은 유시젠은 잔잔한 목소리로 말했다.

"너로군."

"예?"

"네가 내 그림자이자 백작의 집사 노릇을 했던 자의 주인이로군."

순간 레너드가 멍하니 그를 바라보다가 또다시 웃음을 터뜨렸다. 린지의 묘사대로 정말 소년처럼 맑은 미소였다.

"아하하! 우와, 어떻게 알아내신 겁니까? 단서는 조금도 없었을 텐데?"

"나와 백작의 옆에 있는 것보다 더 큰 것을 얻을 수 있는 사람이 있다면, 그건 너 하나뿐이겠지. 연금술사."

레너드는 진심으로 감탄한 듯 박수를 치며 고개를 끄덕였다.

"예, 그렇습니다. 전하의 곁에, 그리고 백작의 곁에 있을 때보다 더 큰 것을 주기로 약속했었지요. 하지만 안타깝게도 그전에 휘안의 손에 죽어버렸지만요."

"……."

"정말 아쉬워요. 그에게 젊음을 선물해 줄 수 있었는데."

"뭐?"

유시젠이 미간을 좁히며 묻자 레너드는 신이 나 설명했다.

"아, 저는 늙은 사람을 젊게 만들 수 있답니다. 그래서 그에게 영원한

젊음을 선물로 주겠다고 했지요. 바로 저처럼 말입니다. 제가 이래 봬도 나이가 꽤 많거든요."

제정신으로는 들을 이야기가 아닌지라 유시젠은 또다시 위스키를 따랐다. 그리고 성가신 어조로 말했다.

"흥미로운 주제지만 지금은 담소를 나눌 기분이 아니군. 그러니 이곳에 온 용건을 말하고 사라져 주겠나."

"아쉽네요. 저는 전하께서 한마디 한마디 하실 때마다 전하에 대한 흥미가 커져 가고 있는데."

레너드는 신비로운 은회색 눈동자로 유시젠을 물끄러미 쳐다보았다. 마치 재미있는 연구 거리를 찾은 듯한 실험자의 눈빛이었다.

"제가 이 상황에서 그냥 사라진다면 아쉬우실 분은 왕세자 전하입니다. 그렇지 않습니까?"

어린아이처럼 순수한 그 목소리를 듣자니 문득 휘안의 말이 떠올랐다. 무엇을 생각하든, 더 끔찍할 거라는 그 말.

'아니, 린지를 지키지 못하는 것보다 더 끔찍한 건 없어.'

유시젠은 단호하게 결단을 내리고 레너드에게 시선을 주었다.

"그래. 그러니 잡설은 그만두고 하려는 얘기를 해."

"린지가 백작에게 잡혔습니다."

레너드는 유시젠이 처음으로 동요하는 모습을 보았다. 그의 눈썹이 흠칫 굳은 것을 본 레너드의 입꼬리가 짙게 올라갔다.

"지금쯤 르카플로네 백작령으로 끌려가고 있겠군요."

"……."

"르카플로네 백작이 린지를 사랑하고 있다는 건 알고 있겠죠. 그런데 그런 사람에게 배신당했으니, 얼마나 화가 났겠습니까? 무슨 일을 당하게 될지…… 아아, 불쌍한 린지."

레너드가 우는 시늉을 하며 말하자 유시젠의 눈이 뜨겁게 타올랐다. 린지가 잡혔다는, 그가 계속 우려하고 있던 사실에 마음이 무너지는 것만 같았다.

"이제 와 이런 말하기 부끄럽지만, 저도 린지를 좋아하거든요."

"뭐?"

지금까지 들은 말 중에 가장 괴이한 이야기였다. 유시젠의 얼굴이 일그러지자 레너드가 쑥스럽게 웃었다.

"예쁘잖아요. 귀여운데 섹시하고, 섹시한데 멋있고. 헤헷."

"……."

"뭐 중요한 건 그게 아니고, 저도 린지가 백작에게 못된 짓을 당하는 걸 두고 볼 수 없다는 거죠. 그래서 이곳에 온 겁니다. 아무래도 전하의 생각과 제 생각이 일치할 것 같아서요."

린지의 이야기로 흔들렸던 유시젠은 다시금 단단해진 눈으로 레너드를 응시했다. 그는 레너드의 말을 믿지 않았다. 대가 없이 주어지는 힘에 대한 이야기도 믿지 않았다.

"그래서 내게 원하는 건 뭐지?"

"네?"

"네가 린지를 좋아해서 아무런 대가 없이 날 도와주겠다는 소리를 하려는 거냐?"

레너드는 할 말을 잃은 듯했다. 쏘아보는 듯한 유시젠의 두 눈은 레너드의 반응을 단 하나도 놓치지 않고 지켜보았다. 속을 꿰뚫어 보는 눈빛에 레너드의 등에 소름이 돋아 올랐다. 그는 저도 모르게 침을 꿀꺽 삼켰다.

"전하, 이런 말씀 정말 죄송하지만…… 저도 부하로 삼아 주시면 안 될까요? 정말 아래에서 일하고 싶게 만드는 눈빛이네요."

"미안하지만 더 이상의 배신은 사절이다."

"집사 얘기하는 겁니까? 이해해 주세요. 그분은 마음속으로 전하를 따랐습니다. 노예였던 것을 전하께서 거두어 주셨다고 들었습니다."

"……."

유시젠은 말없이 창밖을 내다보았다. 구름에 갇혀 있던 달빛이 미세하게 흘러나와 조금 전보다 밝아져 있는 것이 보였다.

"전하의 그림자들, 비밀 병기들, 다 전하께서 구해 준 노예들이 않습니까. 때문에 전하를 위해 목숨을 바치는 거고요. 하지만 집사는 다시 삶을 살고 싶다고 했습니다. 자신의 인생이 너무 불쌍하다고, 젊은 시절부터 다시 시작하고 싶다고……. 왕세자 전하께는 진심으로 죄책감을 느끼더군요."

"됐다."

유시젠은 마치 마음속으로 파고드는 듯한 레너드의 말을 단숨에 끊어 냈다. 이자, 레너드 아롭은 사람의 마음을 가지고 놀 줄 아는 사내다. 유시젠은 레너드를 그렇게 판단하며 말했다.

"모두가 선택의 기로에 선다. 그리고 그가 택한 것은 내가 아니었을 뿐, 그것뿐이다."

"이런, 냉정하시군요. 하긴 맞는 말씀이십니다. 린지가 그 기로에서 선택한 것은 전하였죠."

읊조리듯 말한 레너드가 눈을 빛내며 미소 지었다. 마치 즐거운 연극을 보기 전의 소년처럼 기대감으로 반짝이는 눈빛이었다.

"전 전하의 선택이 궁금합니다."

"뭐?"

"연금술에 대한 지식을 전수해 드리겠습니다. 그럼 휘안과 대등하게 겨룰 수 있게 되는 거지요. 휘안이 가지고 있는 연금술, 그건 제가 전해준 거니까요."

레너드는 유시젠의 표정에 눈곱만큼도 동요가 일지 않는 것을 보고 서둘러 말을 이었다.

"뿐만 아닙니다. 연금술이 어떤 힘을 가졌는지 알고 계시겠지요? 마른 하늘에 날벼락을 내릴 수 있고 폭우와 태풍을 불러일으킬 수 있습니다. 단숨에 공간을 이동할 수도 있고, 수천수만 명의 목숨을 손아귀에 쥐고 쉽게 유린할 수도 있지요. 왕족이신 유시젠 전하라면 대륙 통일도 꿈이 아닐 것입니다. 그 힘이 유시젠 전하의 손에……."

"말했을 텐데."

레너드는 유시젠이 한숨을 내쉬는 것을 보고 말을 멈췄다. 레란의 왕세자의 눈에는 노골적인 성가심, 귀찮음이 맴돌고 있었다.

"쓸데없는 얘기는 그만하라고."

"……."

레너드는 저도 모르게 입을 벌렸다. 예상치 못한 반응은 물론이거니와, 일말의 흥미조차 보이지 않았던 것이다. 유시젠은 한 걸음 성큼 다가와 레너드의 옷깃을 끌어당겼다. 그리고 그의 눈을 정면에서 똑바로 쏘아보며 강하게 말했다.

"내가 원하는 것은 린지뿐이다. 괴물이 되는 힘 따위 관심 없다."

한마디 한마디에 힘을 실어 말한 유시젠의 말은 진심이었다. 물론 그에겐 휘안에게서 린지를 지킬 수 있는 힘이 필요했다. 하지만 자신이 연금술을 알게 된다면, 그 파괴적인 지식이 들어오게 된다면 변하게 될 것이 너무나도 많음을 알고 있었다. 아마 그는 예전과는 다른 사람이 될 것이다.

"단언컨대 연금술은 존재해서는 안 될 힘이다. 너에게도, 휘안에게도, 그리고 나에게도 마찬가지야."

"……그렇습니까. 놀랍네요."

레너드는 정말 놀랐으므로 솔직하게 말했다.

"하지만 어쩌겠습니까? 휘안에게도 제게도 그 힘은 있습니다. 그리고 그 힘 때문에 지금 전하께서는 린지를 잃으셨지요."

"……."

참담하게 가라앉는 유시젠을 보며 레너드는 미소 지었다. 린지는 참으로 보석 같은 존재였다. 휘안이나 유시젠처럼 강인한 사내들을 흔드는 것이 힘도 권력도 아닌, 한 여인의 존재라는 것이 우스웠다. 그리고 동시에 신비로웠다.

"괴물이 되기 싫으시다면 괴물을 이용하십시오. 제가 전하의 힘이 되어 드리겠습니다. 그리고 제가 원하는 것은-."

레너드는 부드럽게 미소 지었다.

"휘안의 죽음입니다."

chapter 18. 단 한 번의 자유

'아, 머리야……'

눈을 뜬 순간 처음으로 느껴진 것은 깨질 듯한 두통이었다. 익숙한 느낌이었다. 예전, 린지의 생일날 키벨과 거하게 술을 먹고 다음 날 숙취로 고생했을 때의 그 감각과 비슷했다. 하지만 린지는 어제는 물론이거니와 최근 들어 술을 마신 적이 없다. 즉, 숙취가 아니라는 소리.

"괜찮아?"

얼굴을 잔뜩 찡그린 린지의 얼굴을 보았는지 걱정스런 목소리가 던져졌다. 적당한 저음에 매끄러운 목소리였다.

"많이 아파? 두통은 곧 사라질 거야."

근심 어린 목소리와 함께 머리칼을 쓰다듬는 체온이 느껴졌다. 린지는 머리를 빙글빙글 돌리는 듯한 어지러움 속에서 눈을 떴다.

"……."

창문으로 눈부신 햇살이 달려들었다. 자신을 바라보고 있는 자의 얼굴이 역광으로 인해 보이지 않았다. 너무나 눈이 부셔서 순간 천국에 와 천사를 맞이하는 게 아닐까 하는 바보 같은 생각이 들 정도였다.

'아?'

매끄러운 은빛 머리카락이 반짝였다. 린지는 빛을 입어 투명한 보석처럼 반짝이는 보랏빛 눈동자를 정면으로 바라보았다. 온몸에서 햇살이 느껴지는 모습이 너무나도 아름다워 그녀는 순간 두통도 잊었다. 이 사람을 처음 보았을 때, 달에서 내려온 사람이 아닐까 싶을 정도의 충격을 받았던 기억이 겹쳐졌다. 그 순간 느꼈던 놀라움이 다시 한 번 그녀를 찾아왔다.

휘안은 린지의 머리를 부드럽게 쓰다듬으며 엷은 미소를 지었다.

"어때? 이제 좀 괜찮아?"

휘안이 자신의 눈앞에 있다. 그것을 인지하는 순간, 린지는 마치 잠에서 깨어난 듯 정신이 확 드는 것을 느꼈다.

"……!"

자리에서 벌떡 일어나려고 했지만 몸에 힘이 들어가지 않았다. 손가락만 겨우 꿈틀거린 린지는 자신의 몸이 마음대로 움직이지 않는다는 것을 깨달았다. 마치 무거운 추를 달아 놓은 듯 묵직했다.

"너무 걱정하지 마. 일시적인 증상일 뿐이니까."

"……?"

린지는 입을 열어 무언가를 말하려고 했으나 심지어 입술조차 움직일수 없었다. 그녀가 움직일 수 있는 것은 눈동자뿐이었다. 파르르 떨리는 린지의 시선에서 두려움을 느낀 휘안이 서둘러 그녀를 토닥였다.

"무서워하지 마. 그저 넌 마비약에 취한 것뿐이야."

"…….."

"도망가지 않는다고 약속하면 다시 몸을 움직일 수 있게 해 줄게."

"……."

"약속한 거지? 잠깐만 기다려 봐."

휘안은 제멋대로 환하게 미소를 짓더니 책상 서랍을 뒤지기 시작했다.

'대체 뭐야!'

약속을 하기는커녕 아무런 대답도 할 수 없는 상황이기에 린지는 어이가 없었다. 하지만 휘안은 그녀가 약속했다고 굳게 믿는 표정으로 다가와 그녀의 입에 약물을 흘려보냈다. 잠시 후, 천천히 몸을 짓누르는 무게감이 사라져 가는 것이 느껴졌다.

"이제 괜찮지? 말해 봐."

"……아."

약효는 빠르게 나타났다. 긴가민가하며 내 본 목소리가 선명하게 들려온 것이다. 그녀는 조심스레 손가락을 움직여 보았다. 살짝 둔한 감이 있긴 하지만, 확실히 움직일 수 있었다. 린지는 침대 위에서 상체를 일으켜 세워 휘안을 올려다보았다. 마치 빛에 둘러싸인 듯한 사내가 화사한 미소를 짓고 있었다. 그의 해맑은 모습을 바라보며 린지는 할 말을 잃었다.

결국엔 이렇게 돼 버렸다. 휘안에게 잡혀서 다시 르카플로네 백작령으로, 그의 성으로 끌려오고 말았다. 한데 휘안의 얼굴은 린지가 예상하지 못한 표정이었다. 분명 그는 화가 나 있거나 증오심에 불타고 있을 거라고 상상했다. 한데…….

"이제 불편한 데 없지?"

그대로였다. 마지막 날, 그의 손을 뿌리치고 예르시카의 허벅지에 검을 쑤셔 넣기 전 그녀에게 보여 주었던 표정 그대로였다. 환한 미소와 사랑스럽게 바라보는 눈빛까지 똑같아서 린지는 무어라 말해야 할지 알 수 없었다.

"지금 무슨 짓을 하고 계신 겁니까."

결국 그녀가 꺼낸 첫마디는 이것이었다. 그녀의 떨리는 음성을 들은 휘안은 마치 노래를 감상하듯 눈을 감았다.

"목소리 예쁘다."

"……!"

"이게 너의 진짜 목소리구나. 정말 예뻐."

린지는 얼굴을 붉히며 입술을 깨물었다. 목소리가 예쁘다니, 이제 와 그런 대사를 내뱉는 휘안이 믿기지 않았다. 물론 그동안 목소리 변조 물약으로 허스키한 남성의 목소리를 내뱉긴 했지만-.

'지금 무슨 얘길 하는 거야. 난 널 배신했다고!'

이제 알고 있을 텐데, 아주 잘 알고 있을 텐데…….

'난 널 배신했단 말이야.'

그런데 왜 변함없는 미소를 보여 주는 건지 이해할 수 없었다. 린지는 뜨거운 무언가가 금방이라도 울컥 터질 것 같은 기분에 주먹을 꽉 말아 쥐었다.

"배고프지?"

휘안은 미소 지으며 미리 준비해 놓은 음식을 내밀었다. 막 구운 노릇노릇한 빵과 샌드위치, 그리고 흰 우유가 담긴 유리병이었다. 린지는 그가 건네주는 음식을 저도 모르게 받아 들었다.

"네가 좋아하는 거야. 기억나지, 그렇지?"

휘안은 마치 그녀에게 주문을 걸듯 말했다. 기억……나지 않을 리 없다. 도리어 너무나도 선명해서 눈앞에 생생하게 그려졌다. 휘안과 정원의 피크닉에 나갔다가 먹은 샌드위치, 그날 비가 쏟아져서 린지는 홀딱 젖고 말았다. 그리고 휘안과 함께 등산 갔을 때도 비를 피해 들어간 산장에서 이 샌드위치를 먹었었다. 그러고 보니 두 번 다 비와 관련이 있었다.

"특별히 그때 그 요리사에게 똑같이 만들어 달라고 부탁했어."

"……."

"어서 먹어."

린지는 먹지 않았다. 그녀가 침대 옆 선반 위로 샌드위치와 우유를 내려놓자 휘안은 아쉬운 듯 웃었다.

"그래, 입맛 없으면 나중에 먹어."

"어떻게."

휘안의 부드러운 음성이 끝나는 순간, 린지의 목소리가 따라붙었다. 그와 대비되는 차갑고 딱딱한 목소리였다.

"절 어떻게 찾으신 겁니까?"

예전과 같아서는 안 돼. 휘안이 그렇게 대할지라도 자신은 그래선 안 된다. 그의 옆은 자신이 있을 자리가 아니므로, 더 이상 그녀는 휘안에게 호의적일 수 없었다. 그래서 린지는 있는 용기를 모두 짜내어 사납게 말했다.

"아아, 정말 목소리 예쁘네. 계속 말해 봐."

"……."

하지만 휘안은 마치 꾀꼬리의 음성을 듣는 양 짙게 웃음을 지었다. 심지어 귀까지 쫑긋거리며 고개를 기울이자, 순간 린지는 어이가 없어져서 인상을 팍 찡그렸다.

"절 어떻게 찾으셨냐고 물었습니다."

"응, 응. 그거야 사랑의 힘으로 찾았지. 다른 이야기도 해 봐."

"뭐, 뭐라고요? 지금 장난하십니까?"

순간 휘안이 감상하듯 감았던 눈을 번쩍 뜨더니 린지에게 가까이 다가왔다. 그리고 두 뺨을 꼬집듯 잡으며 이리저리 흔들었다.

"아이고, 귀여워라. 이렇게 귀엽고 예쁜 목소리를 지금까지 감추다니, 정말 너무해!"

"으, 으ㄱㄴ으으!"

이거 놔줘요! 라고 말했으나 휘안에게 뺨이 잡혀 이상한 소리를 내고 말았다. 순간 휘안은 못 참겠다는 듯 그녀를 꽉 끌어안고 머리를 쓰다듬었다.

"......!"

깜짝 놀란 린지가 아무런 반응도 못 하자 휘안은 그녀를 더더욱 강하게 끌어안았다. 그리고 행복에 겨운 목소리로 중얼거렸다.

"정말 귀여워. 사랑스러워."

어째서일까. 린지는 이해할 수 없었다. 지금 자신을 끌어안고 사랑을 속삭이는 이자의 머릿속을 눈곱만큼도 알 수 없었다. 아무것도 이해가 되지 않아서 그를 밀쳐 내야 한다는 생각조차 할 수 없었다.

'내가 밉지도 않아?'

원망의 말 한마디 않는 휘안이 바보 같았다. 동시에 눈물이 쏟아질 것만 같은 기분이 들어 그녀는 저도 모르게 손을 들어 올렸다. 그리고 그의 옷깃을 마주 잡으려는 찰나.

'린지.'

린지의 손이 굳었다. 마치 심해 속에서 울리는 듯한 유시젠의 목소리에 린지는 눈을 번쩍 떴다. 뜨겁게 휘몰아쳤던 감정이 순식간에 가라앉는 것이 느껴졌다.

"......놔주세요."

린지가 밀어내자 휘안은 순순히 떨어졌다. 그는 입술을 깨물고 고개를 푹 수그린 린지를 보며 여전히 미소 지었다.

"정말로 목소리가 너무 예뻐. 이제라도 네 진짜 목소리를 들어서 기분이 좋아."

"전 다신 뵐 일이 없길 바랐습니다."

그녀는 마음을 강하게 먹으며 말했다. 그리고 천천히 고개를 들어 올려 휘안의 보라색 눈동자를 매섭게 쏘아보았다. 단 한 번도 그에게 보여 주지 않은 표정이었다.

"당신을 다시 보게 되니 끔찍하군요."

"……."

아니, 끔찍한 것은 내 마음이다. 린지는 그 문장을 깔끔하게 마무리하는 순간, 심장 한구석이 찢어지는 듯한 통증을 느꼈다. 하지만 그녀는 칼날 같은 표정을 유지하며 휘안을 노려보았다. 눈빛에는 단 한 줌의 동요도 없었다. 하지만 그것은 휘안도 마찬가지였다. 그는 린지의 독설에도 불구하고 처음과 다름없이 담담한 표정이었다. 문득 린지는 그의 얼굴에서 느껴지는 여유를 읽었다.

"그래? 정말 아쉽네. 하지만 난 너무 행복해서 미칠 것 같아."

휘안은 그녀의 사나운 눈빛을 대수롭지 않게 받아들이며 받아쳤다.

"널 다시 보게 돼서 너무 좋아, 린지안. 아니, 린지. 난 네 진짜 이름을 알게 돼서 좋고, 목소리를 듣게 돼서 좋아."

"……."

"내가 내린 결론은 그거야."

그는 마치 한 마리 맹수처럼 자신을 노려보는 린지를 따스하게 바라보았다. 린지가 보여 주는 공격적인 기세는 그에게 단 한 줌도 흡수되고 있지 않았다.

"나는 네가 내 곁에 있는 것이 좋아. 너도 그것을 좋아하길 바라지만, 싫어하더라도 어쩔 수 없어."

"그게 무슨 소립니까."

"네 의사는 중요하지 않다는 소리야."

담담하게 말하는 그 목소리에 금이 갔다. 린지는 처음으로 휘안의 얼굴에 틈이 생긴 것을 보았다. 완벽하게 미소 짓는 그 얼굴 너머로 보이는 감정에 린지는 자신이 착각했다는 것을 깨달았다. 그가 변하지 않았다고, 바보 같을 정도로 그대로일 거라고 생각했지만…….

"더 이상 나에겐 네가 싫든 좋든 중요하지 않아. 이젠 내 마음대로 할 테니까."

휘안이 입꼬리를 올려 웃음을 만들어 보였다. 너무나도 아름다운, 그리고 시릴 만큼 차가운 그 미소를 보며 린지의 등에 소름이 돋아 올랐다. 그녀는 뒤늦게 자신이 마비약에 젖어 있었던 사실을 기억해 냈다. 그것은 휘안이 고의적으로 한 일이리라.

그녀를 잡아 두기 위해, 도망가지 못하게 만들려고…….

"도망가지 마, 린지."

휘안은 상냥하게 말하며 그녀의 얼굴을 들어 올렸다. 그리고 그녀의 눈동자를 들여다보며 부드럽게 경고했다.

"도망가면 또 잡으러 갈 거니까."

그날, 하루 종일 휘안의 얼굴에서 웃음이 떠나지 않았다. 그가 웃자 성안의 모든 사람이 행복해했다. 르카플로네 백작령의 시민들 모두가 백작을 사랑하고 존경했기에 그의 행복은 그들의 행복이나 마찬가지였다. 성안에서 일하는 고용인들 모두 백작령의 시민들이므로 그들은 백작의 미소에 열렬히 반응했다.

"기분 굉장히 좋아 보이셔."

"응, 요 며칠 상태가 안 좋으셨는데……."

"무슨 일이 있으신 걸까?"

"글쎄. 하지만 그게 뭐든 백작님께서 행복해하시니 나도 좋아."

백작은 멀리서 그를 훔쳐보는 시녀들의 속삭임을 들었다. 그녀들은 설마 백작이 다 듣고 있을 거라고는 생각하지 못하겠지만, 그의 청력은 상상 이상이었다. 휘안은 자신의 집무실에서 처리해야 할 서류를 훑어보았다. 요 며칠 동안 수북이 쌓여 그의 결재만을 기다려 온 서류였다. 백작령으로 독립했기에 해야 할 일투성이었지만 휘안은 대부분 다 뒤로 미뤄 놓고 단 하나에만 파고들었다. 도망간 시종의 정체를 파악하고 다시 데려오는 일.

서류를 읽어 내리던 휘안은 문득 자신의 방 안에 있을 린지를 떠올리고는 미소를 지었다. 그동안 그의 눈앞을 캄캄하게 만들었던 문제가 해결되었다. 자신의 곁을 떠난 자를 도로 잡아 왔으니 더 이상 휘안은 우울하지 않았다.

'선물하길 정말 잘했어.'

혹시나 하는 마음에 불안해서 만든 선물, 연금술로 만든 아쿠아마린 팔찌는 린지의 위치를 알려 주는 지표였다. 만약 그것을 선물하지 않았더라면 린지의 행방을 찾아내는 것이 조금 더 오래 걸렸을 것이다.

'하지만 반드시 찾아냈을 거야.'

휘안은 흥얼거리며 서류에 사인을 휘갈겼다. 팔찌가 시간을 단축시켜 주었을 뿐, 어차피 린지는 자신이 되찾아 올 사람이었다.

그때 문을 두드리는 노크 소리와 함께 예르시카가 안으로 들어왔다. 목발을 짚고 절룩거리며 걸어온 예르시카는 고개를 숙여 인사를 건넸다.

"예르시카, 왔어? 어서 앉아."

"네."

그녀는 덤덤하게 대답하며 소파에 앉았다. 처음엔 불편해하더니 이제는 제법 익숙하게 목발을 사용하는 예르시카였다. 휘안은 미리 준비시켜 놓은 홍차를 직접 따라 주며 걱정스레 물었다.

"다리는 좀 어때?"

"괜찮아져 가고 있습니다."

"그래? 통증은?"

"거의 없습니다. 걱정하지 않으셔도 됩니다, 백작님."

예르시카의 말대로 상처는 생각보다 깊지 않았다. 린지가 의도했듯 그녀가 찌른 부위는 손상이 가장 적을 부분이었다. 하지만 그것은 검이었다. 살상을 위해 만들어진 무기는 원하든 원하지 않든 피와 고통을 수반하기 마련. 예르시카는 많은 피를 흘렸고 때때로는 통증으로 인해 진통제를 투여해야 했다.

휘안 역시 그 사실을 매우 잘 알고 있었기에 다시 한 번 물었다.

"내가 낫게 해 줄 수 있어."

"……."

그의 말에 예르시카는 입을 꾹 다물었다. 휘안의 연금술이라면 그녀의 다리를 쉽게 고칠 수 있는 약을 제조할 수 있으리라. 하지만 예르시카는 항상 침묵으로 대신 답했다.

"연금술 없이도 충분히 나을 수 있는 상처입니다. 비록 시간이 더 걸리긴 하겠지만……."

"알겠어. 하지만 마음이 바뀌면 언제든지 말해, 예르시카."

휘안의 목소리는 그녀를 진심으로 걱정하고 있는 것처럼 들렸다. 아니, 실제로도 그러했다. 그는 상처를 입은 예르시카를 굉장히 걱정하고 있었지만…….

'그럼에도 불구하고 그 녀석을 데려오셨다.'

때문에 휘안의 걱정은 예르시카의 가슴에 닿지 않았다. 그날, 린지가 배신하고 도망간 날 예르시카는 내심 잘됐다고 생각했다. 비록 자신이 다치긴 했지만 이것으로 다 끝났다고, 이제 아무런 걱정 없이 휘안의 곁에서 그를 보필하면 된다고 생각한 것이다.

하지만 예르시카는 휘안의 마음을 과소평가했다. 린지에 대한 그의 마음은 거의 집착으로 변모한 것처럼 보였다. 그는 거의 잠도 자지 않고 린지의 위치를 추적했고 왕세자의 궁에 있다는 사실을 알아내었다. 그리고 철저한 확인 사살을 위해 집사였던 자를 찾아내 그의 입에서 수많은 진실을 캐내었다. 물론 그 과정에서 레너드에 대한 정보도 여럿 나왔기에 꽤나 성과 많은 고문이었다.

위치를 추적한 끝에 왕세자의 궁, 그것도 그의 침실에 며칠째 머문다는 사실을 알아낸 휘안은 표정을 잃었다. 남녀가 침실에서 동침한다는 것, 그들이 그저 단순한 주종 관계가 아니라는 뜻이었다. 예르시카 역시 왕세자와 린지가 은밀한 사이일 거라고 추측했다. 그럼에도 불구하고 휘안은 포기하지 않았다. 그는 결국 린지를 다시 이 성으로 데려왔다. 그가 느끼고 있을 안도감이 예르시카에게 느껴질 정도였다.

'하지만 이건 아니야. 이건 옳지 않다고.'

예르시카는 휘안을 똑바로 쳐다보았다. 배신한 사람을 다시 데려와 곁에 묶어 두는 것, 그것은 휘안에게 독이 될 일이었다. 항상 총명했던 휘안이 사리 판단을 못 하는 것처럼 느껴져 예르시카는 더 이상 견딜 수 없었다.

"그 녀석을 계속 데리고 있을 생각입니까?"

휘안은 그녀가 말하는 '그 녀석'이 누군지 바로 눈치챘다. 그는 부드럽게 웃으며 그녀에게 알려 주었다.

"본명은 린지 아즈벨이래. 린지안 아르즈벨이랑 굉장히 비슷해서 낯선 느낌은 아니야, 그치?"

"……휘안 님."

배신자의 본명을 이야기하며 들뜬 미소를 짓다니…… 그 비이성적인 모습에 예르시카의 마음이 암울하게 물들었다. 휘안은 이런 사람이 아니었다. 감정에 취해 현명한 판단을 내리지 못하고 비상식적 행동을 하는, 이런 사람인 적은 단 한 번도 없었다.

예르시카와 하쥰이 휘안을 따르는 것은 비단 그가 레너드를 없앨 수 있는 단 한 사람이기 때문만은 아니었다. 그가 연금술사들을 없애고 실험에서 그들을 구해 주었기 때문만도 아니었다. 그 후에 보여 준 휘안의 침착함, 분노와 증오 속에서도 홀로 휘말리지 않고 실험당한 아이들을 이끌어 준 강인함, 그런 면들이 너무나도 빛이 났던 것이다. 때문에 엘테스의 왕인 하세르쥰이 마음속으로 휘안을 깊이 따르는 것이다.

하지만 지금의 휘안은 그때의 그 현명한 소년이 아니었다. 가족을 잃고 끔찍한 실험을 당했음에도 불구하고 언제나 흔들림 없이 앞을 직시했던 휘안은 없었다.

"제발 원래대로 돌아와 주십시오."

예르시카의 목소리는 처절했다. 그녀는 애원하듯 휘안을 응시하며 간절하게 말했다. 처음으로 전하는 그녀의 깊은 진심이었다.

"제가 아는 휘안 님은 이런 분이 아닙니다. 당신을 배신한 사람을 잡아서 곁에 두려 하는, 그런 판단을 내리시는 분이 아니었단 말입니다."

"……."

"린지 그 녀석은 애초부터 휘안 님의 사람이 아니었습니다. 처음부터 끝까지 거짓된 모습이었던 겁니다. 그런데 왜 아직도 미련을 버리지 못하시고……!"

예르시카는 차마 말을 다 잇지 못했다. 그녀는 거칠어진 숨을 내뱉으며 입을 다물었다. 더 이상 말하지 않았지만 휘안은 그녀가 무슨 말을 하고 싶은지 완전히 알아들었다. 그는 충실한 동료이자 부하의 토로에도 불구하고 빙긋 미소 지었다.

"네가 아는 나는 어떤 사람이지?"

예상치 못한 질문이었다. 예르시카가 아무런 말도 못 하고 얼어붙자 휘안의 미소가 짙어졌다. 그는 키득거리는 웃음을 흘리더니 그녀의 두 눈을 마주 보았다.

"그래, 네 말이 맞아. 네가 아는 나라면 지금쯤 린지가 아닌 레너드를 찾아내 잡았겠지. 그리고 모두의 소망, 우리를 실험한 마지막 연금술사를 없앴을 거야. 그것이 우리, 그리고 실험당해 죽은 아이들 모두를 위한 일이니까."

"……."

예르시카의 손끝이 점차 떨려 왔다. 지금 웃으며 이야기하는 휘안의 모습은 그녀가 처음 보는 종류의 것이었다. 적어도 지금까지 그녀를 대해 왔던 르카플로네 백작의 얼굴이 아니었다. 어쩌면 그것이, 처음으로 예르시카에게 내보이는 진짜 휘안의 본심이었다.

"하지만 그동안 몇 번이나 생각해 봤어. 그 이후는? 더 이상 그 누구에게도 다치지 않을 만큼 강한 기반을 쌓고, 르카플로네를 백작령으로 만들고, 레너드를 죽인 그 이후에 나는 어떻게 될까?"

"……."

"과연 그 이후의 내가 행복해질 수 있을까, 생각해 보았어. 하지만 아무리 상상해 봐도 내가 행복해하는 모습이 떠오르지 않더라고. 어떤 소설책을 봐도 복수가 끝난 뒤에 어떻게 살았는지 나오지 않아. 모두의 염원을 어깨에 얹고 살아온 나인데, 그것을 이루고 나면 나는 어떻게 되는 거지?"

쏟아지는 휘안의 진심 속에서 예르시카는 귀를 막고 싶었다. 두 귀를 틀어막고 그만하라고, 더 이상 듣고 싶지 않다고 소리치고 싶었으나 그녀는 아무것도 할 수 없었다. 오로지 두 손을 경련하듯 떨며 그의 말을 듣는 것 외에 그녀는 아무 반응을 보일 수 없었다.

"하지만 린지를 만나고 나서 알게 됐지. 모든 것이 끝난 후, 내가 행복해지기 위해서는 그 녀석이 필요하다는 것도."

"그건 다 착각입니다."

그녀는 피를 토하는 심정으로 한마디 한마디에 힘을 주어 말했다.

"휘안 님이 느끼셨던 행복, 모두 다 거짓이란 말입니다! 린지 아즈벨, 그 녀석은 배신자라고요! 레란의 왕세자 유시젠, 그의 사람입니다!"

"알아."

긍정의 말과는 달리 휘안의 표정은 태연했다. 가시 돋친 예르시카의 말에서 단 하나의 생채기도 얻지 않은 모습이었다.

"린지를 설득할 거야. 내 옆에 있어 줄 마음이 들 때까지, 일 년이 걸리든 십 년이 걸리든 삼십 년이 걸리든 상관없어."

그렇게 말하는 휘안의 눈동자가 너무나도 단호했다.

"내가 원하는 건 린지 아즈벨 단 하나야. 놓을 수 없어."

결국 예르시카의 눈에서 참아 왔던 눈물이 흘러나왔다. 그녀의 뺨 위로 한 줄기의 눈물이 떨어져 내리는 것을 보면서도 휘안은 흔한 위로 한마디 던지지 않았다. 다만 담담하게 인정했다.

"너의 기대에 미치지 못해서 미안해, 예르시카. 미친 짓으로 보이는 거 알지만 나는 내 자신이 린지를 절대로 포기할 수 없다는 것 또한 잘 알고 있어."

비록 린지 쪽에서 자신을 원치 않더라도 상관없을 만큼, 그는 그녀를 원하고 있었다. 평생 단 한 번도 품어 본 적 없는 뜨거움이었다. 그 누구의 염원도 소망도 아닌 오로지 자신만의 열망, 그것을 가져 보는 것은 태어나 처음이었다.

예르시카와의 대화를 마친 휘안은 다음 스케줄을 실행했다.

그는 르카플로네 성 가장 낮은 지하에 있는, 그 누구도 침범할 수 없게 연금술로 막아 놓은 곳으로 향했다. 그곳은 지하실 전체가 연구실이었다. 휘안이 스위치를 켜는 순간 어두웠던 연구실이 단숨에 밝게 드러났다.

"······."

휘안은 잠시 감상하듯 연구실을 둘러보았다. 그곳은 누군가 본다면 정신을 차릴 수 없을 만큼 복잡하고도 괴이한 곳이었다. 넓디넓은 지하실의 벽 전체가 선반으로 이어져 있었는데, 그 위로는 수많은 플라스크들이 약물을 담고 있었다. 각양각색의 약물들이 든 수백 개의 유리병이 가지런히 진열된 모습들은 질서 정연하면서도 한편으론 그로테스크했다.

하지만 유리병들은 이 기이한 지하실의 일각이었을 뿐, 도저히 정체를 알 수 없는 기괴한 기구들이 사방에 즐비해 있었다. 거대한 유리관 안에서 부글거리는 액체, 그 주위로 마치 벌레의 다리처럼 연결되어 있는 수많은 튜브가 규칙적으로 흔들리며 연기를 내뿜어 냈다. 튜브를 통해 이동된 액체는 유리관의 끝에 맺혀 새로운 액체로 탈바꿈되었다. 이런 기계들이 수십 개씩 늘어져 있었다. 만약 린지가 보았다면 낯설어할 광경은 아니었다. 산맥에서 보았던 레너드의 연구실과 비슷한 분위기였으니까. 다만 그 연구실보다 훨씬 넓고 다양한 재료들로 채워져 있었다.

'마치 악마의 실험실 같군.'

휘안은 그가 며칠에 걸쳐서 만들어 내고 있는 약물을 체크하며 점검했다. 이것은 오로지 이 세상에서 단 두 명, 레너드와 휘안 자신만이 이해할 수 있는 연구였다. 많은 이들이 연금술이란 지푸라기를 몇 번 비비는 것만으로 금을 만들어 내는 것처럼 마술적인 행위일 거라고 생각했지만 사실 그 과정은 과학에 더 가까웠다. 누군가가 본다면 연금술사라기보다는 과학자의 연구실이라고 생각할 테니까.

그는 튜브 관을 움직이고 있는 기계를 체크하더니, 선반 가장 아래에 놓인 자루에서 돌멩이를 꺼내 왔다. 아니, 그것은 돌멩이가 아니었다.

눈부신 광채를 발하는 그것은 신의 광석이라고 불리는 미스릴이었다. 이것이 바로 연금술에 필수인 재료였다. 미스릴이 품고 있는 괴이한 마력을 구체화시켜 끄집어내는 것, 그것이 연금술이었으니까.

휘안은 뜨겁게 끓어오르는 유리관 안으로 돌을 던져 넣었다. 이것으로 이번 연구는 마지막 단계에 접어들었다. 지금 휘안의 연구는, 미스릴을 감지해 낼 수 있는 탐색기를 만들어 내는 것이었다. 그래야만 레너드를 찾아낼 수 있을 테니까.

'레너드는 미스릴을 원해. 그래야만 연금술을 계속할 수 있을 테니까.'

즉 미스릴이 있는 곳을 파헤쳐 보면 레너드 역시 잡을 수 있을 것이다. 그렇기 때문에 휘안은 칼바스 국왕이 레너드에게 넘길 것을 잘 알면서도 미스릴을 팔았다. 휘안은 의자에 털썩 주저앉아 천장을 올려다보았다. 천장 역시 미로처럼 엮여 있는 수많은 튜브들로 뒤덮여 있었다.

'빨리 그날이 오길.'

빨리 그날이 찾아와 다시는 이곳에 올 일이 없기를, 휘안은 마음속으로 중얼거렸다. 이 연구실, 연금술사의 성물을 만들기 위해 찾아올 때면 휘안의 마음은 깊숙한 늪 아래로 가라앉았다. 그는 이곳이 끔찍할 만큼 싫어서 때로는 거칠게 소리를 지른 후 뛰쳐나가고 싶었다.

하지만 그는 단 한 번도 그런 적이 없었다. 속이 울렁거리며 역함이 올라와도, 현기증에 머리가 어지러워도 단 한 번도 도망치지 않았다. 그래야만 목적을 이룰 수 있을 테니까. 증오와 분노로 얼룩져 죽은 실험당한 아이들, 그리고 살아남은 하쥰과 예르시카, 자신의 목적을 이루어야만 하니까…….

'빨리……, 정말 빨리 끝났으면 좋겠어.'

그는 단 한순간도 연금술을 좋아한 적이 없었다. 그 힘으로 인해 두려울 것 없이 강한 그였지만, 이것은 자신을 망치고 가족을 해친 힘이었다. 그는 사실 연금술이 항상 혐오스럽고 두려웠다. 하지만 휘안은 멈출 수 없었다. 이것은 유혹적일 만큼 유용했기에 수많은 사람들의 염원을 등에 지고 있는 그로서는 사용하지 않을 수 없었다. 그리고 애초부터 이 힘 없이는 레너드를 상대할 수도 없었다.

하지만…… 만약에, 아주 만약에. 이 힘이 없었더라면 복수고 뭐고 다 잊고 그냥 평범한 대부분의 사람들처럼, 힘들었던 과거에 고통스러워하면서도 앞날을 위해 살아가지 않았을까.

휘안은 연금술을 하면서, 그리고 집사를 죽이면서, 칼튀루스 후작을 죽이면서, 그 외 필요에 의해 수많은 사람들을 죽이면서 몇 번이나 그렇게 생각했다. 복수를 하려고 하지 않았더라면 그들을 죽일 필요가 없었을 텐데. 불행한 과거는 잊고, 앞을 바라보며 살았더라면 아무도 죽이지 않았을 텐데.

'웃긴 소리. 애초부터 연금술을 몰랐더라면 그 실험에서 빠져나올 수 없었을 거야.'

그는 이 상념이 쓸데없는 생각이라는 것을 아주 잘 알고 있었다. 레너드의 실험으로 생긴 지식과 힘이었지만 동시에 그를 살게 해 준 힘이었다. 만약 이것이 없었더라면 그는 지금쯤 이 자리에 숨 쉬고 있지 못할 것이다. 하지만…….

'그런 상황이 아닐 때 누군가 내게 이런 힘을 준다고 하면, 강력히 거부하고 싶군.'

하지만 그때에는 선택권이 없었지. 휘안은 쓰게 웃으며 자리에서 일어났다. 수증기가 거칠게 뿜어져 나오는 기계의 작은 틈 안으로 손을 집어넣자 뜨끈뜨끈한 돌멩이가 만져졌다.

"조금 더 시간이 필요하군."

그는 기계 안에 약물을 꽂아 넣으며 자리를 털고 일어났다. 휘안은 재킷을 벗고, 뒤이어 셔츠를 풀어 헤쳐 테이블 위에 올려놓았다. 매끈한 상체가 드러나자 휘안은 기계에 연결된 튜브 하나를 들어 올렸다. 그는 튜브 끝 날카로운 바늘을 팔뚝 안으로 쑥 꽂아 넣었다.

그가 하는 유일한 인체 실험, 그것은 스스로에게 하는 것이었다. 그는 몸 안으로 형형색색의 액체들이 빠른 속도로 주입되는 것을 담담히 바라보았다. 이것은 레너드를 대비해 왔던 오래된 실험이었다.

'이 실험이 성공해야 레너드를 대비할 수 있다.'

레너드는 순수하고, 호기심이 넘쳤으며, 동시에 몹시 비열했다. 절대로 정공법으로 달려들 녀석이 아니었다. 레너드의 대표적인 작품은 오래전 백작가의 사람들을 단숨에 죽인 독극물, 그리고 린지를 몇 번이나 조종했던 향초였다. 그 두 가지가 보여 주듯, 레너드는 직접 나서서 두 손을 쓰는 녀석이 아니었다.

잠시 후 휘안은 튜브를 뽑고 자리에서 일어나 옷을 입었다. 그는 최대한 빠른 걸음으로 연구실을 빠져나갔다. 오늘 그가 해야 할 일을 다 끝냈으므로 더 이상 그곳에 있을 필요가 없던 것이다.

'자, 그럼 린지에게 가 볼까.'

자신의 침실에 있을 린지를 떠올리자 휘안의 입가에 미소가 피어올랐다. 갑자기 그녀의 매끄럽고 낭랑한 목소리를 다시 한 번 듣고 싶어 견딜 수 없어졌다. 물론 그녀의 입에서 튀어나올 대사는 험악하고 차갑기 그지없었지만 듣지 못하는 것보다 훨씬 나았다.

'괜찮아. 시간이 흐르면 내게 마음을 열어 줄 거야.'

휘안은 마치 스스로에게 최면을 걸듯 그렇게 중얼거렸다. 실제로 그는 그렇게 믿어 의심치 않았다.

'나를 싫어하진 않으니까, 놓아주지 않을 걸 깨닫고 포기하게 되면 날 받아들일 거야.'

그는 린지와 거의 1여 년에 가까운 시간을 함께했다. 그녀를 개인 시종으로 두어 붙어 다니며 수많은 감정과 생각들을 공유했다. 분명 그녀는 단 한순간도 그의 시종인 적이 없었지만— 그렇다고 해서 린지의 모든 것들이 거짓이었다고는 생각하지 않았다. 아니……, 그렇게 생각하지 않으려 했다. 만약 그렇다 해도 휘안은 믿지 않을 생각이었다.

휘안은 활짝 웃으며 방문을 열었다.

"린지, 나 왔어!"

그리고 달려드는 린지의 몸을 잡아채 빙글 돌려 끌어안았다. 물론 그녀는 기습적으로 공격하기 위함이었지만 휘안에게는 어림도 없었다. 그는 린지를 꽉 끌어안고 머리를 쓰다듬었다.

"우와, 이렇게까지 강렬한 환영의 인사를 해 줄 줄이야!"

"이, 이것 놔! 환영의 인사는 무슨!"

린지는 자신을 꽉 끌어안은 휘안을 발로 차며 밀쳤지만 휘안은 꿈쩍도 하지 않았다. 그가 문을 여는 틈을 타 빠르게 제압할 생각이었는데……!

'젠장, 대체 이 방 뭐야!'

그녀는 하루 종일 이 방에서 꿈짝도 할 수 없었다. 마치 보이지 않는 막이 방을 꽁꽁 둘러싸고 있는 양 창문이나 문에는 접근할 수 없었던 것이다.

"어라, 화가 났네. 린지, 왜 그렇게 뿔이 났어?"

그가 잔뜩 인상을 찡그린 린지의 뺨을 잡자 그녀가 거칠게 뿌리쳤다.

"연금술로 이 방을 막아 놨습니까?"

"응, 당연하지. 안 그러면 도망갈 거잖아."

휘안이 히죽거리자 린지는 허탈한 웃음을 뱉었다.

"연금술을 참으로 유용하게 사용하시는군요."

"응. 어차피 내게 주어진 힘이라면 잘 쓰는 게 맞잖아. 린지, 그래서 지식이 힘이라는 거야. 지식 얘기가 나와서 말인데, 내가 예전에 준 책들 다 읽었어?"

순간 린지는 의아한 표정으로 그를 올려다보았다. 싱글벙글 웃는 그의 눈과 마주치는 순간, 린지는 예전에 그가 독후감을 쓰라고 협박하며 책을 몇 권 건네주었던 것을 떠올렸다. 그리고 동시에 얼굴을 붉히며 소리쳤다.

"지, 지금 그게 무슨 말입니까! 내가 그 책을 왜 읽어야 하는데!"

"왜라니. 독후감 쓰라고 했었잖아. 설마 잘 때 베개로만 쓴 건 아니겠지?"

"……!"

잘 때 베개로만 썼기에 린지는 대답을 할 수 없었다. 그녀가 새빨갛게 얼굴을 붉히며 씩씩대자 휘안이 웃음을 터뜨렸다.

"아하하! 알았어, 알았어. 독후감 쓰라고 하지 않을 테니까 그렇게 부끄러워하지 마."

"누, 누가 부끄러워했단 겁니까!"

"부끄러워했잖아? 분명 책은 한 페이지도 읽지 않았겠지. 그런 자신이 부끄러운 거 아니야?"

"그게 무슨 소립니까! 세 페이지까지는 읽다가 잠이 들었…… 아니 지금 내가 무슨 소리를 하는 거야!"

휘안에게 휘말려 변명을 하려던 린지는 이런 이야기를 하는 자신에게 놀라 빽 소리쳤다. 한 장을 읽든 세 장을 읽든 그것이 이제 와 뭐가 중요하단 말인가!

'아, 안 돼. 린지 아즈벨, 절대 휘말리지 마! 이런 상황이 돼서도 휘말리면 난 바보 등신이야!'

하지만 그녀는 이미 휘안의 시종으로 일하는 동안 휘말리지 않겠노라고 수백 번의 다짐을 한 전적이 있었다. 물론, 그녀가 휘말리지 않은 적은 단 한 번도 없었다. 린지는 굳게 다짐하며 주먹을 불끈 쥐었다. 그리고 즐겁게 웃고 있는 휘안을 쏘아보며 말했다.

"날 내보내 줘요!"

"싫어. 내가 왜? 겨우 잡아 왔는데."

휘안이 혀를 날름 내밀자 린지는 그의 뒤통수를 치고 싶은 충동을 억누르며 대꾸했다.

"대체 왜 절 잡아 두는 건데요! 난…… 난 당신을 배신했단 말이야!"

린지는 마치 사랑을 고백하는 소녀처럼 새빨개진 얼굴로 소리쳤다. 그 대사를 뱉어 내기가 어려웠는지, 그녀는 한동안 숨을 거칠게 몰아쉬다가 다시 쏘아붙였다.

"난 당신을 배신했다고요, 벌써 잊었어요? 내가 예르시카 경의 허벅지를 찌른 것, 생각 안 납니까?!"

휘안이 그녀를 물끄러미 쳐다보자 린지는 조급함이 밀려와 계속해서 말했다.

"내가 당신의 부하를 공격했단 말이에요! 그뿐입니까? 하준 님 역시 다치셨을 거예요! 제가 있는 힘껏 검등으로 손등을 내리쳤으니까!"

"아, 맞아. 좀 부어서 붕대 감고 다녔었어. 진짜 안 어울려서 웃기더라."

그제야 떠오른 듯 말한 휘안은 갑자기 웃음을 빵 터뜨렸다.

"너 하준 만나면 죽었어, 린지. 너를 죽여 버리겠다고 이를 갈고 있는걸."

"지, 지금 그걸 말이라고 합니까! 당연하죠!"

그게 웃으면서 할 소리냐! 린지가 당황해하며 말하자 휘안이 손가락을 저었다.

"걱정하지 마. 내가 지켜 줄 테니까. 끄응, 그래도 하준이 너 엄청 괴롭힐걸. 머리털 다 밀릴지도 몰라."

린지는 되받아칠 말을 궁리했으나 결국 찾아내지 못했다. 대체 저 핀트 나간 대사에 뭐라고 대꾸하겠는가! 한술 더 떠서 휘안이 눈을 휘둥그레 뜨며 호들갑을 떨었다.

"근데 너 진짜 빠르더라, 린지. 이렇게 가녀린 몸으로 그런 검술은 언제 배운 거야?"

졌다. 완전히 져 버렸다. 린지는 KO패를 인정하며 고개를 푹 숙였다. 하기야 휘안은 이런 녀석이었다. 도저히 자신의 페이스로 대화를 끌고 갈 수 없는 블랙홀 같은 남자! 린지는 자포자기의 심정으로 웅얼거렸다.

"절 보내 주세요. 전 당신을 배신했단 말이에요. 그런데 왜 계속 곁에 두시려고 하는 겁니까……."

내가 밉지도 않은 걸까. 마음을 열고 보내온 믿음을 보기 좋게 부수었는데, 그런데도 왜 원망하지 않는 걸까.

휘안은 미묘한 표정으로 린지를 바라보았다. 푹 숙인 린지의 붉은 머리칼 사이로 새하얀 목덜미가 드러났다. 알 수 없는 표정으로 그녀를 바라보던 휘안은 눈을 위로 굴렸다.

"어떻게 할까."

뜬금없는 말에 린지가 의아한 시선을 던졌다. 그는 흐음, 소리를 내며 짧게 고민하는가 싶더니 단숨에 결정을 내리고 손뼉 쳤다.

"역시 내 마음대로 해야겠다."

시원시원하게 말한 휘안이 불쑥 손을 내뻗었다.

"……!"

휘안의 손이 린지의 얼굴을 감싸 안았다. 그의 얼굴이 가까이 다가오자 린지는 소스라치게 돌라며 고개를 돌렸다. 그리고 그의 가슴을 밀쳐 내려고 했지만, 휘안은 그녀의 얼굴을 잡아 강한 힘으로 잡아당겼다.

"읍."

그의 입술이 거칠게 겹쳐지는 순간, 린지의 눈썹이 움찔 흔들렸다. 린지는 그의 어깨를 강하게 밀치며 고개를 돌렸지만, 휘안의 손이 그녀의 빰을 잡았다.

"······!"

휘안의 손에서 느껴지는 단호함이 린지를 장악했다. 허리를 끌어안은 손, 그녀의 얼굴이 돌아가지 못하게 머리를 붙잡은 손, 그리고 그녀를 탐하는 입술에서 지금껏 느껴 보지 못한 강제성이 느껴졌다. 이렇게까지 거부하는 그녀를 억지로 잡고 입 맞춘 적은 없었던 것이다.

"으읍!"

린지는 옷깃 안으로 단숨에 쑥 파고드는 체온에 깜짝 놀라 몸부림쳤다. 그의 손이 그녀의 맨허리를 휘감아 타고 오르고 있었다. 린지는 있는 힘을 다해 몸부림쳤지만 단 한순간도 그에게서 벗어날 수 없었다.

"시, 싫어요!"

처음으로 휘안의 입술이 떨어지는 순간 린지가 외쳤다. 그렇게 말하는 린지의 목소리는 스스로가 놀랄 정도로 떨리고 있었다. 누가 봐도 노골적으로 두려워하는 음성이었다. 하지만 휘안은 그녀의 거부를 듣지 못한 양 무시했다. 그의 뜨거운 입술이 린지의 뺨을 스쳐 지나가 목덜미에 와 닿았다.

"하지 마!"

순간 휘안의 움직임이 멈췄다. 그 틈을 놓치지 않은 린지가 그에게서 떨어지려는 찰나, 그가 린지를 번쩍 안아 들었다.

"이것 놔!"

린지를 안고 걸어간 휘안이 도착한 곳은 침대 앞이었다. 휘안은 발버둥치는 린지를 가볍게 침대 위에 내려놓고 곧바로 그녀의 몸 위에 올라탔다. 순식간에 묵직한 무게감이 몸을 짓누르자 린지의 입에서 비명이 터졌다.

"이······ 이러지 마세요!"

그가 무엇을 하려고 하는지 알 수 있었다. 지금껏 몇 번이나 그가 원해 왔던 것을 알지만 린지의 허락이 없기에 아쉽게 웃으며 물러났던 것, 지금 휘안은 그것을 원하고 있었다. 이것은 처음 느껴 보는 두려움이었다. 린지는 머리가 터질 것 같은 초조함과 두려움에 발버둥 쳤지만 휘안은 멈추지 않았다. 그가 이렇게까지 강제적으로 나올 거라고는 단 한 번도 상상해 본 적이 없어서, 그래서 더 두려웠다.

그녀를 짓누른 휘안의 손에서 린지의 셔츠가 뜯어졌다. 새하얀 속살이 드러나자 린지는 얼굴을 붉히며 악을 쓰듯 소리쳤다. 있는 힘껏 버르적거리며 발버둥 쳤지만 그럴수록 휘안의 힘은 더더욱 강해졌다.

"하지 말란 말이야!"

그녀의 말 때문은 아니었지만, 휘안은 잠시 행동을 멈추고 상체를 살짝 들어 올렸다. 린지가 그의 눈 안으로 한 번에 담겼다. 달빛이 쏟아지는 새하얀 나신은 마치 백도자기로 빚은 작품처럼 아름다웠다. 그동안 수없이 상상해 왔던 그 모습이 이 현실 속의 육체 앞에서 무참하게 부서졌다.

"아름다워."

그는 솔직하게 말하며 린지의 입술을 찾았다. 하지만 닿는 순간 느껴지는 짜릿한 고통에 휘안은 인상을 찡그리며 물러섰다. 린지가 있는 힘껏 깨문 그의 입술에서 피가 흘러나왔다.

"그만하라고 했잖아요."

린지의 뺨 위로 피가 한 방울 뚝 떨어졌다. 하얀 살결 위로 도드라지는 핏방울이 놀랄 만큼 선정적이었다. 그녀를 내려다보던 휘안의 입가에 위험한 미소가 걸렸다.

"나도 말했어. 이젠 내 마음대로 하겠다고."

다음 순간, 휘안이 그녀의 얼굴을 틀어잡고 다시 입술을 맞췄다. 깨물지 못하도록 턱을 강하게 부여잡는 과격함에 린지의 얼굴이 일그러졌다.

너무나도 고통스러운 입맞춤이었다. 휘안의 비릿한 피가 입 안으로 휘감겨 린지의 입술을 적셨다. 아팠다. 그가 잡고 있는 턱이, 강제로 맞추는 입술이, 그리고 마음이…… 너무나도 아팠다.

그대로인 듯했지만 휘안은 다른 사람처럼 변해 있었다. 원망하지 않는 걸까 생각했던 것은 완벽한 착각이었다. 그의 거친 입맞춤에서, 강제로 몸을 어루만지는 손길에서 뼈저린 분노가 느껴졌다. 린지에 대한 배신감, 분노, 그럼에도 불구하고 필요로 하는 욕망이 그의 손끝에서 전해져 왔다.

'내가 이렇게 만든 거야…….'

본래는 무릎까지 꿇고 용서를 빌던 사람이었다. 선을 넘은 것을 사죄하며 한 번만 용서해 달라고, 다시는 안 그러겠다고, 귀족의 체통이고 뭐고 다 내던지고 무릎을 꿇었던 남자였다. 린지의 기분을 파악해 가며 잘 보이려고 노력하던 남자가 지금 그녀를 완전히 무시하고 짓밟고 있었다. 그녀의 입술과 몸을 강제로 탐하며 무력으로 정복하려는 듯했다.

울지 않으려고 다짐한 마음과는 달리 붉은 눈동자가 물기로 젖어 들었다. 휘안의 손, 입술, 숨결, 그 모든 것이 발악처럼 느껴졌다. 이렇게까지 해서라도 곁에 두고야 말겠다는, 너무나도 처절해서 불쌍하게까지 느껴지는 발악.

흰 뺨 위로 흐르는 눈물에 휘안의 움직임이 멈췄다. 그는 숨을 죽이며 눈물을 흘리는 린지를 바라보다가 그녀의 귓가에 속삭였다.

"그건 진짜 눈물이니?"

나를 속이려는 거지. 그의 눈은 그렇게 말하고 있었다. 휘안은 입꼬리를 올려 미소 지으며 말했다.

"난 더 이상 널 믿지 않아. 그러니 울어도 소용없어."

그것은 진심이었다. 노골적으로 드러나는 불신, 거짓 눈물일 거라는 생각, 위선자를 바라보는 눈빛이 린지를 향했다. 한때는 신뢰로 가득했다는 것이 믿기지 않을 정도였다. 하지만 이것은 린지가 초래한 결과였다.

"대체 내게 왜 이러는 겁니까."

믿지도 않으면서, 이젠 울어도 아무렇지 않으면서 왜 이렇게까지 하는 걸까. 예전과 같지 않은데, 왜…….

그녀의 질문이 휘안의 정곡을 파고들었다. 그는 쓴웃음을 지으며 눈물을 흘리는 린지를 내려다보았다. 린지와 휘안의 두 눈이 마주쳤다. 물에 젖어 부풀어 오른 붉은 눈동자를 보자, 휘안은 결국 참지 못하고 눈물을 닦아 주었다.

"그래도 널 원해."

한 방울씩 떨어진 눈물을 휘안의 손가락이 거두어들였다. 강제적으로 그녀를 안으려는 사람이라고는 믿을 수 없을 만큼 부드러운 손짓이었다.

"그래도 널 사랑해."

그 목소리는 그대로였다. 처음 그녀에게 사랑한다고 고백했던 날과 조금도 변함없는 목소리가 그에게서 흘러나왔다. 휘안은 스스로를 비웃듯 자조적으로 웃으며 말했다.

"네 눈에 우습게 보일 거 알아. 알고 있는데도 널 여전히 사랑해. 널 내 옆에 둘 수 있다면 무슨 짓이든 할 수 있어."

"……."

"내가 계속한다면 네 몸은 가질 수 있어도 마음은 영원히 떠나 버리겠지."

휘안의 입가에 서글픈 미소가 매달렸다. 그는 린지의 두 눈을 바라보다 이마 위로 조심스레 입 맞추었다.

"너에게 미움받을까 봐 겁이 나."

"……."

"앞으로는 내 마음대로 하겠다고 한 말, 거짓말이야. 사실 네가 날 싫어하게 될까 봐 너무 무서워."

왜 보지 못했던 걸까……. 린지의 눈에 비치는 휘안의 얼굴은 상처투성이였다. 그녀, 린지로 인해 얻은 상처로 인해 너무나도 아파하고 또 괴로워하고 있었다. 그 처절한 감정이 그의 미소 뒤로 어른거렸다.

"울지 마. 네가 싫어하는 짓은 하지 않을게."

그의 눈동자에는 물기가 없었다. 입가 역시 미소를 띠고 있었다. 하지만 린지는 그의 슬픔이 흘러내리는 것을 똑똑히 목격했다. 너무나도 커서 그녀의 마음까지 아려 오는 깊은 슬픔이었다.

"네가 앞으로 나를 몇 번을 배신하고 도망간다고 해도 나는 너를 데리고 올 거야. 그러니까 네가 포기해. 포기하고 내 곁에 있어, 린지."

그 슬픔 앞에서 린지는 아무것도 생각할 수 없었다. 한 남자가 그녀의 앞에 있었다. 그녀로 인해 상처받은, 그럼에도 불구하고 사랑을 구걸하는 남자였다. 그리고 이 남자는, 자신이 사랑하는 남자였다…….

린지는 결국 자신을 컨트롤하지 못했다. 마음 깊숙한 곳, 그 누구도 볼 수 없도록 단단하게 묶어 둔 감정이 막을 뚫고 단숨에 터져 나왔다. 홍수처럼 쏟아지는 그 감정들 속에서 린지는 더 이상 버티고 서 있을 수 없었다.

휘안에게 미안했다. 그의 얼굴을 다시 보게 된 순간 무릎을 꿇고 사죄하고 싶을 만큼 너무 미안해서 견딜 수 없었다. 그의 아픔과 행복에 대한 연약한 소망을 다 들어 놓고서, 더 아픈 길로 내몬 자신이 미워서 견딜 수가 없었다. 그리고 그가 너무나도 사랑스러웠다. 그렇게 큰 상처를 주었음에도 불구하고 여전히 자신을 사랑한다고 말하는 그를, 린지는 사랑하고 있었다.

"린지."

그녀가 무너지려는 찰나, 머릿속에서 한 음성이 울려 왔다. 유시젠의 목소리가 들려오는 순간 그녀는 입술을 깨물며 휘안의 시선을 피했다.

"린지, 넌 내 사람이야."

유시젠의 금안이 린지의 눈앞으로 아른거리며 겹쳐졌다.

그녀가 속해 있는 곳은 유시젠이었다. 지금 이 순간에도 그를 위해서라면 언제든 기꺼이 이 목숨을 내던질 수 있었다. 예전에는 이런 결심에 대한 추호의 미련도, 망설임도 없었으나…… 이젠 그 생각 끝에 이어지는 것은 휘안의 얼굴이었다.

언제든지 오라버니를 위해서라면 목숨도 바칠 수 있어, 죽는 것도 아쉽지 않아, 하지만 휘안이 슬퍼하겠지. 그렇게 되면 휘안이 절망하겠지. 휘안을 슬프게 하고 싶지 않았다. 더 이상 이 사람에게 상처를 주고 싶지 않았다. 그에게 준 상처는 배가되어 린지의 가슴을 할퀴고 지나가 숨조차 쉬기 어려웠으니까.

"린지, 날 봐."

휘안이 속삭였으나 린지는 그를 보고 싶지 않았다. 이대로 그의 눈을 봐 버리면 자신이 어떻게 변하게 될지 예상할 수가 없었다.

"린지."

하지만 그를 보지 않는 것이 더 힘들었다. 린지는 그의 보라색 눈동자 안으로 자신의 모습이 투영된 것을 보았다. 한없이 슬픈 얼굴을 한 여인의 표정은 무척이나 어지러웠다. 이렇게 연약한 얼굴을 한 자신을 본 적이 얼마 만인지, 대체 휘안은 왜 자신을 이렇게 만드는 건지…….

그동안 그녀에게 어려운 것은 없었다. 이렇게까지 고민하고 아파할 일도 존재하지 않았다. 지금까지 그녀의 인생은 오로지 유시젠을 위한, 그만을 위한 것이었으니 그 어떤 것도 그녀를 갈등하게 할 수 없었다. 하지만 그 단단한 껍질에 조금씩 균열이 가더니 마침내 작은 틈이 벌어졌다. 그 안으로 비쳐 오는 달콤한 아픔에 린지는 생전 처음, 유시젠이 아닌 자신을 위한 결정을 원했다.

'한 번만…… 단 한 번만…….'

린지의 떨리는 손가락이 휘안의 뺨에 닿았다. 그녀가 손을 뻗자 휘안의 표정이 얼어붙듯 굳었다. 너무나도 놀라 현실임을 깨닫지 못하는 것 같은 얼굴을 보며 린지는 그의 얼굴을 쓰다듬었다.

'한 번만, 내가 원하는 대로…….'

린지는 조심스레 휘안의 머리칼을 어루만졌다. 그 순간에도 그녀는 자신이 휘안에게 손을 내밀었다는 것, 그리고 그의 목을 끌어안고 잡아당겼다는 것을 의식할 수 없었다. 지금 그녀는 그 어느 때보다도 본능적이었고 비이성적이었다. 아무것도 생각하지 않고, 생각할 수 없는 순간.

린지는 휘안을 끌어안고 입술을 맞추었다.

"……."

잠시 놀란 듯 눈을 크게 뜨던 휘안은, 눈을 질끈 감았다. 그리고 처음으로 입술을 맞춰 오는 린지를 조심스레 끌어안았다. 마치 이 순간이 꿈이라도 되는 듯, 휘안은 눈을 뜨지 않았다.

꿈이라면 깨지 않길 바랐다. 처음으로 그녀가 휘안을 먼저 끌어안고 있어서, 그의 머릿속이 새하얗게 물들었다. 휘안은 너무 심장이 쿵쾅거려서 떨리기까지 하는 손가락으로 린지의 머리칼을 휘감았다. 마치 인생을 걸고 찾아 헤맨 보물을 드디어 품게 된 것만 같았다.

"사랑해."

모든 것이 어둠 속으로 가려진 짙은 밤, 누구의 것인지 모를 음성이 달빛을 타고 흩어졌다.

"미친놈."

맹세컨대 하준은, 지금껏 단 한 번도 선을 넘은 말이나 행동을 한 적이 없었다. 휘안은 자신의 친구였다. 그렇지만 친구이기만 한 존재는 아니었다. 그는 아버지에게 버림받은 실험체에 불과했던 자신을 구해 준 구원자이자, 복수라는 바람을 이루어 줄 수 있는 단 한 사람이었다. 그렇기에 하준은 때로 자신의 의견보다는 휘안의 의견을 존중했고, 심지어 그것이 더 옳은 길이라고 믿어 의심치 않았다.

그래서인지 하준은 휘안과 절친한 친구 사이이면서 단 한 번도 그의 선택을 비난하고 나선 적이 없었다. 아무리 거친 이야기를 해도 휘안의 판단을 맹신했으므로.

"너 제정신이냐?"

그렇기에 이것은 하준이 휘안에게 건네는 첫 번째 질책이었다.

엘테스의 국왕으로서 하준은 결코 한가한 사람이 아니었다. 그는 수많은 업무들을 처리하고 왕실 관료들과의 회의에 참여했다. 외교 사절로 온 해외의 사신들을 만나고 이것저것 하다 보면 하루가 금세 지나갔으므로, 하고 싶은 일이 있다면 정신 바짝 차리고 있다가 슬쩍 비는 시간을 냉큼 잡아채야 했던 것이다.

그리고 하준은 오늘 그것에 성공했다. 그는 모처럼 남는 시간에 자신의 방으로 돌아갔다. 모두가 국왕이 휴식을 취하고 있을 거라고 생각했지만, 그는 자신의 방 비밀스러운 통로를 지나쳐 르카플로네 백작령으로 훌쩍 넘어와 있었다. 그의 방과 휘안의 방은 연결되어 있다. 먼 거리에서 살 수밖에 없는 동료를 위해 만든 휘안의 연금술은 굉장히 유용했지만ㅡ.

때로는 심각하게 사생활을 침해했다. 지금, 바로 이 순간처럼.

하준은 휘안의 방과 통하는 문을 슬쩍 열었다. 누군가 있을 수도 있으므로 벌컥 열어젖히는 짓은 하지 않았다.

'어라. 저 녀석, 웬일이야.'

빼꼼 연 문틈 사이로 휘안의 모습이 보였다. 한데 그곳에는 휘안 혼자만이 아니었다. 그는 한 여인을 소중하게 품고 있었던 것이다. 둘 다 나신으로 이불만 덮고 있는 것을 보아하니…….

'드디어 정신 차렸군, 휘안.'

이제야 다시 여자를 만나기 시작하는 모양이다. 등을 돌리고 있어서 보이지 않았지만, 이불 아래로 드러나는 얇은 허리의 선과 야리야리한 등의 굴곡은 여자의 것이 분명했다. 휘안은 그 여인을 끌어안고 잠들어 있었다.

하준은 내심 안도가 되는 것을 느끼며 피식 웃었다. 그는 휘안이 시종 린지안− 아니 린지라는 본명을 가진 배신자를 사랑했다는 것을 잘 알고 있었다. 그리고 그녀가 떠나가고 나서 막대한 충격을 받았다는 것도. 그런데 다시 여자를 만나는 것을 보니 어느 정도 그 후유증을 떨쳐 낸 것이 분명…….

"……."

분명하다, 라고 생각하는 순간이었다. 하준은 문득 여자의 머리칼이 짧다는 것을 눈치챘다. 목덜미를 가볍게 덮을 정도로밖에 내려오지 않았던 것이다. 심지어 그 머리칼이 붉은색이라는 것을 깨달은 하준은 저도 모르게 문을 쾅 열고 나갔다.

"야!"

소스라치게 놀란 여인이 성급히 이불을 끌어 올리는 것이 보였다. 그녀가 등을 돌리자 새하얀 얼굴이 하준의 눈 안으로 들어왔다.

"……!"

린지는 하준의 두 눈이 순식간에 일그러지는 것을 목격했다.

"야, 이…… 이!"

붉은 눈과 마주치는 순간, 얼마 전 얻어맞았던 손등이 시큰거리면서 저려 왔다. 며칠 동안 붕대를 감고 다녀야 할 정도였다. 하쥰은 너무 놀라서 말을 더듬으며 손가락질했다. 저 배은망덕한 거짓말쟁이가, 에르시카에게 칼을 꽂고 휘안의 마음을 부순 배신자가 왜 이곳에 있단 말인가!

"하암. 하쥰, 왔어?"

하쥰이 놀라든 말든 휘안은 느긋하게 하품을 했다. 그리고 옆에 걸린 가운을 걸치며 자리에서 일어났다.

"너무하네. 이런 상황이라면 나중에 와 줘야 하는 거 아냐?"

"야, 야……!"

휘안의 능청스러운 투정에 하쥰은 기가 막혀서 문장을 완성시킬 수 없었다. 물론 다른 여자랑 저러고 있었더라면 하쥰은 못 본 척 다시 자신의 방으로 돌아갔을 것이다. 아니, 누구와 있든 그는 돌아갔을 것이다. 그것이 얼마 전 정체가 드러난 배신자만 아니었다면 말이다. 같이 있는 것만 봐도 충격일 텐데 이렇게 한 침대에서……!

린지는 서둘러 휘안과 똑같은 가운을 몸 위로 걸치고 그 위에 이불을 둘렀다. 휘안과는 달리 린지는 평범한 정신을 가진 여인이었으므로 두 귓불이 시뻘겋게 익어 있었다. 딱 봐도 남자와의 하룻밤을 들킨 순진한 처녀의 반응이었으나…….

'뭐, 뭐야 저건!'

하쥰에겐 충격의 연속이었다. 그는 이 믿기지 않는 상황이 차라리 꿈이길 바라며 눈을 비볐다. 하지만 눈앞의 광경은 화가 날 만큼 그대로였다.

"저 녀석이랑 왜 저러고 있는 거야!"

하쥰이 소리를 지르며 휘안을 노려보았다. 물론 그는 휘안이 린지를 다시 잡아 오기 위해 총력을 기울인다는 것까진 알고 있었다. 거의 그 단서를 잡고 잡아 오기 직전이라는 것 또한, 아주 잘 알고 있었다. 하쥰 역시 휘안이 하루빨리 린지를 잡길 원했다. 하지만 그것은 배신에 대한 응징을 하기 위함이지 휘안과 침대 위에서 뒹굴길 바라서가 아니었다. 그는 머리를 돌로 마구 얻어맞은 것만 같은 충격에 비틀거렸다.

하준은 떨리는 입술을 열어 질문했다.

"너네 잤냐?"

너네 잤냐, 잤냐, 잤냐…….

하준은 자신의 물음이 굉장히 무례하고 노골적이라는 것을 알고 있었지만 확인 사살을 하지 않고서는 참을 수 없었다. 하지만 휘안은 달랐는지 미간을 살짝 좁히며 뒤를 돌아보았다. 딱 보아도 린지의 눈치를 보는 기색이었다.

'뭐야 이 자식! 설마 내 말에 저 배신자 놈이 기분 나빠할까 봐 눈치 보는 거야?'

그 설마는 사실이었다. 린지가 얼굴을 붉히며 당혹스러워하자 휘안은 재빨리 엄격한 눈빛으로 하준을 나무랐다.

"갑자기 그게 무슨 소리야."

잤구먼……. 하준은 이번엔 아까보다 훨씬 더 무거운 돌로 맞은 기분이었다. 그는 멍하니 휘안을 보다가 린지에게 시선을 옮겼다. 그녀는 가시방석에 앉은 양 어쩔 줄 몰라 하고 있었다.

"미친놈. 너 제정신이냐?"

하준은 휘안을 비난하지 않고서는 가만히 있을 수 없었다. 아무리 여자에게 빠져도 그렇지, 한번 배신한 녀석인데……!

"어이, 시종…… 아니, 린지라고 했나. 너도 보통 뻔뻔한 게 아니구나."

비난의 화살이 린지에게 향했다. 그녀의 얼굴이 하얗게 질리자 하준은 또다시 울컥 화가 치밀어 올랐다. 저 묘한 얼굴로 천하의 휘안을 홀렸다가 태연하게 배신하고, 또 아무렇지도 않게 휘안의 품에 안겼다.

"검을 겨눌 땐 언제고 이젠 한 침대를 쓰는 사이가 돼? 네가 무슨 짓을 한지는 알아?!"

당연한 힐난이었다. 하준 역시 린지를, 아니 린지안이라는 시종을 철석같이 믿고 있었으니까. 시종이 떠난 그날 밤 하준은 심장을 저미는 배신감에 뜬눈으로 밤을 지새웠다. 마음이 쓰려서 너무나도 힘든 밤이었다.

"내가 억지로 데려와서 잡아 둔 거야. 린지에게 그러지 마."

휘안이 한술 더 떠 린지를 감싸고 나서야 하준의 말문이 막혔다. 배신하고 간 녀석을 감싸고 자신을 나무라다니, 하준은 괴이한 것을 보듯 휘안을 보았다. 휘안의 머리가 이상해진 게 틀림없다.

"일단 나중에 얘기하자, 하준."

하준은 허탈한 눈으로 휘안을 바라보았다. 하기야 지금 이 상황이 해명을 들을 만한 상황은 아니었다. 둘 다 제대로 옷을 입지 않은 상황이었으니까. 그는 린지를 노려본 후, 등을 획 돌려 자신의 방으로 이어진 문 안으로 들어갔다. 단숨에 엘테스 국으로 돌아온 하준은 문을 쾅 닫으며 벽을 손으로 쳤다. 주먹 쥔 그의 손등이 파르르 경련했다.

'휘안 데 르카플로네, 이 미친 새끼!'

휘안이 시종 린지안에게 눈이 뒤집힐 만큼 빠졌다는 것은 알고 있었다. 하지만 잔인하게 배신당했음에도 불구하고 상관없을 만큼, 이성이 마비될 정도일 줄은 몰랐다. 그는 휘안이 그 지경이 될 거라고는 단 한 번도 상상하지 못했다. 항상 웃고 다녔지만 누구보다 이성적이고 냉정했던 녀석이었는데……!

얼마의 시간이 지났을까. 하준이 혼란의 도가니에 빠져 있는 가운데 문이 슬쩍 열리며 휘안이 나타났다. 그의 얼굴을 본 하준은 또다시 화가 왈칵 치밀어 올라 그를 밀치며 방으로 들어갔다.

"야, 너 이 새끼야!"

가만두지 않겠다. 하준의 머릿속이 린지에 대한 분노로 뒤덮였다. 린지는 옷을 다 챙겨 입고 시무룩한 표정으로 어깨를 축 늘어뜨리고 있었다. 마치 하준이 이렇게 나올 것을 기다리고 있었다는 듯한 얼굴인지라 더 화가 났다. 그는 휘안을 밀치고 린지에게 성큼 다가가 그녀의 멱살을 잡아챘다.

"역겨운 배신자 새끼, 여기가 어디라고 얼굴을 내밀어! 내가 배신하면 죽일 거라고 했지!"

하준의 목소리에서 살기가 터졌다. 당황해서 어쩔 줄 몰라 하는 린지의 붉은 눈동자와 마주치자 더 이상 참을 수 없었다. 그는 아직까지도 그녀가 배신하던 그 순간을 또렷하게 기억했다.

"하준."

린지를 향해 손을 내뻗은 하준을 휘안이 막아섰다. 그의 강경한 두 눈에 하준의 짜증이 더욱 치솟아 올랐다. 그는 휘안의 어깨를 덥석 움켜잡으며 사납게 말했다.

"야, 휘안! 너 미친 거 아니냐!"

"진정해."

"내가 어떻게 진정할 수가 있어! 저 새끼 다시 보는 날엔 반드시 죽이려고 결심했는데!"

"하준."

휘안이 하준의 손목을 잡으며 강한 목소리로 말했다. 그리고 그의 검은색 눈을 똑바로 쳐다보며 한마디 한마디에 힘을 실어 내뱉었다.

"내가 사랑하는 여자야."

"……."

사랑하는 여자……? 그 말에 하준의 표정이 얼어붙었다. 사랑하는 여자라고, 그렇게 내뱉는 말에 모든 분노가 허탈하게 식어 들었다. 그 말에 뭐라고 대답할 수 있을까. 그는 자신의 어떤 말도 휘안에게 닿지 않을 거란 걸 깨달았다.

그때 휘안의 등 뒤에 서 있던 린지가 앞으로 나섰다.

"괜찮습니다, 휘안 님."

린지는 하준의 심정을 이해했다. 사실 이 상황에서 비정상적인 것은 휘안이지 하준이 아니었다. 때문에 그녀는 이것이 휘안의 등 뒤에 숨는다고 해서 해결될 일이 아니라는 것을 알고 있었다. 그녀의 선택에 따른 결과, 그 책임 역시 자신이 져야 할 것이다. 린지는 하준의 눈을 응시하며 말했다.

"죄송합니다."

"……뭐?"

하준의 인상이 일그러졌다. 그가 어이가 없는 듯 되묻자 린지는 침을 꿀꺽 삼키며 다시 말했다.

"그 어떤 말로도 용서가 되지 않는다는 것 알고 있습니다. 용서를 하지 않으셔도, 그 또한 당연하다고 생각하고 있고요. 하지만 죄송하다는 말씀은 꼭 드리고 싶었습니다."

실제로 린지는 하준의 용서를 바라지 않았다. 사실 용서를 받을 생각 또한 없었다. 만약 과거로 돌아가서 같은 상황에 처한다 할지라도 그녀의 선택은 같았으니까.

"……미쳤군. 너도, 휘안도 둘 다 미쳤어."

완전히 전의를 상실한 하준이 중얼거렸다. 배신한 놈을 사랑한답시고 감싸는 휘안이나, 배신해 놓고 그 마음을 받아들인 린지나 둘 다 제정신이 아니었다.

"난 모르겠다. 젠장, 모르겠다고!"

욕설처럼 내뱉은 하준은 등을 획 돌렸다. 그는 엘테스로 향하는 문을 열어 쾅 닫고 사라졌다.

"아아, 역시 하준 많이 화났네. 예상은 했지만 말이야."

휘안이 멋쩍은 웃음을 지으며 린지의 머리를 쓰다듬었다. 그는 문득 린지의 표정이 눈에 띄게 음울해졌다는 것을 깨닫고 물었다.

"린지, 괜찮아?"

"……하준 님의 반응은 당연한 겁니다."

그녀는 차분하게 말하며 휘안을 올려다보았다. 눈부시게 아름다운, 그녀가 처음으로 사랑한 남자. 린지는 이 남자를 사랑했다. 언제부터라고 꼭 집어서 말할 수는 없었지만, 적어도 그를 배신하고 떠나기 전부터 사랑한 것은 확실했다. 그녀는 휘안을 사랑하고 있었다. 그럼에도 불구하고 휘안을 떠났다.

"저는 또다시 그런 상황이 오면 같은 선택을 할 겁니다."

더 이상 그에게 거짓을 말하고 싶지 않았다. 그의 사람인 척, 영원히 곁에 있을 척하면서 그를 떠나는 일은 죽어도 하고 싶지 않았다. 그래서 그녀는 솔직하게 마음을 말했다.

"사랑해요. 하지만 내 삶은 당신의 것이 아니에요."

린지는 휘안의 얼굴이 일그러질 거라고 생각했다. 하지만 그는 그대로였다. 심지어 입가에 미소를 지어 보이며 그녀를 따스하게 바라보기까지 했다. 린지가 당황해하자 휘안이 부드럽게 말했다.

"알아. 너는 사랑을 위해 사는 여자가 아니야."

"……미안해요."

그녀는 무거운 고개를 끄덕였다. 휘안을 사랑하지만, 너무나 사랑하지만— 자신의 삶은 다른 곳을 향해 있다. 만약 그가 반대쪽으로 걷자고 제안하면 린지는 그것을 거부하고 자신의 길을 택할 것이다. 사랑하는 그를 버리는 한이 있더라도.

린지의 중심에는 레란의 왕세자, 유시젠 라이온 빈 레란이 자리해 있었다. 피투성이였던 여덟 살짜리 소녀였던 자신을 구해 주고 삶의 의미를 부여해 준 유시젠은 그때부터 지금까지 줄곧 자신의 주인이었다.

"미친 소리 같지만 그런 점도 좋아."

그렇게 말한 휘안이 피식 웃음을 흘렸다.

"네 생각을 잘 알겠어. 그리고 그것을 존중해. 그러니 너도 내 생각을 존중해 줘. 난 네가 도망가면 다시 잡아서 내 곁에 둘 거야."

휘안과 린지의 시선이 부딪쳤다. 서로를 사랑한다는 마음은 같지만, 결코 타협하지 않는 각자의 결정이 두 사람의 중심에 서 있었다.

그는 린지가 참으로 강철 같은 여자라고 생각했다. 자신이 그 어떤 말을 해도 린지는 결코 굽히지 않을 것이다. 죽음이 코앞에 들이닥쳐도 자신의 결정을 밀고 나갈 여자, 그것이 린지 아즈벨이었다. 때문에 그는 그 어떤 약속도 요구하지 않았다. 애초부터 린지가 약속하지 않을 것임을, 한다고 해도 그것이 거짓이 될 거라는 것을 잘 알고 있으니까.

그럼에도 불구하고 휘안의 행복은 여전했다. 비록 자신의 곁에 계속 있을 생각이 없는 린지지만, 틈을 보이면 훌쩍 떠나 버릴 테지만―.

'그래도.'

그래도 그녀가 자신을 사랑하고 있다는 것, 그것은 진심이었으니까.

"나갈까?"

"……네?"

휘안은 활짝 웃으며 제안했다.

"나가자."

"어, 어디요?"

갑작스런 화제의 전환에 린지가 눈을 동그랗게 떴다. 막상 말했지만 딱히 장소를 정해 놓지 않은 휘안은 잠시 눈을 굴려 생각했다.

"어디든."

"……."

"맛있는 거 먹으러 가자."

너무나 환하게 웃으며 하는 말이었기에 린지는 저도 모르게 고개를 끄덕였다. 휘안은 그런 그녀를 빤히 바라보더니 고심하는 듯 턱에 손을 괴었다.

"그러고 보니 린지 옷이 없네."

"아, 아뇨. 시종복이면 됩니다."

린지는 불길한 예감을 느끼며 손사래 쳤다. 시종복이면 충분했다. 사실, 시종복이 제일 마땅하다고 생각했다. 그는 어디를 가도 이목을 끄는 인물이었고 그 곁을 따라다니는 것은 시종이 제일 적합했던 것이다. 정체불명의 선머슴 같은 여자가 졸졸 쫓아다니는 꼴을 보여 주고 싶지 않았다. 하지만 휘안은 미간을 좁히며 단호하게 손을 저었다.

"무슨 소리. 린지처럼 예쁘고 아름다운 여자에게 남자 옷이 어울릴 리가."

"얼씨구."

린지는 저도 모르게 피식 웃음을 흘리며 반박했다.

"거짓말 마세요. 최근까지 남자라고 철석같이 믿고 있었으면서."

"그야 린지가 내게 거짓말을 할 거라고는 생각 안 해서였지."

"……."

순간 말문이 막힌 린지를 보며 휘안이 장난스레 말을 이었다.

"그동안 몇 번이나 이상하다고 생각했었어. 허리도 너무 얇고 뼈도 가늘고, 만지면 만질수록 여자 같았거든."

"표, 표현을 왜 그렇게 하십니까! 만지면 만질수록이라뇨!"

린지의 얼굴이 붉어지자 휘안이 히죽 웃었다.

"사실이잖아."

"……."

"누가 봐도 이렇게 예쁜 여자인데."

휘안의 낯간지러운 말에 린지는 결국 아까와는 다른 의미로 얼굴을 붉혔다. 그런 그녀를 사랑스럽다는 눈빛으로 본 휘안이 손뼉을 부딪쳤다.

"그럼 옷부터 사러 갈까?"

"네, 네에?"

"자, 가자!"

린지는 휘안의 손에 이끌려 발걸음을 옮겼다.

"오, 그거 좋은데."

"이것도 좋아."

"역시 이게 제일 좋은 것 같아."

휘안의 이어지는 칭찬에 린지의 어깨가 파르르 떨렸다. 지금 그녀는 휘안의 손에 이끌려 그가 소유한 백화점 여성복 매장에 와 있었다. 저번과 마찬가지로 휘안이 온다는 소식에 백화점은 다른 손님을 받지 않고 비워 놓은 상태였다.

싱글벙글한 휘안은 마치 날개가 자란 양 수많은 옷들을 가져와 린지에게 내밀었다. 결국 린지는 마치 인형 놀이를 당하는 인형처럼 그가 권하는 옷들을 입어 보았다.

"이 정도면 됐잖아요!"

열다섯 번째로 옷을 입고 나오자 휘안은 또다시 박수를 치며 감탄했다. 그리고 어디서 또 골라 온 옷을 내밀며 입어 볼 것을 권했던 것이다. 결국 린지는 참지 못하고 소리쳤다.

"무슨 소리야. 이것도 입어 봐야지."

"싫어, 더 이상은 못 입어요!"

여자 옷을 입는 것에 익숙지 않은 린지였기에 처음엔 재밌었다. 하지만 여기서 제재를 가하지 않으면 휘안은 오십 벌은 더 입혀 볼 기세였다. 린지의 단호한 눈빛을 읽은 휘안은 아쉬운 듯 어깨를 으쓱였다.

"어쩔 수 없지. 오늘은 여기까지 할까?"

다음에 또 데려오겠다는 불굴의 의지에 린지는 치가 떨렸다. 그녀는 애꿎은 땅을 톡톡 차며 중얼거렸다.

"머리가 짧아서 여성복은 어울리지 않는다고요."

여기서 가발을 쓰거나 머리를 붙인다면 모를까, 지금 린지는 짧은 머리였다. 그나마 꽤 길어서 어깨에 슬쩍 닿을 듯 말 듯 닿지 않는 커트머리였던 것이다. 누가 봐도 여자라기보다는 남자의 머리에 가까웠다.

"아닌데? 굉장히 어울려. 쇼트커트가 이렇게 잘 어울릴 수 있는 여자도 드물 거야."

휘안은 진심으로 말했다. 이렇게 짧게 잘랐는데도 여전히 예쁘게 잘 소화해 내는 여자가 어디에 있겠는가? 휘안은 웃으며 린지의 머리칼을 어루만졌다.

"긴 머리도 예쁘지만 난 지금도 좋아. 세련돼 보이는걸."

가발을 쓰고 머리를 붙였을 때 린지는 굉장히 아름다웠다. 지금보다 훨씬 더 고혹적인 여성미가 물씬 풍겨나, 이미지가 다른 사람처럼 확 달라졌었다. 하지만 휘안은 진심으로 지금 린지의 머리 스타일이 좋았다.

"몰라요. 원래는 긴 머리였는데……."

어쩐지 부끄러워진 린지는 저도 모르게 투덜거렸다.

"긴 머리였는데 잘랐어요. 자르기 싫었는데."

"뭐든 안 예쁘겠어. 긴 머리도, 쇼트커트도, 단발도 굉장히 잘 어울릴 거야."

이어지는 칭찬에 린지는 귀까지 빨개지기 직전이었다. 생각해 보면,

남자에게 여자로서 외모적인 칭찬을 들어 본 적은 거의 없었던 것이다.

"일단 옷은 여기 있는 거 다 가져가자. 다른 거 필요한 건 없어?"

대수롭지 않게 말하는 휘안의 말에 린지의 눈이 휘둥그레졌다. 지금까지 입어 본 것을 다 사겠다고? 아까 슬쩍 본 가격표에 붙은 숫자에 0이 상당히 많이 붙어 있었다. 린지는 세차게 손사래 치며 고개를 저었다.

"아, 아뇨. 필요 없습니다."

휘안은 린지가 그렇게 대답할 것을 이미 예상하고 있었기에 들은 척도 하지 않았다. 그는 직원에게 옷들을 모두 다 르카플로네 성으로 배달해 줄 것을 부탁한 후 린지를 끌고 나왔다.

"옷을 샀으니 이제 다른 것을 사러 가야지. 구두도 사고 가방도 사고 액세서리도 사고…… 그러고 보니 린지는 화장은 안 하네."

혼자 중얼거리던 휘안이 그녀의 얼굴 앞으로 불쑥 다가왔다. 순간 린지가 놀라 뒷걸음질 치자 휘안이 웃으며 끌어당겼다.

"하기야 피부가 이렇게 좋은데."

"휘안 님!"

린지가 단호하게 부르자 휘안이 발걸음을 딱 멈춰 세웠다. 그의 눈빛은 불만이 가득 넘쳐흐르고 있었다.

"또 필요 없다고 할 생각이지?"

"네?"

자신의 생각을 읽힌 린지가 되묻자 휘안이 말했다.

"네가 무슨 말 하려고 하는지 알아. 이런 거 필요 없으니 됐다고, 사주지 말라고 할 생각이잖아?"

"……네. 그렇습니다만."

그러자 휘안이 손을 뻗어 린지의 뺨을 쭉 잡아당겼다. 린지가 황당한 시선으로 올려다보자 휘안은 한쪽 손을 더 들어 올려 반대쪽 뺨도 잡아당겼다.

"므, 므에여!"

"이제는 좀 편하게 사 줘도 되지 않아?"

휘안은 대놓고 불만스런 웃음을 지어 보이며 뺨을 쭉쭉 잡아당겼다.

"예전에야 뭐, 부담스러울 수 있겠지만 이제 괜찮잖아. 우린 러브러브한 사이인데."

"느그 르브르브르느그으!"

"응? 뭐라고? 안 들려, 안 들려."

누가 러브러브라는 거예요! 라고 말하고 싶었지만 뺨이 잡혀서 제대로 발음이 되지 않았다. 러브러브라니! 그렇게 말한 휘안의 표현력에 린지는 쥐구멍에라도 숨고 싶은 심정이었다. 그런 그녀의 마음을 뻔히 알면서도 휘안은 능청스럽게 뺨을 잡아당겼다.

"애인이 선물 사 주겠다는데 왜 그래?"

애인이라니! 그 생경하고도 부끄러운 단어에 린지의 얼굴이 새빨개졌다. 휘안은 잡고 있는 린지의 양 뺨이 뜨끈해지며 붉어지자 재밌는 듯 키득거렸다.

"왜? 내가 틀린 말 했어? 너는 내 애인이잖아."

아니라고 부정하고 싶은데 부정할 수가 없었다. 서로 사랑하는 사이라는 것을 인정했으니 휘안의 말이 맞았던 것이다. 휘안은 쩔쩔매며 당황해하는 린지를 바라보며 장난스레 덧붙였다.

"할 거 다 해 놓고 이제 와서 시치미 떼기야?"

"……!"

휘안은 선물을 해 주려고 작정한 것이 분명했다. 그의 마지막 말에 린지는 모든 전투 의지를 상실하고 몸을 축 늘어뜨렸다. 그녀의 패배 선언을 받아들인 휘안은 그제야 린지의 뺨을 놓아주며 의기양양하게 웃었다.

"진작 그럴 것이지."

그는 포기한 린지를 이끌고 광란의 쇼핑을 시작했다. 그동안 거절당한 온갖 호의를 이제야 풀겠다는 듯, 그의 눈은 의욕으로 반짝였다.

'그렇게 서운했었나?'

린지는 신이 나서 팔찌와 목걸이를 마구잡이로 사고 있는 휘안을 물 끄러미 응시했다. 마치 한을 푸는 것처럼 눈빛이 빛나고 있었기 때문에 그동안 속에 쌓아 둔 것이 느껴졌던 것이다. 하긴, 쓸데없는 호의는 받고 싶지 않았던 린지 덕에 그는 무수한 거절을 맛보았다. 이거 해 준다 그래도 싫고, 저거 해 준다 그래도 싫다고 했던 린지였으니까.

정말로 어린 소년처럼 순수하게 좋아하는 모습인지라 린지는 결국 참지 못하고 미소를 지었다. 그 후로도 휘안의 쇼핑은 계속되었다. 머리부터 발끝까지 휘안의 선물로 치장된 린지는 거울을 빤히 쳐다보았다.

'어색해.'

몸에 타이트하게 달라붙은 검은 원피스와 그 위에 새하얀 롱코트를 걸치고 있는 자신의 모습이 어색했다. 유행에 민감한 세련된 귀족 영애 같은 차림새였기에 린지는 거울을 오래 쳐다볼 수 없었다. 매번 느끼는 거지만, 이런 차림을 할 때의 자신이 몹시 낯설었던 것이다. 고개를 돌리자 휘안이 직접 달아 준 귀고리가 달랑거리며 흔들렸다. 휘안은 어색해하는 린지를 바라보다가 어깨에 손을 올려 끌어안았다.

"혹시 마음에 안 들어?"

"네?"

"좋아하지 않는 것 같아서."

역시 그는 눈치 빠르게 린지의 마음을 읽어 냈다. 그의 말에 린지는 바로 대답하지 않고 머뭇거렸다.

"그런 건 아니에요."

사실이었다. 이렇게 누가 봐도 여성스러운 옷차림을 싫어하는 건 절대 아니었다. 아니, 오히려 좋아했다. 결국 린지도 20대 초반의 젊은 여성이었다. 이렇게 여성미가 돋보이는 옷을 싫어할 리가 없었다.

"좋아해요. 하지만 내 옷이 아닌 다른 사람의 옷을 입은 기분이라."

그녀의 말에서 지금껏 평범한 여성복과는 동떨어진 삶을 살아온 것이 느껴졌다. 휘안은 묻는 대신 아무 말 없이 그녀의 머리카락을 쓰다듬었다.

"그럼 가자."

"이번엔 또 어디를요?"

휘안이 기다렸다는 듯 씩 웃으며 말했다.

"맛있는 거 먹어야지."

그들은 마차를 타고 달려갔다. 한동안 달려서 도착한 곳은 르카플로네 백작령에서 제일 외곽 쪽에 위치한 숲이었다.

"역시 여긴 참 예쁘네요."

이곳은 린지가 한번 와 봤던 장소였다. 숲 안에는 휘안의 개인 별장이 있었는데, 새하얀 자작나무들 사이에 둘러싸인 아담한 집이었다. 자작나무와 어울리듯 백색의 집과 그와 대비되는 새빨간 지붕이 마치 오래된 이야기책 속의 삽화 같았다.

집 안으로 들어온 린지는 주위를 두리번거리며 내부를 살펴보았다. 마지막으로 왔을 때와 똑같은 모습에 린지는 왠지 모를 향수를 느끼며 저도 모르게 웃었다. 그러고 보니 이곳에서 목욕을 하다가 휘안에게 들킬 뻔했던 아찔했던 기억이 있었다.

"그런데 여긴 왜 온 거예요?"

"그냥. 같이 또 와 보고 싶었거든."

마치 굉장히 한가한 나날을 보내는 사람 같은 말이었지만 린지는 휘안이 얼마나 바쁜지 잘 알고 있었다.

"거짓말하지 마세요. 워낙 바쁘신 분이 이렇게 시간 내서 여기까지 오신 이유가 있을 거 아니에요?"

린지가 눈을 가느다랗게 뜨며 추궁하자 휘안이 그녀를 돌아보았다. 그리고 그녀를 물끄러미 바라보더니, 문득 손을 들어 올려 머리를 헤집었다.

"하, 하지 마세요!"

"싫은데요, 린지 님?"

도망가는 린지를 쫓아가 머리를 마구잡이로 헝클어뜨린 휘안은 그녀의 머리가 산발이 되고 나서야 풀어 주었다. 린지는 화가 잔뜩 나 씩씩거리며 휘안을 노려보았다. 휘안은 그 모습 어디에서 사랑스러움을 느꼈는지, 귀여워 죽겠다는 눈으로 린지의 뺨을 꼬집었다.

"이 표정 진짜 귀여운 것 같아."

"뭐, 뭐라고요?"

"눈 날카롭게 뜨고 올려다볼 때 정말 귀여워서 죽겠어. 그동안 이렇게 쳐다볼 때마다 끌어안고 싶은 걸 내가 얼마나 참았는지 알아?"

그렇게 말한 휘안은 린지의 팔을 끌어당겨 와락 안았다. 그의 품 안에 안긴 린지는 부끄러움과 어색함이 동시에 밀려오는 것을 느끼며 나지막이 투덜거렸다.

"어, 언제 참으셨다고 그래요. 시종 일 할 때도 마구잡이로 끌어안으셨거든요."

"그것도 내 딴엔 참은 거였어. 사실은 뽀뽀도 찐하게 하고 싶었다고."

"그랬다가는 저한테 맞으셨을 겁니다."

"응, 그래서 안 하고 참았었잖아."

그의 듣기 좋은 저음이 바로 옆에서 울려오자 린지의 가슴이 두근거리기 시작했다. 동시에 규칙적으로 들려오는 그의 심장 소리가 마치 자신의 것처럼 느껴졌다.

"그리고 거짓말 아니야. 그냥 너와 다시 함께 와 보고 싶었어."

휘안은 린지의 머리를 다시 한 번 헝클어뜨리며 해맑게 웃었다.

"이제 밥 먹자. 배고프지?"

휘안은 린지를 식탁 의자에 억지로 앉힌 뒤 부엌을 뒤적거리더니 앞치마를 꺼내 입었다. 새하얀 앞치마를 두른 휘안의 모습에 린지는 기겁하며 자리에서 벌떡 일어났다.

"아, 아뇨! 괜찮습니다. 제가 할게요!"

라고 말하는 순간 린지는 예전에도 이런 대사를 한 적이 있다는 것을 기억해 냈다. 저번에 휘안과 이곳에 왔을 때도 이런 이야기를 꺼냈다가, 결국 자신이 할 줄 아는 요리가 없다는 사실을 깨닫고 얌전히 앉아 기다렸던 것이다. 휘안은 시시각각 변하는 린지의 표정을 지켜보다가 웃으면서 의자를 가리켰다.

"린지. 어서 앉아."

"……설거지는 제가 하겠습니다."

"이 별장 관리인이 해 줄 거야. 그러니까 가만히 앉아서 기다려 주세요, 린지 양."

린지는 가시방석에 앉은 기분으로 그의 뒷모습을 바라보았다. 셔츠 소매를 걷어붙이고 야채를 써는 그는 뭐가 그렇게 즐거운지 콧노래까지 흥얼거렸다.

'……아, 죽겠네.'

능숙하게 요리하는 그의 넓은 등을 바라보는 린지의 심장이 또다시 뛰기 시작했다. 뿐만 아니라 그에게 다가가 등을 끌어안고 싶은 생각까지 들어서 린지는 서둘러 얼굴을 부채질했다. 보나마나 얼굴이 새빨갛게 달아올라 있을 것이다.

'왜 저렇게 멋있냐, 진짜.'

앞치마를 두르고 셔츠를 걷어 올린 채 요리하는 모습이 굉장히 섹시했다. 린지는 걷은 셔츠 사이로 드러난 그의 탄탄한 팔과 돋아 오른 힘줄에 시선을 빼앗겼다. 순간, 저도 모르게 어젯밤 보낸 휘안과의 밤이 머릿속을 스쳐 지나갔다.

'끄아아아아!'

린지는 속으로 비명을 지르며 머리를 부여잡았다. 심장이 미친 듯이 뛰어서 튀어나오는 게 아닐까 걱정될 정도였다.

'내, 내가 무슨 생각을 하는 거야. 미쳤나 봐!'

그녀는 머릿속을 점령한 음란 마귀를 털어 내기 위해 머리를 획획 흔들었다. 하지만 한번 떠오르기 시작한 기억들은 멈추지 않고 마구잡이로 머릿속을 휘저었다. 어젯밤 휘안은 정말이지……. 그동안 여자들이 휘안에게 혼이 쏙 빠져서 정신 차리지 못하고 쫓아다닌 것을 비로소 이해하게 된 린지였다.

'아, 진정하자, 린지. 하여튼 멋있어. 진짜 멋있어.'

린지는 뜨거워진 얼굴을 손으로 감싸며 휘안의 뒷모습을 바라보았다. 휘안은 정말이지 너무 멋있어서 멋있다는 말로도 표현할 수가 없었다. 이렇게 가만히 등을 바라보는 것만으로도 설레었던 것이다.

좋았다. 그가 너무나도 좋아서, 린지는 가만히 자리에 앉아 있는 것이 힘들었다. 그에게 다가가 등에 얼굴을 묻고 싶은 욕망이 가슴을 간질이며 피어올랐던 것이다.

'휘안이 정말 좋아. 난 저 사람을 사랑해.'

어젯밤, 휘안에게 안겼던 그 선택이 후회되지 않을 만큼 그를 사랑하고 있었다. 한껏 부풀어 올라 금방이라도 하늘로 올라가 버릴 것 같은 이것이 사랑이 아니라면, 그 어떤 감정도 사랑이라고 불릴 수 없을 것이다. 린지는 가슴에서부터 퍼지기 시작해서 손발 끝까지 저미게 만드는 감정에 젖었다.

"짜잔. 다 됐습니다, 린지 양."

휘안은 새하얀 접시 위로 야채와 갈색 밥이 섞인 음식을 내왔다. 자세히 보니 갈색 밥과 면, 야채가 보기 좋게 섞여 고소한 향을 풍겨 내고 있었다. 린지로서는 처음 보는 음식이었기에 그녀는 눈을 휘둥그레 뜨며 쳐다보았다.

"탈린드 국의 음식이야. 랏타이라고, 그 나라의 대표적인 음식이래. 마침 백작 성에서 일하는 요리사 중에 그곳에서 일한 사람이 있어서 배워 왔어."

"우와."

즉 레란에는 없는 음식이라는 소리였다. 린지는 밥과 면을 입에 쏙 넣는 순간 퍼지는 향에 감탄했다. 맛있다는 소리가 나오지 않을 정도로 맛있었다.

"맛있어?"

"네. 우와, 진짜 맛있어요!"

고소하면서도 느끼하지 않은 것이 레란에서는 맛볼 수 없던 다른 종류의 음식이었다. 린지가 맛있게 먹는 모습을 흐뭇하게 지켜보던 백작이 웃으며 말했다.

"현지에 가면 훨씬 더 맛있대. 나중에 가 보자."

"탈린드를요?"

"응. 듣자 하니 탈린드는 맛의 천국이라고 불린다더군. 다양한 음식들이 많다고 하니 나중에 같이 가서 맛있는 거 많이 먹자."

린지는 대답하는 대신 웃음을 지으며 음식을 오물거렸다. 마음 같아서는 몇 번이나 그러겠노라고, 약속하겠다고 말하고 싶었지만 그녀는 더 이상 지킬 수 없는 말을 내뱉고 싶지 않았다.

휘안은 다행히 그녀의 대답을 강요하지 않았다. 그는 그녀가 대답하지 않았다는 사실을 모르는 척 계속 말했다.

"탈린드 근처에 엘테스가 있으니, 여행하다가 하준에게 들르면 좋을 것 같아. 린지, 엘테스에 가 본 적 있어?"

"아뇨, 한 번도 없어요."

"난 몇 번 가 봤는데 굉장히 좋아. 예술의 나라라는 별칭이 괜히 생긴 게 아니야."

"헤에, 어떤데요?"

"예술가들이 굉장히 많아. 거의 모든 국민들이 악기 한두 개씩은 다룰 수 있다고 하니 말 다 했지. 어느 도시의 어느 거리를 가도 음악이 흘러나오고, 주저앉아 그림을 그리는 사람들도 많지. 문화적으로 굉장히 풍요로운 곳이야."

휘안의 말에 린지의 귀가 쫑긋 올라갔다. 여행을 하고 싶어 하는 욕망은 항상 그녀의 마음속에 있었기에 이렇게 다른 나라 얘기를 듣는 것이 너무나도 즐거웠다.

"저는 인디만에도 가 보고 싶어요. 거기 사람들은 코끼리를 마차처럼 타고 다닌다는데 정말일까요?"

"아아, 맞아. 나도 꼭 가 보고 싶어. 종교 색이 짙은 나라라 문화가 완전히 다르다고 하니 정말 궁금해."

"맞아요. 게다가 거리에 소가 사람의 수만큼 많이 지나다닌대요. 하지만 코끼리를 타고 다니면 소와 부딪히지 않을까요?"

린지의 말에 휘안은 덩달아 고심하는 표정을 지었다.

"그러게. 하지만 그렇게 잘 살아간다고 하니 부딪히는 일이 별로 없지 않을까?"

"하긴. 코끼리가 워낙 크니까 소들이 알아서 비켜 주겠죠."

서로 진지한 표정으로 이야기를 하던 린지와 휘안은 동시에 웃음을 터뜨렸다. 문득 생각해 보니 별 쓸데없는 주제로 진지하게 고민했던 것이다.

"아하하. 아, 웃겨."

"그러게요. 코끼리니 소니, 그게 뭐가 중요하다고."

린지는 키득거리며 그렇게 웃음을 흘렸다. 하지만 그것이 아주 짧지만 아름다운 순간임을 잘 알고 있었다. 저 멀리 동떨어진 나라의 코끼리와 소에 대해 걱정하는 것, 그런 별것도 아닌 일에 흥미를 보일 수 있다는 것 자체가 행복했으니까.

"휘안 님은 여행을 좋아하시나 봐요."

린지는 그동안 휘안이 몇 번이나 여행에 대해 언급했던 것을 기억해냈다. 그녀의 말이 맞았는지 휘안이 웃으며 고개를 끄덕였다.

"응. 어릴 때 동생과 내 소원이 같이 세계 일주를 하는 거였거든."

"……."

"그땐 정말 진지했어. 그때부터 세계지도를 모으고 여행 관련 서적을 많이도 읽었었지. 성인이 되면 바로 동생과 여행을 가기로 약속했었는데……."

말끝을 흐린 휘안은 어깨를 으쓱이며 린지를 바라보았다. 그의 표정은 아이러니하게도 흐린 구석 한 점 없이 맑고도 환했다.

"왜 그렇게 쳐다봐?"

"네? 아, 아니 그게……."

린지는 휘안의 말에 저도 모르게 걱정스런 표정을 하고 있는 것을 깨달았다. 그녀는 당황해하며 서둘러 고개를 숙였다. 이렇게 노골적으로 동정심을 드러내는 것 자체가 무례처럼 생각된 것이다.

"죄, 죄송합니다."

"아니야. 내가 괜한 말을 했나 봐. 미안해."

휘안이 웃으며 하는 말에 린지는 손사래를 쳤다.

"아니에요! 제가 표정 관리를 못 해서…… 아니 그게 아니라……."

린지는 횡설수설 중얼거리다가 결국 마무리를 맺을 방법을 생각해 내지 못하고 다시 고개를 숙였다.

"죄송해요……."

"푸훗."

휘안은 시무룩해진 그녀가 귀여웠는지 웃음소리를 내며 그녀의 머리를 쓰다듬었다.

"죄송해할 필요가 뭐가 있어. 난 지금 행복한걸."

"……."

"원하는 것은 거의 다 이루었어."

린지는 조심스레 고개를 들어 올려 휘안을 바라보았다. 휘안은 린지의 어깨 너머, 이곳에 있지 않은 무언가를 응시하며 말했다.

"거의 다, 이제 정말 얼마 남지 않았어."

그가 무엇을 생각하고 있는지는 바로 알 수 있었다. 휘안은 아마 레너드를 떠올리고 있을 것이다. 그가 죽어야만 휘안이 계획해 온 모든 일이 끝날 수 있을 테니까. 가만히 그를 응시하던 린지는 저도 모르게 입을 열었다.

"왜 백작령을 만드신 거예요?"

그녀의 말에 휘안이 린지를 쳐다보았다. 뜻하지 않은 질문이었기에 린지는 스스로 당황했지만 내색하지 않고 계속 말했다. 어차피 이렇게 된 거, 그냥 물어보자는 심정이었다.

"원하신다면 백작령이 아닌 새로운 독립 국가로 수립하실 수도 있었 잖아요. 스스로 왕이라고 칭하셔도 가능했을 테고요."

그것은 린지가 줄곧 궁금해 온 것이었다. 지금 르카플로네 백작령은 레란에게서 독립한 땅, 오로지 백작만이 다스릴 수 있는 곳이었기에 백작이 마음을 달리 먹는다면 '르카플로네 백작령'이 아닌 '르카플로네 왕국'으로 칭해도 문제 될 것은 없었을 것이다. 그 땅이 하나의 나라가 되기엔 이례적일 정도로 작다는 점이 있었을 테지만, 사실 그런 국가가 없는 것도 아니었다.

  "그냥 말의 차이야. 백작령이든 왕국이든 상관없잖아? 이곳은 내가 다스리는 땅이니까."

  "……."

  "왕이라고 불리고 싶은 게 아냐. 그저 르카플로네의 사람들만큼은 내가 지켜 주고 싶어서 그런 거야."

  휘안의 입가에 쓴웃음이 어렸다. 린지는 그의 웃음 속에 얽힌 죄책감을 읽었다. 아마도 지금껏 단 한순간도 그의 곁을 떠난 적 없는 죄책감일 것이다.

  "많은 사람들을 지켜 주지 못했으니까."

  "……."

  "살아남은 아이들은 나와 하쥰, 그리고 예르시카뿐이야."

  그는 의미 없이 식탁을 손가락으로 두드리며 나지막이 말했다.

  "정말 많은 사람들이 죽었어. 아이들을 빼앗기지 않으려고 버티는 부모들이 죽고, 납치당한 아이들은 실험당해 죽었지. 다시는 그런 일이 이 땅에서 되풀이되는 일 없을 거야. 내가 지켜 줄 거니까."

  휘안은 문득 떠오른 듯 입을 다물고 주위를 둘러보았다. 그는 마치 집 안의 모든 것을 새기려는 듯 천천히, 그리고 꼼꼼하게 집을 둘러보았다. 온통 새하얀, 가끔 붉은색으로 포인트가 되어 있는 그림 같은 집을.

  "실험당해 죽은 아이 중 한 명이 이런 집을 가지고 싶어 했어."

"네?"

린지가 묻자 휘안이 미소 짓는 얼굴로 말을 이었다. 그의 시선은 린지를 향해 있었지만, 그는 다른 것을 보고 있었다.

"실험당하는 도중 연금술사들이 자리를 비운 사이에 도망친 적이 있었어. 멀리 가지 못하고 근처 산장에 숨었었지. 그때, 우리 등산 갔을 때비 와서 피했던 산장 기억해?"

예전, 휘안이 쉬는 날 그들은 함께 등산을 갔었다. 그리고 비가 쏟아져 내려 근처의 산장에 몸을 피했었지⋯⋯. 린지는 그 작은 산장을 떠올리며 고개를 끄덕였다.

"네."

"그 산장이야. 어릴 때의 내가 숨었던 곳."

휘안은 매끄럽게 웃으며 말을 이었다.

"근데 그 산장에 다른 아이가 도망쳐서 숨어 있더라고. 우리 둘 다 얼마 못 가 다시 잡혔지만."

"⋯⋯그 아이도 실험당한 아이였나요?"

"응. 르카플로네 영지의 아이였지. 나보다도 훨씬 더 어린 아이였어. 우리 둘은 한동안 웅크려 숨어서 이야기를 나누었었어. 그 아이의 꿈이 이런 집에서 사는 거라고 하더군."

문득 린지는 휘안이 아무것도 잊지 않고 있음을, 모든 것을 기억하고 모조리 다 어깨 위에 짊어지고 있음을 실감했다. 그때 그 실험이 있었던 순간부터 그의 정신의 일부는 줄곧 그곳에 머물러 있었을 것이다.

"자작나무 숲 안, 빨간 지붕을 가진 하얀 집에서 살고 싶다고 했어. 하지만 그렇게 하지 못했지. 내가 지켜 주지 못했으니까. 우리 둘 다 얼마 가지 못해서 그들에게 잡혔어. 그리고 다시 실험을 당했지."

"⋯⋯."

허공을 바라보던 휘안의 시선이 린지에게 닿았다. 흔한 위로조차 하지 못하고 어쩔 줄 몰라 하는 린지의 모습이 눈 안에 들어왔다.

"네 얘기도 해 줘."

"……네?"

"내 얘기는 많이 들었잖아. 하지만 난 네 얘기는 아무것도 몰라."

괜한 말을 꺼내어 휘안에게 아픈 추억을 되새김질하게 만들었다는 생각을 하고 있던 린지였다. 그런 죄책감을 느끼고 있는 린지로서는 거부할 수 없는 말이었다. 하지만 그렇다고 해서 쉽게 내뱉을 수는 없었다. 유시젠, 그녀의 주군이 걸린 일이었으니까. 그런 린지의 마음을 알아차렸는지 휘안이 눈치 빠르게 덧붙였다.

"얘기하기 곤란한 부분은 각색하거나 빼놓아도 좋아. 그냥 대략적으로라도 알고 싶어."

"……."

린지는 잠시 머뭇거리다가 심호흡을 크게 하며 그를 바라보았다.

"놀라지 마세요."

"네가 여자란 것도 알았는데 더 놀랄 게 뭐가 있겠어."

장난스럽게 말하는 휘안을 보며 린지는 비장한 얼굴로 고백했다.

"저 사실은 스물한 살이에요."

"……."

"9월에 생일이 지나서 열여덟에서 열아홉이 됐다고 말씀드렸지만, 사실 처음부터 스무 살이었어요. 얼마 전, 3월 17일에 생일이 지나서 스물한 살이 되었고요."

물론 워낙 정신없는 일들이 일어났기 때문에 생일인 줄도 모르고 지나가 버려 나중에서야 알게 됐다. 린지로서는 큰마음을 먹고 하는 고백이었기에 그 목소리는 굉장히 묵직했다. 하지만 휘안은 커다랗게 웃음을 터뜨렸다.

"아하하하!"

"왜, 왜 웃으세요!"

휘안이 배를 잡고 웃자 린지가 불만스럽게 항변했다. 누구는 용기 내서 말하는 건데 저렇게 비웃다니! 린지가 입술을 내밀자 휘안은 미안한 듯 고개를 저으며 말했다.

"아, 미안. 하지만 그렇게 대단한 비밀 얘기하는 듯한 표정으로 하니까 너무 웃기잖아."

"……너무하세요."

"미안, 미안. 하지만 정말 다행이야. 10대랑 20대는 어감이 주는 느낌이 달라서…… 그럼 내가 조금 더 과감하게 해도 되겠네."

"뭐, 뭘요? 뭘 과감하게 해요?"

"글쎄. 뭘까."

휘안이 능글맞게 웃자 린지는 눈에 띄게 당황해했다. 그 모습이 웃겼는지 휘안이 다시 한 번 웃음소리를 흘렸다.

"아아, 정말 웃겼다."

"됐어요. 말 안 해요."

기껏 용기 내어 한 말인데 폭소가 터지자 린지는 심술이 잔뜩 난 상태였다.

"에이, 그러지 말고 말해 줘. 형제 자매는 없어?"

그의 말에 린지는 바로 대답하지 못했다. 그에게 삐져서가 아니라, 그녀가 잘 알지 못하는 일이었기 때문이다. 린지는 용병단의 노예로 들어가기 전의 기억은 하나도 없었다.

"……그건 잘 모르겠어요."

"응?"

"여덟 살 이전의 기억은 없어서요."

고민하던 린지는 사실대로 말했다. 어차피 유시젠이 관련된 일이 아니었거니와, 그동안 많은 비밀을 얘기해 준 휘안에게 이 정도는 공유해 주고 싶었기 때문이다.

"있을 수도 있고 없을 수도 있겠죠. 하지만 저는 몰라요. 부모님이 누군지도, 제가 어디서 태어났는지도 몰라요."

린지는 담담하게 말했다. 사실 이 점에 대해서 딱히 아쉬운 건 없었기에 목소리에선 아무런 감정도 느껴지지 않았다. 오히려 이 덕에 용병단의 노예로 들어가게 되고, 또 유시젠을 만나게 됐기에 딱히 불행하다고 생각하지도 않았다. 그런 린지의 감정이 느껴졌는지 휘안이 그녀를 가만히 바라보았다. 린지는 그에게 해명하듯 말했다.

"하지만 그것 때문에 불편했던 점은 없어요. 제 진짜 이름을 알지 못하지만, 대신 린지 아즈벨이라는 예쁜 이름도 갖게 되었고……."

"그가 지어 준 거야?"

린지는 바로 입을 다물고 아무런 대답도 하지 않았다. 그녀는 유시젠과 관련된 일에 대해서는 단 한마디도 하지 않을 작정이었다. 린지의 단호한 결심을 읽은 휘안이 쓴웃음을 지으며 중얼거렸다.

"그가 널 거두어 주었구나. 그래서 네가 그를 그렇게 따르는구나."

"……"

"이제야 네가 이해가 가."

웃음 짓는 휘안의 얼굴을 보며 린지는 순간 눈물이 치솟을 뻔했다. 자신을 이해한다고 말하는 휘안이 너무나도 바보 같았다. 이해하지 말라고, 이해해 주길 바라지도 않는다고 소리치고 싶었다.

"나는 사실 그 사람이 싫었어."

휘안의 뜬금없는 고백 속의 '그 사람'이 묻지 않아도 누구인지 알 수 있었다.

"그 사람이 굉장히 멋진 사람이라는 걸 알고 있어. 왕으로서 그보다 더 적합할 수 없겠지. 아직 왕세자임에도 불구하고 벌써 수많은 업적을 세운 사람이니까. 특히나 레란의 노예 제도를 없애고 거의 뿌리째 뽑아 가고 있는 것은 정말 대단하다고 생각해."

린지는 주먹을 꽉 틀어쥐며 입술을 깨물었다. 마치 린지의 경계 어린 마음을 어루만지듯 휘안은 부드럽게 속삭였다.

"하지만 그래도 싫었어. 그 사람이 이룬 모든 것, 그 사람이 가진 모든 것들…… 그 사람을 위해 희생된 사람들이 너무나도 많으니까. 나, 내 동생, 부모님, 그리고 르카플로네의 사람들……. 이런 집을 가지고 싶어 했던 그 꼬마 아이까지."

"……."

"물론 그 사람 탓은 아니야. 모든 것은 연금술사들의 소행이었으니까. 하지만 그 사람 하나와 바꾼 생명인 건 확실하지. 그래서인지 나는 그 사람을 끝내 좋게 볼 수 없었어. 그런데……."

휘안이 손을 뻗어 식탁 위로 불끈 쥐어진 린지의 손을 감쌌다. 린지는 그 따스한 체온을 느끼며 휘안을 바라보았다. 애정이 흘러넘치는 보라색 눈동자와 마주치는 순간, 린지는 눈시울이 빨개지는 것을 막을 수 없었다.

"너를 이렇게 멋진 여자로 키워 주었으니 난 그 사람이 조금 좋아졌어."

"……."

"린지."

휘안은 린지의 손을 깍지 낀 후 진지해진 목소리로 말했다.

"방법을 찾아보자."

"네?"

"넌 그의 부하잖아. 그 사람의 부하로 있으면서 나와 함께 있을 수 있는 방법을 찾아보자. 어렵겠지만 해결책이 있을 거야."

린지의 입술이 떨려 왔다. 참으려고 했지만, 끝내 막지 못한 물기가 붉은 눈동자를 촉촉하게 적셨다. 그녀의 물기 어린 눈망울을 똑바로 바라보며 휘안이 말했다.

"방법이 있을 거야. 그러니까 너도 날 포기하지 말아 줘."

그녀의 새하얀 뺨 위로 눈물 한 방울이 타고 흘렀다. 그 모든 일을 겪었으면서ㅡ 유시젠을 위해 희생된 가족들, 르카플로네의 시민들, 그리고 그의 망가진 유년 시절을 생생하게 기억하고 있음에도 불구하고 휘안은 그를 증오하지 않았다. 유시젠이 린지를 스파이로 잠입시켜 휘안에게 커다란 배신감을 안겨 주었음에도 불구하고, 그래도 그는 아무도 증오하지 않았다. 그는 오히려 더 사랑하려고 했다. 마음에 상처 입힌 린지를 용서하고 그녀를 사랑하면서, 유시젠에게 화해의 손길을 내밀 생각이었던 것이다.

끝끝내 도망가려 하는 자신의 마음을 알면서도 이렇게 사랑해 주는 휘안, 린지는 그에게 너무 미안해서 견딜 수 없었다. 동시에 넘쳐 오르는 애정과 눈물을 더 이상 참을 수 없었다. 더 이상 아무도 미워하고 싶지 않아 하는 이 남자를 사랑하지 않을 방법이 없었다.

린지는 눈물을 흘리며 휘안의 손을 마주 잡았다. 다시는 놓고 싶지 않은 체온이었다.

chapter 19. 악의 꽃

"……뭐라고?"

예르시카의 보고를 들은 휘안의 손이 굳었다. 그는 저도 모르게 읽던 보고서를 떨어뜨리며 고개를 들어 올렸다. 예르시카는 몹시 다급한 표정이었다. 평소의 침착하고 차가운 기색이 사라진 그녀는 빠른 목소리로 보고했다.

"불이 꺼지지 않습니다. 분명 연금술로 만들어진 불일 것입니다."

여느 때와 같은 날이었다. 휘안은 린지와 함께 일어나 아침 식사를 하고 간단한 산책 후 업무를 보았다. 오후에는 린지와 함께 외출하여 근사한 레스토랑에서 식사한 후 데이트를 즐겼다. 평범하지만 너무나도 행복한 어느 날. 저녁에 그를 찾아온 소식에 휘안은 행복이 부서지는 소리를 들었다.

"산에 불이 났습니다. 소방대원들이 진입했지만 불이 진화되지 않는다고 합니다."

휘안은 눈을 꽉 감았다. 작지만 의미 있는 그 산의 꼭대기에는 다 무너져 가는 허름한 오두막이 있다. 오래전 가족들과의 추억이, 그리고 지금은 린지와의 추억이 있는 아름다운 장소였다. 그런데 그 산에 불이 났고, 물로는 꺼지지 않는다는 보고를 받았다. 휘안은 마침내 때가 왔다는 것을 깨달았다.

"……레너드입니까?"

휘안은 천천히 눈을 떴다. 예르시카가 걱정스러운, 하지만 오랫동안 기다려 온 순간을 맞이하듯 기대감 어린 목소리로 물었다.

"레너드가 확실해."

더 이상의 말은 필요 없었다. 휘안은 자리에서 일어나 재킷을 걸쳐 입었다.

"내가 그곳으로 갈 거야. 그러니 준비해 줘, 예르시카."

"네, 알겠습니다."

예르시카가 잔뜩 상기된 얼굴로 방을 나섰다. 휘안은 그녀의 심정을 이해하며 쓴웃음을 지었다. 예르시카의 가족, 그녀의 유년 시절을 없애 버린 연금술사들, 그 마지막 연금술사인 레너드를 없앨 수 있는 기회가 찾아온 것이다. 예르시카로서는 평생을 기다려 온 순간이었다.

"……휘안 님."

휘안은 고개를 돌렸다. 소파에서 일어난 린지가 걱정스러운 얼굴로 그에게 다가왔다. 휘안은 손을 내뻗어 린지를 한번 포근히 안아 준 후 웃는 얼굴로 말했다.

"이곳에 있어, 린지."

"저도 가겠습니다."

린지의 목소리엔 굳은 결심이 느껴졌다. 너무나 갑작스러웠다. 하지만 린지는 이 소란 속에서 휘안을 혼자 보내고 싶지 않았다.

"네가 이곳에 있는 것이 나를 위한 일이야."

휘안은 복잡한 눈빛을 한 린지를 가만히 바라보았다. 그는 그녀의 뺨에 흐트러진 붉은 머리칼을 쓸어 넘겨 주며 조심스레 이마에 입술을 맞추었다.

"금방 다녀올게. 레너드 녀석이 연금술로 질러 놓은 불만 끄고 오면 되니까."

"하지만……."

"혹시나 해서 말하는 건데, 방에 결계를 쳐 놓을 거야."

휘안은 돌연 장난기 어린 표정으로 변했다.

"네가 이 틈을 타서 도망갈 수도 있으니까, 아무도 들어올 수도 나갈 수도 없게 결계를 쳐 놓을 거야. 그러니까 내가 올 때까지 얌전히 있어. 알겠지?"

"……알겠습니다."

순간 어이가 없었지만 휘안의 선택을 이해할 수 있었다. 사실 그가 자신을 완전히 믿지 못하는 게 당연했다. 그동안 얼마나 많은 거짓으로 그를 속여 왔던가?

"어차피 전 결계 때문에 도망도 못 갈 테니 어서 다녀오세요."

린지는 의도적으로 심술궂은 목소리를 내며 말했다. 휘안의 마음을 조금이라도 편하게 해 줄 생각이었던 것이다. 휘안은 잠시 동안 린지의 뺨을 어루만진 후 등을 돌렸다.

탁!

그가 방문을 닫고 나서는 순간, 린지는 방의 천장과 벽에서 푸른빛이 쏟아져 나오는 것을 목격했다. 하지만 그것은 착각이라고 치부될 정도로 짧은 순간이었기에, 눈을 깜빡이는 순간 사라져 있었다.

'하지만 착각이 아니지. 저 녀석, 정말로 연금술을 쓰고 갔네.'

린지는 혹시나 하는 마음에 조심스레 문 쪽으로 다가가 손을 내뻗었다. 아니나 다를까, 손끝에 문이 닿는 대신 반투명한 푸른 막이 파지직 소리를 내며 모습을 드러냈다. 린지는 서둘러 손을 회수했다.

"철두철미하네."

그녀는 방 안에 가만히 있질 못했다. 손끝까지 밀려오는 초조함에 방 안을 정신없이 걸어 다니며 주먹을 폈다가 쥐기를 반복했다. 시계의 초침이 움직일수록 린지의 초조함도 거세졌다.

너무나 갑작스럽게 일어난 결전의 날이었다. 휘안과 예르시카, 그리고 하준― 그들이 기다려 온 최후의 순간이 갑자기 툭 튀어나왔다. 하기야 레너드가 친절히 예고를 해 주고 나타날 거라고는 생각하지 않았다.

'괜찮을 거야. 다 괜찮을 거야.'

린지는 주먹을 꽉 쥐며 두근거리는 마음을 진정시키려 노력했다. 휘안은 줄곧 이 순간을 기다려 오고 있었던 만큼 많은 대비를 해 왔을 것이다. 린지로서는 상상도 할 수 없을 만큼 철두철미하게 준비했을 것이다.

게다가 휘안은 레너드보다 강했다. 그 두 사람이 검을 겨누었을 때 레너드가 밀린 것을 똑똑히 목격했던 린지였다. 정면 승부를 했을 때 레너드에게 승산은 없다는 것을 린지는 알고 있었다. 그런데도 왜 이렇게 불안한 건지…….

'제발 조심해요, 휘안.'

지금쯤 휘안은 불이 났다는 그 산에 도착했을 것이다. 린지는 저도 모르게 두 손을 마주 잡으며 눈을 감았다. 그리고 단 한 번도 해 보지 않았던 기도를 했다.

'제발 휘안 님이 무사히 돌아오게 해 주세요. 다치지 않고 무사하게, 아무런 탈 없이 이 방으로 돌아올 수 있게 해 주세요.'

단 한 번도 신을 믿어 본 적 없던 자신이 기도를 하게 되는 순간이 올 거라고는 상상해 본 적 없었다. 그것은 본능적인 움직임이었다. 아무것도 할 수 없는 절박한 순간에서 나오는 것은 기도뿐이었다.

"뭐 해?"

순간, 목소리가 들려왔다. 하나로 모인 린지의 두 손이 흠칫 떨렸다. 정신없이 속삭이며 기도하던 린지의 입술도 돌처럼 굳었다. 단숨에 얼어붙은 린지를 향해 소년 같은 목소리가 다시 한 번 던져졌다.

"지금 기도하는 거야?"

익숙한, 하지만 듣고 싶지 않던 목소리였다. 린지는 떨리는 눈꺼풀을 들어 올렸다. 흔들리는 붉은 눈동자 안으로 해맑은 미소가 들어왔다. 너무나도 순수해서 어린아이처럼 느껴지는 표정이었다.

"무슨 기도 하고 있었어, 린지?"

"……레너드."

레너드였다. 레너드 아롭이 그녀의 눈앞에, 휘안의 방 안에 있었다. 린지는 믿기지 않는 목소리로 중얼거렸다.

"네가 어떻게 여기에……."

"아아, 널 만나러 왔어."

레너드가 키득거리며 웃음을 흘렸다. 그는 몸이 찌뿌둥한지 기지개를 한번 펴더니 장난스레 말했다.

"그런데 못 본 사이에 더 예뻐졌네, 린지. 그 옷도 잘 어울려. 커트 머리를 하고도 원피스가 어울리다니, 넌 정말 대단해. 역시 내가 좋아하는 여자야."

레너드가 눈앞에 있다. 린지는 밀려오는 당황에 파묻히는 대신 차가운 영역에서 생각했다. 그가 자신의 앞에, 이 방에 있다는 소리인즉 휘안의 결계가 깨졌다는 소리.

"아아, 결계 생각하고 있어? 내가 깼어."

린지의 생각을 정확히 읽은 레너드가 들뜬 기색으로 얘기했다.

"이래 봬도 연금술은 내가 한 수 위일걸. 나는 휘안과는 달리 지속적으로 인체 실험을 해 왔거든. 휘안은 인체 실험은커녕 동물 실험도 안 해. 그러니 내가 더 앞설 수밖에."

"당연하지."

린지는 삐뚜름하게 웃으며 레너드를 노려보았다.

"휘안 님은 너 같은 쓰레기가 아니니까."

"아, 정말 린지는 너무해!"

레너드가 울상을 지으며 하늘색 머리칼을 쓸어 넘겼다. 마치 화가의 손에서 그려진 듯한 곱상한 외모, 누가 봐도 아름답고 선량한 얼굴이었지만 린지는 이자의 본성을 잘 알고 있었다. 벌레를 밟아 죽이는 것과 사람을 밟아 죽이는 것의 차이점을 모르는 사람, 그것이 레너드 아롭이었다.

'난 상대할 수 없어.'

린지는 냉정하게 판단했다. 물론 린지 역시 레너드에 대한 원한이 강했고, 그에게 복수하고 싶은 마음이 있었다. 하지만 정면 승부로는 먹히지 않는다는 것을 이미 겪어 잘 알고 있었다.

'휘안이 올 때까지 버티면 돼.'

그녀는 허리춤의 검을 뽑아 올렸다. 찬란한 미스릴이 빛을 발하자 레너드가 은회색 눈동자를 동그랗게 떴다.

"뭐야. 만나자마자 싸우자는 거야?"

"너 같은 쓰레기와는 말 섞고 싶지 않아."

더 이상의 말은 필요 없다. 그렇게 생각한 린지는 레너드에게 달려들며 검을 휘둘렀다. 레너드는 눈에 보이지 않을 속도로 검을 뽑아 들어 그녀의 공격을 맞받아쳤다.

"난 너랑 싸울 생각 없어, 린지."

까득. 섬뜩한 소리를 내며 두 개의 미스릴이 맞물렸다. 팽팽한 대치는 레너드가 앞으로 몸을 밀면서 끝이 났다. 그가 가까이 다가오며 밀어붙이자 린지는 힘에서 밀려 뒷걸음질 쳤다.

"네 예쁜 얼굴에 상처 내고 싶지도 않아."

"닥쳐!"

린지가 레너드의 검을 거세게 뿌리치는 순간, 그의 몸이 사라졌다. 아니, 사라졌다고 느낄 뿐이었다. 그는 어느덧 린지의 뒤로 훌쩍 뛰어올라 착지해 있었다. 그가 발을 딛는 것을 느낀 린지는 돌아보지 않고 검을 휘둘렀다.

"웃차!"

레너드가 허리를 숙여 피하는 것이 느껴졌다. 린지가 몸을 돌림과 동시에 그에게 검을 찌르는 순간, 레너드가 장난기 어린 웃음을 지으며 뒤로 획 물러섰다. 거짓말처럼 빠르고 유연한 움직임이었다.

"그러지 말고 얘기 좀 하자, 린지. 난 너에게 할 말이 있어서 왔단 말이야."

"난 너랑 할 얘기 없어!"

린지가 검을 다시 들어 올리며 달려들려는 순간, 레너드가 빠르게 외쳤다.

"유시젠 왕세자의 이야기야!"

그것은 린지에게 있어서 주문과도 같은 단어였다. 그 어떤 감정도 유시젠이라는 이름 앞에서는 연기처럼 사그라졌다. 린지가 이를 악물며 멈춰 서자 레너드가 재밌는 듯 웃음을 터뜨렸다.

"아하하, 너 정말 대단하네. 정말로 유시젠 왕세자를 위해서는 목숨도 바칠 수 있겠구나."

"……."

린지는 패배감을 느끼며 입술을 악물었다. 그녀의 가장 중요한 곳, 아프고도 예민한 부분을 레너드가 움켜쥐고 있었다. 린지는 레너드에 대한 증오심에 이를 갈았다.

"그 더러운 입으로 오라버니의 이름을 내뱉지 마."

"우와, 정말 엄청난 독설이네. 하지만 어쩌겠어. 난 너의 유시젠 전하와 한편인걸."

린지는 그 말을 바로 알아듣지 못했다. 그녀의 멍한 시선을 보고 레너드가 짓궂은 미소를 지었다. 마치 좋아하는 여자애를 놀리는 소년 같은 표정이었다.

"유시젠 왕세자와 거래했어. 우린 목적이 같더군."

"……뭐?"

"나는 휘안의 죽음을, 그리고 유시젠 왕세자는 너를 되찾길 원해. 그래서 힘을 모으기로 했어. 그 말인즉, 난 네 적이 아니야."

린지의 눈꺼풀이 파르르 떨려 왔다. 레너드의 말이 마치 비수처럼 린지의 가슴에 와 깊숙이 박혔다.

"웃기지 마. 오라버니께서 너 같은 녀석과 거래할 리가 없어."

"그렇게 생각해?"

레너드는 미스릴 검을 집어넣었다. 린지와 싸울 생각이 없다는 것을 알려 주는 행동이었다. 공격하기에 좋은 타이밍이었지만 린지도 더 이상 함부로 그에게 검을 내뻗을 수 없었다. 만약 그가 정말 유시젠과 거래를 한 것이라면…….

레너드를 죽이는 것은 유시젠의 뜻을 거스르는 것이 되는 거다.

"휘안은 너의 주군 유시젠을 모욕했어. 집사의 목을 대놓고 선물하며 널 내놓으라고 선전 포고 했지. 그리고 실제로 너를 빼앗아 갔어. 그런데 유시젠 왕세자가 그것을 용서할 것 같아? 말도 안 되는 힘으로 자신을 농락하고 부하를 앗아 간 휘안을, 용서할 것 같아?"

그의 말이 이어질수록 린지의 손끝이 떨려 왔다. 상상조차 할 수 없었던 최악의 상황이었다. 유시젠과 레너드가 거래를 하는 것, 두 사람이 협업하여 휘안을 몰아세우는 것- 그것은 꿈에서라도 꾸고 싶지 않은 최악의 악몽이었다.

레너드는 혼란스러워하는 린지를 가만히 쳐다보았다. 흥미로움이 가득한 그 눈동자는 이미 여러 번 본 적 있는 관찰자의 눈빛이었다. 그녀의 감정이 뒤섞이는 것을 가만히 지켜보는 레너드는 이 순간에도 린지를 연구하고 또 실험하고 있었다. 그것을 알면서도, 그 모욕감을 뼈저리게 느끼면서도 린지는 검을 들어 올릴 수 없었다.

"네가 정말 유시젠 왕세자를 위한다면 이곳에 있어서는 안 돼."

레너드는 마치 유혹하듯 달콤한 목소리로 속삭였다.

"나와 함께 레란 왕국으로 가자, 린지. 지금이라면 갈 수 있잖아. 휘안을 떠나서 유시젠에게로 돌아가자."

유시젠에게로 돌아가자- 그것은 마치 마법의 단어처럼 린지의 심장을 움켜쥐었다. 그녀의 떨리는 눈을 똑바로 쳐다보며 레너드가 말을 이었다.

"왕세자는 지금 널 애타게 기다리고 있어. 그가 널 얼마나 아끼는지 알고 있지? 네가 여덟 살, 엉망이었던 시절부터 지금 이 순간까지 널 키워 주고 지원해 준 사람이야. 설마 그 사람의 믿음을 저버릴 생각이야?"

"나, 나는……."

린지의 목소리가 눈에 띄게 갈라졌다. 레너드의 목소리가 마치 최면처럼 과거의 잔상들을 눈앞에 띄웠다. 어린 시절, 용병들에게 쫓겨 도망가던 자신을 구해 준 유시젠, 거뭇거뭇해진 몸을 씻겨 준 유시젠, 글과 검을 알려 준 유시젠, 아무것도 없던 자신에게 이름을 지어 주고 보살펴 준 유시젠-.

유시젠은 린지의 주군이자 오빠이자 아버지였다. 그녀의 하나뿐인 가족이자 주군이었다. 그런 유시젠을 자신이 배신한다고? 그의 뜻을 따르지 않고 거스르겠다고? 정말로 그럴 자신이 있는가?

"유시젠 왕세자가 널 기다리고 있어. 내가 데려다줄게."

레너드가 가까이 다가와 손을 뻗었다. 린지의 흔들리는 시선이 레너드의 손에 닿았다. 그 손을 잡으려는 듯, 린지의 손끝이 꿈틀거렸다. 그것을 본 레너드의 입가에 짙은 미소가 걸렸다.

"그래, 어서 잡아."

다음 순간, 움직인 것은 린지의 반대쪽 손이었다. 예상하지 못한 공격이어서일까, 레너드의 반응이 한발 늦었다. 그의 팔뚝을 스친 날카로운 검날의 끝에서 핏방울이 터져 올랐다. 레너드는 재빨리 상처를 감싸 쥐며 뒤로 물러섰다.

"......!"

물러서는 순간 린지가 몰아치듯 접근했다. 단숨에 그의 앞까지 도약한 린지의 검이 그의 가슴을 스치고 지나갔다.

통증이란 레너드에게 익숙한 것이 아니었다. 이것이 얼마 만에 느껴 보는 고통인지, 레너드는 정확히 알 수 없었다. 그에게 고통에 대한 내성은 거의 없는 것이나 마찬가지였다.

첫 번째 일격 후 레너드는 눈에 띄게 당황했다. 팔에 입은 상처가 그에게 생각보다 큰 데미지를 입힌 것이 분명했다. 실험이라는 명목하에 타인은 그렇게 상처 입히고 아프게 만들면서 자신의 아픔엔 민감하다니, 린지는 어이가 없어서 웃음이 나올 지경이었다. 린지는 이 기회를 놓치지 않았다. 그녀는 뒷걸음질 치며 물러서는 레너드를 걷어찬 후 검을 휘둘렀다. 팔과 가슴에 이어 어깨에도 짙은 검상이 스쳐 지나갔다. 그의 피가 순식간에 방 안을 물들였다.

레너드의 얼굴이 흙빛으로 물들었다. 그가 믿기지 않는 표정으로 무언가 중얼거리는 것이 보였다. 린지는 그가 아프다는 이유로 멍하니 머뭇거리는 것이 아니라는 것을 느꼈지만 그것에 대해 고민할 여유도, 이유도 없었다. 린지는 레너드의 흰 목을 향해 정확히 검을 내리그었다. 벨수 있다, 그렇게 확신하는 순간.

캉!

린지는 팔뚝이 떨어져 나가는 듯한 고통을 느꼈다. 버티고 서 있어야 한다고 생각할 틈도 없이 그녀의 몸이 거칠게 뒤로 밀려났다. 아니, 그것은 밀려나는 게 아닌 거의 날아가는 수준이었다. 린지의 몸이 벽에 쾅 부닥치며 쓰러졌다.

"아, 죽을 뻔했다."

린지는 거친 기침을 내뱉으며 자리에서 일어섰다. 린지의 검을 막아 낸 레너드가 놀란 표정으로 검을 들어 올리고 있었다. 그는 옷을 물들이는 피를 바라보더니 인상을 찡그렸다.

"린지, 너 정말 이러기야? 난 제일 싫어하는 게 피 보는 거란 말이야."

"닥쳐."

벽에 부딪힌 등에 감각이 없을 정도로 아려 왔지만 린지는 이대로 주저앉을 생각이 없었다. 그녀는 고통스러운 듯 미간을 좁히는 레너드를 노려보았다.

"그렇게 많은 사람들을 죽여 놓고 피 보는 게 싫다고? 그게 할 말이야?"

"너야말로 지금 제정신이야, 린지?"

레너드는 손바닥을 흥건히 적신 피를 보고 울상을 지었다.

"유시젠 왕세자의 뜻을 거스르는 거야?"

"웃기지 마."

린지의 입에서 웃음이 터졌다. 레너드가 유시젠이 어쩌고저쩌고, 말도 안 되는 소리를 늘어놓을 때부터 참고 있느라 힘들었던 웃음이었다.

"미안하지만 오라버니는 너 같은 악질과 거래하실 분이 아니야. 오랜 시간 함께해 왔기에 잘 알아."

유시젠은 결코 레너드와 거래하지 않았을 것이다. 이것은 믿음을 넘어선 확신이었다. 그의 성격상 목에 칼이 들어와도 결코 레너드 같은 자와 손을 잡는 일은 없을 것이다. 유시젠은 그런 사람이었다.

"정말 너무하네. 그럼 내가 거짓말을 한다는 거야?"

"그래. 넌 그러고도 남아."

린지의 말이 거슬렸던 걸까, 아니면 검상에 의한 고통 때문일까. 순간 레너드의 얼굴이 일그러졌다. 그는 빠른 걸음걸이로 성큼성큼 린지에게 다가왔다. 린지가 검을 들이밀자 레너드는 그녀의 검을 강하게 쳐 내어 손에서 떨어뜨렸다.

"......!"

검이 강제로 나가떨어지자 린지의 손바닥이 찢어져 피가 흘러나왔다. 그녀의 피를 물끄러미 내려다본 레너드가 손을 확 잡아채며 피를 핥았다.

"뭐 하는 짓이야!"

갑자기 피를 핥다니, 이런 미친 자식이 다 있나! 린지가 손을 거칠게 뿌리치려 했으나 레너드는 한번 힘을 주는 것으로 린지를 품 안으로 끌어당겼다.

"미안해. 아프지?"

"이것 놔!"

"예쁜 피부가 다치는 것, 바라지 않아. 진심으로."

레너드가 미안하단 표정으로 말하자 린지의 얼굴이 흐려졌다.

"알고 있잖아? 난 린지 네가 마음에 들어. 그래서 상처 입히고 싶지 않아."

소년처럼 맑은 표정으로 말하는 레너드의 목소리에는 진심이 어려 있었다. 마치 사슴처럼 연약하고 맑은 눈빛이었기에 린지의 몸에 소름이 끼쳐 올랐다. 이런 얼굴, 이런 표정으로 레너드는 지금껏 수많은 인생들을 부수어 왔다. 마치 악마의 실체가 있다면 이런 모습을 하고 있을 것이다.

"그리고 난, 피 보는 게 정말 싫어. 야만적이잖아. 우아하지 못해."

자그맣게 속삭인 레너드가 순간 주머니에서 무언가를 꺼내 린지의 입 안으로 틀어넣었다. 대비하지 못하고 있던 린지는 저도 모르게 입 안으로 흘러들어 오는 액체를 꿀꺽 삼켜 냈다.

"……!"

그것은 바로 반응이 왔다. 린지는 순식간에 불이 꺼지는 것처럼, 자신의 의식이 어딘가로 빨려 들어가는 것을 느꼈다. 그것이 전부였다.

털썩!

레너드는 순식간에 정신을 잃고 쓰러지는 린지의 몸을 안아 들었다. 그가 만든 독을 삼킨 린지는 마치 잠이 든 것처럼 눈을 감고 있었다.

"역시 난 이게 더 좋아. 검 들고 싸우는 건 질색이야."

독과 향초를 이용하여 사람을 조종하고 죽이는 것, 역시 그게 최고다. 진작 이렇게 할 걸 그랬어, 레너드는 그렇게 생각했다. 그는 린지를 내려다보다가 문득 그녀가 입힌 상처에서 쓰라림을 느끼고는 인상을 찡그렸다.

"하여튼 린지는 난폭하다니까."

하지만 날 상처 입힌 여자는 네가 처음이야, 린지. 레너드는 유치한 소설 속에서나 나올 법한 대사를 중얼거리며 린지를 소파 위로 눕혔다.

"그런데 정말로 죽을 뻔했어. 대단하다고 해야 하나……."

심지어 자신의 말을 믿지도 않았다. 레너드는 키득거리는 웃음을 내뱉다가 상처의 고통에 미간을 좁혔다.

지금, 이 방에서 레너드는 연금술을 쓸 수 없다. 그가 준비해 온 모든 연금술의 돌이 힘을 잃고 아무런 반응도 보이지 않았다. 효과를 보이는 것은 강력한 독극물뿐. 이런 일은 처음 있는 일인지라 레너드는 일순 당황했던 것이다. 린지를 물끄러미 내려다보던 레너드는 이제 어떻게 해야 할지 고민했다.

그의 계획은 린지를 휘안의 곁에서 떼어 놓고 린지를 데려가 유시젠의 곁으로 돌려놓는 것이었다. 그렇게 무너지는 휘안의 얼굴을 보는 것, 그를 괴롭혀서 나락으로 끌어 내리는 것, 절망과 좌절 속에서 울부짖게 만드는 것, 그것이 레너드의 계획이었다. 하지만 린지는 자신을 믿지 않아 함께 가는 것을 거부했다.

"뭐, 무슨 상관이야. 일단 유시젠에게 데려다줘야겠다."

이곳을 벗어나면 연금술을 쓸 수 있을 테니 린지를 데리고 나가 상처를 치료할 생각이었다. 그가 그렇게 결심하며 린지에게 손을 내뻗는 순간.

"……!"

레너드는 서둘러 검을 잡았다. 그가 빠르게 검을 들어 올리는 찰나의 순간, 무지막지한 힘이 그의 몸을 강타했다. 레너드의 몸이 밀려나 아까 린지가 날아간 벽과 같은 자리에 부닥쳤다. 그는 린지를 상대할 때와는 달리 고통에 아파할 여유를 부리는 대신, 바로 검을 들어 올려 이어지는 일격을 막아 냈다.

캉!

막아 냈다, 라고 생각하는 순간 레너드의 검이 날아갔다. 그가 탄식을 내뱉는 순간 강한 힘이 자신의 몸을 끌어 올리는 것을 느꼈다.

쾅!

그의 몸이 벽에 날아가자 벽 위로 균열이 가고 파편이 부서져 내렸다. 레너드의 하늘색 머리칼이 붉은 피로 흥건히 젖어 갔다.

"아, 아야아……."

신음을 흘리는 그에게 발걸음 소리가 다가왔다. 레너드는 울상을 지으며 천천히 고개를 올렸다.

"휘안, 너무 아프잖아."

은빛 머리칼의 사내가 부드럽게 웃으며 그를 내려다보고 있었다. 눈이 마주치는 순간 휘안이 손을 뻗어 레너드의 멱살을 잡아 올렸다. 레너드는 마치 짚으로 만든 인형처럼 힘없이 그의 손에 대롱거리며 매달렸다.

"반가워, 레너드."

휘안은 레너드를 바라보며 미소를 지었다. 아니, 그것은 미소라기보다는 이를 드러낸 것에 불과했다. 린지가 보았다면 놀랄 만큼 억눌린 증오가 그에게서 쏟아져 나왔다. 지금껏 그가 겪은 모든 상실에 대한 증오는 단 한 사람, 레너드만을 향해 있었다.

레너드는 입가에 고인 피를 뱉어 내며 히죽 웃었다.

"이 방에서 연금술을 쓸 수 없던데. 휘안 네가 해 놓은 거야?"

"응, 맞아. 만약 내가 쳐 놓은 결계가 깨지면 그 어떤 연금술도 통하지 않게끔 만들었어. 깨뜨릴 수 있는 건 너밖에 없으니까, 네가 올 경우를 미리 대비해 놨지."

휘안은 친절하게 설명했으나 그의 손아귀는 레너드의 목을 강하게 틀어잡고 있었다. 손가락에서 풍기는 살의는 확고했다. 다만 그는 레너드를 어떻게 죽여야 할까, 아주 짧게 고민하고 있었다. 어떻게 이자를 죽여야만 많은 이들의 원혼을 달랠 수 있을까, 그것이 휘안의 머릿속에 있는 유일한 망설임이었다. 그런 휘안의 얼굴을 내려다보며 레너드가 웃었다. 그는 목이 졸린 상태로 힘겨워하면서도 웃으면서 말했다.

"너무하네, 휘안. 복수에 눈멀어서 린지가 눈에 보이지도 않는 거야?"

순간 휘안의 손끝이 움찔 떨렸다. 휘안은 레너드를 틀어잡은 상태로 고개를 돌려 린지를 바라보았다. 소파 위에 누워 있는 린지는 마치 잠든 것처럼 편안한 표정으로 눈을 감고 있었다. 그녀의 새하얀 얼굴을 보는 순간, 휘안의 표정이 무너졌다.

휘안의 손아귀에서 힘이 풀리자 레너드의 몸이 쓰러졌다. 레너드가 거칠게 기침을 내뱉었으나 휘안은 더 이상 그를 바라보지 않았다.

"린지."

휘안은 린지의 몸을 잡고 흔들었다. 잠귀가 밝은 그녀는 무심코 내뱉은 기침에도 일어나고는 했다. 하지만 지금 그녀는 미동조차 하지 않았다.

"린지."

대답이 없었다. 밀랍 인형처럼 생기 없는 얼굴에 휘안의 손끝이 떨려 왔다. 그의 머릿속에서 모든 것이 무너져 내리는 굉음이 들려왔다.

"해독제는 여기 있어."

휘안은 천천히 등을 돌렸다. 그는 더 이상 여유 있는 미소를 짓고 있지 않았다. 날카롭게 벼려진 칼날 같은 두 눈을 바라보며 웃는 것은 레너드였다. 레너드는 투명한 액체가 든 유리병을 흔들어 보이며 짙은 미소를 지었다.

"이것을 마시면 십 분 안에 깨어날 거야. 마시지 않으면 영원히 잠든 상태로 깨어나지 않을 거고."

"……."

"뭐, 그것도 나름 괜찮겠지. 늙지도, 죽지도 않은 상태로 영원히 잠만 잘 테니까. 아름다운 모습 그대로 손에 넣는 것도 나쁘지 않잖아?"

레너드는 이미 자신이 이겼다는 것을 알고 있었다. 사실 이것은 예견

된 상황이었다. 휘안이 린지를 사랑하고 있다는 것을 알게 된 순간부터 레너드는 자신이 승자임을 깨달았다. 그의 수많은 연구와 실험에 의하면, 사랑하는 이가 있는 사람은 결국 그것을 지키기 위해 목숨까지 내던진다. 아이를 지키기 위해 목숨을 내던진 부모, 동생을 지키기 위해 목숨을 내던진 형, 남편을 지키기 위해 목숨을 내던진 아내…… 그는 그런 경우를 셀 수도 없을 만큼 겪어 왔다. 휘안 역시 린지를 위해 평생을 기다려 온 복수는 물론 목숨마저 내걸 수 있을 것이다.

'역시나 린지는 사랑스럽다니까.'

레너드는 그녀에 대한 애정에 몸서리치며 미소 지었다. 그는 품 안에서 또 다른 약병을 꺼내 휘안에게 내밀었다. 약병 안에서 피처럼 붉은 액체가 찰랑였다.

"그리고 이건 내가 린지에게 먹인 약이지. 영원히 잠들게 되는 것."

"……."

"휘안 네가 이걸 마시면 린지에게 해독제를 줄게."

재밌다! 레너드는 짜릿한 쾌감이 비명을 지르는 것을 느꼈다. 재밌어서, 너무 재밌어서 방방 뛰고 싶을 정도였다. 이것은 그가 가장 좋아하는 순간이었다. 사랑이라는 것, 그것을 지키기 위해 갈등하고 선택하는 사람을 보는 것이 얼마나 재미있는지 말로 표현하기 힘들었다. 심지어 그 대상이 휘안 데 르카플로네라니…… 레너드는 지금껏 해 왔던 그 어떤 연구와 실험보다 이 순간이 가장 흥미로웠다.

"내가 거짓말은 해도 약속은 잘 지키는 거 알잖아? 엘테스의 전 국왕이 미스릴을 지키는 대신 아들 하세르쥰을 내놓았을 때, 그 이후로 엘테스의 왕에게 미스릴을 요구한 적은 단 한 번도 없어. 이래 봬도 약속만큼은 잘 지키니까."

"……."

"게다가 너도 알고 있겠지만 난 린지가 좋아. 너만 사라져 준다면 린지를 깨어나게 만들고 싶은 마음이 굴뚝같다고."

레너드는 해맑은 미소를 지으며 양손에 든 병을 들어 올렸다.

"자, 어떻게 할래?"

예상대로였다. 휘안은 망설임 없이 손바닥을 펴서 내밀었다. 그의 결정에 레너드는 환하게 웃으며 독약이 든 병을 내밀었다.

"지금 여기서 마시면 바로 린지에게 해독제를 줄게. 하지만 허튼수작 부리면 바로 떨어뜨려 버릴 테니까, 그렇게 알아. 내 성격 잘 알지?"

휘안은 린지를 바라보다가 단숨에 붉은색 약물을 입 안으로 털어 마셨다. 그가 약물을 목 안으로 넘기는 것을 본 레너드는 웃으며 린지에게 다가갔다. 그리고 그녀의 입술 안으로 해독제를 흘려 넣었다.

"잘 생각했어, 휘안. 린지도 네 마음에 감동할 거야. 내가 너의 용감하고 아름답고 감동적인 선택은 잘 전해 줄게."

그러니 영원한 잠 속에서 편하게 쉬길 바라. 레너드는 휘안을 바라보며 인사하듯 손을 흔들었다.

"……응?"

손을 흔드는 순간, 레너드는 휘안이 다시 한 번 자신을 잡아 올리는 것을 느꼈다. 휘안은 잠에 빠져들기는커녕 아까보다 더 강한 힘으로 레너드의 멱살을 잡아챘다.

쾅!

레너드의 몸이 바닥에 깊숙이 박혔다. 땅이 울리는 것과 같은 소리와 함께 바닥이 깊숙하게 파여 금이 갔다. 그 안으로 사정없이 박힌 레너드가 신음을 내뱉으며 몸을 부르르 떨었다.

"어, 어떻게……."

그는 피로 젖은 얼굴을 들어 올리며 휘안을 올려다보았다. 고통에 떨면서도 레너드는 이 상황을 이해할 수 없었다. 분명 독약을 먹은 휘안은 지금쯤 쓰러져 잠들어야 하는데, 왜 아무런 증상이 없단 말인가?

휘안은 씩 웃으며 다시 손을 내뻗어 레너드를 들어 올렸다. 그는 아까 레너드가 처박혔던 벽을 향해 그를 내던졌다. 꿍음과 함께 벽의 일부가 부서지며 거미줄 같은 균열이 이어졌다.

"네가 피를 싫어하는 걸 알아. 그래서 예전에 백작 가문의 기사들, 고용인들, 모든 사람들을 독약을 풀어 죽였지. 피를 보지 않고 소리 없이 모두를 죽였어."

휘안은 성큼성큼 다가가 레너드의 목을 들어 올렸다. 레너드의 얼굴은 완전히 피범벅이 되어 눈조차 제대로 보이지 않았다. 휘안은 그런 레너드의 목을 틀어잡고 다시 바닥으로 내리쩍었다.

"그래서 네가 날 죽이려 하는 순간이 온다면, 반드시 독을 쓸 거라고 생각했어."

"크윽!"

휘안에게 목이 졸린 레너드가 발버둥 쳤다. 핏빛으로 물든 시야에 웃는 휘안의 얼굴이 들어왔다. 그의 보라색 눈동자 위로 십 년 넘도록 묵혀 놓은 증오가 단숨에 폭발하고 있었다.

"때문에 독에 내성이 생기게끔 연금술로 내 몸을 변화시켜 왔어. 그래서 적어도 독 때문에 죽지는 않아, 레너드."

순간, 크게 열린 레너드의 눈이 바르르 떨렸다. 차갑고 날카로운 감촉이 천천히 배 안으로 스며들고 있었다. 그것은 지금껏 레너드가 단 한 번도 경험하지 못했던 고통이었다.

휘안은 느리게 레너드의 배에 미스릴 검을 밀어 넣었다. 그는 고통에 비명조차 지르지 못하는 레너드의 얼굴을 평생 기억할 작정으로 바라보았다. 떨리는 레너드의 얼굴 위로 수많은 사람들이 순식간에 스쳐 지나갔다. 휘안은 눈을 감았다. 그가 지켜 주지 못했던 사람들, 잃어버린 사람들…… 휘안은 그 모든 사람들을 또렷하게 기억했다. 그들 중에는 자작나무 숲에 빨간 지붕 집을 갖는 것이 소원이라던 어린 소녀도 있었고, 훗날 세계 일주를 하자며 약속한 자신의 여동생도 있었다.

휘안은 레너드의 배에 손잡이가 닿을 때까지 검을 깊숙이 밀어 넣었다. 이날을 대비하여 독을 잔뜩 묻혀 놓은 미스릴 검은 레너드의 생명을 확실하게 앗아 갈 것이다. 그는 천천히 감았던 눈을 떴다.

"너는, 너무 많은 사람들의 인생을 망가뜨렸어……. 이건 그들이 너에게 주는 선물이다."

휘안은 거칠게 검을 뽑아내었다. 그러자 피가 거칠게 튀어 오르며 레너드의 몸이 경련하듯 떨렸다. 그는 더 이상 아무런 말도, 움직임도 보일 수 없었다.

그런 레너드를 내려다보며 휘안은 천천히 검을 늘어뜨렸다. 레너드는 지금 눈에 보일 정도로 빠른 속도로 죽어 가고 있었다. 그의 배를 찌른 미스릴 검으로 인해, 그리고 그 검에서 몸으로 퍼진 독으로 인해 꺼져 가는 생명의 빛이 눈에 들어왔다.

휘안은 저도 모르게 깊은 한숨을 내쉬었다. 십 년이 넘는 시간 동안 달려온 질주가 이제야 끝이 나고 있었다. 수많은 이들의 염원을 끌어안고 달려온 휘안은 목적지에 다다라서야 깨달았다.

'전혀, 전혀 행복하지 않아.'

그는 죽어 가는 레너드를 바라보고 있음에도 불구하고 눈곱만큼도 행복하지 않았다. 오히려 견딜 수 없을 만큼 찐득한 불쾌함이 온몸에 달라붙었다. 욕지거리가 나올 만큼 짜증이 났다.

'기분이 좋지 않아…….'

하지만 그는 혼란스럽지 않았다. 사실 이것은 이미 예견해 왔던 감정이었다. 휘안은 그토록 찾아 헤맨 무지개의 끝자락에 아무것도 없을 거란 것을 이미 예상하고 있었다. 그곳에서 발견할 것은 피에 젖은 자신의 손, 그 이상도 이하도 아닐 거란 것을 잘 알고 있었지만 그는 멈출 수 없었다. 멈춰서도 안 되는 여정이었다. 레너드가 살아 있는 이상 휘안은 늘 소중한 것을 잃을지 모르는 불안감과 함께 살아야만 할 테니까.

'알아, 알아. 안다고. 그래도 기분이 더러워.'

그 순간 휘안은 뒤에서 느껴지는 인기척에 정신을 차렸다.

"콜록."

연약한 기침 소리가 들려오자 휘안은 빠르게 등을 돌렸다. 마치 잊고 있었던 보물을 기억해 낸 듯한 눈빛이었다. 휘안은 더 이상 죽어 가는 레너드를 바라보지 않고 린지에게 다가갔다.

"콜록, 콜록."

린지가 소파에 엎드린 채로 기침을 하고 있었다. 휘안은 그녀에게 손을 뻗다가 붉게 물든 손바닥을 보고 멈칫했다. 그는 서둘러 피에 젖은 손을 옷깃에 닦았다. 그럼에도 불구하고 피가 묻어 나와서, 감히 린지의 하얀 뺨 위로 손을 얹을 수가 없었다.

"린지, 괜찮아?"

결국 그는 그녀를 어루만지는 대신 걱정스런 목소리로 되물었다. 의식을 되찾은 린지는 몇 번 헛기침을 하더니 멍한 눈으로 그를 바라보았다.

"⋯⋯?!"

잠시 후, 그녀는 상황을 파악했는지 소파에서 벌떡 몸을 일으켰다. 린지는 완전히 처참하게 부서진 휘안의 집무실을 보고 넋을 놓았다. 마치 폭탄이 떨어진 양 벽과 바닥이 깊게 파여 부서져 있던 것이다. 린지는 바닥에 엎어져서 피에 파묻힌 레너드를 발견했다.

"레, 레너드가⋯⋯."

죽은 건가요, 라고 물으려는 순간이었다. 린지는 레너드의 손가락이 꿈틀거리며 움직이는 것을 보았다. 그녀가 경악하며 무언가 외치려는 순간, 죽은 줄 알았던 레너드가 벌떡 몸을 일으켰다. 그리고 창문을 향해 쓰러질 듯이 돌진했다.

쨍그랑!

레너드의 몸이 유리창을 부수고 밖으로 떨어져 내렸다. 린지와 휘안은 서둘러 창가로 달려갔다.

"……없어요."

아래로는 피에 흥건히 젖은 자국과 유리창의 파편들만 자욱할 뿐, 레너드의 모습은 그 어디에서도 보이지 않았다. 방 밖에서는 연금술을 쓸 수 있을 테니 분명 어디론가 금세 달아난 것이 분명했다. 하지만 휘안은 걱정하는 기색이 아니었다. 그는 안심하라는 듯 웃으면서 침착하게 말했다.

"걱정하지 마. 연금술로도 어쩔 수 없는 독이 몸에 퍼져 있으니, 얼마 버티지 못하고 죽을 거야. 길어 봤자 오 분, 십 분이겠지."

"……대체 무슨 일이 일어난 거죠?"

린지는 떨리는 눈으로 휘안을 바라보았다. 레너드의 것으로 보이는 피가 그의 옷깃과 손에 흥건하게 젖어 있었다.

"레너드가 무언가를 먹었어요. 그러고 나서 쓰러졌는데……."

"응. 독약을 먹였어."

린지는 휘안의 안색이 어쩐지 굉장히 나쁘다는 것을 깨달았다. 레너드와의 싸움으로 인해 지쳤다고 생각하기엔 너무나도 창백했기에 걱정이 왈칵 밀려왔다.

"하지만 너에게 다시 해독제를 주었어. 그 조건으로 내가 같은 독약을 먹긴 했지만, 난 독에 대한 내성이 있어서 괜찮아……. 그럴 줄 알고 틈만 나면 연금술로 내 몸을 변화시키려고 했거든. 내가 하는 유일한 인체 실험이었지. 하핫."

"노, 농담할 때가 아니잖아요! 괜찮은 거예요? 안색이 좋지 않아요."

린지는 서둘러 휘안을 소파에 앉히고 그를 살폈다. 자신을 살리기 위해 대신 독을 먹었다니, 그런 이야기를 아무렇지도 않게 하는 휘안에게 너무 화가 나고 또 미안해서 눈물이 나올 것만 같았다.

휘안은 아득한 시선으로 린지를 바라보며 히죽 웃었다.

"이 순간에 네가 있어서 정말 다행이야. 정말 기분이 안 좋았었거든. 네가 없었다면, 정말 내가…… 많이 힘들었을 거야. 정말 많이……."

잠이 몰려왔다. 휘안은 저항할 수 없는 피로함이 몸을 적셔 오는 것을 느꼈다. 이 피로의 이유가 레너드와의 긴 싸움이 끝나서도, 묵혀 놓은 복수를 이루어서도 아니란 것을 알고 있었다.

"아무래도 독에 대한 내성이…… 충분히 이루어지지 않았나 봐. 레너드 녀석의 독이 너무 강한 건가…… 아님 아무래도 나를 대상으로 하는 실험인지라…… 약했나."

"휘…… 휘안 님."

덜컥 겁이 치밀었다. 린지는 휘안의 목소리가 조금씩 더듬더듬 느려지는 것을 깨달았다. 그는 자신이 잘 보이지 않는지 몇 번이나 눈을 깜빡이며 제대로 뜨려고 노력했다.

"그, 그게 무슨 소리예요. 정신 차리고 얘기해 봐요."

휘안은 린지를 보았다. 점점 시야가 흐려져 가고 있었지만, 마지막 순간까지 그녀의 얼굴을 바라보고 싶었다. 그는 천천히 손을 들어 올려 린지의 뺨을 어루만졌다. 새하얀 뺨에 붉은 손자국이 남은 것을 본 휘안이 나지막이 중얼거렸다.

"미안해, 피가 묻었……."

너무 피곤해서 견딜 수가 없어. 하고 싶은 말이 많았음에도 불구하고 휘안은 이 짧은 문장조차 끝맺을 수 없었다. 피가 묻어서 미안하다고, 하지만 더 이상 피 묻힐 일은 없을 거라고, 이제 다 끝났으니까 아무 걱정 없이 편하게 쉬라고, 유시젠 왕세자와는 어떻게든 합의점을 찾아내서 너와 함께 있을 수 있는 방법을 만들어 보겠다고……. 그러니까 앞으로 계속 곁에 있어 달라는 말을 하고 싶었다.

하지만 휘안은 단 한마디도 내뱉을 수 없었다.

툭.

린지는 자신의 뺨에 닿았다가 떨어지는 휘안의 손을 바라보았다. 마치 홀린 듯 그 손을 바라보던 린지는 다시 휘안의 얼굴로 시선을 옮겼다. 희미한 미소를 머금은 채 그는 잠들어 있었다.

왜…… 잠을 자는 거지. 린지는 떨리는 손으로 휘안의 어깨를 잡아 흔들었다. 지금은 잠을 잘 때가 아니었다. 레너드라는 악마를 해치웠으니, 이제는 행복하게 웃으며 미래를 이야기해야 할 때가 아닌가. 이제야, 미래를 바라볼 수 있는데.

"휘안 님, 일어나요."

그의 몸을 흔드는 순간 휘안의 고개가 힘없이 툭 꺾였다. 마치 인형처럼 생기 없는 그 모습에 린지는 저도 모르게 숨을 멈췄다.

"휘안?"

잠꾸러기였던 시절, 이렇게 흔들면 눈을 짠 하고 뜨면서 그녀를 끌어안고는 했다. 하지만 지금의 휘안은 미동조차 없었다. 마치 오랜 질주에 지쳐 영원한 잠에 빠져든 사람처럼, 휘안은 눈을 뜨지 않았다.

"……!"

순식간에 깨달음이 밀려왔다. 휘안의 몸을 부둥켜 잡은 린지의 손이 벼락이라도 맞은 양 뻣뻣하게 굳었다. 그리고 곧이어 경련하듯 떨리기 시작했다.

이것이 레너드와 휘안의 결말이었다. 둘 다 서로의 독에 당해 목숨을 잃거나 영원한 잠에 빠져 버렸다. 때문에 그는 그토록 바라 오던 행복한 미래를 손에 넣지 못하고 이렇게 끝이 나 버리고 말았다.

'거짓말.'

안 돼. 린지는 홀린 듯이 중얼거리며 휘안을 흔들었다. 그럼에도 불구하고 흔들리지 않는 눈꺼풀을 보는 순간, 린지의 등이 싸하게 굳어 왔다.

농담이 아니다. 정말로, 일어나지 않는다. 휘안이 정말로 일어나지 않는다.

"휘안……."

린지는 눈물이 얼굴 위를 가득 적시고 있는 것을 깨닫지 못했다. 그녀는 간절하게 속삭였다.

"일어나요……."

린지는 갈라지는 목소리로 속삭이며 휘안의 어깨를 흔들었다. 이렇게라도 흔들면 혹시나 눈을 뜨진 않을까 하는 실낱같은 희망이었다.

"옆에 있을게요, 옆에 있을 테니까…… 일어나요."

이것이 휘안의 마지막이라니, 인정할 수 없다. 그건 휘안에게 너무나 잔혹했다. 그가 불쌍해서 견딜 수 없었다. 내가 없었더라면 휘안은 이렇게 되지 않았을 텐데.

린지는 숨이 막혀 올 만큼 쏟아지는 눈물 속에서 흔한 흐느낌조차 뱉어 낼 수 없었다. 휘안이 불쌍해서, 그리고 스스로가 미워서 견딜 수가 없었다. 이곳에 자신이 없었더라면 휘안이 제 손으로 독약을 마시는 일은 없었을 것이다. 그럼에도 불구하고 이곳에 그녀가 있어서 다행이라고 했던 휘안의 마지막 말을 이해할 수 없었다.

"잘못했어요. 내가 잘못했어……."

끝까지 옆에 있어 주겠다는 말 한마디조차 못 해 준 자신인데, 그런 자신을 위해 휘안은 모든 것을 포기했다. 이제야 과거를 청산하고 밝은 앞날을 생각할 수 있게 됐는데, 단 한순간도 머뭇거리지 않고 미래를 버렸다. 옆에 있어 주겠다는 말 한마디 하지 않는 여자를 위해…….

린지의 입에서 울음이 터져 나왔다. 찢어지는 마음 속에서 그대로 질식할 것만 같았다. 린지는 휘안을 마구잡이로 흔들다가, 그럼에도 불구하고 여전히 평온히 잠든 모습을 보고 그의 가슴 위로 엎드려 몸을 떨었다.

"린지."

순간, 뒤에서 들려오는 목소리에 린지가 고개를 돌렸다. 키벨이 마구잡이로 부서진 방 안에 서 있었다. 그는 비통하게 울고 있는 린지를 보고 할 말을 잃었다.

"리, 린지?"

"키벨."

린지는 눈물을 툭 떨어뜨리며 백작의 몸을 흔들었다.

"휘안이 일어나지 않아, 어떻게 하지……."

갈라진 린지의 목소리에 키벨은 할 말을 잃었다. 하지만 그는 곧 자신이 이곳에 온 이유를 상기시키고는 단호하게 말했다.

"린지, 나와 함께 가자."

린지는 눈물로 가득 젖은 얼굴로 키벨을 바라보았다. 그는 놀라운 상황 속에서도 침착함을 유지하려고 노력하며 말했다.

"주군께서 나를 보내셨어. 어서 가자. 지금이 기회잖아."

"……."

"린지."

미동하지 않는 린지를 보고 키벨은 초조함을 느꼈다. 유시젠의 말이라면 단 한순간도 고민하지 않는 그녀가 마치 못 들은 척, 여전히 휘안을 흔들고 있었던 것이다.

"린지. 주군이 널 부르고 있어! 어서 다른 사람들이 오기 전에 돌아가자!"

유시젠이 부르고 있다. 린지는 그가 자신의 귀환을 바라고 있음을 잘 알고 있었다. 그녀 역시 언제라도 기회가 된다면 백작의 곁을 떠나 유시젠에게 돌아갈 생각이었다. 그곳이 그녀가 있어야 할 곳이니까, 그렇게 정했으니까. 하지만……

"미, 미안해……."

린지는 떨리는 목소리를 간신히 잡아 끄집어냈다. 그녀는 태어나서 처음으로 유시젠의 명령에 불복했다. 그 결심이 너무나도 확고해서 도저히 어쩔 도리가 없었다.

"나 지금은 갈 수 없어. 도저히, 이 사람을 이대로 두고 갈 수 없어."

"린지. 대체 그게 무슨……."

"오라버니께 죄송하다고 전해 줘. 반드시 돌아가겠다고, 그래도 지금은, 지금은 갈 수 없다고……."

키벨은 그렇게 말하는 린지를 믿을 수 없었다. 그녀가 유시젠의 말을 따르지 않는 날이 올 거라고 생각해 본 적이 없었던 것이다.

"……린지."

하지만 키벨은 문밖에서 들려오는 소란을 듣고 더 이상 자리를 지키고 있을 수 없었다. 그는 빠른 걸음으로 이미 깨진 창문 쪽으로 다가갔다. 바깥으로 몸을 내던지기 전, 키벨은 마지막으로 린지를 바라보았다. 그녀는 더 이상 키벨을 보고 있지 않았다. 그녀의 두 눈동자는 잠든 휘안에게 향해 있었다.

키벨이 창문 밖으로 몸을 내던지는 소리를 들으며 린지는 눈물을 떨어뜨렸다.

'죄송해요, 오라버니. 하지만 지금 갈 수 없어요…….'

도저히 휘안의 곁을 떠날 수 없었다. 떠나고 싶지 않았다.

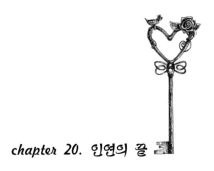

chapter 20. 인연의 끝

하루의 업무를 마친 유시젠은 방 안으로 들어섰다. 그리고 그 순간, 진득하게 맴도는 피 냄새를 느꼈다.

"……"

그는 스위치를 눌러 방 안을 밝혔다. 피투성이의 사내가 벽에 기대어 앉아 있었다. 붉게 젖은 하늘색 머리카락, 한때는 잘생겼던 얼굴이 완전히 엉망으로 뭉개져 있다. 온몸을 적신 피의 향연 속에서도 유시젠의 표정은 변하지 않았다. 심지어 그는 조금도 놀라지 않은 상태였다. 줄곧, 이 사내가 이런 몰골로 등장하길 기다리고 있었으니까.

"놀, 놀라지 않는군, 쿨럭!"

엉망진창으로 망가진 레너드가 바스러져 가는 목소리로 말하며 피를 토해 냈다. 고통으로 인해 가늘게 떨리는 목소리였다. 유시젠은 덤덤하게 그를 내려다보았다.

"이럴 때조차, 포커페이스……라니, 정말 대단하다고 해야 할까."

레너드의 말에 유시젠의 입꼬리가 올라갔다. 그는 성큼성큼 다가가 의자를 끌어내 앉았다. 그리고 마치 감상하듯, 죽어 가는 레너드를 바라보았다.

"그 말은 내가 해 주고 싶군. 죽어 가는 이 순간에도 그런 장난스러운 목소리라니, 대단하군."

그는 죽어 가고 있다. 악마 같은 작자, 고대의 연금술사 레너드가 죽음을 앞둔 것이 유시젠의 눈에 보였다. 완전히 망가진 몸에서는 계속해서 피가 흘러내리고 있다. 그리고 보이지 않는 고통에 떠는 온몸은 잘게 경련하는 중이다. 솔직히 아직까지 숨이 붙어서 말을 이어 가는 게 신기할 정도였다.

유시젠은 심드렁한 표정으로 그를 바라보았다. 그는 레너드와 손을 잡지 않았다. 레너드가 힘을 합쳐 휘안을 제거하자고 제안했지만 유시젠은 단호하게 거절했다. 당장 꺼지라고 말한 후 다시는 내 눈앞에서 얼쩡대지 말라고 경고까지 해 주었다.

'내가 굳이 손을 잡지 않아도 저 둘은 몰락하게 되어 있다.'

휘안이 레너드에 대해 언급한 단 한 줄의 문장 '그 녀석은 당신이 무엇을 생각하든 더 끔찍하다.', 그리고 레너드가 말한 바람 '휘안의 죽음입니다.' 그것만으로 유시젠은 두 사람의 결과를 예상할 수 있었다. 둘 다 서로를 물어뜯지 않고서는 견딜 수 없는 관계였다. 굳이 유시젠이 끼어들지 않아도 둘은 자멸하게 될 것이었다. 그때에 린지를 데려오면 된다, 그는 그렇게 생각했다. 그래서 키벨을 르카플로네 영지로 보내 이상한 낌새가 느껴지는 순간 바로 데려오라고 명령했다.

그리고 그는 자신의 예상이 들어맞았음을 깨달았다. 레너드, 이 남자는 완전히 죽기 전 상태로 돌아왔다. 아마 휘안— 르카플로네 백작도 무사하진 않을 것이다.

'린지가 돌아올 것이다.'

이제 키벨이 린지를 데려오면 끝. 이 길고도 복잡했던 이야기의 결말은 이렇게 끝맺었다. 이제 린지를 무사히 데려오는 일만 남았다. 린지가 얼마나 소중한 존재인지 이 기회를 통해 깨달았으니 더 이상은 험한 일 시키지 않고 곁에 둘 생각이었다. 그녀가 원한다면 귀족의 작위를 내려 안락한 삶을 안겨 줄 것이다. 다만, 계속 자신의 곁에 머무르는 전제하에.

"그런 표정, 아직 이를 텐데, 유시젠 전하?"

승리자의 표정을 짓는 유시젠을 보며 레너드가 키득거렸다. 그의 말에 유시젠의 눈썹이 뒤틀렸다. 이 작자는 왜 웃고 있는 거지? 누가 봐도 곧 죽을 듯한 모습이다. 죽음을 앞두고 있다. 레너드 스스로도 그 사실을 아는 것처럼 보였다. 그럼에도 불구하고 이 작자는 웃고 있었다. 아직까지도 즐거워하고 있는 모습이 신기했다.

유시젠은 레너드의 몰락을 지켜보며 비웃었다. 하지만 자신과 마주친 하늘색 눈동자에 조소가 머문 것을 본 그의 표정이 굳었다. 비웃는 쪽은 레너드였다.

"아직, 재밌는 게 남았거든. 웃지 않을 수가 없어."

"……그게 무슨 소리냐. 재밌는 게 남았다고?"

"응, 내가 가장 기대한 순간이지."

피에 젖은 레너드가 킬킬거리며 웃다가 왈칵 피를 토해 냈다. 진한 혈향 속에 잠식되어 생명의 빛이 꺼져 가는 와중이었지만 레너드의 표정은 진심으로 즐거워 보였다. 마치 훗날을 위해 아껴 둔 제일 맛있는 초콜릿을 먹기 직전, 어린아이의 표정이었다.

"왕이 왜 미스릴을 찾는지 알아? 내가 지금까지 미스릴을 요구했거든."

"……."

"너를 내 실험체로 넘기든가, 아니면 미스릴을 공물로 바치든가, 오랜 시간 동안 요구했었어."

순간 유시젠의 눈빛이 차가워졌다. 그의 마음이 잘게 떨렸지만 그뿐, 겉으로는 그 어떤 동요도 드러나지 않았다. 그는 덤덤하게 웃으며 냉기 어린 목소리로 답했다.

"그래? 여기서 네놈이 뒈지게 되어 더더욱 다행이군."

"쿨럭! 그래, 그렇지. 근데 내가 요구한 건, 미스릴뿐만이 아니야."

피를 토한 레너드가 갈라지는 목소리로 말을 이었다.

"13년 전, 인체 실험으로 쓸 사람들을 요구했었어. 그게 바로 르카플로네 백작가와, 영지의 아이들이다. 대대적인 납치 사건이 있었다는 거, 들어 봤지? 다 내가 실험용으로 썼어."

유시젠의 손아귀에 힘이 들어갔다. 팔걸이를 잡은 그의 주먹이 바르르 떨렸다. 벼락과도 같은 말에 유시젠은 레너드를 죽일 듯 쏘아보았다. 즐거운 연극을 지켜보는 은회색 눈동자, 광기로 젖어 있었지만 그 안에는 거짓이 없었다. 그는 지금 진실을 말하고 있었다!

레너드는 조금씩 일그러지는 유시젠의 굳건한 얼굴을 바라보며 웃음을 터뜨렸다. 웃을 때마다 목이 찢어질 것처럼 아파 왔지만 즐거워서 견딜 수 없었다. 드디어 저 고고한 왕세자가 조금씩 흔들리고 있다. 이렇게 즐거울 수가!

"그들은, 실험 중에 거의 다 죽었어. 휘안 녀석은 살아남아서 지금까지 내게 복수를 한답시고 했고, 쿨럭! 하, 하하. 어때? 몰랐지?"

"……닥쳐."

"지금 당신이 있는 그 자리, 르카플로네의 피로 만들어진 자리야. 당신 하나 지키기 위해 얼마나 많은 사람들이 죽어 갔는지 알아? 뭐 내가 죽였지만, 당신도 그 죽음에 일조한, 쿨럭!"

유시젠의 주먹에서 피가 흘러나왔다. 너무나 강하게 쥐어 그의 손톱이 손바닥을 파고든 것이다. 주먹을 타고 흐르는 피 한 줄기에 레너드의 마음이 뜨거워졌다. 그는 온몸이 흥분으로 달뜨는 것을 느끼며 미친 듯이 지껄였다.

"그리고 린지 아즈벨! 당신, 그 애와의 만남이 우연이라고 생각해?"

피가 나도록 주먹을 쥐고 있는 순간까지 유시젠의 표정만큼은 그대로였다. 하지만 린지의 이름이 나오는 순간 유시젠의 표정이 갈라졌다. 그 감정의 부서짐을 지켜본 레너드는 정신없이 웃음을 터뜨렸다.

"그 애의 본명은 세나엘 이즈나, 르카플로네 영지의 아이였어. 내 손에 의해 직접 인체 실험을 당했지. 세나엘 이즈나. 린지 아즈벨보다 더 예쁜 이름이지?"

"……웃기지 마."

"그러다가 당신 아버지, 국왕이 부탁했어. 앞으로 계속 아이들을 납치해서 실험용으로 바칠 테니, 실험에 성공한 아이 하나를 넘겨 달라고! 네가 걱정이 됐었는지, 쿨럭! 네 호위 기사로 쓰고 싶었던 모양이야."

쩌적, 쩌적, 쩌적.

유시젠의 귓가에 소음이 윙윙거렸다. 세상이, 그를 단단하게 둘러싸고 있던 세상이 조금씩 부서져 가고 있었다. 단숨에 무너져 가는 껍질의 균열이 그의 머리를 때렸다. 그는 아무런 말도 할 수 없었다.

"네가, 부수고 다녔던 노예 경매, 돌아가는 길에 마주칠 만한 용병단에 그 아이를 버려두었지. 자연스럽게, 아주 자연스럽게 운명적인 만남을 할 수 있게끔 유도도 해 놨어. 지금까지 둘의 만남이 운명이라고 생각했지? 다 국왕과의 거래로 내가 만들어 놓은 무대였을 뿐이야! 하하하!"

죽음을 앞둔 사람이라고는 믿을 수 없을 만큼 들뜬 목소리였다. 실제로 레너드는 마지막 온 힘을 불살라 소리치고 있었다. 마치 연극의 퇴장을 앞둔 배우가 마지막 대사를 내뱉는 것처럼, 레너드는 자신의 영혼을 태워 소리쳤다.

"네가 사랑하는 부하, 린지 아즈벨! 그 아이는 널 지키기 위해 삶이 망가진 아이다! 가여운 르카플로네 영지의 소녀, 세나엘 이즈나. 너 때문에 부모를 잃고 오빠를 잃고 이름을 잃고 온갖 실험을 당해 기억까지 잃었지! 게다가 린지가, 아이를 가질 수 없는 몸이라는 거, 알고 있어? 실험 부작용으로 인해 여자로서 기능을 못 하게 됐다는 거, 알고 있냔 말이야?!"

"……!"

"그리고 지금 이 순간까지도, 너 때문에 사랑까지 버려 가며 인생을 바치고 있어! 모든 것이 너 때문에, 유시젠 왕세자!"

"웃기지 마……."

유시젠의 단호한 입술이 파르르 떨렸다. 양손의 주먹이 흐르는 피로 인해 젖어 갔다. 그의 일그러진 표정을 본 레너드는 온몸을 관통하는 쾌락에 몸서리쳤다. 그가 무너져 가고 있었다. 단 한 번도 긍지를 잃은 적 없는 단단한 남자가 완전히 부서지고 있었다!

완벽한 것을 망가뜨리는 것은, 어쩜 이렇게 즐거운지…….

"여덟 살짜리 꼬마애가 용병단의 대장을 죽이는 게 가능하다고 생각해? 그것도 기억을 잃은 꼬마가? 검술의 검 자도 몰랐던 소녀가? 천재였다는 그 말로 넘어갈 수 있을 것 같아? 당신도 알잖아! 그게 말도 안 되는 얘기라는 것을!"

"닥쳐……."

"내 실험이 성공해서, 처음부터 강했던 거였어. 그 애의 온몸에 빼곡히 주삿바늘을 밀어 넣고 두꺼운 튜브를 박아 강해지도록 실험했거든! 울면서 그만두라고 빌었지만 난 계속했지. 널 위해 만들어진 비밀 병기 린지라고 해야 할까? 이것이 다 당신 때문에, 유시젠 당신 때문에……!"

"닥쳐!"

더 이상 듣고 있을 수 없었다. 한 글자라도 더 듣다가는 온몸이 터져 버릴 것 같았다. 유시젠은 미칠 것 같은 억눌림 속에서 폭발했다. 그는 검을 뽑아 들고 레너드에게 달려들었다. 그리고 단숨에 레너드의 심장 쪽으로 검을 거칠게 밀어 넣었다.

"허억, 허억……."

정신을 차리고 보니, 유시젠은 레너드의 시신 앞에 주저앉아 있었다. 그는 숨을 거칠게 몰아쉬며 젖은 피를 내려다보았다. 그의 손, 그의 발이 피로 젖어 있었다. 수많은 사람들의 피로 만들어진 삶이었다.

"닥쳐……."

홀린 사람처럼 중얼거리는 유시젠을 바라보는 레너드의 눈동자는 불빛이 꺼져 있었다. 한 줌의 빛도 흡수하지 않는 눈동자는 유리구슬 같았다. 마지막 순간까지도, 레너드는 웃고 있었다.

한 달이 흘렀지만 휘안은 눈을 뜨지 않았다. 시간이 흐름과 관계없이 그의 삶이 동결되어 버린 것 같았다. 마치 영원한 잠에 빠져든 듯 평온한 얼굴로 고른 숨을 내뱉어 내는 휘안의 모습에, 모두가 절망했다.

린지는 침대 위에 누워 있는 휘안의 모습을 바라보았다. 그는 이 순간까지도 너무나 아름다워 눈을 깜빡이면 그대로 사라져 버릴 것 같았다.

"일어나요, 휘안."

나지막이 중얼거린 린지의 눈가에 눈물이 맺혔다.

휘안이 그녀를 지키기 위해 독극물을 마셨단 사실을 알게 된 예르시카와 하쥰은 절망했다. 예르시카는 그녀의 뺨을 내리치며 온갖 저주의 말을 내뱉었고, 결국엔 슬픔에 무너져 엉엉 울음을 쏟아 냈다. 하쥰은 망연자실한 얼굴로 아무런 말도 하지 못했다. 그는 이 상황을, 언제 어느 때라도 이상적인 모습으로 웃고 있을 것 같은 휘안의 비참한 결말을 믿을 수 없는 것 같았다.

하지만 시간이 흐르고 예르시카와 하쥰은 휘안의 뜻을 받아들였다. 스스로를 버리고 린지를 살린 그의 선택을, 그들은 존중했다. 그 이후로 줄곧 린지는 휘안의 곁에서 그를 지켰다. 밥도, 잠도 휘안의 곁에서 해결했다. 그녀는 단 한순간도 휘안에게서 떨어지고 싶지 않았다.

"정말 내 곁에 있어 주는 거야? 고마워, 나 행복해."

그녀의 결정을 알게 되면 이렇게 얘기하겠지……. 하지만, 그는 그녀의 결정을 알 수 없었다. 더 이상 그녀와 그 어떤 이야기도 나누지 못할 테니까……. 린지는 결국 치밀어 오르는 눈물을 참지 못하고 또다시 울음을 터뜨렸다.

"미안해요, 휘안."

린지는 눈물에 젖은 얼굴로 휘안을 바라보았다. 너무나 평온한 모습에 마음이 아려 왔다. 그녀는 휘안의 은빛 머리칼을 쓸어 넘기며 애써 웃음을 지었다.

"어서 눈을 떠요. 알겠죠? 기다릴 테니까."

그러니까 제발 눈을 떠 줘요. 린지는 신에게 간절히 빌었다. 그때였다.

"……."

인기척이 느껴졌다. 린지는 천천히 등을 돌렸다. 그 순간, 자신을 바라보고 있는 황금색 눈동자에 그녀의 몸이 굳었다. 유시젠이 문 앞에 서서 그녀를 응시하고 있었던 것이다.

"오…… 오라버니?"

마치 머리를 거세게 한 대 맞은 것만 같았다. 그녀는 서둘러 눈물을 닦으며 자리에서 일어났다. 유시젠이 이곳에 있다니? 언젠가 다시 한 번 키벨이 찾아올지도 모른다고 예상하고는 있었지만, 그가 직접 찾아올 줄 은 상상도 못 한 그녀였다.

린지는 엉거주춤 일어나 그에게 다가갔다. 문득, 유시젠의 안색이 몹 시 안 좋다는 것을 깨달은 린지는 자리에서 멈춰 섰다. 윤택했던 피부 결이 거칠어져 있었고 총명함으로 당당했던 눈동자에 그늘이 걸려 있었 다. 그녀가 알던 유시젠의 모습과는 너무나도 달랐다.

"오라버니⋯⋯."

설마, 자신이 명령에 불복해서일까⋯⋯. 린지는 키벨의 손을 뿌리치고 이곳에 남겠노라고 말한 자신의 결심을 떠올렸다. 그녀는 그의 발아래 무릎을 꿇으며 고개를 숙였다.

"명령 따르지 못한 점, 사죄드립니다. 정말 죄송합니다, 오라버니."

유시젠은 아무런 말 없이 그녀를 내려다보았다. 그녀는 그의 발끝을 바라보며 참담한 마음으로 말을 이었다.

"용서받지 못할 거란 것, 잘 알아요. 후에 목숨으로 죗값을 치르라 하 시면, 그리하겠습니다."

"⋯⋯."

말없이 린지를 내려다보던 유시젠은 천천히 눈을 감았다. 잠시 후, 그가 눈을 떴을 때 황금색 눈동자는 시릴 듯한 냉기로 가득 채워져 있었다.

"일어나라, 린지 아즈벨."

그의 살얼음 같은 목소리에 린지의 몸이 흠칫 굳었다. 그녀는 입술을 바르르 떨며 자리에서 일어났다. 지금 그녀에게 내리 떨어진 목소리는, 지금껏 단 한 번도 들어 본 적 없는 차가움으로 뭉쳐 있었다. 그의 분노 와 실망감이 린지의 심장을 도려내는 것 같았다.

"죽여라."

"……네?"

린지는 멍하니 시선을 들어 올려 유시젠을 바라보았다. 거칠어진 그의 얼굴, 탁해진 눈동자에 찌를 듯한 살기가 느껴졌다. 그는 린지의 손에 자신의 검을 억지로 쥐여 주며 갈라진 입술을 열었다.

"백작을 죽여라."

"……!"

린지의 눈이 크게 열렸다. 그 붉은 눈동자 안으로 드러난 경악을 고스란히 느꼈지만, 유시젠은 명령을 거두지 않았다. 도리어 더 강하게 몰아붙였다.

"지금 당장 내 앞에서 죽여라. 나를 모욕한 녀석이다."

"오라버니……."

"명령이다. 린지 아즈벨. 번복은 없다."

린지의 손끝이 떨렸다. 그의 목소리, 눈동자는 너무나도 단호해 일말의 망설임조차 느껴지지 않았다. 그 어떤 말로도 유시젠의 결심을 되돌릴 수 없을 것이다. 그는 진정으로 백작의 죽음을 바라고 있었다.

그녀가 아는 유시젠은 그 무엇도 허투루 말하지 않는 사내였다. 만약 그가 무언가를 결심했을 땐 충분히 심사숙고했을 것이며─ 그것이 문장이 되어 입 밖으로 뱉어졌을 때 망설임 따위는 먼지만큼도 없을 것이다. 실로 강철 같은 남자, 때문에 린지가 목숨을 바쳐서까지 따르고 싶던 사나이였다. 그런 그가 휘안의 죽음을 명하고 있었다.

"……죄송해요."

쟁그랑, 유시젠이 쥐여 준 검이 바닥으로 떨어져 내렸다. 린지는 다시 한 번 무릎을 털썩 꿇고 유시젠을 올려다보았다. 그녀의 눈동자에는 단 한 번도 내보인 적 없는 간절함이 들끓었다.

"그 명령, 따를 수 없습니다. 죄송해요, 오라버니."

"······."

"한 번만, 한 번만 넘어가 주세요. 오라버니, 제발······."

유시젠은 그녀의 붉은 눈망울에 차오르는 눈물을 보았다. 그토록 보이지 말라고 명령까지 내렸던 눈물, 그것이 휘안으로 인해 쉴 새 없이 쏟아져 내리고 있었다. 그녀는 눈물 젖은 얼굴로 애원했다.

"부탁이에요. 제발, 절 봐서라도 한 번만 용서해 주세요. 오라버니······ 제발."

제발······. 린지의 애원이 쉴 새 없이 유시젠의 귓가에 맴돌았다. 그녀가, 단 한 번이라도 이렇게 무언가를 원해 본 적이 있던가. 하기 싫던 남장을 시켰을 때도 몇 번 대드는 것이 전부였다. 결국 그녀는 언제나 유시젠의 말을 따랐다. 그의 말, 그의 의지를 목숨보다 중요하게 여기며 살아왔던 린지였다. 그런 그녀가 지금 그의 말을 거부하고, 부탁을 들어 달라며 애원하고 있었다.

유시젠은 주먹을 강하게 말아 쥐었다. 그는 억지로 찍어 내린 분노를 담아 린지를 노려보았다.

"내 명령에 불복하는 거냐."

"오라버니, 제발······."

"내 말을 듣지 않는 부하는 필요 없다."

순간, 린지의 어깨가 굳었다. 충격으로 인해 부서진 눈동자가 잘게 떨리고 있었다.

유시젠은 심호흡을 했다. 준비해 온 대사, 몇 번이나 연습해 온 대사를 내뱉어야 했다. 마음이 찢어질 듯 아파 오는 것을 드러내지 않고 담담하게 말해야 했다.

"네 부탁을 들어주마. 대신, 두 번 다시 내 앞에 나타나지 마라. 이제 와 용서를 빌어도 소용없을 것이다."

"그게 무슨……."

"넌 두 번이나 내 명령을 따르지 않았다. 더 이상 널 신뢰할 수 없어. 이 순간부터 넌 나에게 아무것도 아니다."

"오, 오라버니……."

유시젠은 싸늘하다 못해 얼어 버린 것 같은 눈으로 린지를 노려보며 또박또박 말했다.

"날 오라버니라고 부르지 마라, 역겨우니까."

역겨우니까. 역겨우니까…….

그것이, 그가 린지에게 내뱉은 마지막 대사였다. 아마도 이 생에 그들이 나누었을 마지막 대화. 유시젠은 단호하게 등을 돌려 걸어갔다. 등 뒤에서 린지가 울부짖으며 부르는 목소리가 들렸지만 유시젠은 단 한순간도 망설이지 않았다. 등을 돌리는 순간 뜨거운 눈물이 쏟아져 내려 얼굴을 적셨다.

그녀의 흐느낌이 그의 등을 잡아챘다. 그의 손을, 머리칼을, 목덜미를, 무릎을, 그리고 마음을…… 당장이라도 몸을 돌려 그녀에게 달려가 끌어안고 싶었다. 너를 그 누구보다 아낀다고, 뒤늦게 깨달았다고 고백하며 다시는 떨어지고 싶지 않았다. 하지만 유시젠은 계속 걸어갔다. 점점 그녀의 흐느낌이 들리지 않을 때까지 그는 멈추지 않았다.

이렇게 하지 않으면 린지는 자신에게 벗어나지 못할 것이다. 그는 린지를 잘 알고 있었다. 그녀의 충심이 얼마나 대단한지, 자신을 목숨처럼 귀하게 여기고 있다는 것을 잘 알고 있었다. 때문에 휘안의 곁을 지키면서도 자신에게 얽매여 아파할 것이다. 아마 평생을 벗어나지 못할 것이다.

'넌 날 버릴 수 없어. 그러니 내가 버리겠다.'

린지는 절대로 유시젠을 버릴 수 없을 것이다. 유시젠으로 인해 일어난 모든 비극을 알게 되더라도 떠나지 않을 것임을 잘 알고 있었다. 이 세상에서 누구보다도 그녀를 잘 알고 있는 사람, 그것은 유시젠이었다. 그가 이렇게라도 하지 않으면 린지는 절대로- 하늘이 두 쪽이 나도 자신을 버릴 수 없다. 때문에, 이것이 그가 그녀에게 해 줄 수 있는 처음이자 마지막 배려였다.

레너드가 한 말을 토대로 조사한 유시젠은 처절한 진실을 마주했다. 레너드의 말은 모조리 진실이었다. 아버지, 국왕이 고개를 수그리며 모든 것을 인정했던 순간이 눈앞에 선했다. 그는 정말로 자신을 살리기 위해 수많은 사람들을 인체 실험으로 바쳐 왔다. 그리고 린지 아즈벨- 세나엘 이즈나라는 본명을 가진 여자아이가 레너드와의 거래로 얻은 비밀병기라는 것 역시 진실이었다.

수많은 사람들의 인생. 휘안 데 르카플로네의 인생. 그리고 린지 아즈벨의 인생……. 모든 것이 자신을 위한 희생양이었다.

'더 이상 날 위해 살지 마라.'

린지에게서 멀어지는 발걸음은 멈추지 않았다. 다시는 그녀와 가까워지는 일이 없을 것이다. 두 번 다시 얼굴을 볼 일도, 대화를 나눌 일도 없을 것이다. 이것이 마지막이라는 것- 그녀와의 인연이 끝났다는 것을 알고 있었지만, 유시젠은 더욱 빨리 걸어갔다. 그는 담담하게 눈물을 닦아 내며 앞을 향해 나아갔다.

'미안하다. 이젠 내게서 벗어나 네 삶을 살아라. 부디 행복하길.'

아마 영원히 전할 수 없겠지만…….

나는 널…….

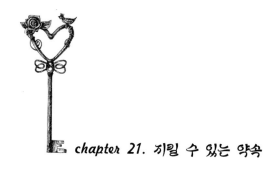

chapter 21. 지킬 수 있는 약속

계절이 바뀌었다. 봄과 여름, 가을과 겨울이 무심할 만큼 빠르게 스쳐
지나갔다. 몇 번이나 창밖의 풍경이 바뀌고 정원의 색상이 다른 빛깔로
변해 갔다. 눈부신 정원은 그 어떤 계절이 다가와도 최상의 아름다움을
뽐내었다. 그의 말처럼, 르카플로네 성의 봄의 정원은 너무나 아름다웠다.

두 번째 봄을 맞이하며 린지는 창문을 활짝 열었다. 그 순간 따스한
바람과 함께 밝은 아침 햇살이 쏟아져 내렸다. 기분 좋은 봄 내음을 맡
으며 린지는 활짝 웃었다.

"우와, 날씨 진짜 좋아요."

그녀는 밝은 목소리로 말했다. 실제로 그러했다. 4월의 봄바람에서는
막 돋아난 생명의 향기가 담뿍 묻어져 나왔다. 싱그러운 초록빛 향에 미
소가 피어 나왔다.

"역시 봄이 최고인 것 같아요. 따뜻하니까 기분도 좋고, 꽃이랑 식물
이 피어나니 향기도 좋고…… 특히나 정원이 너무 예쁘게 변했어요."

린지는 방 안의 창문을 모두 열며 재잘재잘 말을 이어 갔다.

"이런 날에야말로 피크닉 나가야 하는데. 기억나요? 예전에, 샤를의 저택에서 피크닉 나갔다가 비 맞았잖아요. 푸훗, 오늘 같은 날 나가면 걱정 없을 텐데. 날씨 정말 좋거든요, 하늘도 굉장히 맑고! 우리 언제 또 나갈까요?"

린지는 신이 나서 옆을 돌아보았다. 그곳엔 시간이 멈춘 한 사내가 잠들어 있었다. 조용히 감긴 속눈썹을 바라본 린지의 표정이 순간 흔들렸다. 하지만 그것은 찰나였을 뿐, 그녀는 다시 활기찬 목소리로 말을 이어 나갔다.

"아니면 등산을 가도 좋을 것 같아요. 엘린 할머니의 스튜를 먹으러 가고 싶기도 하고…… 아아, 그 스튜 정말 맛있었는데. 우리 또 먹으러 가요."

대답은 없었다. 없을 거란 것을 알면서도, 린지는 말을 멈추지 않았다. 그녀는 멈춘 시간 속에서 잠들어 있는 사내를 바라보며 제안했다.

"언제 갈까요, 휘안 님?"

그녀는 가만히 휘안을 내려다보았다. 봄바람에 살랑대는 은빛 머리칼이 곱게 잠든 얼굴 위로 흔들렸다. 린지는 꿈속에 빠진 휘안을 바라보며 나지막이 중얼거렸다.

"하여튼, 잠꾸러기라니까."

"야! 너 몇 번을 틀리냐, 진짜!"

린지는 달려드는 잔소리에 어깨를 움츠렸다. 그런 그녀를 향해 날카로운 목소리가 공격적으로 쏟아져 내렸다.

"내가 몇 번을 얘기해, 몇 번을! 서류 분류는 이렇게 하는 게 아니라고 했지!"

"그, 그게······ 헷갈렸어요."

그녀는 기어들어 가는 목소리로 변명했다. 너무 작은 소리인지라 상대 방에게 들렸을지는 의문이었다. 하지만 그, 하준은 그녀의 변명을 제대로 알아듣고는 눈을 날카롭게 치켜떴다.

"너는 대체 언제까지 헷갈릴 거냐."

"이젠 안 헷갈릴 거예요. 죄송해요."

"그 얘기, 벌써 일 년째거든."

그의 말이 사실이었기에 린지는 시무룩하게 어깨를 늘어뜨렸다. 그런 그녀를 노려보던 하준은 한숨을 푹 내쉬며 고개를 저었다.

"하여튼 넌 몸만 잘 쓰지, 글 앞에서는 쥐약이라니까. 어휴, 이 돌탱이."

돌탱이라니! 계속 그의 힐난을 듣고 있던 린지는 울컥해서 눈을 치켜떴다. 평생을 검만 잡고 살아오다가 처음으로 서류 관련된 일을 하는 거니 어설플 수도 있는데, 돌탱이라고 폄하하다니! 그건 너무하지 않은가!

"어쭈구리."

하준은 그녀의 눈빛을 정확히 읽어 내고 자리에서 벌떡 일어났다. 그가 일어나자 산처럼 쌓여 있던 서류가 마치 무너질 듯 흔들렸으나 하준은 개의치 않았다. 그는 단숨에 린지에게 다가와 그녀의 귀를 잡아당겼다.

"아! 아! 아파! 아파!"

"아프라고 하는 거다, 이놈의 자식아! 너 어디서 눈깔을 그렇게 떠?!"

"아악! 아무리 제가 마음에 안 들어도 그렇지, 아프다고요!"

엄살떠는 게 아니라, 귀가 이대로 찢어지는 게 아닐까 싶을 정도였다. 한껏 린지를 괴롭힌 하준이 그녀를 놓아주었을 때 린지의 눈가엔 고통 어린 눈물마저 맺혀 있었다. 그녀는 입을 댓 발 내밀며 투덜거렸다.

"이 못된 국왕. 성격 파탄 같으니라고. 그러니까 애인이 없지."

"······뭐라고 했냐?"

"네? 제가 뭐라고 했는데요? 아무 말 안 했는데요?"

린지는 완전히 토라져서 대꾸했다. 휘안이 잠에 빠져든 후 백작령을 관리하는 것은 린지와 하준이었다. 하지만 하준은 엘테스의 국왕, 아무리 그가 원해도 시간은 남아돌지 않았다. 때문에 린지가 대부분을 처리한 후 하준에게 검토를 받는 식이었는데 그럴 때마다 이렇게 혼쭐이 나고는 했다. 벌써 이것이 일 년째 반복되는 일이었다.

'에휴, 나도 안다고. 내가 모자란 거. 왜 난 검술밖에 소질이 없는 거야.'

몇 번이나 실수가 있어서 하준이 뒤처리를 해 주었다. 하준 입장에서는 일 년째 똑같은 실수를 하는 린지를 두들겨 패고 싶을 수 있으나, 그녀도 많이 속상했던 것이다. 린지의 자책 어린 표정을 본 하준은 더 이상 비난하지 않았다. 그는 헛기침을 한 후 말했다.

"뭐, 그래도 속도는 예전보다 빨라졌어."

"……정말요?"

"그래. 아이고, 예전엔 서류 한두 장으로 일주일 내내 씨름했던 걸 생각하면……. 널 이렇게까지 가르친 내가 대견할 정도다."

"하준 님 덕분입니다. 정말 감사해요."

진심이었다. 만약 하준이 없었더라면 절대로 린지 혼자서 백작령을 관리하지 못했을 것이다. 사실 휘안의 부재를 느낄 수 없을 만큼 백작령을 잘 가꾼 것은 하준의 역할이 컸다. 그녀의 감사에 하준은 쓴웃음을 지었다.

"됐다. 고맙다는 말은 나중에 휘안 녀석 일어나면 직접 듣도록 하지."

"……."

"물론, 내가 먼저 고맙다는 얘기를 해야겠지만."

하준은 까만 머리칼을 긁적였다. 예전에는 휘안과 비슷한 단정한 길이였는데 얼마 전 바싹 잘라 이마에도 닿지 않을 만큼 짧아진 머리칼이었다. 그의 남성적인 이목구비와 몹시 잘 어울리는 머리 스타일이었다.

"어이, 린지."

"네?"

린지는 하준의 검은 눈동자를 마주했다. 그는 잠시 망설이는 듯하더니 단숨에 내뱉었다.

"고맙다."

"……네?"

린지의 얼굴이 기괴하게 일그러졌다. 방금 하준이 뭐라고 한 것일까? 고맙다, 라고 한 걸까? 저 하준이?

그녀의 과민한 반응에 하준은 인상을 찡그렸다. 그리고 그녀의 머리를 한 대 살짝 쥐어박으며 말했다.

"그래, 고맙다고."

"뭐, 뭐가요?"

"뭐긴 뭐겠냐, 짜샤. 낯간지러운 소리 하게 하지 마라."

린지는 영문을 모르는 표정으로 그를 바라보았다. 그는 더 이상 말을 이을 수 없었는지 손을 획획 저으며 말했다.

"됐고, 난 이제 엘테스로 가 보겠다. 내 일도 엄청 밀려 있다고."

"아, 네. 알겠습니다."

"조만간 또 오마. 혹시 휘안이 일어나면……."

그렇게 말한 하준은 잠시 말끝을 늘이며 피식 웃었다. 일 년째, 매번 엘테스로 돌아갈 때마다 버릇처럼 덧붙이는 말이었다.

"바로 내게 알려 줘라. 알겠냐?"

"걱정하지 마세요, 하준 님."

그날 오후, 예르시카가 오랜만에 돌아왔다. 한 달 만에 돌아온 그녀였기에 린지는 반가운 마음으로 맞이했다.

"예르시카 님, 오셨습니까."

"린지."

멀리서 걸어오는 린지를 본 예르시카의 얼굴에 미소가 번졌다. 미소 짓는 예르시카는 시선을 돌릴 수 없을 정도로 아름다웠다. 그녀는 웃으며 린지의 손을 잡고 악수했다.

"잘 있었나?"

"네. 식사는 하셨어요?"

"아니, 너와 같이 하려고 먹지 않았어."

"그럼 정원에서 먹을까요? 날씨도 좋은데."

예르시카는 흔쾌히 고개를 끄덕였다. 잠시 후, 샌드위치와 우유를 들고 나선 두 여자는 푸른 잔디 위에 앉아 이야기를 나누었다. 지나가는 시녀들과 시종은 그들을 발견할 때마다 예의 바르게 인사하고 지나쳤다. 예르시카와 린지가 이렇게 사이좋게 대화를 나누는 모습은 이미 그들에게 익숙한 장면이었다.

"오늘 날씨가 굉장히 좋군."

"그렇죠? 본격적으로 봄이 시작되려는 것 같아요."

봉오리를 피우며 슬슬 만개하는 꽃의 향기가 진하게 퍼져 있었다. 린지는 미소 짓는 얼굴로 향을 들이마셨다.

"요새 트와일릿은 어때요?"

예르시카는 휘안을 대신하여 트와일릿을 경영하고 있었다. 원래부터 휘안과 함께 일을 해 왔기에 그녀는 아주 능숙하고 훌륭하게 이끌었다. 대표가 병상에 누워 요양 중이라는 충격적인 사실을 알게 된 직원들을 카리스마 있게 사로잡으며 높은 실적을 유지해 왔다.

"잘되어 가고 있다. 모든 것이 휘안 님께서 워낙 기반을 잘 다져 놓았기에 가능한 일이지."

"에이, 겸손하시긴. 능력 좋기로 소문이 자자하신걸요."

예르시카는 말없이 미소로 대신했다. 그녀는 샌드위치를 베어 먹으며 정원을 둘러보았다. 마치 한 폭의 그림처럼 아름다운 정원, 맑은 날씨, 선선한 바람─ 모든 것이 완벽한 날이었다.

"이 모든 것을 휘안 님 혼자서 하셨다는 것이 믿기질 않아."

"……."

"트와일릿, 포그, 백작가, 영지 경영…… 그리고 그때엔, 레너드의 일까지 있었으니."

예르시카의 입가에 쓴웃음이 매달렸다. 휘안이 잠들고 나서야 하쥰과 예르시카는 뒤늦게 깨달았다. 그가 얼마나 많은 짐을 짊어지고 있었는지, 얼마나 많은 일들을 하고 살아왔는지 실감했던 것이다. 그의 곁에서 복수를 열망해 오고 때로는 재촉까지 해 왔던 자신의 모습이 미워질 정도였다. 그럼에도 불구하고 오롯이 서서 웃었던 휘안, 그에게 너무 미안하고, 또 고마웠다.

"어쩌면…… 깨어나고 싶지 않으신 것일 수도."

그 말에 린지는 예르시카를 바라보았다. 어느덧 그녀의 미려한 눈가에 물기가 맴돌고 있었다.

"나는 그분께 너무 많은 것들을 바라기만 했어. 그분이 정말로 원하는 것이 뭔지, 단 한 번도 궁금해한 적이 없었어."

"……예르시카 님."

"그래서 계속 잠들어 계신 게 아닐까. 바라기만 한 나와 하쥰에게 정나미가 떨어져서……."

린지는 떨리는 예르시카의 어깨에 손을 얹었다.

"그럴 리가요. 단지, 조금 지치셨을 거예요."

"……."

"워낙 바쁘게 사셨잖아요. 그러니 한 번쯤은 이렇게 늘어지게 늦잠을 자고 싶으셨을 거예요. 제가 매일 가차 없이 깨워 댔거든요."

예르시카의 푸른 눈동자를 마주 보며 린지는 단호하게 말했다.

"그러니 걱정하지 마세요. 그분은 예르시카 님과 하준 님을 아끼고 계세요. 그건 제가 장담해요."

"……."

"곧 일어나실 거예요."

곧 일어날 거야, 곧. 린지는 스스로를 타이르듯 말하며 밝게 미소 지었다.

휘안이 잠든 지 일 년이 지났다. 일 년이라는 시간 동안 많은 변화가 일어났다. 일단, 레란의 국왕이 바뀌었다. 전왕 칼바스가 병마로 서거하여 왕세자인 유시젠 라이온 빈 레란이 왕위를 이어받았다. 그리고 그는 왕이 되는 순간을 기다려 온 듯 저돌적으로 강경한 정책들을 밀어붙였다. 단호한 결단력과 완벽한 실행력으로, 그가 즉위한 지 반년도 안 돼서 레란의 노예 제도와 알케미스트는 흔적조차 남기지 않고 사라져 버렸다. 그야말로 대단한 카리스마와 능력이었다. 듣자 하니 모든 귀족들과 왕실 관료들은 유시젠에 매료되어 충심이 신앙에 가깝다고 한다.

'……그래, 그런 분이시니까.'

자신이 목숨을 걸고 충성했던 사람이니까, 당연한 일이었다. 린지는 씁쓸하게 웃으며 지난날을 회상했다. 유시젠와의 인연이 끝난 날, 린지는 마음이 아스러지는 고통 속에서 하루하루를 지냈다. 얼마나 울었는지 탈수 증세가 찾아왔고 하준의 손에 의해 강제로 링거를 맞기까지 했었다. 린지에게는 당연한 고통이었다. 유시젠과의 이별은, 지금껏 살아온 그녀의 삶과의 이별이나 마찬가지였다. 린지의 세상이 완전히 부서져 버렸던 것이다.

하지만 시간이 약이라는 말이 있듯 그녀는 조금씩 생기를 되찾았다. 그리고 일 년이 지난 지금은 이렇게 다른 사람들과 웃으며 이야기를 할 수 있을 만큼 괜찮아진 상태였다. 적어도 겉으로 보이기엔 그러했다.

'국왕 폐하, 잘 지내고 계시죠. 부디 건강하세요.'

오라버니…… 아니, 유시젠을 떠올릴 때마다 마음속 통증은 여전했다. 한쪽 심장이 조각나듯 아파 오고 단숨에 눈물이 맺혀 왔다. 아마 이 고통은 영원히 사라지지 않을 것이다. 이것은 그녀가 평생을 지고 살아야 할 업이었다. 더 이상 그녀는 마음속으로도 그를 '오라버니'라고 부를 수 없었다. 그렇게 부르지 말라는 것, 그것이 그의 마지막 명령이었기 때문이다.

린지는 어두워진 복도를 걸으며 휘안의 방으로 향했다. 시간은 빠르게 흘렀고 하루는 눈 깜빡할 사이에 지나갔다. 린지는 어깨 위에서 흔들리는 머리칼을 어루만지며 걸음을 옮겼다. 사내아이 같던 머리칼도 어느덧 귀 아래까지 흘러내릴 만큼 길어진 상태였다. 그래 봤자 짧은 단발이었지만…….

"린지는 단발도 잘 어울릴 것 같아."

그가 했던 말이 떠오르자 린지의 입가에 미소가 맺혔다. 일 년의 시간, 린지는 외롭지 않았다. 휘안은 항상 그녀의 곁에 있었다. 비록 그와 눈을 마주치고 이야기를 나눌 수 없었지만, 그가 남기고 간 수많은 조각들은 그녀의 마음속에서 소곤거렸다. 그 소중한 기억들과 온기들은 여전히 따뜻하게 맴돌아 린지를 감싸 안았다.

"응, 외롭지 않아. 전혀 외롭지 않아."

린지는 주문처럼 중얼거리며 휘안의 방문 앞에 섰다. 문득, 옛 기억이 떠올랐다. 린지안 아르즈벨이라는 이름으로 휘안의 시종 역할을 했을 때, 그녀는 그를 깨우기 위해 무던 노력을 했었다. 어쩐지 그때 생각에 젖은 린지는 피식 웃으며 노크를 했다.

똑똑.

"백작님, 일어나실 시간입니다."

이렇게 말했었지. 린지는 괜히 그때와 똑같은 어조로 말한 후 어색한 웃음을 흘렸다. 물론 이 노크 소리로 그가 일어난 적은 단 한 번도 없었다. 이번에도 역시 마찬가지였다. 들려오는 답은 없었다.

"들어가겠습니다."

린지는 문을 벌컥 열고 들어갔다.

"……."

마치, 그때로 돌아온 것만 같아……. 휘안은 하얀 이불 속에 몸을 눕히고 눈을 감고 있었다. 매번 볼 때마다 감탄하는 천사 같은 외모, 눈부실 만큼 아름다운 남자…… 하지만 지독한 잠꾸러기. 린지는 달빛 속에서 빛나는 그를 바라보다가 문득 눈물이 시큰하게 맺혀 오는 것을 느꼈다.

휘안의 시간은 일 년 전 그때에 멈춰 있었다. 그는 머리카락 한 올, 손톱 일 밀리 자라지 않은 모습 그 상태였다. 마치 그 시간 속에 홀로 영원히 갇힌 채 빠져나오지 못하는 것만 같았다.

그를 제외한 세상은 빠르게 흐르고 있는데……. 린지는 머리가 자라고, 하쥰은 머리를 자르고, 예르시카는 잘 웃게 되고, 유시젠은 왕이 되고…… 모든 것들이 변해 가고 있는데 휘안만 그때 그대로였다. 왜, 당신은…… 아직도 그 시간에 머물러 있는 걸까.

린지의 두 뺨을 타고 눈물이 흘러내렸다. 외롭지 않다는 것은 거짓말이었다. 사실은 외로워서 미칠 것만 같았다. 그의 목소리, 그의 눈빛, 그의 체온, 그의 입술…… 모든 것이 그리워서 매일 밤 울면서 잠들고 싶은 것을 몇 번이나 참아 왔다. 더 이상 기억 속의 그를 떠올리며 살고 싶지 않았다.

"일어나란 말이야……."

흐느낌이 입술을 비집고 흘러나왔다. 하루하루 이어지는 기다림 속에서 린지의 그리움이 쌓여 갔다. 이 기다림이 천 년 동안 이어지진 않을까, 살아생전 다시 한 번 그와 이야기를 나눌 수는 있을까, 끔찍한 절망감이 몇 번이나 마음속을 휘저었다. 그 모든 것보다 가장 그녀를 힘들게 하는 것은…….

'보고 싶어…….'

그의 눈동자를 보고 싶다. 그리고, 다시는 떠나지 않겠노라고…… 이번에는 확실하게 그에게 약속해 주고 싶었다. 그가 눈을 뜰 거라고, 내일이면 일어날 거라고 기대하며 잠들다가 아침에 맞이하는 절망감에 마음이 너덜너덜해졌다. 하지만 린지뿐만 아니라 하준, 그리고 예르시카는 포기하지 않았다. 이것은 헛된 믿음이 아니었다. 휘안은 독에 저항할 수 있는 몸을 만들기 위해 스스로 인체 실험을 해 왔다. 언젠가, 레너드의 독을 이겨 내고 눈을 뜰 것이다. 그들은 믿어 의심치 않았다.

린지는 눈물을 닦으며 그를 바라보았다. 일 년 전과 같은 표정으로 잠들어 있는, 그녀가 사랑하는 남자…… 정말이지 지독한 잠꾸러기였다. 린지는 미소 지으며 그에게 손을 뻗었다. 그녀의 손이 휘안에게 닿는 순간이었다.

"……!"

모든 것은 순식간이었다. 휘안이 두 눈을 번쩍 뜨고 그녀를 바라보았다. 놀라기도 전, 그는 린지의 손을 잡고 확 끌어당겨 침대로 쓰러뜨렸다.

"속았지롱."

단숨에 그녀의 위로 올라탄 휘안이 장난스럽게 혀를 내밀었다. 그는 싱글싱글 웃으며 말했다.

"그렇게 당하고도 또 당하네?"

휘안이 너무나도 아름답게, 기억 속과 똑같은 미소를 지으며 말했다. 항상 머릿속에 맴돌았던 것과 같은 장난기 어린 웃음이었다.

"하여튼 너무 무방비하다니까."

"……."

린지의 입술이 떨렸다. 아무런 반응도 내보일 수 없었다. 아무것도 생각할 수 없었다. 휘안이 그녀를 침대 안으로 끌어당겼다. 시종으로 일할 때 지겹게 쳤던 장난을 치며, 또다시 그녀를 놀리고 있었다. 그리고 짓궂게 웃으며 그녀를 바라보고 있다.

꿈……일까. 몇 번이나 꾸었던 꿈, 잠이 들면 그녀를 찾아와 행복하게 해 준, 그리고 눈을 뜨는 순간 괴롭게 만든 꿈, 휘안이 눈을 뜨고 그녀를 바라보는 달콤하고도 아찔한 꿈. 이것은, 꿈일까.

린지는 덜덜 떨리는 손을 들어 올려 휘안의 뺨 위로 올렸다. 따스한 체온이 손아귀 안에 감기는 순간, 또다시 눈가에 눈물이 차올랐다.

"휘…… 휘안 님……?"

"응, 린지."

그가 부드러운 목소리로 대답했다. 꿈이, 아니었다. 상상도 아니었다. 마음속으로만 몇 번이나 재생하며 돌려 보았던 옛 추억이 아니었다. 지금— 현실의 시간 속에서 휘안이 그녀를 바라보고, 웃고, 이야기하고 있었다. 휘안은 눈물을 흘리는 린지를 내려다보았다. 마치 어젯밤 보았던 것처럼 그대로인 눈빛, 애정으로 넘쳐흐르는 눈빛이 그녀의 눈앞에 있었다. 너무나도 아름다운 보랏빛 눈동자에 자신의 모습이 투영되었다.

"역시 단발도 예쁘네. 하여간 우리 린지는 뭘 해도 예쁘다니까."

휘안은 그녀의 머리칼을 쓸어 넘기며 입술을 맞추었다. 그 체온이 떨어지는 순간 린지는 실감했다. 휘안이 깨어난 것이다. 꿈도, 상상도 무엇도 아닌 현실 속에서 휘안이 그녀를 안고 있었다!

"휘안 님!"

린지는 눈물을 터뜨리며 그를 와락 껴안았다. 자신을 토닥여 주는 손길에 린지는 마음이 무너져 내리는 것만 같은 안도감과 행복, 기쁨, 그리고 이제야 해소되는 그리움을 느꼈다. 이것이 꿈이라면 깨어나지 않길, 신에게 간절히 빌었다.

"많이 기다렸지, 린지?"

"이, 이 바보 같은 늦잠꾸러기 같으니라고!"

린지는 눈물로 범벅이 된 얼굴로 그의 어깨를 잡고 마구잡이로 흔들었다. 얼굴이 눈물 콧물로 엉망이 되어 가고 있는 것이 느껴졌지만 이 순간만큼은 하나도 중요하지 않았다.

"왜 이렇게 늦게 일어난 거예요! 기다렸잖아!"

"미안해, 린지. 알다시피 내가 좀 잠이 많잖아."

"이 바보가! 그게 할 소리예요?!"

휘안이 키득거리며 린지의 눈물을 닦아 주었다. 그는 울음을 터뜨리는 린지의 머리를 쓰다듬으며 다시 한 번 이마 위에 입술을 맞추었다.

"기다려 줘서 고마워."

그는 작게 속삭이며 흐느끼는 린지의 입술을 찾았다. 부드러운 입맞춤이 와 닿자, 린지는 뼛속까지 녹아드는 이 행복감이 현실이라는 것을 다시 한 번 실감했다. 휘안이 입술을 맞추고 있다. 바로 지금, 이 순간.

린지는 그를 열렬하게 끌어안았다. 그를 품고 있음에도 불구하고 방심하는 순간 이 체온이 물거품처럼 사라져 버릴 것 같았다. 눈을 뜨는 순간 이 모든 것이 꿈은 아닐까, 그가 다시 눈을 감고 있진 않을까 두려움이 밀려왔다.

"늦어서 미안해. 많이 기다렸지?"

그토록 듣고 싶었던 목소리가 그녀의 귓가에서 속삭였다. 너무나 소중한 목소리, 살아서 다시 들을 수 있을까 생각했던 목소리였다.

"그걸, 지금, 말이라고……."

입술이 떨리고 목이 메어 말을 이을 수가 없었다. 벅차오르는 감정의 파편이 눈물이 되어 부서져 흘렀다. 두 번 다시 잃고 싶지 않은 소중한 체온을 느끼며, 린지는 그에게 입 맞췄다.

보고 싶었어요. 그리웠어요. 외로웠어요. 미안해요. 고마워요.

정말 많이 사랑해요.

그 모든 감정이 키스에 담겨 전해졌다. 그에 대한 애정, 그리움, 미안함, 고마움…… 그 어떤 말로도 전할 수 없는 감정이었다. 형태를 갖추지 않은 마음이 지금 이 순간 맞닿은 입술에서, 서로를 끌어안은 체온에서 흘러나왔다.

잠시 후, 휘안은 미소 지으며 얼굴을 들어 올렸다. 그는 눈물이 그렁그렁한 얼굴로 바라보는 린지의 표정에 웃음을 흘렸다.

"알아."

말하지 않아도, 다 알아. 그리고…….

"나도 사랑해."

기다려 줘서 정말 고마워. 휘안은 속삭이며 그녀의 머리칼을 쓰다듬었다. 품 안에서 느껴지는 그녀의 온기가 단 한 번도 느껴 보지 못한 깊은 행복감을 전해 주었다.

행복하다, 정말 행복해……. 휘안은 해죽 웃으며 린지에게 말했다.

"인디만에 코끼리랑 소 보러 갈까?"

"네?"

"여행 가기로 했잖아."

뜬금없는 제의에 린지는 그를 말뚱히 쳐다보다가 폭소했다. 그녀는 휘안이 이상하게 쳐다볼 때까지 키득거리며 웃음을 흘렸다. 잠시 후, 그녀는 너무 웃어서 흘러내리는 눈물을 닦아 내며 말했다.

"같이 가요."

"……정말?"

"응. 하지만 그전에 하쥰 님이랑 예르시카 님을 보는 게 먼저예요. 그리고 엘린 씨 스튜도 먹으러 가야 하고……."

"아아, 여행은 어느 세월에 가려고?"

휘안이 불만스럽게 투덜거리자 린지는 그의 얼굴을 끌어당겼다. 그리고 그에게 부드럽게 입 맞추며 말했다.

"걱정하지 말아요. 시간은 많으니까……."

줄곧 그에게 말해 주고 싶었다. 다시 일어나면 꼭 말해 주고 싶었던, 이제는 지킬 수 있는 영원한 약속이었다.

"내 곁에 있어 줄 거지?"

기억 속의 휘안에게 몇 번이나 되돌렸던 약속, 마음속으로 수천, 수만 번 중얼거렸던 약속. 이 말을 휘안에게 들려줄 수 있음에 감사했다.

"앞으로 계속 당신 곁에 있을 거예요."

"……."

순간, 휘안의 눈빛이 흔들렸다. 린지는 처음으로 그의 보라색 눈동자가 물기로 젖어 가는 것을 목격했다. 그것은 기쁨의 눈물이었다. 그는 행복해하고 있었다. 세상 그 누구보다도 깊은 행복에 취해 눈물마저 고인 상태였다.

"약속할 수 있어?"

휘안은 떨리는 목소리로 물었다. 단 한 번도 그가 이렇게까지 긴장하는 모습을 본 일이 없었다. 그는 자신에게 찾아온 이 행복을 실감하지 못하고 있었다. 그의 목소리를 들으며 린지는 깨달았다.

휘안이, 드디어 행복해졌구나.

린지는 휘안의 머리를 쓰다듬었다. 약속할 수 있냐고 되묻는 그가 사랑스러워서 견딜 수 없었다. 누구보다도 강한, 하지만 단 한 번도 행복해 보지 못한 남자의 결말이 해피엔딩임에 신에게 감사했다. 정말 다행이었다. 그가 행복해져서, 그리고 그를 행복할 수 있게 해 줘서…….

린지는 휘안을 끌어당겨 다정하게 입술을 맞추었다. 그리고 속삭였다.

"약속해요."

Epilogue

"약속해요. 어디서 나 봤다고 말하지 마세요."

다음 순간, 목 뒷덜미에 둔탁한 통증이 내리쳐졌다. 동시에 루시아의 정신이 어둠 속으로 빨려 들어갔다. 흐릿해지는 시야 속으로 여인의 붉은 눈동자만이 선명하게 번뜩였다.

"말하면 안 돼요, 절대!"

납치되었다가 정체불명의 여인에게 구출된 루시아 공주는, 그녀와의 약속을 어기고 모든 걸 실토했다. 자신을 구한 그 여인, 그리고 그 옆에 있던 아름다운 금발 사내에 대해. 약속을 어긴 이유는 다름이 아니라― 그들을 다시 만나기 위해서였다. 물론 금발의 미남에게 반한 것도 한몫했지만 자신을 구해 준 붉은 머리칼 여인을 꼭 다시 만나고 싶었다.

'꼭 보답을 하고 싶어. 그리고…… 친해지고 싶어.'

친해지고 싶다! 보답을 하고, 이름을 교환하고, 서로 알고 지내면서

친분을 교환하고 싶었다. 여인의 몸으로 남자들을 가뿐하게 상대한 그 여인의 삶이 궁금했다. 그녀의 인생이 궁금해서 견딜 수가 없었다. 하지만 루시아는 그들을 찾을 수 없었다. 조그만 단서조차도 발견하지 못하고, 그 사건은 마무리되었다.

그 이후로 루시아의 삶은 조금씩 달라졌다. 화려한 파티, 아름다운 드레스와 보석들에게서 조금씩 흥미를 잃어 갔다. 남자들의 시선을 받는 것도 더 이상 즐겁지 않았다.

'나도 그녀처럼 강해지고 싶어.'

만약 자신이 조금 더 현명했더라면, 조금 더 지식이 풍부했더라면 어땠을까? 알케미스트들을 상대로 협상을 제안하여 스스로의 힘으로 살아남을 수 있지 않았을까? 그녀는 협상은커녕 제대로 된 협박조차도 못 했었다. 목숨이 오가는 상황에서, 입 한번 벙긋 못 하고 다른 사람이 구해 주기만 원했었다.

그날 이후 루시아의 마음속에서 작은 목소리가 소곤거리며 피어났다. 그녀는 공부를 하기 시작했다. 육체가 강인해야만 강해지는 것은 아닐 것이다. 루시아는 온갖 책을 파고들며 자신이 강해질 수 있는 분야를 탐색했다. 마지막으로 파티를 나간 게 언제인지 기억조차 나지 않았다.

그녀를 영특하게 본 국왕은, 이례적이다 싶을 정도의 결정을 내렸다. 학문의 꽃이라고 불리는 인디만으로 유학을 보낸 것이다. 지금까지 유학은 왕자들만의 것이었다. 그동안 공주는 곱게 품고 있다가 아름답게 개화한 시기에 적정한 혼처로 넘기는 것이 일반적이었지만, 왕은 그러지 않았다. 루시아의 마음속 빛을 발견한 것이다.

루시아는 최선을 다했다. 힘들 때도 있었지만, 그날 자신을 구해 주었던 여인을 떠올리면 저절로 몸이 움직였다. 열심히 공부한 루시아는 천천히 외교에서 실적을 쌓기 시작했고 많은 지지자들을 얻게 되었다. 그리고 시간이 흘렀다.

"공주님! 이러시면 곤란합니다."

루시아는 몇 년 전 유학 왔던 인디만의 거리에 앉아 차 한잔을 즐기고 있었다. 그녀의 옆에는 호위 기사 한 명이 전부. 기사는 다른 수행원들 없이 자유행동을 즐기는 공주에게 충언했다.

"한 달 후면 마치카 왕국의 여왕으로 책봉되실 분입니다. 그런 분께서 이렇게 시녀 한 명 없이……!"

"그렇기 때문이야. 여왕이 되면 이렇게 혼자 외국의 거리에서 커피 즐길 시간이 있겠어?"

루시아는 부드럽게 웃으며 렌트의 말을 잘랐다.

"그동안 바빴다고. 이 정도 땡땡이는 눈감아 줘, 렌트."

"하아."

루시아는 키득거리며 렌트의 한숨을 무시하였다. 그의 말대로 한 달 후면 루시아는 마치카 국의 여왕이 된다. 루시아는 얼떨떨한 기분이었다. 그저 그녀는 무력해지고 싶지 않았을 뿐이다. 오래전, 납치당했을 때 다른 사람의 구원이나 바라며 덜덜 떨고 있었던 자신을 바꾸고 싶었다. 자신을 구해 준 그 여인처럼 강해지고 싶어서 노력했다. 그런데 문득, 정신을 차려 보니 차기 왕으로 지목되어 있었다.

'그녀를 다시 만나면 말해 줘야지. 덕분에 내 인생이 바뀌었다고.'

루시아는 인디만 특유의 고소한 커피를 머금었다. 인디만의 거리는 독특했다. 거리는 크고 깔끔했지만, 코끼리가 아무렇지도 않게 어슬렁거리면서 다녔다. 코끼리뿐이랴. 각종 소들이 무리를 지어서 사람들 사이를 지나다녔다. 그리고 인디만 사람들 모두가 이것을 자연스럽게 생각했다. 타지인이 본다면 넋을 놓았을 장면이었다.

"싫어요!"

"대체 왜?"

그때, 뒤에서 들려오는 소리에 루시아는 귀를 쫑긋 기울였다. 남녀가 말다툼을 벌이고 있었다.

"싫다고 했잖아요. 그 얘기는 이제 그만해요."

"아니, 난 해야겠어."

"저는 하고 싶지 않아요."

"난 해야겠다고 말했어."

사랑싸움을 하는 건가? 남자의 저음이 굉장히 근사했기에, 루시아는 그의 얼굴을 확인하기 위해 슬쩍 고개를 돌렸다. 곧 여왕이 될 그녀였지만 미남 좋아하는 건 예나 지금이나 똑같았으니까.

'어머나.'

루시아는 뒤를 돌아보길 잘했다고 생각했다. 그곳엔 눈부신 미남이 있었다. 헌칠한 키와 남자다운 몸, 매끈한 은빛 머리칼이 인상적인 남자가 길 한복판에 서 있었다. 루시아는 얼굴을 붉히며 그를 꼼꼼히 살폈다. 조각 같은 콧날과 턱 선이 예술이었다. 정장이 저렇게나 잘 어울리는 남자라니, 대체 어떤 여자가 이런 미남이랑 싸우는 걸까. 자신의 남자였다면 신 모시듯이 떠받들었을 텐데!

"……!"

순간, 루시아의 눈이 크게 열렸다.

"아뇨. 휘안이야말로 이제 그만 포기해요."

붉은 머리칼을 가진 여인은 저런 남자 옆에서도 어색함 없이 잘 어울렸다. 살짝 올라간 눈꼬리의 여인을 본 루시아는, 멍하니 있다가 눈을 비볐다. 몇 번을 다시 봐도 그녀였다. 그날, 자신을 구해 준……!

"공주님?"

렌트 경이 옆에서 걱정하듯 물었지만 루시아는 아무런 대답도 해 줄 수 없었다. 자신이 찾아 헤매던 그 여인, 자신의 삶에 지대한 영향을 미친 그 여인이 바로 코앞에 있었다. 바로 앞에 서서 남자와 싸우고 있었던 것이다!

"계속 함께하기로 한 것 아니었어?"

"맞아요. 계속 함께할 거라고 했잖아요."

"그런데 왜 계속 내 프러포즈를 거절하지?"

뭐라고? 루시아는 자신의 귀를 의심했다. 저 여인이, 저렇게나 멋진 남자의 프러포즈를 거절했단 말인가? 붉은 머리칼의 여인은 입술을 깨물고 아무런 대답을 하지 않았다. 그러자 은발의 남자가 차분하게 웃으며 말했다.

"왜 나와 결혼하기 싫다는 거야?"

"······저는."

붉은 머리칼의 여인이 입술을 간신히 열었다.

"저는 계속 휘안 님의 곁에 있을 겁니다. 하지만 결혼은 할 수 없어요. 몇 번을 계속 제안하셔도 전 같은 대답밖에 할 수 없어요. 죄송해요."

저 여자 미쳤나 봐. 루시아뿐만이 아니라 소란을 듣고 구경하던 주위 사람들이 소곤거리기 시작했다. 저렇게 멋진 남자의 청혼을 거절하다니. 멋진 것은 외모뿐만이 아니었다. 딱 봐도 돈 많고 품위 있는 귀족 청년이었던 것이다. 그런데 그런 남자의 청혼을 거절한다고?

'휘안, 휘안이라고? 분명 어디선가 여러 번 들어 본 이름인데.'

어디선가 들어 본 이름이지만 최근 공부 때문에 사교계와 담쌓고 산 루시아는 그 이름을 정확히 기억해 내지 못했다.

"나는 널 이해할 수 없어."

휘안이라 불린 남자가 담담한, 하지만 단호한 목소리로 말했다.

"네 말은, 나와 연애만 하고 결혼은 하지 않겠다는 소리로 들려."

"……."

"내 말이 틀려?"

결혼도 해, 이 여자야! 루시아는 그녀의 어깨를 잡고 말해 주고 싶었다. 저런 남자 세상에 별로 없으니까 냉큼 받아들이란 말이야! 하지만 여인은 흔들림이 없었다.

"죄송해요."

"……."

대단하다면 대단한 여자다. 남자가 저렇게까지 말하는데 눈빛에는 흔들림 한 점 없다. 그 뚝심에 루시아는 저도 모르게 한숨을 내쉬었다. 자기주장 강한 건 좋은데 이럴 땐 굽히란 말이야!

"그 사람 때문이지."

그때, 남자가 나지막하게 중얼거렸다.

"그 사람이 언젠간 널 다시 부를 거라고 생각해서. 그리고 그때에 그에게 돌아가기 위해서지?"

삼각관계였나! 루시아와 주변 구경꾼들의 흥미는 더해져 갔다. 그들이 지켜보고 있는 것을 아는지 모르는지, 여인과 남자는 둘만을 바라보며 대화를 이어 갔다.

"그런 거 아니에요! 그분은…… 한번 내린 결정, 절대 다시 번복하지 않아요. 절 찾으실 일 다신 없을 겁니다. 그리고 그것 때문에 결혼을 하지 않겠다고 한 거 절대로 아니에요!"

"그럼 말해."

"……."

"날 납득시켜."

루시아는 느낄 수 있었다. 은발의 남자는 미소 짓고 있었지만, 잔뜩 화가 나 있는 상태였다. 하기야 삼각관계의 연인이 프러포즈를 여러 번

거절하면 열 받을 만했다.

"······전."

잠자코 있던 붉은 머리칼의 여인이 입술을 달싹였다. 그녀는 치열하게 무언가를 고민하는가 싶더니, 결심을 했는지 주먹을 불끈 쥐고 고개를 들어 올렸다.

"전 아이를 가질 수 없어요."

"······."

정적이 흘렀다.

"전, 월경을 하지 않아요. 그 이유는 저도 몰라요. 저는 아이를 가질 수 있는 몸이 아니에요."

맙소사. 루시아의 입에서 작은 탄식이 터졌다. 렌트 경 역시 할 말을 잃고 그들을 구경했다.

"지금까지 말하지 않아서 죄송해요. 저와 헤어지겠다고 하셔도 받아들일 테니······."

그때였다. 그녀의 말을 잠자코 듣고 있던 남자는 천천히 손을 들어 올려 여자의 머리 쪽으로 가져가더니····· 꿀밤을 때렸다!

"악!"

굉장히 세게 때린 건지 딱, 하는 소리가 여기까지 크게 울려 왔다. 뜻밖의 공격에 여인은 머리를 부여잡고 남자를 노려보았다.

"왜 때려요! 말 안 했다고 때리는 건 너무하잖아!"

"넌 더 혼나야 해. 시종이었으면 눈물이 찔끔 나도록 혼내 줬을 거야."

"나 이제 시종 아니거든요! 무, 물론 내가 그 사실을 숨긴 건 잘못이지만······!"

"그게 아니라."

남자는 피식 웃으며 여인의 뺨을 잡고 쭉 늘어뜨렸다.

"지금까지 그까짓 것 때문에 혼자서 끙끙 앓은 거야?"

"······!"

"너와 몇 년째 함께 살고 있는데 그 정도도 모르고 있을 거라고 생각했어? 다만 네가 아무 말 안 하니까, 말하기 싫어하나 보다 하고 입 다물고 있었던 거지. 그리고 내게는 중요한 문제도 아니었고."

순간 여인의 붉은 눈동자가 촉촉하게 젖어 들었다. 그녀는 울음을 애써 참는 목소리로 말했다.

"하지만 전 휘안 님의 후계자를 만들 수 없단 말이에요."

"내 말 잘 들어."

남자는 다른 한쪽 손도 들어 올려 여자의 양 뺨을 잡았다. 큰 손 안에 작은 얼굴이 쏙 들어가자, 남자의 입가에 웃음이 퍼졌다. 그녀만을 향한 보라색 눈에서는 노골적인 사랑이 넘쳐흘렀다.

"훗날, 네가 원하면 입양을 하자."

"······."

"네가 원하지 않으면 우리 둘이 살고. 개인적으론 이쪽이 더 좋긴 하지만 난 네가 바라는 대로 할 거야."

사랑. 뜨거운 사랑, 변치 않을 사랑, 절대적인 사랑— 남자의 목소리에는 그런 이상적인 사랑이 흘렀다.

"네가 무슨 생각 하는지 알아. 내 가문을 이을 자손이 사라진다는 것 때문이겠지."

"그래요. 저 때문에······."

"그래, 너 때문이야. 내 삶이 행복한 이유는 너에게 있어. 나를 행복하게 하는 건 너야."

마침내, 여인의 하얀 뺨 위로 눈물 한 방울이 흘러내렸다. 저런 맹목적인 애정 앞에서 눈물을 흘리지 않을 여자는 없을 것이다. 남자는 여인의 눈물 한 방울조차 소중한 듯 조심스럽게 닦아 준 후 말했다.

"입양을 해서 가문을 물려주거나, 그게 싫으면 그냥 믿을 만한 사람에게 주면 돼. 예르시카도 있고 하준도 있잖아? 그들과 그들의 자손은 우리의 땅을 누구보다도 아껴 줄 거야. 난 내 땅을 지켜 줄 만한 사람이라면 굳이 친자가 아니어도 상관없어."

"그건, 그건 말도 안 되는……."

"아이를 못 낳는다는 이유 때문에 나와 결혼하지 않겠다는 게 더 말이 안 돼."

남자는 이제 완전히 웃고 있었다. 그는 여인이 지금까지 했던 고민을 알게 되어 어처구니가 없는, 동시에 너무나도 기쁜 표정이었다.

"그게 싫으면 또 도망가 보든가."

"……잡으러 올 거잖아요."

"잘 아는 사람이 왜 고집 피워?"

그 말이 우스운 듯 여자의 입가에 처음으로 웃음이 맺혔다. 그녀가 미소 짓자 남자도 그녀를 따라 웃었다. 그녀가 사랑스러워서 견딜 수 없다는 눈빛이었다.

"사랑해. 알고 있지?"

"……저도요."

남자와 여자는 서로 포옹했다. 그 장면을 멍하니 보고 있던 루시아와 구경꾼들은 홀린 듯이 박수를 치기 시작했다. 짝짝짝, 소리가 흘러나오자 붉은 머리칼의 여자가 화들짝 놀라 남자에게서 떨어졌다. 그녀는 새빨개진 얼굴로 사람들을 쳐다보더니 어쩔 줄 몰라 했다.

"감동적이에요!"

"오빠 멋져요!"

휘파람과 함께 쏟아지는 박수갈채에 남자는 능숙하게 웃어 보이며 손을 흔들었다. 그러자 붉은 머리칼의 여자가 그의 어깨를 퍽 때리며 옷을 끌어당겼다.

"뭐, 뭐 해요! 빨리 가요!"

"왜 그래. 다들 축하해 주는데, 한턱 거하게 대접해야……."

"됐으니까 빨리 가요! 창피해 죽겠어, 진짜……."

푸흐흐, 하고 웃음을 흘린 남자가 여자의 어깨를 감싸 안았다. 여자는 자연스럽게 남자의 허리를 휘감았다. 그리고 같은 곳을 향해 걸어가기 시작했다. 그들이 자리를 떠나자 렌트 경이 감동에 젖은 목소리로 말했다.

"정말 보기 좋은 연인입니다. 아니, 이제 곧 부부가 되겠군요."

"……응. 서로를 굉장히 사랑하는 것 같아 보였어."

"그러게 말입니다. 특히나 남자 눈에서는 하트가 떠다니던데요? 저렇게 폭 빠지기도 쉽지 않은데, 여자를 끔찍하게 사랑하는 것 같더군요."

그렇게 중얼거린 렌트는 문득 공주의 얼굴을 보고 고개를 기울였다.

"공주님? 표정이 좋아지셨군요. 기분 좋은 일 있으십니까?"

"응."

루시아는 웃었다. 렌트가 묻는 시선으로 쳐다보았지만 그녀는 말을 아꼈다. 지금 이 마음은 혼자만 간직하고 싶었다. 마치 그 여인의 행복이 자신에게 전염된 것처럼, 벅차오르는 기쁨이 가슴을 적셨다. 기분이 너무나도 좋아서 자꾸만 웃음이 맺혔다.

순간 그들을 쫓아가서 말을 걸어 볼까 생각했지만- 그녀는 고개를 저었다. 굳이 그들이 느끼고 있을 행복의 여운을 방해하고 싶지 않았다. 결국 그녀가 누군지, 어떤 사람인지, 이름조차 알아내지 못했지만 이상하게도 아쉬움은 느껴지지 않았다. 도리어 후련했다. 자신을 구해 준 그녀는 아주 잘 살고 있었다. 그리고 저런 남자가 곁에 있어 준다면- 틀림없이 앞으로도 계속 행복하겠지.

루시아는 멀어져 가는 남녀의 뒷모습을 바라보며 마음속으로 인사했다.

'행복해 보여서 다행이에요. 잘 가요.'

안녕, 잘 가요. 앞으로도 쭉 행복하길.

<린지 앤 린지안 완결>

외전. 최초의 만남

  소년은 있는 힘껏 달렸다. 살면서 이렇게까지 달려 본 적이 있었던가, 이렇게까지 간절하게 도망간 적이 있었던가. 소년은 말 그대로 젖 먹던 힘을 다해 달리고 있었다. 등을 돌아보는 순간 자신을 잡아채는 손길에 무너질 것만 같아 그는 단 한 번도 뒤를 보지 않았다.

  "허억, 허억……."

  거친 숨이 몰아쳤다. 미친 듯이 산을 가로지르며 달리던 어느 순간, 비가 쏟아져 내렸다. 소년은 거칠게 떨어져 내리는 빗줄기를 맞으면서도 속도를 늦추지 않았다. 몇 번이나 넘어지고 뒹굴었지만, 그럴수록 더욱 힘차게 달렸다.

  이것은 아무것도 아니다. 넘어져서 아픈 것, 비에 젖어서 추운 것, 이것은 지금껏 그가 겪어 온 끔찍함에 비해서는 아무것도 아니었다. 오랜 시간 동안 몸에 내리꽂히는 주삿바늘, 바늘에 이어진 튜브와 그 안으로 주입되던 용액들, 냉철하게 지켜보는 눈동자들……. 그 실험으로 돌아가느니, 차라리 죽는 것이 나아!

"윽!"

험준한 산길, 비로 질척이는 진흙 위로 소년의 몸이 거칠게 엎어졌다. 소년의 몸이 사정없이 아래로 굴러떨어지다가 거대한 바위에 부닥치고 나서야 멈췄다.

"……."

신음조차 내뱉을 수가 없다. 뼈가 부러졌다는 것이 느껴졌지만, 비명조차 나오지 않았다. 진흙 속에 파묻혀 비를 맞는 소년은 천천히 눈을 감았다.

'이대로, 죽을까.'

라고 생각하는 순간, 소년은 눈을 번쩍 떴다. 어두운 밤 속에서도 선명하게 빛나는 보라색 눈동자가 투지로 활활 타올랐다.

"웃기지 마."

절대 죽지 않아. 소년은 몸을 일으켜 다시 걸었다. 역시나 뼈가 부러진 건지 견딜 수 없는 통증이 팔꿈치를 깨부수듯 내리꽂혔다. 발목도 삐어서 더 이상 걸을 수 없다. 게다가 쏟아지는 빗줄기 속에서 그의 몸은 점점 온기를 잃어 가고 있었다. 소년은 이대로 가다가는 '그들'에게 잡히기 전에 먼저 죽을 수도 있다는 것을 깨달았다. 어떻게든 이 비를 피해 체온을 유지해야 했다.

순간, 저 너머로 보이는 산장의 모습에 소년의 안색이 밝아졌다. 저곳이라면 비를 피할 수 있다! 그가 있는 힘껏 걸어 산장 안으로 들어가는 순간이었다.

"……!"

누군가가 자신에게 달려들었다. 소년은 다치지 않은 손을 내뻗어 달려드는 자의 몸을 잡아챘다.

"넌 뭐야!"

산장 안은 어둠 속에 파묻혀 있어서 아무것도 보이지 않았다. 품 안에서 바동거리는 이 작은 체온의 정체 또한 파악할 수 없었다. 잠시 후, 그의 목소리를 듣고 가녀린 음성이 흘러나왔다.

"휘…… 휘안 소백작님?"

어린 소녀의 목소리다. 게다가 자신을 알고 있다.

"죄, 죄송해요! 그들이, 그들이 절 잡으러 온 줄 알고……!"

순간 휘안은 이 소녀가 자신과 같은 처지라는 것을 깨달았다. 이 소녀 역시 실험자들, 연금술사들의 손에서 도망치다가 비를 피해 숨어든 것이다. 순간 휘안은 긴장이 탁 풀리는 것을 느끼며 바닥에 주저앉았다.

"다, 다치셨어요?"

"괜찮아."

자신을 걱정하는 목소리에 휘안은 담담하게 대답했다. 물론 심하게 다치긴 했지만 몇 살은 더 어려 보이는 소녀에게 기댈 생각은 없었다.

"……너도 도망친 건가?"

"……네."

소녀는 한발 느리게 대답한 후 휘안의 옆에 주저앉았다. 이 소녀 역시 르카플로네 영지의 사람이겠지. 자신이 지켜 주어야 할 아이인데, 지켜 주지 못해 이런 꼴이 되어…….

'내가 지켜 줘야 하는데.'

어머니도, 아버지도, 동생도, 르카플로네 영지의 모든 사람들도…… 지켜 주지 못했다. 본인의 몸조차 지키지 못하고 있는데, 누구를 지켜 주겠는가. 열세 살의 소년은 소녀에 대한 미안함에, 그리고 자괴감에 견디지 못하고 울음을 터뜨렸다. 동생이 실험 속에서 죽었을 때도 참았던 눈물이었다. 하지만 이 순간, 마치 둑이 무너진 듯 터져 나왔다.

"우, 울지 마세요. 휘안 님, 울지 마세요……."

소녀는 어쩔 줄 몰라 하며 휘안의 어깨를 어루만졌다. 잠시 후, 시원하게 눈물을 흘린 휘안은 코를 훌쩍이며 뒤늦은 부끄러움을 느꼈다. 아무리 이런 상황이어도 그렇지, 어린 여자애 앞에서 울음을 터뜨리다니.

'어두워서 그런가.'

아무것도 보이지 않아서 더 솔직해졌는지도 모른다. 휘안은 소녀와 딱 붙어 체온을 나누었다. 만약 서로가 없었더라면, 비에 젖어 차가운 냉기 속에 얼어 죽어 버렸을 것이다.

절망적인 상황이었다. 연금술사들은 곧 소년, 소녀가 사라진 것을 눈치채고 잡으러 올 것이다. 그럼에도 불구하고 더 이상 도망갈 수도 없었다. 산장 밖으로 나서는 순간 험한 산 아래로 떨어져 내려 죽거나 혹은 비에 젖어 저체온증으로 죽어 버릴 것이다. 어두운 그림자가 다가오는 것을 알고 있지만, 그들은 서로 희망찬 대화를 나누었다.

"저는 다시 르카플로네 영지로 돌아갈 거예요. 비록 부모님은 돌아가셨지만…… 엘피아 할머니한테 가면 받아 주실 거예요. 옆집 할머니인데, 저를 굉장히 좋아하시거든요. 레모네이드도 자주 만들어 주셨어요."

"나는 강해질 거야. 그 누구보다도 강하고 똑똑해져서, 다시는 이런 위험에 빠지지 않을 거야."

"저는 하얀 집을 가지고 싶어요. 자작나무가 하얀색이니까, 그 안에 파묻혀 있으면 더 예쁘겠네요. 지붕은 제 머리 색처럼 빨간색으로 칠할 거예요."

"나는 르카플로네를 백작령으로 만들 거야. 우리를 버린 레란의 통치에서 벗어나서, 내가 영지 사람들을 완벽하게 지켜 줄 거야."

서로의 소망, 어쩌면 이루어질 수 없는 염원을 주고받는 순간. 그것은 휘안이 영원히 잊을 수 없는 대화였다. 그 순간 나눈 소녀와의 대화, 그는 그것을 마음속에 깊숙이 박았다. 그리고 맹세했다. 강해지겠노라고, 누구보다 강하고 똑똑해져서 자신의 사람들을 지켜 줄 거라고…….

"……네 덕분에 마음이 안정이 됐어. 고마워."

휘안은 쑥스러운 목소리로 말했다. 그러자 보이지 않는 어둠 속으로 소녀가 미소 짓는 것이 느껴졌다. 자신보다 훨씬 어려 보이는 목소리인데, 그를 진정시킬 수 있을 만큼 강한 아이였다. 도망쳐서 몸을 숨기는 이 순간에조차 평정심을 유지하는 소녀라니……. 실험 이후 처음으로 휘안의 마음이 따뜻해졌다. 만약 이런 상황이 아니었다면, 틀림없이 첫사랑이 시작됐겠지. 휘안은 그렇게 생각하며 물었다.

"네 이름이 뭐니?"

그러자 소녀가 밝은 목소리로 대답했다.

"세나엘. 세나엘 이즈나예요."